Volker Klüpfel / Michael Kobr
LAIENSPIEL

Zu diesem Buch

Es ist wieder nichts mit Kässpatzen essen: Kommissar Kluftinger muss in seinem neuen Fall nicht nur mit Spezialisten des BKA, sondern auch noch mit den Kollegen aus Österreich zusammenarbeiten. Denn ausgerechnet bei ihnen im schönen Allgäu hat sich ein Unbekannter auf der Flucht vor der österreichischen Polizei erschossen. Verdacht: Terrorismus. Doch das ist nicht Kluftingers einziges Problem. Er soll mit seiner Frau Erika und dem Ehepaar Langhammer einen Tanzkurs absolvieren. Dabei hat er gar keine Zeit, denn er steckt mitten in den Endproben für die große Freilichtspiel-Inszenierung von »Wilhelm Tell« ... Der neue Fall von den Bestseller-Autoren Volker Klüpfel und Michael Kobr.

Volker Klüpfel, 1971 in Kempten geboren, studierte Politologie und Geschichte und ist heute Redakteur in der Kultur-/Journal-Redaktion der Augsburger Allgemeinen. *Michael Kobr,* 1973 in Kempten geboren, lebt mit Frau und Tochter in Memmingen und ist Lehrer für Deutsch und Französisch. »Laienspiel« ist nach »Milchgeld« (2003), »Erntedank« (2004) und »Seegrund« (2006) der vierte Band von Volker Klüpfel und Michael Kobr. Weiteres zu den Autoren unter: *www.kommissar-kluftinger.de*

Volker Klüpfel / Michael Kobr

LAIENSPIEL

Kluftingers neuer Fall

Piper
München Zürich

Mehr über unsere Autoren und Bücher:
www.piper.de

Von Volker Klüpfel und Michael Kobr liegen im Piper Verlag außerdem vor:
Milchgeld
Erntedank
Seegrund

Für Silke und Paulina. Und für meine Eltern.
Michael Kobr

Meiner Familie, allen voran meinen Eltern.
Danke für alles.
Volker Klüpfel

Mix
Produktgruppe aus vorbildlich bewirtschafteten
Wäldern und anderen kontrollierten Herkünften
www.fsc.org Zert.-Nr. GFA-COC-1262
FSC   © 1996 Forest Stewardship Council

ISBN: 978-3-492-05073-9
9. Auflage 2008
© Piper Verlag GmbH, München 2008
Umschlaggestaltung: creativ connect/Karin Huber, München
Umschlagabbildung: Karin Huber (Verkehrsschild/Treppe)
Autorenfoto: Peter von Felbert
Gesetzt aus der Bembo
Satz: EDV-Fotosatz Huber/Verlagsservice G. Pfeifer, Germering
Druck und Bindung: Pustet, Regensburg
Printed in Germany

Kluftinger keuchte. Im Augenwinkel sah er die beiden Männer, die sich die Böschung hinunter zu dem kleinen Kahn am Ufer kämpften. Er blickte ihnen nach. Das Bild, das er sah, rief Erinnerungen in ihm wach, an die er lieber nicht rühren wollte. Das Wasser, das Boot … er kniff die Augen zusammen, ganz als könnte er so die Bilder verjagen. Als er die Augen wieder öffnete, hatten die beiden Männer den Kahn bereits vom Ufer abgestoßen. Das Hemd des einen war übersät von blutroten Flecken; in der rechten Hand hielt er ein Beil. Von dessen Schneide tropfte es ebenfalls rot. Jetzt hatte sich der Ältere, ein bulliger Typ mit dichtem, schwarzen Bart, ins Boot gesetzt und die Ruder ergriffen. Als er sich noch einmal umdrehte, flackerte Panik in seinen Augen auf, dann ruderte er mit aller Kraft los.

»Ich hab getan, was ich nicht lassen konnte«, schrie er ihnen noch hinterher, dann begann auch er zu keuchen.

Schweiß rann Kluftinger von der Stirn. Er wischte mit dem Handrücken über seine brennenden Augen. Da hörte er es hinter sich krachen und poltern. Blitzschnell drehte er sich um. Die Gestalten, die ihm gegenüberstanden, waren pechschwarz gekleidet und bis auf die Zähne bewaffnet.

»Den Mörder …«, zischte einer von ihnen, »… gebt ihn heraus.«

Dann presste er einen Fluch hervor. Er ließ seine Hand sinken, griff an seinen Gürtel und zog ein riesiges Messer. Damit fuchtelte er vor Kluftingers Gesicht herum.

Sie sahen sich eine Weile starr in die Augen, keiner sagte etwas. Nur ihr Keuchen war zu hören, bis …

»Die rote Sonne von Barbados, für dich und mich scheint sie immer noch …« Die Melodie platzte wie ein Kanonenschlag in die Stille.

Irritiert blickten die Männer sich um und suchten die Quelle des Geräusches.

»… nur du und ich im Palmenhain, leise Musik und roter Wein …« Kluftingers Gesicht lief knallrot an. Er ließ seine Hand sinken, umfasste den Lederbeutel an seinem Gürtel, und die Melodie verstummte. Keine zwei Sekunden später zerriss ein spitzer Schrei die Stille: »Wer war das?« Die durchdringende Stimme schien überall zu sein, ihr Ursprung war nicht zu lokalisieren.

»Wer? War? Das?« Beim letzten Wort überschlug sich die Stimme und ging in ein hysterisches Kreischen über. Dann hallten Schritte durch die Abenddämmerung.

Kluftinger sah sein Gegenüber an. Der schwarz gekleidete Mann zuckte mit den Schultern und steckte sein Messer weg. Sie wussten beide nur zu gut, was nun folgen würde.

»Was glaubt ihr eigentlich, wo wir hier sind?«, schrie der spindeldürre Mann, der mit wehenden Haaren auf sie zu rannte. Obwohl er noch gut fünfzig Meter von ihnen entfernt war, war seine Stimme ganz nah und dröhnte in ihren Ohren, verstärkt durch den Hall, den die riesigen Lautsprecher rechts und links von ihnen erzeugten. Dann hatte er sie erreicht.

»Ich will jetzt sofort wissen, wer das war«, brüllte er noch einmal in sein Mikrofon.

Kluftinger zeigte auf das kleine schwarze Kästchen, das an seinem Gürtel befestigt war. »Das können Sie jetzt ruhig ausschalten«, schlug er vor.

»Ich schalte und walte hier, wie ich will«, rief der Mann und fuchtelte dabei aufgeregt mit den Armen herum. »Und ich will jetzt endlich wissen, wessen Handy da eben geklingelt hat!«

Betretenes Schweigen.

»Hören Sie, meine Herren«, brachte der Mann mit bebender Stimme hervor, »wir sind hier nicht zum Rumtollen. Das ist kein Spielplatz für Erwachsene, verstehen Sie das? Das ist Theater. Großes Theater, um genau zu sein. Und das können Sie ruhig wörtlich nehmen.« Mit einer ausladenden Handbewegung zeigte er auf die riesige Freilichtbühne um sie herum. »Wir proben hier einen Klassiker der deutschen Literatur. Schiller hat mit diesem Wilhelm Tell zu einer Zeit Genialität bewiesen, als man hier im Allgäu wahrscheinlich noch mit

Fellen und Keulen durch die Gegend rannte und Jagd auf frei laufende Kühe machte.«

»Also, jetzt aber wirklich, Herr Frank …«, versuchte Kluftingers Nebenmann den Wütenden zu beschwichtigen.

»Nichts aber wirklich!«, wischte der den Einwand mit einer fahrigen Geste beiseite. »Sie wussten alle, worauf Sie sich einlassen.«

Kluftinger rollte die Augen, seufzte und flüsterte dem Schwarzgekleideten mit dem Messer ein »Lass gut sein, Hans« zu.

»Nein, nichts ist gut. Hier, Herr … Hans«, sagte Frank und wedelte dabei mit dem Textbuch vor der Nase des auf einmal schuldbewusst dreinblickenden Mannes. »Es heißt nicht: Den Mörder, gebt ihn heraus. Es heißt: Den Mörder gebt heraus, den ihr verborgen.«

Die Umstehenden blickten zu Boden und versuchten mühsam, den Regisseur ihr Grinsen nicht sehen zu lassen. Vergebens.

»Da gibt es nichts zu lachen, meine Herren. In zwei Wochen ist Premiere, und auch Sie könnten durchaus mehr Textsicherheit vertragen.«

»Was war denn jetzt schon wieder?« Der Bärtige, der eben noch im Kahn gesessen hatte, kam mit seinem Begleiter im blutverschmierten Hemd aus einer engen Gasse zwischen zwei Pappmaché-Felsen.

»Ihre Kollegen bringen es einfach nicht fertig, ihren Text zu lernen, Herr Edgar.«

Kluftinger seufzte und kraulte seinen extra fürs Freilichtspiel kultivierten Vollbart. Zu Beginn der Probenzeit hatte der Kommissar der Kemptener Kriminalpolizei die Eigenart des neuen Regisseurs, die Mitspieler immer mit »Herr« oder »Frau« und ihren Vornamen anzusprechen, noch amüsant gefunden. Inzwischen nervte es ihn nur noch. Lediglich ihn sprach er mit Nachnamen an, weil Kluftinger seinen Vornamen nicht hatte preisgeben wollen und den Mitspielern unter Androhung körperlicher Gewalt verboten hatte, ihn zu verraten.

Er betrachtete den Mann mit den schlackernden Hosenbeinen. Heinrich Frank war eine große Nummer in der deutschen Theaterwelt gewesen, wie man sich erzählte. So genau wusste das von den vorgeblich so theaterinteressierten Altusriedern aber keiner, denn alle sprachen immer im Konjunktiv von der Vergangenheit des hageren Mannes mit der kleinen Brille und dem temperamentvollen Wesen:

Er sei mal irgendwo Intendant gewesen, habe mal mit ganz prominenten Schauspielern zusammengearbeitet, sei einer der Einflussreichsten seiner Branche gewesen. Doch seit einigen Jahren war Heinrich Frank Rentner oder Privatier – auch das wusste so genau keiner – und hatte sich in Altusried niedergelassen. Ausgerechnet in jener Allgäuer Gemeinde, in der alle paar Jahre ein großes Freilichtspiel inszeniert wurde. So wie heuer. Wilhelm Tell stand auf dem Programm, und es schien nur logisch, den erfahrenen Theatermann mit der Regie zu betrauen. Das fand auch Kluftinger, obwohl er und die meisten anderen Mitspieler sich da im Moment nicht mehr so sicher waren. Der Regisseur aber schien mehr von sich überzeugt denn je. Frank war hart, verlangte viel und geriet schnell aus der Fassung. Für Kluftingers Geschmack deutlich zu schnell.

»Jetzt seien Sie mal nicht so streng mit uns«, sagte der Bärtige und drohte scherzhaft mit der mächtigen Armbrust, die er mit sich herumtrug. »Schließlich haben wir alle einen anstrengenden Tag hinter uns. Wir arbeiten ja alle, gell?«

Die anderen nickten.

»Ja … nun gut … Sie haben vielleicht Recht. Unterm Strich bleiben Sie Laien. Aber es ist wichtig, dass Sie sich ein bisschen konzentrieren. Wie gesagt, die Premiere ist schneller da, als Sie denken. Ich hab Sie ja nicht umsonst im Kostüm kommen lassen, heute. Ich dachte, das hilft Ihnen vielleicht, Sie haben wirklich noch einige Probleme bei der Identifikation mit den Charakteren.« Er blickte die Gruppe an und schien durch ihr betroffenes Nicken zufriedengestellt.

Sie sahen ihm nach, wie er auf seinen Platz in der mächtigen hölzernen Tribünenkonstruktion mit dem geschwungenen Dach zuschritt. Zweitausendfünfhundert Besucher würden hier schon in nicht einmal zwei Wochen dreimal pro Wochenende sitzen.

Bei dem Gedanken wurde Kluftinger bereits jetzt ganz flau im Magen. Er war kein großer Theaterenthusiast, aber bei den Freilichtspielen hatte er von Kindesbeinen an mitgewirkt. Und die Alternative zu der winzigen Sprechrolle wäre die Blaskapelle gewesen, die für die musikalische Umrahmung der Vorstellungen sorgte und bei der er eigentlich für die große Trommel zuständig war.

Der Gedanke, den ganzen Sommer im »Musikbunker« zu verbringen und auf sein verhasstes Instrument einzuschlagen, das er nur spielte, weil man noch immer keinen anderen im Dorf dafür hatte begeistern können, war aber derart abschreckend gewesen, dass er im Vorfeld mit dem Bürgermeister einen Deal ausgehandelt hatte: Er würde mit seinen guten Beziehungen zur Polizei dafür sorgen, dass an den Spielwochenenden die Alkohol-Kontrollen im Ort nicht ganz so streng durchgeführt würden. Schließlich wolle man die vielen Gäste, die in das beschauliche Dorf am Ausläufer der Alpen kamen, nicht gleich wieder verprellen. Im Gegenzug würde der Bürgermeister dafür sorgen, dass Kluftinger »unbedingt« eine Sprechrolle spielen müsse und »leider unabkömmlich« sei und deswegen auch nicht bei der Musik mitmachen könne.

Kluftinger grinste bei dem Gedanken an ihr Arrangement.

»Die rote Sonne von Barbados, für dich und mich scheint sie immer noch ...« Heinrich Franks Bewegung gefror. Er stand unmittelbar vor dem Aufgang zur Tribüne, als er sich mit zu Schlitzen verengten Augen umdrehte und dabei einen Buckel machte wie eine zum Sprung bereite Raubkatze.

»... nur du und ich im Palmenhain, leise Musik und roter Wein ...«

Alle Köpfe drehten sich zu Kluftinger. Dessen Wangen begannen wie vorhin zu leuchten. Leugnen hätte jetzt keinen Sinn mehr gehabt.

»Ach je, das bin ja ich«, rief er und schlug sich mit der flachen Hand an die Stirn. Dann fummelte er das Handy aus dem Lederbeutel, den er aus Ermangelung einer Hosentasche an dem breiten Gürtel seines Fischerkostüms befestigt hatte. »Eine neue Melodie. Die hat mir mein Sohn eingestellt. Ich hab mich noch gar nicht dran gewöhnt ...« Mit diesen Worten führte er den Hörer an sein Ohr.

Diese Geste schien der letzte Impuls für Franks Raubkatzen-Reflex zu sein. Mit gefletschten Zähnen rannte er auf den Kommissar zu.

»Ja, Kluftinger?«, fragte der gerade in den Hörer.

»Ich bin's, der Richard, ich muss ...«

»Sie wollen doch nicht im Ernst während meiner Probe telefonieren?« Die Stimme des Regisseurs klang aggressiv und kampfbereit.

»Wie? Wer? Ich meine ... Entschuldigung, das hier ist wichtig.«

Mit diesem Satz nahm der Kommissar dem Regisseur für einen Moment den Wind aus den Segeln, und Frank blieb um Haltung ringend stehen. So verstand Kluftinger wenigstens, dass sein Kollege

Maier am anderen Ende der Leitung war. Er schien ebenso aufgeregt wie Heinrich Frank, denn auch seine Stimme überschlug sich fast.

»Jetzt beruhig dich erst mal, atme tief durch und dann ganz langsam.«

Entsetzt ruckten die Köpfe der anderen herum und starrten den Kommissar an. Der wusste erst nicht, was die plötzliche Aufmerksamkeit zu bedeuten hatte, verstand es aber, als die Lautsprecher ein gellendes »Ich mich beruhigen? Ich bin ruhig!« in die Naturkulisse schleuderten.

»Wie? Nein, ich meine nicht Sie. Ich meine ... Richard? Was ist los?«

»Es geht um die Österreicher ...«

»Legen Sie sofort das Handy weg, oder ich besetze Sie um!«

»Richie, wart mal, ich kann ...«

»... hat sich umgebracht ...«

»Wer hat sich umgebracht? Ein Österreicher?«

»Ich sage es Ihnen zum letzten Mal: Weg mit dem Handy!«

Als Kluftinger sich zum Regisseur umdrehte, erschrak er: Frank stand unmittelbar vor ihm, seine Mundwinkel zuckten bedrohlich.

»Kempten, Schwalbenweg 3 ... ich komme sofort.« Der Kommissar beendete das Gespräch.

Ein paar Sekunden war es still, dann wandte sich Kluftinger an Frank: »Ein Kollege, ich muss dringend weg. Einsatz.«

Frank starrte ihn nur an, schien ihn gar nicht zu verstehen. »O nein, Herr Kluftinger. Das Einzige, was Sie hier müssen, ist, diese Szene zu Ende spielen.«

»Das ist doch eh nur noch ein Satz.«

»Das ist mir egal. Die Szene wird zu Ende gespielt«, sagte der Regisseur nun völlig ruhig. Dann schaltete er das Mikrofon aus und fuhr fort: »Wir waren uns doch vor den Proben einig, dass Ihr Beruf uns hier keine Schwierigkeiten bereiten wird. Das haben Sie mir versprochen, verdammt.«

»Ja, das habe ich schon, aber meine Rolle ist ja schließlich doppelt besetzt. Da werde ich doch noch mal weg können, wenn es dringend ist.«

»Nicht mehr lange«, erwiderte Frank.

»Wie – nicht mehr lange?«

»Sie wird nicht mehr lange doppelt besetzt sein«, sagte Frank, und ein kaltes Lächeln umspielte seine Mundwinkel.

Kluftinger hatte verstanden. Gerne hätte er diesen Despoten vor sich einfach stehen lassen, aber der Gedanke an einen Sommer im Musikbunker zusammen mit seiner Großtrommel ließ ihn die Beherrschung bewahren.

»Na gut, Herr Frank, spielen wir die Szene zu Ende«, sagte er schließlich mit zusammengebissenen Zähnen.

Frank ging einige Schritte zurück. »Also – Ruhe bitte. Und los!«

Kluftinger holte tief Luft für seinen letzten Satz, sagte ihn aber nicht wie sonst in Richtung seiner Mitspieler, sondern wandte sich direkt an den Regisseur: »Wann wird der Retter kommen diesem Lande?« Dann machte er auf dem Absatz kehrt und ging.

Während er seinen alten VW-Passat durch die Abenddämmerung lenkte, gingen Kluftinger allerlei Gedanken durch den Kopf. Er hatte Maier noch nie so aufgeregt erlebt, es musste etwas Furchtbares passiert sein. Aber was? Ein toter Österreicher kam hier, nur wenige Kilometer von der Grenze zum Nachbarland, durchaus einmal vor. Und wenn er es den Kollegen von der Musikkapelle erzählen würde, würden manche wahrscheinlich sogar etwas Gehässiges wie »Immerhin. Einer weniger!« von sich geben.

Der Kommissar zermarterte sich das Hirn, ging im Geiste die Zeitungen der letzten Tage durch. Hatte es irgendeinen Kriminalfall mit Verbindungen zu Österreich gegeben? Kluftinger erinnerte sich an nichts und gab, als seine Fantasien einen immer abstruseren Verlauf nahmen, schließlich auf. Es waren ohnehin nur noch ein paar Minuten bis zu der Adresse, die Maier angegeben hatte.

Als er in den Schwalbenweg einbog, wunderte er sich. Er hatte aufgrund des dramatisch wirkenden Anrufs ein großes Aufgebot erwartet, doch es standen nur drei Wagen der Kemptener Polizei am Straßenrand: Maiers Dienstauto, der Kombi des Erkennungsdienstes und ein Streifenwagen. Kluftinger parkte seinen Passat hinter dem grünsilbrigen Kombi und stieg aus. Verwirrt blickte er sich um, denn er konnte keinen seiner Kollegen entdecken.

Erst nach einer Weile sah er einen Uniformierten, der am Eingang eines der wenig einladenden Hochhäuser stand, die Anfang der Siebzigerjahre hier am Rand der Allgäu-Metropole im Rahmen des »sozialen« Wohnungsbaus entstanden waren. Der Stadtplanung war es damals sicher ganz recht gewesen, die Probleme hierher auszulagern, dachte der Kommissar. Seither war die Hochhaussiedlung zu einem sozialen Brennpunkt allererster Güte geworden, der ihn und seine Kollegen immer wieder beschäftigte.

Kluftinger winkte dem Uniformierten schon von Weitem zu. Der jedoch behielt seinen mürrischen, skeptischen Blick bei und musterte den Kommissar mit zusammengekniffenen Augen. Erst als er nur noch wenige Meter von ihm entfernt war, hellte sich seine Miene auf.

Kluftinger nickte ihm zu: »Was gibt's?«

Die Augen des Polizisten glitten an Kluftinger herab, dann wieder nach oben, dann öffnete er den Mund, holte Luft, schien es sich jedoch gleich darauf anders zu überlegen, machte eine wegwerfende Handbewegung und setzte erneut an: »Servus Klufti, hab dich gar nicht erkannt mit deinem Bart«, sagte er schließlich und machte dabei ein Gesicht, als sei es ihm unangenehm, dass ausgerechnet er dem Kommissar einen kurzen Abriss der Lage geben musste.

»Du ... ich ... du solltest da vielleicht nicht hineingehen«, brachte er schließlich hervor.

War sein Kollege noch ganz bei Trost? Er war leitender Kriminalhauptkommissar und nun wurde er von einem »Grünen« behandelt wie ein Schuljunge. Gut, seine unrühmliche Leichenunverträglichkeit hatte sich über die Jahre nicht verheimlichen lassen, aber er hatte sich meist so gut unter Kontrolle, dass er den Arbeitsablauf am Tatort nicht störte. Und nun das. Kluftinger stieg die Zornesröte ins Gesicht – verbunden mit einem mulmigen Gefühl im Magen. Hier würde seine Selbstbeherrschung mal wieder auf eine harte Probe gestellt werden.

In diesem Moment riss sein Kollege Richard Maier die Eingangstür auf und stolperte ins Freie. Maier blieb abrupt stehen, legte den Kopf in den Nacken und atmete tief ein, als sei er gerade stundenlang in einer Bahnhofstoilette eingesperrt gewesen. Er war dünn, aber heute wirkten seine Wangen noch hohler als sonst, und seine vornehme Blässe war einer ungesunden Bleichheit gewichen. Erst nach ein paar

Sekunden bemerkte er die Anwesenheit seines Vorgesetzten. Er musterte ihn von oben bis unten, öffnete den Mund, kratzte sich am Kopf, setzte dann erneut an und sagte schließlich: »Gut, dass du endlich da bist. Also, das ist schon eine ganz harte Nummer. Wirklich, ich …«

»Was ist denn passiert?«, fragte Kluftinger ungeduldig.

»Also …« Maier schien zu überlegen, wo er anfangen sollte, schüttelte dann aber den Kopf. »Ich glaube, es ist trotz allem am besten, wenn du dir selbst ein Bild von der Sache machst.«

Beim Hineingehen entging Kluftinger nicht der mitleidige Blick, den die zwei anderen Beamten austauschten.

Im Aufzug sprachen sie kein Wort, denn Kluftinger hatte bereits begonnen, sich auf das Schlimmste vorzubereiten. Ohne zu wissen, was ihn erwartete, versuchte er, seine Emotionen so weit wie möglich unter Kontrolle zu bekommen und seinem Verstand den Oberbefehl für die nächsten Minuten zu übergeben. Dann glitt die Aufzugtür zur Seite.

Der Blick, der sich dem Kommissar bot, beruhigte ihn etwas. Das Treppenhaus, trist und austauschbar, wie es die Treppenhäuser in Hochhäusern der Siebzigerjahre eben waren, dunkelgrün gestrichen und mit braunem, schäbigem Teppichboden, war von einer Betriebsamkeit erfüllt, die er von ungezählten Tatorten kannte: Ein Polizeiabsperrband war quer über den Treppenabsatz gespannt, eine der Türen war offen, davor stand mit auf dem Rücken verschränkten Armen ein uniformierter Beamter.

In der Wohnung erkannte Kluftinger weitere Kollegen, darunter auch Willi Renn vom Erkennungsdienst, der in einem weißen Ganzkörperanzug und mit Fotoapparat in der Hand an der offen stehenden Tür vorbeilief. Renn verschwand nur wenige Sekunden aus seinem Blickfeld, dann tauchte er wieder auf. Er lief wie in Zeitlupe rückwärts und starrte den Kommissar ungläubig an. Dann riss er den Fotoapparat hoch, drückte auf den Auslöser, und ein heller Lichtblitz nahm Kluftinger für einige Sekunden die Sicht.

Als der Kommissar wieder klar sehen konnte, war Renn verschwunden. Er überlegte, ob er ihm nachrufen sollte, entschied sich jedoch dagegen. Dann holte er tief Luft und betrat die Wohnung.

Er sah gleich, dass sich die Aufmerksamkeit der Beamten auf das Zimmer rechts am Ende des kleinen Korridors konzentrierte. Maier schob sich an ihm vorbei und ging voraus. Was Kluftinger sofort auffiel, war, dass die Wohnung ungewöhnlich kahl aussah. Es hingen keine Bilder an der Wand, keine Garderobe war zu sehen. Es wirkte nicht so, als ob hier tatsächlich jemand gewohnt hätte.

»Es war wohl nur eine Art Unterschlupf«, sagte Maier, der Kluftingers Blick richtig gedeutet hatte.

Der Kommissar nickte.

Vor der Tür zu dem Raum, in dem Kluftinger die Leiche vermutete, stand ein weiterer Kollege der Spurensicherung im weißen Plastikanzug. Daneben saß auf einem Stuhl, seinen Kopf an die Wand gelehnt, ein ungefähr vierzigjähriger Mann, den Kluftinger noch nie gesehen hatte. Er trug eine abgewetzte schwarze Lederjacke, kurzes Haar kräuselte sich auf seinem Kopf. Er kaute auf einem Zahnstocher herum. Ein Drei-Tage-Bart unterstrich den schlampigen Eindruck. Die Beine übereinandergeschlagen, wippte er unbeteiligt mit dem Stuhl. Als er die Neuankömmlinge bemerkte, grinste er breit übers ganze Gesicht und sagte mit unverkennbar österreichischem Akzent: »Na, jetzt kann eh nix mehr passiern. Jetzt kommen die Helden in Strumpfhosn.«

Kluftingers Kiefer klappte nach unten. Er war verwirrt, hatte er doch gedacht, er würde auf einen *toten* Österreicher treffen. Stattdessen musste er sich nun unverschämte Sprüche von einem offenbar quicklebendigen Exemplar anhören. Bevor er etwas erwidern konnte, stand der Mann mit dem pockennarbigen Gesicht auf, streckte ihm die Hand hin und sagte: »Bydlinski, Valentin Bydlinski mein Name. Und was sind Sie? Der Kammerjäger? Oder das deutsche Fernsehballett?«

Kluftinger blieb der Mund offen stehen. Er blickte an sich herab: Gut, er sah nicht gerade wie ein Vorzeige-Kriminalbeamter aus. Seine Beine steckten in einer Art grünen Strumpfhose, um die Unterschenkel schlangen sich lederne Bänder. Außerdem trug er ein grobes Leinenhemd und über seinen Bauch spannte sich ein breiter Gürtel mit riesiger Schnalle. Dass er sein Kostüm nicht ausgezogen hatte, bereute er jetzt, aber er hatte ja nicht wissen können, dass sich noch irgendwelche Fremde am Tatort herumtreiben würden. Seine Kemptener Kollegen wussten, dass er zurzeit in den Proben fürs Freilichtspiel steckte. Im Büro hing für solche Eventualitäten immer ein Anzug zum Wechseln bereit. Und nun grinste ihn hier dieser schlecht rasierte Kerl an und riss Späße über seinen Aufzug.

»Und Sie? Ich dachte, Sie seien tot«, gab der Kommissar schroff zurück.

Das Grinsen des anderen erstarb. Verwirrt wandte sich Maier dem Kommissar zu. »Wieso sollte er denn …«

»Na, du hast doch was von einem toten Österreicher erzählt«, unterbrach ihn Kluftinger. »Gibt's noch einen Zweiten?«

»Jo, aber der lebt ah no.« Eine kratzige Stimme in Kluftingers Rücken ließ den Kommissar zusammenzucken. »Haas, habe die Ehre.«

Der Kommissar blickte in ein sonnengebräuntes Gesicht. Bevor er irgendetwas erwidern konnte, fügte der Mann an: »Landesgendarmerie … ich meine Polizeikommando Innsbruck. Wie mein Kollege Bydlinski, bitte.«

Jetzt war Kluftinger vollends verwirrt. Was machten Kollegen aus Österreich hier? Von einem Rechtshilfeersuchen war ihm nichts bekannt, die letzte Zusammenarbeit war mindestens ein Vierteljahr her. Und auch von einer Observation, die anmeldepflichtig gewesen wäre, wusste er nichts. Eine solche Anmeldung brauchten die Kollegen zwar nicht, wenn sie ad hoc eine Straftat verfolgten, zumindest die Einsatzzentrale musste aber darüber informiert werden. Und wenn es in seinen Bereich fiel, was hier ganz offensichtlich der Fall war, schließlich auch Kluftinger. Er beschloss, diplomatisch vorzugehen.

»Wenn Sie schon nicht tot sind, welcher Österreicher hat uns denn dann mit seinem Ableben erfreut?«, fragte er und musste sich selbst eingestehen, dass er mit dieser Art der Diplomatie als Politiker wohl schon den einen oder anderen Krieg angezettelt hätte.

Dennoch schien Kluftingers selbstbewusste Art bei den ausländischen Kollegen Wirkung zu zeigen, denn Bydlinski zog den Kopf ein, der ohnehin fast ohne Hals direkt an seiner Schulter angewachsen zu sein schien, und sie gaben den Weg ins Wohnzimmer frei. Kluftinger trat ein und bemerkte, dass Maier ihm nicht folgte. Und er sah auch sofort, warum. Kluftingers Magen drehte sich um und schlagartig wich ihm jegliche Farbe aus dem Gesicht. Denn der Tote hatte genau das nicht mehr: ein Gesicht. Er lehnte mit dem Oberkörper an der Wand, die linke Kopfseite fehlte beinahe völlig. Hinter dem Mann an der Wand, etwa einen Meter über dessen jetziger Position, war ein riesiger Blutfleck; eine breite Blutspur führte nach unten. Bevor sich der Kommissar schaudernd abwandte, sah er im Augenwinkel noch die Pistole, die neben der erschlafften Hand des Mannes lag.

Kluftinger atmete schwer. Und zuckte zusammen, als ihm Georg Böhm, der Pathologe, die Hand auf die Schulter legte. Im Vorbeigehen flüsterte ihm der sarkastisch ins Ohr: »Er ist tot.« Die österreichischen Kollegen verzogen darauf ihre Lippen zu einem spöttischen Grinsen. Kluftinger wankte den Hausgang entlang, bis er die Tür erreichte, hinter der er das Bad vermutete. Er blickte sich suchend um, fand dann Willi Renn, hob fragend die Augenbrauen und bekam als Antwort ein Kopfnicken. Er betrat den Raum und lehnte sich von innen gegen die Tür.

Er brauchte fast eine Minute, um seine Fassung wiederzuerlangen. Mein Gott, was für ein Anblick, fuhr es ihm immer wieder durch den Kopf. Er stützte sich auf das Waschbecken und drehte den Hahn auf. Dann klatschte er sich mehrere Ladungen eiskalten Wassers ins Gesicht. Er trocknete sich danach nicht ab, denn er verspürte ein unvorstellbares Grauen bei dem Gedanken, das Handtuch des … des Kopflosen benutzen zu müssen. Als er in den Spiegel sah, erschrak er: Er sah selbst aus wie eine Leiche.

Allerdings mit Gesicht. Immerhin.

Nach ein paar tiefen Atemzügen trat er schließlich wieder aus dem Bad heraus. Unschlüssig sah er sich um. Er würde das Zimmer nicht mehr betreten, so viel stand fest. Das musste er auch gar nicht, jede Einzelheit hatte sich in sein fotografisches Gedächtnis eingebrannt. Für immer, wie er fürchtete.

Inzwischen war auch Maier mit den beiden ausländischen Kollegen wieder bei ihm.

»Schön is was anderes«, sagte der, der sich als Haas vorgestellt hatte.

»Jo, hat sich eiskalt 's Bimmerl wegg'schossn«, fügte Bydlinski hinzu.

»Bitte?«, fragte Maier.

»An Koopf! Wegg'schossn. Bumm, bumm!« Bei den letzten zwei Worten führte Bydlinski zwei Finger an die Schläfe und grinste.

Kluftingers Magen zog sich erneut zusammen. Was waren das nur für Zeitgenossen, denen er da gegenüberstand?

»Sie sind jetzt mal am besten ganz still«, schaltete sich Maier ein. »Was mit Ihnen passiert, steht ja noch auf einem ganz anderen Blatt.« Kluftinger sah seinen Kollegen fragend an. Erst jetzt wurde ihm bewusst, dass er noch überhaupt keine Ahnung hatte, worum es hier überhaupt ging. Und warum redete Maier so harsch mit den Polizisten aus dem Nachbarland? Sein Verstand kämpfte sich langsam wieder an die Oberfläche. Er ärgerte sich über die Blöße, die er sich vor den Fremden gegeben hatte. Und er ärgerte sich darüber, dass er hier der Einzige zu sein schien, der keinerlei Ahnung hatte, was um ihn herum passierte.

»So, meine Herren«, sagte er deshalb in die Runde und war selbst überrascht, wie fest seine Stimme schon wieder klang, »jetzt redet keiner mehr außer mir.«

Alle blickten ihn erwartungsvoll an.

»Ich meine ... jetzt hör ich mal zu, und Sie erzählen mir, was hier vorgefallen ist.«

Bydlinski rieb sich sein vernarbtes Kinn und begann zu erzählen. »Na, wir sind ihm eben nachgefahren. Weil wir ihn nicht verlieren wollten. Da haben wir keine Zeit gehabt, groß irgendwelche Formalitäten einzuhalten. Weißt eh, wie schnell's manchmal gehen muss. Also, da müsst ihr ja jetzt nicht gleich unsere Vorgesetzten ...«

»Wem nachgefahren?« Der Nebel in Kluftingers Kopf hatte sich noch kein bisschen gelichtet.

»Na, dem G'sichtslosen.«

Die pietätlose Art, wie sein österreichischer Kollege über den Toten sprach, rief in Kluftinger eine Mischung aus Abscheu und Wut hervor. Der Kommissar atmete tief durch. Dies verstand Maier offenbar als Zeichen, sich einzuschalten: »Wenn ich mal zusammenfassen darf: Unsere Kollegen hier haben den Mann, der jetzt im Wohnzimmer liegt, verfolgt. Sie hatten ein Päckchen, das an ein Postfach adressiert war, das sie schon einige Zeit unter Beobachtung hatten, geöffnet und ...« Maier stockte. »Was hat sich eigentlich in dem Päckchen befunden?«, fragte er, als wäre er selbst überrascht davon, dass er das noch gar nicht wusste.

»Waffen und technisches Zeug«, warf Haas ein und fuhr fort: »Über dieses ominöse Postfach in Innsbruck sind eh schon seit einiger Zeit Transaktionen gelaufen, die, gelinde gesagt, nicht ganz koscher waren. Meist waren es elektronische und mechanische Bauteile, die von den unterschiedlichsten Personen abgeholt wurden. Nicht gut zu identifizieren, wofür die Sachen eigentlich waren. Dieses eine Packerl war aber ein besonderes, weil sich darin Waffen befanden. Wir also dem Kopflosen hinterher – und prompt haut der uns über die Grenze ab. Da sind wir ihm halt einfach hintennach gefahren.«

»Sie hätten uns aber zumindest informieren müssen«, warf Maier ein. »Oder uns die Verfolgung überlassen. Sie hatten doch sein Kennzeichen.«

»Jo, eh klar«, fuhr die kratzige Stimme von Bydlinski dazwischen. »Des war ja auch bestimmt nicht gefälscht. Herrschaft, dass ihr Piefkes immer so auf den Vorschriften rumreitets.« Seinen letzten Satz unterstrich Bydlinski mit einer wegwerfenden Handbewegung.

»Is eh gut, Valentin«, beschwichtigte ihn sein Kollege, der auf Kluftinger einen wesentlich vernünftigeren Eindruck machte. »Sie verstehen, wir sind auch ein bisserl überrascht, wie sich das Ganze entwickelt hat. Naja, Sie haben bestimmt auch schon mal jemand über die Landesgrenze verfolgt, ohne dass das gleich über die Einsatzzentralen gelaufen ist ...?« Erwartungsvoll blickte Haas zwischen Maier und Kluftinger hin und her. Als die jedoch keine Miene verzogen, fuhr er fort: »Wie auch immer, man kann das ja auch mit Gefahr im Verzug begründen, wenn Sie's unbedingt ganz genau haben wollen. Und wir hätten Sie ja auch sicher noch informiert, die Zusammenarbeit klappt doch sonst ganz gut.« Haas sah ihnen noch einmal in die Augen, senkte dann seine Stimme und fügte hinzu: »Vor allem auf dem kleinen Dienstweg, Sie verstehen.«

Dann erzählte er mit seiner normalen Stimmlage weiter: »Jedenfalls ging es dann ganz schnell. Wir sind ihm bis hierher gefolgt, bis zu seiner Wohnung. Da haben wir geklingelt, als niemand aufgemacht hat, haben wir uns als Polizei ausgegeben und ... bumm.«

Kluftinger sah seinen Kollegen mit großen Augen an. Offenbar hatte der seinen Bericht jedoch beendet. »Das war alles? Bumm ... und das war's?«

»Wann's so einen Bumm macht, dann kommt danach eh nimmer viel«, antwortete Bydlinski.

Wieder regte sich der Zorn im Kommissar. Er hatte nicht das Gefühl, dass die Kollegen vor ihm mit offenen Karten spielten. »Wie wär's, wenn Sie mir ein paar Details mehr geben?«, sagte er deshalb.

Die Österreicher sahen sich an. »Details?«, platzte es schließlich aus Bydlinski heraus. »Sie wollen Details? Die können Sie haben. Als wir den Schuss g'hört haben, haben wir die Tür aufgebrochen und sind hinein. Von unserer Zielperson hammer da schon nix mehr g'sehn. Aber gerochen hammer ihn. Nach Pulver und verbranntem Fleisch hat's gerochen. Und das Hirn ...«

Kluftingers Magen machte einen Satz. Bydlinski musterte ihn mit zusammengekniffenen Augen. Dann fuhr er fort: »Sie wissen schon, die Masse an der Wand, also diese kleinen, fiesen Flecken, da, das ist ...«

»Schon gut!«, bellte Kluftinger ihm entgegen. Mit aller Macht versuchte er, die Bilder, die sein Kollege heraufbeschworen hatte, niederzukämpfen. »Ich glaube, wir können uns die Details vielleicht doch für später aufheben.« Mit diesen Worten drehte er sich um und ging auf den Ausgang zu. Als er die Türklinke bereits in der Hand hatte, sagte er im geschäftsmäßigsten Ton, der ihm möglich war: »Und Sie ... Sie kommen auf jeden Fall auch erst mal mit zu uns.«

Kluftinger, Maier und dicht hinter ihnen Haas und Bydlinski betraten den Backsteinbau der Polizei in Kempten, die bald von der bloßen »Polizeidirektion« zum »Präsidium« aufsteigen würde, was für Kluftinger den unangenehmen Umstand mit sich bringen würde, dass er und die gesamte Kriminalpolizei mit ihm in eine ehemalige Untersuchungsanstalt für Milchprodukte im Stadtzentrum würde umziehen müssen. Und das sollte bereits in wenigen Wochen geschehen. Schon seit über einem Monat stapelten sich in der gesamten Abteilung die Umzugskartons.

»Ich geh schnell noch aufs Häusl«, tönte Bydlinski und machte auf der Türschwelle kehrt.

Die anderen setzten sich und warteten auf ihren Chef, Kriminaldirektor Lodenbacher. Kluftinger fühlte ein gewisses Unbehagen wegen der Grenzübertretung der österreichischen Kollegen. Rechtlich kannte er sich da nicht allzu gut aus. Und so hatte er es für besser gehalten, Lodenbacher anzurufen, der in seinem niederbayerischen Dialekt angekündigt hatte, er werde »sofoat kemma«, und sich ausgebeten hatte, dass ohne ihn »oba scho gleich gor nix« unternommen werden solle. Haas erklärte den beiden Kemptener Beamten, während sie warteten, dass seine Kirschen im Garten gerade völlig ausgereift wären und dass, wenn er gewusst hätte, dass er hierher kommen würde, er auf jeden Fall ein Körbchen mitgebracht hätte.

Nach einigen Minuten klopfte es an der Tür – für Kluftinger, Maier und Strobl, der etwas später zu ihnen gestoßen war, ein eindeutiges Zeichen, dass es nicht Lodenbacher war, der da kam. Stattdessen betrat Bydlinski das Büro.

Grinsend fragte er: »Sagts Leut, euer Kollege Lodenmacher ist ein bisserl ein Unentspannter, oder?«

Kluftinger runzelte die Stirn und sah zu Maier. Kannte Bydlinski ihren Chef? Hatte sich dessen Ruf bereits über die Landesgrenzen bis nach Innsbruck verbreitet?

»Wie … kennen Sie sich denn?«

»Jo, hab ihn grad auf dem Gang getroffen. Ist doch ein Kollege, oder? Ein so ein grantiger Mensch. Hab ihn nur gefragt, du, hab ich gefragt, wo is denn bei euch des Scheißhäusl, Kollege?«

Mit einem Lächeln sah Kluftinger zu Maier und Strobl, dann fuhr der Österreicher fort: »Drauf fährt er mich an wie so ein wildes Eichhörndl, schließlich sei er hier der Lodenmacher, ob ich das nicht wüsst. Weiß ich eh nicht, weil ich noch nie da war. Ich hab ihn nur noch gefragt, ob er aus Schottland kommt, wegen der karierten Hose. Drauf wird der rot wie ein Paradeiser und brüllt rum, dann bin ich einfach wortlos gegangen. Dem müsst ihr mal ein bisserl Baldrian in den Tee träufeln, Kollegen.«

Noch bevor Kluftinger sich innerlich entschieden hatte, ob er sich über das kleine Scharmützel Bydlinskis freuen sollte oder ob er sich ärgern sollte, weil die ganze Abteilung dann wieder die schlechte Laune des Chefs ausbaden musste, wurde die Tür schwungvoll aufgestoßen, und Lodenbacher stand plötzlich aufgeregt und mit rotem Kopf vor ihnen.

»Meine Herrn«, brummte er, »Sie wissn, dass des a ganz a hoaklige Soch is, de uns de Österreicher do eibrockt homm.«

Während Bydlinski betroffen zum Fenster hinaussah und an seinen Fingernägeln herumkaute, räusperte sich Haas, stand auf und streckte Lodenbacher die Hand zur Begrüßung hin.

»Gestatten, Simon Haas, Major beim Landesgendarmerie … entschuldigen Sie, jetzt heißt es ja Landespolizeikommando Innsbruck. Herr Kriminaloberst Lodenbacher, nehm ich an?«

Jetzt fehlt bloß noch das »Küss die Hand«, dachte sich Kluftinger. Lodenbachers Miene jedoch hellte sich sichtbar auf.

»Kriminaldirektor, richtig.«

Bydlinski erhob sich nun ebenfalls und ging auf Lodenbacher zu, der sich aber abwandte.

»Meine Herrn Kollegn, werte … ausländische Gäste«, hob Lodenbacher nun zu einem gut zehnminütigen Referat über die Regelungen beim Grenzübertritt von Polizeibeamten im Einsatz an. Sie wüssten alle, dass er kraft seines Amtes Grenzbeauftragter für Tirol und Vorarlberg und somit für die ganze Misere in gewisser Weise verantwortlich sei. Kluftinger hörte aufmerksam zu, so aufmerksam wie selten, wenn sein Chef eine dienstrechtliche Standpauke hielt. Nicht nur, weil man ihm und seiner Abteilung nichts vorwerfen konnte, sondern schlichtweg, weil er die Regelungen nicht mehr im Kopf hatte.

Er wusste noch, dass man für aufwendigere Ermittlungen im anderen Land ein Rechtshilfeersuchen brauchte, das über die Staatsanwaltschaft lief. Und Observationen musste man von langer Hand planen und anmelden. Zudem hatte man im Verfolgungsfall mittlerweile spezielle Wegerechte: So durfte man mit Blaulicht fahren und Täter festnehmen, nicht jedoch abführen. Früher, erinnerte sich Kluftinger, vor dem Schengener Abkommen, vor den offenen Grenzen, hatte manche Verfolgungsfahrt in Pfronten am Grenzhäuschen geendet, und der betrunkene oder straffällige Fahrer winkte zum Abschied aus Österreich herüber. Und ganz früher war das selbst an der Grenze zu Baden-Württemberg so gewesen. Kurz vor Leutkirch war da für den bayerischen Streifenwagen Schluss. Irgendwie auch eine schöne Zeit. Sein Vater, der Dorfpolizist, und sein Onkel, der beim Zoll gewesen war, hatten sich auf Familienfeiern gerne Geschichten von Schmugglern erzählt.

»Was wissen Sie über Nacheile, Kluftinga?«

Scheinbar hatte Lodenbacher die Frage bereits mehrmals gestellt.

»Als Nacheile bezeichnet man …«, setzte Maier an, wurde aber von Lodenbacher unterbrochen: »Ich hob Eahnan Herrn Voagesetztn gfrogt, Maier.«

»Nach … eile?« Kluftinger schluckte. Was war denn nun los? Er hatte doch nichts falsch gemacht! Warum fuhr ihn Lodenbacher so an? Und Nacheile sagte ihm rein gar nichts mehr. Er kam sich vor wie in der Ausbildung, als er bei einer mündlichen Prüfung so nervös gewesen war, dass nur ein Schnaps des Prüfers damals den Frosch in seinem Hals hatte lösen können.

»Nacheile, Herr Lodenbacher, Nach…eile«, stammelte der Kommissar, bevor er einfach losredete: »Nacheile heißt, dass wenn man jemandem … nacheilt, also ihn eilig verfolgt, da hat man also gewisse … Spezialrechte, nicht wahr? Befugnisse, die …«

»Moment, wir sind nicht geeilt, sondern haben nur observiert«, lenkte Bydlinski die Aufmerksamkeit grinsend auf sich. »Und was der Kollege sagen wollte, ist, dass man im Notfall einem flüchtigen Täter oder mutmaßlichen Täter über die Grenze nachfahren kann. Da muss man dann bei der Einsatzzentrale anrufen, wissen wir eh.«

»Ah ja?«, brummte Lodenbacher gereizt. Kluftinger fiel ein Stein vom Herzen. Der Chef hatte von ihm abgelassen und ein anderes Opfer gefunden. »Und wer vo Eahna hot do ogruafa, bittschön? Bei uns is koa Ruaf eingegangen, Herr …«

»Bydlinski, Valentin. Landesgendarmeriekommando Tirol. Weiß ich, dass mir Sie nicht antelefoniert haben. Weil mir keine Umständ machen wollten.«

Kluftinger hörte noch eine Weile dem kleinen, niederbayerisch-österreichischen Grenzscharmützel zu, bevor er sich verpflichtet fühlte, Bydlinski nun zur Seite zu stehen, nachdem der vorher für Kluftinger in die Bresche gesprungen war. »Herr Lodenbacher, ich denke, wichtiger als die dienstrechtlichen Verwicklungen sind im Moment der Selbstmord und die geheimnisvollen Umstände, die dazu geführt haben, meinen Sie nicht?«

Lodenbacher horchte auf. Eigentlich war er es nicht gewohnt, dass man ihm widersprach. Er nickte irritiert, stand zögernd auf und verließ mit den Worten: »Mochn S' doch, wos Sie moanan!« den Raum.

Kluftinger wandte sich an die Österreicher: »Wir suchen Ihnen am besten ein Hotel für die Nacht.«

»Hotel? Ich weiß net. Is eh schon spät und teuer isses obendrein. Hobt's koan Häfn?«, fragte Bydlinski, grinste, und ließ dabei seine gelben Zähne sehen.

»Hm?« Kluftinger hatte keine Ahnung, was er genau wollte.

»An Häfn. Hobt's koan? Wir nehmen auch a Doppelzell, oder, Simon?«

Haas nickte. Kluftinger schüttelte den Kopf. Zwei seltsame Vögel waren das, diese Österreicher.

»Aber ihr könnt sonst auch bei mir übernachten. Ich hätte schon Platz«, bot Maier an.

»Na, na, wir schlafen hier, wenn's keine Umstände macht. Wir haben eh schon für genug Wirbel gesorgt. Und ein Kiberer in der Gewahrsamszelle ist eh einmal was anderes. Bloß nicht einsperrn und den Schlüssel verlieren, Kollegen!«

Nachdem Kluftinger Strobl für den nächsten Vormittag noch aufgetragen hatte, Genaueres über die Identität, die Lebensumstände und eventuelle Angehörige des Selbstmörders herauszufinden, rief er einen Kollegen der Bereitschaft, der die österreichischen Beamten in ihr Nachtlager im Zellentrakt im Untergeschoss geleiten sollte. Vorher hatten sich die beiden noch Pizza bestellt. Und dabei mehrere Minuten gebraucht, um glaubhaft zu versichern, dass die im Zellentrakt der Polizeidirektion abgegeben werden sollte.

Kluftinger lächelte, als er aus dem Fenster sah. Er sog den Duft der taufrischen Wiesen hinter dem Haus ein, der durchs gekippte Fenster ins Schlafzimmer drang. Seine Frau schlief noch. Er schaltete den Wecker aus, der in zwei Minuten Schlagermusik von sich geben würde, streichelte Erika über die Wange und ging beschwingt ins Bad.

Auch die Zeitung schien ihm heute interessanter als sonst, das Brot ein wenig kerniger, die Butter einen Tick frischer. Aus dem Marmeladetopf schien der Duft seines Erdbeerbeets aufzusteigen, und als er die Kaffeetasse mit Pulverkaffee vom sonnenüberfluteten Küchentisch nahm, kam er sich vor wie in der Margarinereklame. Was hatte er nur für ein Leben!

Vom ersten Stock hörte er Geräusche, dann polterte Markus die Treppe herunter. Es war wie früher, als sein Sohn noch in der Schule gewesen war.

»Morgen, Vatter!«, sagte er gähnend und rieb sich die verschlafenen Augen. Er trug nur ein T-Shirt und Boxershorts.

Kluftinger blickte zur Küchenuhr, einer umgebauten Delfter Kachel, die sie von einem der wenigen Urlaube, die nicht nach Südtirol oder an den Gardasee gegangen waren, mitgebracht hatten. Es war bereits zehn vor sieben, und Kluftinger war schleierhaft, wie Markus, der gerade ein Praktikum bei der Kemptener Polizei ableistete – schließlich wollte er nach seinem Psychologiestudium als Profiler arbeiten –, den Dienstbeginn um sieben Uhr dreißig schaffen wollte.

»Sag mal, Markus, dir ist schon klar, dass ich in zehn Minuten fahr, oder? Mir ist das ja egal, ob du erst um halb zwei nachts heimkommst. Bist alt genug. Aber ich sag dir eins, wenn mir zu Ohren kommt, dass du da schon in der ersten Woche zu spät kommst, dann fang ich auf meine alten Tage noch an, dich zu erziehen!« Kluftingers anfängliche

Verärgerung war während seines letzten Satzes einem Lächeln gewichen. »Komm jetzt, das schaffst du schon noch!«

Mit einem »Hm?«, das signalisierte, dass Markus seinem Vater überhaupt nicht zugehört hatte, hob der den Kopf, zog die Augenbrauen hoch und ging zum Wasserkocher, um sich ebenfalls einen Kaffee aufzubrühen.

»Jetzt zieh dich an, du Phlegma, Herrgottsakrament! Was macht denn das für einen Eindruck? Um halb acht ist Dienstbeginn bei uns!«

Markus drehte sich grinsend zu seinem Vater um: »Bei euch schon, Vatter! Mich holen die Kollegen um dreiviertel acht hier ab. Die müssen irgendwas im Milchwerk überprüfen, und da haben sie angeboten, vorher vorbeizukommen.«

Alle Achtung. Markus schien sich ja schon recht gut integriert zu haben. Wenn er da an seine Anfangszeit bei der Polizei dachte: Da war er allenfalls der Brotzeitholer gewesen, der am Abend auch noch die Garage zusammenkehren durfte. Saubere Zeiten waren das heutzutage, wo man Praktikanten herumchauffierte.

Ein bisschen weniger beschwingt als zuvor verabschiedete sich Kluftinger von seinem Sohn. Als er zur Garderobe ging, um seinen Janker vom Haken zu nehmen, stand Erika im Morgenmantel auf der Treppe.

»Du, probierst du bitte heute noch die schwarzen Lackschuhe?«, bat sie ihren Mann. »Ich hab sie dir gestern Abend noch geputzt und rausgestellt. Nicht, dass sie dir nicht mehr passen, dann müssen wir noch neue kaufen. Du hast ja sonst keine mit Ledersohle.«

Kluftinger sah Erika verwirrt an.

»Ledersohle? Doch, die Haferlschuhe. Die aus der Kapelle.«

»Also jetzt geh, die kannst du doch dafür nicht anziehen. Was sagen denn da die Annegret und der Martin, wenn du mit denen zur ersten Tanzstunde kommst.«

Die Wende war schlagartig und ohne jede Vorwarnung gekommen. Ein Wort hatte ausgereicht, um Kluftinger den vielversprechenden Tag zu vergällen. »Tanzkurs«, brummte er vor sich hin, als er den ersten Schnürsenkel seiner »Salontreter« band, wie er sein einziges wirklich edles Paar Schuhe nannte. Seine Frau hatte letztes Jahr den Langhammers einen Tanzkurs zu Weihnachten geschenkt – zu viert! Ohne sein Wissen. Und er hatte sich damals geschworen, dass es niemals dazu kommen würde. Ausgerechnet der Altusrieder Arzt musste mit Erikas bester Freundin verheiratet sein. Annegret ging ja noch. Kluftinger hätte sie wirklich mögen können, wenn sie nicht immer ihren blasierten, besserwisserischen Gatten bei sich gehabt hätte.

»Passen nicht mehr, viel zu eng, Erika … leider. Und wenn ich mit den Haferlschuhen nicht gehen kann, dann wird's halt nix mit dem … Tanzkurs. Schade. Aber dann gehst du halt allein. Gibt da immer auch Leihherren, hört man.«

»Ich leih mir doch keinen, wenn ich mit einem verheiratet bin. Wir gehen Schuhe kaufen, und zwar noch heute oder notfalls irgendwann diese Woche. Wann passt es dir?«

»Heute auf keinen Fall, du bist gut, mit den internationalen Verwicklungen gerade. Und morgen wird's nicht viel besser ausschauen, könnt ich mir vorstellen.«

»Gut, also morgen? Oder übermorgen? In der Mittagspause. Wir können uns dann ja gleich in der Stadt treffen«, sagte Erika in einem Ton, der Gedanken an eine Widerrede gar nicht erst aufkommen ließ.

Und er musste jetzt auch los. Bis zum geplanten Termin würde ihm schon noch etwas einfallen, was dazwischenkommen würde. Und vielleicht hatte er bis dahin auch schon eine Idee, wie er um diesen schrecklichen Tanzkurs ganz herumkam.

»Du, mal schauen, wie gesagt«, brummte Kluftinger. Dann schlüpfte er in seine Alltagshaferlschuhe mit Gummisohle, gab seiner Frau ohne ein weiteres Wort einen flüchtigen Kuss auf die Wange und zog die Tür hinter sich zu.

Es war seltsam: Meist gingen in seinem Leben außergewöhnliche berufliche Vorfälle mit ebenso unerwünschten Störungen seines ansonsten geregelten Privatlebens einher. Kluftinger hing diesem Gedanken eine Weile nach und dachte an den Selbstmörder, der das Geheimnis über sein freiwilliges Ableben mit ins Grab genommen hatte. Außerdem zeichneten sich wegen des unüberlegten Vorgehens der österreichischen Kollegen diplomatische Verwicklungen ab. Und zu allem Überfluss war nun auch noch das Schreckgespenst eines Tanzkurses mit den Langhammers am Horizont aufgetaucht.

Der Kommissar hatte ein ungutes Gefühl, als er seinen Wagen durch die Hügellandschaft des Voralpenlandes lenkte. Und er fasste einen Entschluss: Konnte er schon auf die Ent- und Verwicklungen in seinem aktuellen Fall keinen Einfluss nehmen, so hatte er zumindest noch eine gewisse Kontrolle über sein Privatleben. Und einen Tanzkurs würde er in seinem Leben nicht mehr bestreiten, so viel war sicher.

Zumindest etwas erleichtert über diese Entscheidung betrat er das Gebäude der Polizeidirektion. Beim Blick auf das metallene Schild am Eingang überkam ihn eine nostalgische Stimmung: Dass Kempten in Kürze Sitz des Polizeipräsidiums Schwaben-Süd/West werden würde, stimmte ihn nicht gerade fröhlich. Überhaupt schien sich außer Lodenbacher niemand darüber wirklich zu freuen. Der Zuständigkeitsbereich aller Abteilungen würde sich erheblich vergrößern und nun von Ulm bis in die Alpen, vom Bodensee bis Füssen reichen.

Natürlich hatte man ihnen versichert, dass deswegen keine Mehrarbeit, sondern nur eine andere Organisation aller vorhandenen Dienststellen nötig sein würde. Dass man die Polizei vor Ort sogar entlasten wolle und nur die Alarmierung an einer Einsatzzentrale zusammenfassen wolle. Das jedenfalls wiederholte Lodenbacher seit Monaten gebetsmühlenartig. Doch kaum einer von Kluftingers Kollegen glaubte diesen Versprechungen. Wenn man sich auf etwas verlassen konnte, dann, dass der Staat keine Gelegenheit ausließ, ihnen mehr Arbeit aufzubürden.

Doch das Schlimmste für Kluftinger war etwas ganz anderes: Weil die Kripo infolge der Neuorganisation aus Platzmangel ausgegliedert werden musste, würde er in Zukunft durch die ganze Stadt fahren müssen, um zu seinem neuen Arbeitsplatz zu gelangen – und einen reservierten Parkplatz gab es beim neuen Gebäude auch nicht.

Seufzend nahm der Kommissar die Treppe zu seiner Abteilung. Als er die Tür zu Sandy Henskes Büro betrat, stutzte er: Das Gesicht der Abteilungssekretärin war hochrot angelaufen, und er bekam gerade noch ihren verlegenen Blick mit, den sie in Richtung seiner Bürotür warf – von wo ihr Valentin Bydlinski eine Kusshand zuwarf.

Die Österreicher verlieren ja wirklich keine Zeit, dachte Kluftinger, nickte seiner Sekretärin kurz zu und betrat sein Dienstzimmer.

Es schien, als warteten alle bereits auf ihn, obwohl es erst sieben Uhr dreißig war und die anderen sicher noch nicht sehr lange hier waren. Eugen Strobl, Richard Maier und Roland Hefele hatten in der Sitzgruppe Platz genommen, während Bydlinski und Haas auf zwei Stühlen vor Kluftingers Schreibtisch saßen. Es war wie früher bei Klassenfahrten oder bei ihren Betriebsfeiern: Diejenigen, die sich sowieso schon gut kannten, saßen immer zusammen, statt sich auf das Abenteuer einzulassen, neue Bekanntschaften zu schließen. Er verurteilte diese menschliche Eigenart nicht, die sich gerade hier im Allgäu allergrößter Beliebtheit erfreute, er nahm sie lediglich zur Kenntnis. Er selbst folgte diesem Verhaltensmuster, seit er denken konnte.

Mit einem gemurmelten Gruß setzte sich Kluftinger an seinen Schreibtisch. Je mehr Arbeit und vor allem Unannehmlichkeiten er an einem Tag auf sich zukommen sah, desto vernuschelter fiel sein »Guten Morgen« aus. Heute war es kaum mehr als ein Räuspern.

Doch als er seinen Computer eingeschaltet hatte und aufblickte, wunderte er sich. War er der Einzige, der dem heutigen Tag nichts Gutes abgewinnen konnte? Die Mundwinkel seiner Kollegen hatten sich zu einem breiten Grinsen verzogen. Selbst die österreichischen Kollegen lächelten, auch wenn es bei Bydlinski eher spöttisch als amüsiert aussah. Der Kommissar blickte von einem zum anderen, und wann immer er jemanden anblickte, schien derjenige besonders bemüht, nicht in lautes Gelächter auszubrechen. Er sah an sich hinab: Hatte er schon wieder etwas Komisches an? Wenn, dann wäre das streng genommen sowieso Erikas Schuld gewesen. Seit vielen Jahren legte sie ihm auf dem »G'wandsessel« im Schlafzimmer immer ihren Vorschlag für seine Tagesgarderobe zurecht. Meist hielt er sich an ihre Empfehlungen, da es ihm im Großen und Ganzen sowieso egal war, was er trug – solange es bequem und zweckmäßig war.

Aber heute? Er konnte nichts Auffälliges an seiner Kleidung entdecken. Vor allem nicht im Gegensatz zu gestern.

»Brauchen Sie noch irgendwas?« Sandys Stimme riss ihn aus seinen Gedanken. Er wollte gerade verneinen, doch als er aufsah, bemerkte er, dass sie nicht ihn, sondern Bydlinski ansah.

»Nein, wir rufen Sie dann schon«, antwortete Kluftinger unwirsch und blickte ihr nach. Als sie die Tür hinter sich zuzog, stutzte er.

An der Innenseite klebte ein Foto. Für einen kurzen Moment war er sich nicht sicher, ob es schon immer da gehangen hatte oder nicht. Dann erst erkannte er, was darauf abgebildet war: Es war ein bärtiger Mann in grüner Strumpfhose, mit einem breiten Ledergürtel und … das war er selbst! Sein Kopf wurde heiß. Wortlos stand er auf, würdigte seine Kollegen dabei keines Blickes und riss das Foto von der Tür. Während er es zusammenknüllte, presste er ein »Willi!« aus seinen zusammengebissenen Zähnen hervor.

Im selben Moment wurde die Tür aufgerissen und schlug gegen den Kommissar. Lodenbacher sah ihn verdutzt an, entschuldigte sich jedoch nicht, sondern preschte zu den beiden Kollegen aus dem Nachbarland, die vor Kluftingers Schreibtisch saßen. Sofort ließ er eine Schimpfkanonade in einem solchen Tempo auf die beiden niedergehen, dass selbst Kluftinger nur Bruchstücke verstand. Dass sie »no wos zum Hearn kriagn wearn« bekam er mit, dass ihre Vorgesetzten in Österreich wegen des Vorfalls »bös gschimpft« hätten und dass sie »auf der Stei« nach Hause fahren sollten. Dann machte Lodenbacher so ruckartig kehrt, dass er dabei wie ein Militär aussah, lief zackig zur Tür und verschwand.

Bydlinski und Haas schienen ehrlich betroffen von dem unerwarteten Ausbruch und machten Anstalten, sich zu erheben.

»Kommt ja überhaupt nicht in Frage«, sagte Kluftinger bestimmt. Die beiden setzten sich wieder und sahen ihn fragend an. »Sie sagen uns jetzt erst einmal genau, was los ist, vorher geht hier niemand irgendwohin. Wir machen das folgendermaßen …« Er blickte ein paar Sekunden zur Decke und fuhr dann fort: »Sie können mit dem Kollegen Hefele in sein Büro gehen. Benutzen Sie einfach alles, was Sie brauchen – Fax, Telefon, Computer, damit Sie uns in …«, wieder blickte er kurz zur Decke, »… zwei Stunden eine detaillierte Präsentation Ihrer bisherigen Untersuchungsergebnisse abliefern können. Der Kollege wird Ihnen dabei behilflich sein.«

Weil die Österreicher nicht sofort aufstanden, hob Kluftinger die Augenbrauen und sagte: »Noch Fragen?«

Verdutzt sahen sich die beiden an. Offenbar waren sie einen solchen Umgangston nicht gewohnt, doch er zeigte Wirkung. »Na, na … is eh klar ois«, murmelten sie und erhoben sich. Hefele begleitete sie widerwillig hinaus.

Die Blicke der anderen Kollegen folgten ihnen, wobei Maier seine Freude darüber kaum verbergen konnte, dass diesmal nicht er den »Deppen-Job«, wie sie solche Aufträge nannten, erledigen musste.

»Kann sich einer von euch erklären, warum der Chef wie ein HB-Männchen hochgegangen ist?«, fragte Kluftinger schließlich, als die drei den Raum verlassen hatten.

Maier zuckte die Achseln und sah zu Strobl. Der nickte: »Es laufen doch gerade die Vorbereitungen für die Konferenz der Polizeichefs der Bodenseeanrainer.«

Natürlich, jetzt dämmerte es dem Kommissar. Tatsächlich hatte er vor ein paar Tagen davon gehört, dass sich dieses internationale Gremium regelmäßig zum Erfahrungsaustausch treffen wollte. Und der erste Gastgeber war die Allgäuer Polizei, deren Einzugsgebiet ja bis Lindau ging. Kein Wunder, dass Lodenbacher auf diese Störung der multilateralen Beziehungen so empfindlich reagierte.

Doch Strobl war noch nicht fertig. Mit einem spöttischen Grinsen um die Lippen fügte er hinzu: »Und heute treffen sich deswegen ein paar Leute im Ministerium. Er auch.«

Die anderen nickten wissend, spitzten die Münder und grinsten. Auch wenn die Sache mit den Kollegen ihre Arbeit nicht leichter machte: Ihrem Chef gönnten sie diese kleine Staatsaffäre.

Kluftinger nutzte die Zeit, die er Bydlinski und Haas zur Vorbereitung ihrer Präsentation gegeben hatte, um den Inhalt seines Schreibtisches unschlüssig von einer Schublade in die andere umzuräumen. Er hatte sich einen Umzugskarton danebengestellt, in den er seine Sachen verpacken wollte, doch er wusste nicht, welche und vor allem, nach welchem System. Bei Richard Maier war das anders. Schon seit sie vor über einem Jahr vom bevorstehenden Umzug erfahren hatten, strukturierte er irgendetwas an seinem Arbeitsplatz neu, um den Transport möglichst reibungslos über die Bühne zu bringen. Er hatte sich sogar ein Buch über Methoden des effizienten Aufräumens gekauft, mit dessen Weisheiten er nun die Kollegen nervte.

Es ärgerte Kluftinger, dass Maier immer so penibel und gut organisiert war. Noch mehr ärgerte ihn jedoch die Tatsache, dass er selbst so wenig mit diesen Eigenschaften gesegnet war. Er sah auf die Uhr: In zehn Minuten waren sie alle im Besprechungsraum verabredet. Seufzend stand er auf, schob die Kiste neben seinem Schreibtisch mit dem Fuß in die Ecke und machte sich noch schnell auf den Weg zur Toilette.

Der Raum war menschenleer und somit war auch »sein« Pissoir frei. Manchmal schämte er sich dafür, dass er sich immer an derselben Schüssel seines Harndrangs entledigte. Doch in Büros war das nun einmal so, rechtfertigte er sich vor sich selbst. Es bildeten sich mit der Zeit Gewohnheiten heraus, die zu regelrechten Manien werden konnten. Auch in den Konferenzen hatten sie immer die gleiche Sitzordnung: er in der Mitte an der Stirnseite, rechts von ihm Strobl, Hefele links und – je nachdem, wie viele Kollegen sonst noch teilnahmen – Maier so weit wie möglich von ihnen entfernt. Und auf dem Klo war es nicht anders. Früher hatte er immer das Pissoir am Fenster genommen. Doch seit er in einem Fernsehbericht gesehen hatte, dass Männer in einer leeren Toilette immer die Schüssel wählten, die am weitesten vom Eingang entfernt lag, war er ein Pissoir weiter nach rechts in Richtung Tür gewandert. Er musste sich von keinem Psychologen erklären lassen, wo er zu pinkeln hatte.

So war also die zweite Schüssel von links im Laufe der vielen Jahre zu der seinen geworden. Er dachte gerade daran, dass all die lieb gewonnenen Gewohnheiten in ihren neuen Räumlichkeiten wieder völlig neu geregelt werden müssten, als er den Kopf hob. Augenblicklich versiegte sein Strahl, und sein Kiefer klappte nach unten. Direkt vor seine Augen, über seine Schüssel, hatte jemand ein Foto gehängt. Es zeigte einen bärtigen Mann mit grüner Strumpfhose und breitem Ledergürtel. Es war das gleiche Foto, das vorher an seiner Bürotür gehangen hatte. Das Foto, das Willi gestern am Tatort von ihm gemacht hatte. Mit hochrotem Kopf riss er es von der Wand und verließ die Toilette, ohne die Spülung zu betätigen oder sich die Hände zu waschen.

Heute war ihre Sitzordnung im Besprechungsraum etwas durcheinandergeraten. Es war kurz vor zehn Uhr, und die Kollegen der Tiroler Landespolizei hatten bereits am Kopfende des großen Tisches Platz genommen. Die übrigen Kollegen, die nach und nach eintrudelten, waren ein wenig irritiert, und jeder zögerte, bevor er sich einen neuen Platz mit einem neuen Sitznachbarn aussuchte.

Als Letzter betrat Kluftinger das Zimmer und schloss die Tür hinter sich. Noch während er auf den Tisch zuging, sagte er: »So, wir sind alle gespannt, was Sie uns zu erzählen haben. Fangen Sie doch einfach an.« Mit diesen Worten nahm er zwischen Strobl und Hefele Platz und blickte erwartungsvoll zu den Kollegen aus Tirol, von denen jeder vor einem kleinen Stapel bedruckten Papiers saß.

»Gut, dann mach ich mal den Anfang«, sagte Simon Haas, räusperte sich und stand auf. »Ich hab Ihnen eh schon erklärt, dass wir dieses Postfach beobachtet haben. Am besten fange ich da an, wo wir darauf aufmerksam geworden sind.« Er machte eine kurze Pause, als erwarte er Zustimmung oder wenigstens ein Kopfnicken. Als aber überhaupt keine Reaktion erfolgte, fuhr er fort: »Also, wir sind vor einigen Monaten bei einer Razzia in Innsbruck auf einen Mann gestoßen, der ein richtiges Waffenarsenal zu Hause hatte.« Bei diesen Worten nahm Haas eines der Papiere vom Tisch und hielt es hoch. Darauf war, in schlechter Druckqualität, ein finster dreinblickender, dunkelhaariger Mann zu sehen. »Wie sich bald herausstellte, betrieb er einen gut gehenden Waffenhandel. Keine Riesennummer, aber sicher auch kein ganz unbedeutendes Rädchen im Waffengeschäft. Er heißt Igor Metjev, wie der Name unschwer erkennen lässt, Ausländer.«

Maier murmelte etwas, was keiner der Anwesenden verstand.

»Was?«, fragte Haas.

»Migration«, sagte Maier etwas lauter.

»Wie – Migration?«

»Er ist ein Mann mit Migrationshintergrund. Ausländer sagt man nicht mehr.« Bei diesen Worten nickte Maier demonstrativ in die Runde.

Haas runzelte die Stirn und schüttelte leicht den Kopf. »Metjev kommt aus Tadschikistan. Von dort bezog er auch einen großen Teil seiner Lieferungen. Und er hatte dieses Postfach. Das Seltsame daran war: Das Fach wurde auch dann noch frequentiert, nachdem wir ihn haben hochgehen lassen.«

»Post, hm?«, sprach Kluftinger einen Gedanken laut aus.

Haas hielt inne. Er schien zu ahnen, welche Frage der Kommissar nun stellen würde.

»Warum um alles in der Welt per Post? Das ist doch viel zu riskant!« Haas grinste. »Ja, das meinen die meisten. Aber denken Sie mal drüber nach: Genau das Gegenteil ist der Fall. Die Sendungen sind natürlich anonym, immer auf anderen Postämtern aufgegeben. Zugang haben immer mehrere Personen. Es findet keine echte Übergabe statt, denn abgeholt werden sie ja immer nur von den Postfachmietern. Und dann haben die Brüder natürlich vorgesorgt. Sollte ein Päckchen mal verloren gehen – kein Problem. Meist finden sich nur Waffen*komponenten* darin, die Experten vor Ort dann zusammensetzen. Das begrenzt den Schaden.«

Haas machte eine kleine Pause und ließ das Gesagte ins Bewusstsein der deutschen Kommissare sickern. Der Österreicher fuhr erst fort, als seine deutschen Kollegen verständig nickten.

»Wir behielten das Postfach natürlich im Auge.« Wieder hielt er ein paar Ausdrucke hoch, die offensichtlich Bilder einer Überwachungskamera zeigten, die auf eine Wand voller Schließfächer gerichtet war. »Wenn was eingegangen ist, wurden wir verständigt. Und das Treiben ging da munter weiter. Als sei es egal, ob wir einen von ihnen einkassiert haben. Das anonyme Postfach blieb bestehen. Und das war ja ganz in unserem Sinne. Es waren übrigens die tollsten Dinger in den Sendungen. Nicht nur Waffenteile. Auch Schriftstücke in den unterschiedlichsten Sprachen, manchmal ganz belanglose Sachen. Einmal sogar mehrere Flaschen Rosenwasser. Weiß Gott, wofür die das alles gebraucht haben.«

»Marzipan, Kollege, Marzipan«, brummte Maier wissend, aber so laut, dass ruckartig alle zu ihm sahen.

»Was ist los, Richie?«

»Marzipan. Rosenwasser verwendet man zur Herstellung von Marzipan und Persipan, einer Variante, die aus Aprikosenkernen hergestellt wird.«

Alle sahen sich baff an. Wieder setzte Haas nur mit einem Kopfschütteln zur Fortsetzung seiner Erklärung an. »Jedenfalls haben wir natürlich alle beschattet, die Zugriff auf das Postfach hatten. Einige Wochen ging das so. Bis wir eine kleine Überraschung erlebten und ein Deutscher in unser Innsbrucker Postamt hereingeschneit kam.«

Haas' Gesichtsausdruck änderte sich kaum merklich, aber Kluftinger fiel es sofort auf: Hatte er während des ganzen Vortrags sehr selbstsicher gewirkt, legten sich nun kleine Falten auf seine Stirn. Er senkte den Kopf etwas und kratzte sich mit einer Hand im Nacken. Man musste kein Psychologe sein, um zu erkennen, dass Haas das nun Folgende unangenehm war. »Naja, wir hätten das natürlich umständlich über die Einsatzzentralen abklären können … Ihr wisst schon, das ganze Programm mit Rechtshilfeersuchen und Staatsanwaltschaft und dem ganzen Bohei.«

Kluftinger zog die Augenbrauen bei der vertraulichen Anrede zusammen. Haas versuchte ganz offensichtlich, sich so die Absolution für seinen Fauxpas abzuholen.

»Aber dann wäre er vielleicht weg gewesen! Das versteht ihr doch, oder?« Haas sah sie einen nach dem anderen an. Als sie nicht reagierten, setzte er eindringlich hinzu: »Wir haben gedacht, es kriegt ja eh keiner mit. Was man nicht weiß, macht einen nicht heiß. Hätt euch eh nur Scherereien und Arbeit gemacht. Ihr hättet doch bestimmt genauso gehandelt …«

Wieder blieb es still. In diese Stille hinein platzte plötzlich Bydlinskis raue Stimme: »Wir ham ja nicht ahnen können, dass der gleich so … den Kopf verliert.« Dabei bleckte er seine gelben Zähne, was Kluftinger als seine spezielle Art eines Grinsens kennengelernt hatte. Er ballte die Hände: Wie dieser Kollege über Tote sprach, widerte ihn an. Er sah zu Strobl, der ebenfalls irritiert dreinblickte.

Doch Strobls Gesichtsausdruck hatte nichts mit Bydlinskis Rohheit zu tun. »Waffenschieber«, hauchte er. Sofort wurde auch Kluftinger klar, was er meinte. Der Kommissar schluckte. Er hatte sich von der Antipathie gegen den Kollegen gedanklich weit von dem Fall entfernt. Natürlich war das, was er gerade erfahren hatte, sehr beunruhigend. Viel beunruhigender als der Gedanke, dass es im Nachbarland offenbar Kollegen gab, die von Respekt gegenüber Verstorbenen nicht viel hielten. Wenn sich das wirklich bewahrheitete und die Spur der Waffenlieferungen hierher ins Allgäu führte, dann Mahlzeit, dachte Kluftinger.

»Die entscheidende Frage ist nun: warum?« Haas' Stimme riss ihn aus seinen Gedanken.

»Warum was?«, fragte er.

Haas sah ihn verdutzt an. »Warum er sich umgebracht hat.«

»Die Frage beschäftigt uns seit gestern«, schaltete sich nun wieder Bydlinski ein. »Naja, und die, warum ihr Deutschen immer so korrekt tun müsst, als hätt euch jemand an Stock in den Arsch gesteckt.«

Hefele holte gerade Luft, um eine entsprechende Antwort zu geben, doch Kluftinger legte ihm die Hand auf den Arm und schüttelte den Kopf. Die Stimmung war aufgeheizt genug, auch ohne dass sie sich auf Bydlinskis Sticheleien einließen.

»Egal«, sagte Bydlinski schließlich ein wenig enttäuscht, weil sich die Kollegen überhaupt nicht hatten provozieren lassen, »jedenfalls bläst man sich wegen einem bisserl Waffenschieberei nicht gleich den Kopf weg.«

Kluftinger nickte.

»Vielleicht war er ja zusätzlich noch depressiv. Oder hatte Beziehungsprobleme. Da kommt oft eins zum andern.« Maiers Einlassung folgten einige Sekunden Schweigen der Kollegen. Strobl und Hefele sahen sich an und verdrehten die Augen. Dann brach Bydlinski in schallendes Gelächter aus. »So? Hammer jetzt auch noch einen Doktor Freud hier sitzen? Was meinen Sie, Sigmund, wenn wir nicht geklingelt, sondern sanft geklopft hätten, hätten wir dann das Schlimmste verhindern können? Oder hat's alles mit dem erhöhten Marzipankonsum zu tun?«

Maier funkelte die Österreicher kampfeslustig an. Doch Kluftinger kam ihm zuvor: »Gut, dann ist so weit ja alles klar. Die weiteren Ermittlungen ergeben sich aus dem, was Sie uns eben erzählt haben, werte Kollegen. Vordringlich sollten wir folgende Fragen klären: Wer war der Mann? Was hat er gemacht? Wie kam er an die Waffe? In welchem Umfeld hat er sich bewegt? Eugen, Richard, Roland: Ihr kümmert euch bitte sofort darum. Danke, das war's.« Der Kommissar erhob sich eilig.

»Und wir?« Bydlinski blickte ihn mit großen Augen an. »Was sollen wir machen?«

Kluftinger hielt inne, musterte ihn kurz und sagte dann: »Sie können uns beim Packen helfen. Wir ziehen nämlich um!«

Tatsächlich wollte der Kommissar die Zeit noch einmal nutzen, um seinen Rückstand bei der Vorbereitung des großen Umzugs etwas aufzuholen. Beinahe täglich flatterten ihnen Hausmitteilungen mit einem exakten Zeitplan für den Ortswechsel zu, verbunden mit Empfehlungen, was man zu tun habe, um einen reibungslosen Übergang zu schaffen. Kluftinger vermutete insgeheim, dass Maier da irgendwie seine Finger mit im Spiel hatte. Sicher war hier Planung nötig, schließlich konnten sie den Laden ja nicht einfach dichtmachen und für eine Woche ein Schild an den Eingang hängen mit der Aufschrift »Wegen Umzug geschlossen«. Auch wenn das nach Kluftingers Meinung die effektivste Möglichkeit gewesen wäre, das Ganze hinter sich zu bringen, sah er ein, dass sie nicht gerade praktikabel war.

Nun, da es nur noch gute zwei Wochen bis zum Tag X waren und Maiers Horrorszenarien, was mit seinen Sachen passieren würde, wenn er nicht vorsorgen würde, immer bedrohlicher wurden, verspürte auch Kluftinger ein gewisses Unbehagen.

So hatte er schließlich doch angefangen, sich gedanklich mit der Sache zu beschäftigen. Sein Umzugskarton füllte sich in periodischen Abständen mit Dingen, die Kluftinger auf jeden Fall wegwerfen wollte, um ihn im Folgenden wieder zu leeren, weil er nach reiflicher Überlegung auf die Sachen doch nicht dauerhaft verzichten wollte. Darunter waren Gegenstände wie der batteriebetriebene Spitzer in Kuhform, bei dem man den Bleistift hinten in die Figur steckte, worauf ein lang gezogenes Muhen ertönte. Auch der kleine Holzhammer mit der Aufschrift »Büroschlafwecker – weckt sogar Beamte« war inzwischen schon mehrere Male in die Kiste hinein und wieder heraus gewandert. Er legte ihn neben den Kuhspitzer in seine Schreibtischschublade.

In der Kiste befanden sich damit im Moment nur zwei Gegenstände: zum einen eine König-Ludwig-Büste aus Kunststoff, eine Wetterstation, die je nach Wetterlage die Farbe ändern sollte. Seit Kluftinger sie von einer Kollegin aus Füssen geschenkt bekommen hatte, war sie stets blau gewesen. Zum anderen lagen ein Paar Handschellen darin, bezogen mit rosafarbigem Plüsch. Ein Geschenk seiner Kollegen zu einem Dienstjubiläum.

»Der lässt aber nix anbrennen«, sagte Strobl, der eben das Zimmer betreten hatte, und schürzte anerkennend die Lippen.

Kluftinger verstand nicht.

»Ich mein den Bydlinski. Der hockt schon die ganze Zeit auf Sandys Schreibtisch und versucht sie davon zu überzeugen, dass in Tirol nicht nur die Berge gewaltig sind ...«

Kluftinger schüttelte den Kopf. »Der Haas geht ja noch, aber der ... Ich bin froh, wenn der wieder weg ist.«

»Nicht nur du.«

»Wieso?«

»Na, der Roland kriegt langsam Krämpfe in der Hand, so ballt er die Fäuste, weil sich der so an die Sandy ranschmeißt.«

Kluftinger nickte. Hefele hatte seit jeher eine Schwäche für ihre Sekretärin, auch wenn er bisher noch nie etwas in dieser Richtung unternommen hatte. Dabei hätte Kluftinger die Chancen seines Kollegen gar nicht so schlecht eingeschätzt, immerhin war Sandy Henske kein Kind von Traurigkeit und Männerbekanntschaften gegenüber sehr aufgeschlossen. Allerdings wollte sie erobert werden. Das war jedenfalls sein Eindruck, da er das Balzverhalten seiner Kollegen mit einer gewissen Distanz und auch einem gewissen Amüsement verfolgte. Er selbst war froh, aus diesem »Geschäft« heraus zu sein, wie er sagte. »Gibt's noch was?«, fragte der Kommissar schließlich, weil Strobl noch immer in seinem Büro stand. »Ich habe hier wirklich viel zu tun. Ich muss ... sortieren und ... packen, du weißt schon.«

»Ach so, tschuldigung. Also, weswegen ich gekommen bin: Ich hab die Identität unseres Selbstmörders rausgefunden.«

Kluftinger setzte sich kerzengerade hin. »Was? Und das sagst du mir erst jetzt? Wer ist er?«

»Er ... war Student. An der FH Kempten. Maschinenbau. Sein Name ist Tobias Schumacher.«

»Gut, gib mir die Details. Ich fahr dann gleich hin.«

»Und was ist mit dem Packen?«

»Das?« Kluftinger warf einen Blick auf die Kiste und zuckte mit den Schultern. »Ist so gut wie erledigt.«

Der Kommissar war froh, der leidigen Verpflichtung zum Verpacken seiner Büroeinrichtung mal wieder entkommen zu sein. Und er genoss es, wenigstens kurz allein sein zu können. Er fuhr wie immer mit seinem alten Passat, nicht mit einem Dienstwagen. Eine lieb gewordene Gewohnheit, auch wenn mittlerweile der finanzielle Vorteil der Kilometerabrechnung durch die gestiegenen Benzinpreise völlig aufgefressen wurde.

Als er an der Kemptener Residenz vorbeikam, die in der strahlenden Sonne so friedlich dalag, stellte sich wieder jenes wohlige Gefühl von heute Morgen ein. Daran konnte auch ein Tanzkurs mit Doktor Superschlau nichts ändern.

An der Fachhochschule in Kempten angekommen, auf die man in der selbst ernannten »Allgäu-Metropole« so stolz war, dass man vor einigen Jahren alle Ortsschilder mit dem Zusatz »Hochschulstadt« versehen hatte, stellte Kluftinger seinen Wagen auf den Professorenparkplatz. Er war noch nie hier gewesen, kannte das Gebäude aber aus vielen Zeitungsberichten.

Als er den Campus betrat, der auf allen Seiten von modernen Gebäuden eingerahmt wurde, fühlte er sich ein wenig unsicher. Hochschulen waren nicht sein Terrain. Das war schon so, seit er nach dem Abitur für kurze Zeit mit dem Gedanken gespielt hatte, zu studieren. Auch wenn er nicht genau gewusst hatte, welches Fach ihn wirklich hätte interessieren sollen, war er seiner Mutter zuliebe einmal mit dem Zug nach München gefahren und hatte die Universität besichtigt. Schließlich hätte sie es so gern gesehen, wenn ihr »Bub« irgendein Doktor geworden wäre. Doch im Gewimmel der friedensbewegten Hippie-Studenten Anfang der Siebzigerjahre hatte er sich völlig deplatziert gefühlt.

Außerdem hatte Kluftingers Abneigung gegen sämtliche Lehranstalten, in denen er sich schwitzend und ängstlich in irgendwelchen Prüfungen sitzen sah, schließlich die Oberhand behalten. Auch das Zureden seines Vaters, eine Polizeilaufbahn als Beamter sei nicht nur abwechslungsreich, sondern obendrein überaus krisensicher, hatte seine Wirkung nicht verfehlt. Es gab nur wenige Dinge, für die er seinem Vater derart dankbar war. Auch wenn er wusste, dass der vor allem Angst davor gehabt hatte, seinem »Doktorbuben« lebenslang finanziell unter die Arme greifen zu müssen.

Die Unsicherheit in universitären Dingen hatte in neuerer Zeit sein Sohn Markus verstärkt, der mit Begriffen wie »UB«, »Caféte«, »Repetitorium« oder »Hörerschein« hantierte – für seinen Vater allesamt böhmische Dörfer. Eine eigene Welt war das, in die er jetzt, mit Mitte fünfzig, auch nicht mehr eindringen wollte.

Kluftinger zögerte. Er stand mitten auf dem quadratischen Innenhof, die gleißende Sonne blendete ihn. Alle Gebäude sahen gleich aus, ein wirklicher Haupteingang war nicht auszumachen. Schließlich ging er auf einen Studenten zu, der vor einer der Eingangstüren stand und rauchte.

»Grüß Gott, eine Frage, der Professor Neumann, wo find ich den, bitte?«, fragte Kluftinger.

»Hm … da haben Sie Glück, das weiß ich sogar.« Der junge Mann langte in seine Hosentasche und zog sein Handy heraus. Nach einem Blick aufs Display sagte er: »Ja, genau. Da müssen Sie zum Audimax.«

Kluftinger stutzte.

»Aha, wo jetzt genau?«

»Zum Au-di-max«, wiederholte der Student und wies mit dem Finger auf den Trakt, der ihnen gegenüberlag. Genauer wollte Kluftinger nicht nachfragen.

Der Kommissar kontrollierte zweimal alle Türschilder im Erdgeschoss des Gebäudetraktes, doch auf keinem fand er den Namen des Mannes, den er suchte.

Plötzlich röteten sich seine Wangen, denn auf einem Plan entdeckte er das Wort »Audimax«. Nur bezeichnete das keine Person, sondern einen Raum. Natürlich, ein Raum. Markus hatte erzählt, dass sie manchmal im Auditorium Maximum Vorlesungen zusammen mit den Juristen hatten. Und er hatte sich damals noch mit seinen mehr als bruchstückhaften Lateinkenntnissen zusammengereimt, dass das »Größter Zuhörerraum« heißen musste. Er seufzte.

Eine Minute später stand er vor dem gesuchten Hörsaal. Er sah sich den Belegungsplan auf der großen Eingangstür an, die urplötzlich aufging. Zwei Studenten kamen heraus und gingen ihres Weges, ohne ihn überhaupt wahrzunehmen. Auf dem Plan entdeckte Kluftinger zu seinem Missfallen lediglich ein paar Zahlen und Buchstabenkürzel, mit denen er nicht das Geringste anfangen konnte. Nach einigem Überlegen fasste er sich schließlich ein Herz und klopfte an die Tür, doch nichts geschah. Noch einmal, etwas vernehmlicher nun, schlug er mit den Fingerknöcheln dagegen. Und tatsächlich sah er wenig später, wie sich die Klinke senkte.

Erwartungsvoll sah er auf die junge Frau, die jedoch mit ihrem Handy beschäftigt war und ganz offenbar nicht wegen ihm herauskam.

»Hören Sie, Fräulein!«, rief er ihr nach. »Der Professor Neumann, wissen Sie, wo der gerade ist?«

»Genau da drin. Können Sie ruhig reingehen«, kam als Antwort zurück.

Kluftinger überlegte. Ob er doch lieber hier draußen warten sollte? Andererseits, es handelte sich ja um einen Hörsaal. Noch dazu um einen großen. Eine Art riesiges Klassenzimmer also. Und wenn er da jetzt beim Haupteingang reinplatzte, war das auch nicht gerade höflich. Ob es einen Hintereingang gab? Kluftinger lief an der Wand entlang nach links und dann um die Ecke. Und erblickte tatsächlich eine viel kleinere, einflügelige Tür, neben der das Schild »Seiteneingang Audimax« prangte.

Als er die Türe aufdrückte, fiel ein strahlender Lichtschein auf ihn. Bunte, fröhliche Farben tanzten vor seinen Augen, als blicke er direkt durch ein sonnendurchflutetes Kirchenfenster. Der Kommissar erschrak und kniff die Augen zusammen. Auf einmal hörte er eine dunkle Stimme: »Hier würden Sie das Bauschema des Antriebskomplexes jetzt in der Draufsicht erkennen, wenn nicht der Herr ... Hausmeister oder ... Tafelputzer oder wer auch immer ... vor der Leinwand stehen würde.«

Kluftinger hielt schützend seine Hand vor die Augen. Und blinzelte in einen nach oben ansteigenden Hörsaal, der mit rund hundert Studenten besetzt war, die ihn nun ausgiebig musterten. Undeutlich konnte Kluftinger nun auch erkennen, dass er direkt im Lichtkegel eines Projektors stand. Kluftinger ging einen Schritt zur Seite und stand nun vor drei riesigen weißen Tafeln, gut zur Hälfte vollgeschrieben mit Formeln, Vektorengleichungen und Tabellen. Er sah in die Richtung, aus der die Stimme gekommen war, und erblickte einen Mann seines Alters mit vollem, grau gelocktem Haar, der hinter einem Pult stand.

Der Kommissar fühlte sich in die eigene Schulzeit zurückversetzt.

Er schluckte und sammelte sich: »Ich bin weder der Hausmeister noch der Tafelputzer, Herr Professor Neumann. Mein Name ist Kluftinger«, gab der Kommissar nun viel ruhiger zurück.

»Ach ja?«, fuhr Neumann ungerührt fort, »wie herzallerliebst für Sie. Und nun setzen Sie sich und schreiben wenigstens noch das Nötigste mit, den Hauptteil haben Sie ohnehin verpasst. Sie zahlen schließlich einiges für Ihr Seniorenstudium, nicht wahr?«

Der Professor hatte dies in einem schneidenden Befehlston gesagt, der Kluftinger keine Wahl ließ. Wieder fühlte er sich wie ein Schuljunge und nahm folgsam in der ersten Reihe Platz. Erste Reihe. Priml. Ein Platz, an dem er in der Schule nicht um viel hätte sitzen mögen. Musste er eben warten. Dem Professor würde er sein Seniorenstudium schon noch geben. War wahrscheinlich sogar älter als er, die Silberlocke!

Er war mächtig stolz auf den eben geprägten Spitznamen für den Professor und nahm nun, etwas entspannter, den Audimax genauer in Augenschein. Es sah ein wenig so aus wie der Chemiesaal seiner alten Schule. Nur größer und moderner. Und mit weißen statt mit schwarzen Tafeln. Der Vortrag des Professors war ein monotones Murmeln über Thermophysik und Mechanik.

Er nahm ihn zunehmend nur als eintönigen Klangteppich wahr und ließ seinen Gedanken freien Lauf. Was genau war eigentlich der Vorteil, dass man nun »schwarz auf weiß« schrieb, überlegte er. Auch bei der Polizei hingen sogenannte »Whiteboards« in allen Konferenzräumen. Dass man sündteure Stifte kaufen musste? Dass man die Dinger ruinierte, wenn man die falschen, permanenten Schreiber verwendete? Was sprach gegen Kreide? Und den guten alten Schwamm?

Eine bleierne Müdigkeit breitete sich in seinem Körper aus. Kluftinger sah mit hängenden Lidern zum Professor. Und brauchte ein paar Sekunden, bis er realisierte, dass der ihm direkt in die Augen sah. Ruckartig setzte sich der Kommissar kerzengerade hin. Erst jetzt fiel ihm auf, dass es völlig still im Raum war. Er fühlte, dass alle Blicke auf ihm ruhten.

Seine Lippen begannen kaum merklich zu beben, seine Wangen wurden auf einen Schlag feuerrot. Starr blickte er zu Boden.

»Na?«, hakte der Professor nun nach. »Das sollten Sie aber schon wissen.«

Ob Kluftinger sich einfach nach der gestellten Frage erkundigen sollte? Andererseits würde er damit auch die Erwartung steigern, diese beantworten zu können. Warum wurde bei einer Vorlesung überhaupt etwas gefragt? Markus hatte ihm erzählt, dass man da auch vortrefflich schlafen konnte, weil es reine Vortragsveranstaltungen seien.

Hilfesuchend blickte sich Kluftinger um. Könnte ihm nicht jemand zur Seite springen? Gab es denn gar kein Mitleid mehr in dieser Gesellschaft? Keine Solidarität unter den Studenten?

»Kommunion«, hörte er es endlich hinter sich flüstern. Hatte er richtig gehört? Was für eine Frage konnte das nur gewesen sein, deren Antwort »Kommunion« sein sollte?

Vielleicht »Konversation«? Oder »Konvention«? Aber auch das schien nicht mehr Sinn zu ergeben. Was könnte passen, was so ähnlich klang? Egal, dachte er sich, schließlich hatte er hier ja nichts zu verlieren. Also fasste er sich ein Herz und ließ laut und deutlich »Kompression« vernehmen.

»Exakt, natürlich ist es die Kompression, die bei den genannten Parametern ansteigt«, fuhr der Professor fort.

Kluftinger konnte es kaum fassen. Er hatte intuitiv den richtigen Begriff genannt. Stolz blickte er sich um und suchte Augenkontakt zu den Studenten, die sich aber bereits alle wieder in ihre Mitschriften vertieft hatten. Kombinationsgabe, lautete das Mantra, das er im Geiste vor sich hinsagte, bis die Vorlesung, von der er kaum noch ein Wort verstand, endlich zu Ende war.

Als der Professor geendet hatte, klopften die Studenten auf ihre Tische. Nur einer im Auditorium klatschte vernehmlich in die Hände.

»Professor Neumann?« Kluftinger stand vor dem gekachelten Pult. Neumann sah ihn mürrisch an. »Von Pünktlichkeit scheinen Sie nicht viel zu halten, mein Herr. Auch wenn Sie nur als Gaststudent hier sind – bitte halten auch Sie sich an die Regeln.«

Kluftinger langte in seine Hosentasche, zog seinen Dienstausweis heraus und knallte ihn auf das Pult.

»Kluftinger, Kripo Kempten. Herr Neumann, ich hätte ein paar Fragen an Sie.«

Den »Professor« hatte Kluftinger mit Bedacht weggelassen.

Verdutzt schaute Neumann sein Gegenüber an. Nach einer Weile lächelte er verlegen. »Ich … verzeihen Sie, ich konnte ja nicht wissen, dass Sie …«

»Kein Problem«, unterbrach ihn der Kommissar, »machen Sie sich da mal keinen Kopf. Schließlich hätte ich mich auch anmelden können.«

Einige Höflichkeitsfloskeln und etwa fünf Minuten später saß Kluftinger in Neumanns Büro vor einer Tasse dampfenden Kaffees und hatte bereits die Frage nach Tobias Schumacher gestellt.

»Lassen Sie mich überlegen. Schumacher, sagen Sie?« Neumann schüttelte seine grauen Locken. »Ich habe dazu im Moment kein Gesicht vor Augen.«

»Tobias Schumacher, Student der Fachrichtung Maschinenbau.«

»Lassen Sie mich kurz meine Sekretärin rufen, sie soll mir in der Studentenkanzlei die Akte holen. Die enthält auch ein Foto des Studenten. Mit Gesichtern kann ich mehr anfangen als mit Namen, wissen Sie?«

Zehn Minuten, nachdem Neumann über eine Gegensprechanlage sein Anliegen weitergegeben hatte, öffnete sich die Tür zu seinem Büro. Kluftinger war froh darüber, denn der Professor hatte sich die ganze Zeit nicht mit ihm beschäftigt, sondern war seiner normalen Arbeit nachgegangen, hatte Briefe geöffnet und E-Mails gelesen – während Kluftinger aus dem Fenster gesehen und ein Stoßgebet nach oben gesandt hatte, dass die unangenehme Situation so schnell wie möglich vorübergehen würde. Wenn er etwas hasste, dann war es diese peinliche Stille zwischen zwei Menschen, die sich nichts zu sagen hatten.

Endlich kam die Sekretärin mit der Akte des Studenten herein.

»Richtig, das ist dieser Schumacher. Ich kenne ihn vom Sehen aus einigen Vorlesungen. Allerdings habe ich noch nie persönlich mit ihm gesprochen, obwohl er in einem meiner Wochenendseminare war. Wenn Sie meine offene Meinung hören wollen: ein absoluter Mitläufer. Schüchtern, gehemmt, introvertiert. So einer, der sich beim gemeinsamen Essen nicht blicken lässt und sich sofort nach der letzten Sitzung in sein Zimmer zurückzieht. Seltsamer Typ.«

Kluftinger runzelte die Stirn. Er hatte ihm noch keine konkrete Frage zu dem Studenten gestellt, dennoch gab Neumann bereits eine

Charakterstudie ab. Überhaupt, der Professor brauchte gerade etwas über »komische Typen« zu sagen: Erst schwieg er sich zehn Minuten aus, dann redete er ohne Punkt und Komma.

»Immerhin, keine schlechten Ergebnisse in den bisherigen Klausuren und Arbeiten. Ein relativ begabter Mann, wie es scheint«, sagte der Professor beinahe überrascht bei der Durchsicht der Papiere und klappte dann die Akte zu. »Sagen Sie, was war denn nun Ihre Frage zu diesem ... Studenten?«

»Sie haben sie in der Hauptsache bereits beantwortet. Ich wollte vorwiegend Ihren Eindruck hören.« Tatsächlich half Kluftinger das oft am meisten: Der Eindruck, den sich die Leute von ihren Mitmenschen machten, führte in der Regel besser zum »wahren Kern«, wie er es nannte, als Lebensdaten, Kontobewegungen oder psychologische Analysen.

»Aber sagen Sie«, fuhr Kluftinger fort, »hatte der Schumacher irgendein Spezialgebiet, mit dem er sich befasste?«

Noch einmal zog Neumann den Ordner heran. Er blätterte eine Weile darin herum und antwortete dann: »Nun, integrierte Schaltungen, da hat er schon zwei Seminararbeiten geschrieben. Steuerungen, Zeitschaltungen. Aber nicht, dass Sie jetzt meinen, das ist ein wirklicher Schwerpunkt. Jetzt muss ich schon mal nachfragen: Hat er denn etwas angestellt? Oder werden Sie mir das ohnehin nicht sagen?«

»Ich dürfte es Ihnen nicht sagen, da haben Sie Recht. In diesem Fall aber ist es einfacher: Auf Schumacher müssen wir keine Rücksicht mehr nehmen, er hat sich gestern mit einer großkalibrigen Waffe in den Kopf geschossen. Und warum er das getan hat, das möchten wir gern erfahren. Denn er selbst kann es uns nicht mehr sagen.«

Neumann schluckte. Er schien ehrlich schockiert zu sein ob der unverblümten Wahrheit, die ihm von Kluftinger präsentiert wurde. »Behalten Sie die Umstände aber vorerst bitte für sich, ja? Ich komme möglicherweise noch einmal auf Sie oder einen Ihrer Kollegen zu. Eine Frage noch, Professor«, schloss Kluftinger, »wenn Schumacher mit Ihnen auf diesem Wochenendseminar war, und Sie sagen, er hat sich immer gleich zurückgezogen, wer war denn mit ihm auf dem Zimmer? Ich meine, hatte er unter den ... Studentenkollegen Freunde oder Vertraute?«

»Jetzt wo Sie es sagen, kann ich mich erinnern: Er war der Einzige außer mir als Seminarleiter, der ein Einzelzimmer bestellt hatte. Ich weiß das noch, weil sogar meine beiden Assistenten sich mit dem Doppelzimmer begnügt hatten. Aber fragen Sie doch ruhig einmal herum: Irgendeinen hat schließlich jeder, dem er sich anvertraut. Befragen Sie doch seine Kommilitonen«, merkte Neumann an.

Kommilitonen, genau, das war das Wort für Studienkollegen, das Kluftinger zwar eigentlich gewusst, sich aber dann nicht zu verwenden getraut hatte: Schließlich hatte er heute mit Fremdwörtern schon zu oft daneben gelegen.

Als Kluftinger wieder in seinem Wagen saß, ließ er seinen Besuch an der Fachhochschule noch einmal Revue passieren. Und dabei gelang es ihm, die peinlichen Momente außen vor zu lassen, sich ganz auf den Fall zu konzentrieren: Keiner von Schumachers Studienkollegen, die er noch befragt hatte, hatte ihn näher gekannt. Wenn sie überhaupt gewusst hatten, nach wem sie da befragt wurden. Was mochte nur in diesem jungen Mann vorgegangen sein? Warum hatte er solche Angst vor der Polizei, dass er sich geradezu präventiv selbst hingerichtet hatte?

Bevor er ins Büro zurückkehrte, machte Kluftinger einen kleinen Umweg durch die Innenstadt, um sich in der Apotheke ein paar Hühneraugenpflaster mitzunehmen. Schließlich hatte er noch immer keine überzeugende Ausrede für ein Fernbleiben vom Tanzkurs parat. Dick beklebte Füße würden ihn sicher ein ganzes Stück weiterbringen.

In der Direktion angekommen, erwartete Kluftinger die abschließende Konferenz für diesen Tag. Viel hatten die Kollegen zwar noch nicht vorzuweisen, aber ein paar Fakten waren mittlerweile zusammengetragen worden.

Hefele war der Erste, der seine Erkenntnisse darlegte. In seiner gewohnt ruhigen, zurückhaltenden und stets korrekten Art berichtete er kurz und knapp, dass Schumacher in Kempten offenbar so gut wie keine sozialen Kontakte zu unterhalten schien. Er war sechsundzwanzig Jahre alt und studierte im sechsten Semester Maschinenbau, das wüssten sie ja bereits. Eigentlich stamme er von der Schwäbischen Alb und sei dann in Ulm zur Schule gegangen. Man habe bei ihm nichts gefunden, was Rückschlüsse auf sein Privatleben zuließ, kein Notizbuch, kein Telefonverzeichnis.

»Jetzt stellt euch vor«, sagte Hefele, »sogar von seinem Handy sind kaum Anrufe abgegangen. Die meisten Kontakte sind Anrufe ›von unbekannt‹. Wir versuchen gerade über den Anbieter, da noch was rauszukriegen. Sagt selber, das macht ihn doch nicht ganz geheuer, oder?«

»Also jetzt mal halblang, Kollegen«, schaltete sich Bydlinski ein. »Mach ich eh auch, dass ich meine Nummern unterdrücken lasse, und die Bezahlnummern für die Damen lösch ich aus dem Speicher. Ist nicht so toll, wenn das Frauen sehen, dass man da hin und wieder ein Schwätzchen hat. Was soll jetzt daran ›nicht geheuer‹ sein, Kollegen? Ich bin ja auch geheuer, oder?«

Ungeheuer, dachte Kluftinger. Hefele machte eine kurze Pause und sah zu seinem Vorgesetzten, der ihm zunickte. Nicht aus der Ruhe bringen lassen, sollte das heißen.

»Wie dem auch sei«, fuhr Hefele fort und bedachte den österreichischen Kollegen mit einem derart bösen Blick, dass Kluftinger es beinahe mit der Angst bekam, »er hat keine Angehörigen. Seine Eltern sind beide ums Leben gekommen. Interessanterweise im Ausland: Sie waren während des Balkankrieges in Serbien und Albanien eingesetzt, arbeiteten für die KFOR und das Auswärtige Amt. Bombenanschlag auf einen Konvoi, mit dem sie unterwegs waren. Der Junge hatte damals gerade Abitur gemacht. Und dann: beide Eltern auf einmal.«

»Buum, buum«, tönte es aus Bydlinskis Richtung, und alle Anwesenden, vor allem Hefele, hatten sichtlich Mühe, die Contenance zu wahren.

Als Nächster war Strobl an der Reihe, der sich die Dinge genauer angesehen hatte, die die Spurensicherung aus der Wohnung des Selbstmörders mitgenommen hatte. Eigentlich hatte er nicht viel zu berichten: Tatsächlich fanden sich außer ein wenig Kleidung, einem Fernseher und einigen Büchern weder aufschlussreiche persönliche Habseligkeiten noch wirklich viele Einrichtungsgegenstände.

»Das Einzige, was uns weiterbringen könnte, ist ein Laptop, mit dem sich der Richard noch befassen wollte, weil er sich da ja am besten auskennt.«

Maier grinste stolz in die Runde. Dann fuhr Strobl fort: »Ja, und dann haben wir, beziehungsweise Willis Leute, noch Dinge mitgenommen, die uns leider auch nicht viel weiterhelfen werden: Schumacher hatte wohl ein nicht gerade alltägliches Hobby. Er schien elektronische Bauteile zu horten und mit einem Lötkolben daran herumzubasteln. Aber nicht, dass ihr jetzt meint, er hat sich damit ferngesteuerte Hubschrauber oder Zubehör für die Modelleisenbahn gebaut. Eher komplizierte Schaltkreise. Aber das überprüfen wir noch.«

»Ja, meine Herren, damit hätten wir's für heute, das war's. Feierabend«, beschloss Kluftinger die Konferenz. Alle Kollegen standen auf – bis auf Haas und Bydlinski, die sich leise unterhielten. Hefele trat zu Kluftinger und blickte verstohlen zu den Österreichern.

»Chef, schicken wir die jetzt nicht mal nach Hause? Wird doch allmählich Zeit, oder? Die stören schließlich den ganzen Ablauf hier. Ich halt das bald nicht mehr aus mit denen. Vor allem der Bydlinski, dieser Prolet. Wenn der so weitermacht, dann vergess ich mich.« So aufgebracht hatte der Kommissar seinen Kollegen selten erlebt. Als der den Raum verließ, warf er Bydlinski noch einen hasserfüllten Blick zu.

»Ja, Herr Haas, Herr Bydlinski«, setzte Kluftinger an, als Sandy Henske den Raum betrat. Sie räumte die Kaffeetassen vom Tisch, und als sie an Bydlinski vorbeiging, legte der von hinten den Arm um ihre Hüften. Sie schien sich das zu Kluftingers Erstaunen auch gern gefallen zu lassen und säuselte ihm nur ein kokettes »Aber, aber, nisch gleich so stürmisch. So schnell schießn de Sachsn nisch, gnädscher Herr« zu, bevor sie sich kichernd aus seiner Umarmung wand.

Kluftinger fand, dass die Annäherungsversuche Bydlinskis reichlich weit gingen, dafür, dass der gerade mal den zweiten Tag hier war. »Nun, wie gesagt, meine Herren, Sie können nach Hause fahren. Wir können ja in telefonischem Kontakt bleiben. Herr Haas, nett, Sie kennengelernt zu haben. Herr Bydlinski, leben Sie wohl«, sagte Kluftinger und machte damit klar, dass auch er den Beginn des Feierabends nicht länger hinausschieben wollte.

Als Hefele, der noch am Kopierer in Sandys Büro stand und bedeutend langsamer als sonst einige Akten darauf legte, sah, wie die Österreicher gingen, grinste er. Haas warf ein »Habe die Ehre« in die Runde. Bydlinski jedoch beugte sich zu Sandy hinunter, steckte ihr eine

Visitenkarte zu und flüsterte: »Komm mich mal besuchen, Mauerblümchen, dann zeig ich dir die Berge!«

Sandy lächelte verlegen. Hefele schmiss den Deckel des Kopierers zu und stürmte aus dem Zimmer.

Bevor sich Kluftinger auf den Nachhauseweg machte, beschloss er, noch kurz in Willi Renns Büro vorbeizuschauen. Ein Entschluss, der nicht zuletzt dadurch gefördert wurde, dass er in seiner Jackentasche wieder einen Abzug jenes Fotos gefunden hatte, das ihn am Ort des Selbstmordes in seinem Fischerkostüm zeigte. Dem Willi würde er jetzt endlich das Handwerk legen und die Originaldatei an sich nehmen.

Er würde sich aber nichts anmerken lassen, sagte er sich, als er vor dem Labor stand, in dem Willi Renn nicht nur sein »Fotostudio« hatte, wo die Delinquenten erkennungsdienstlich behandelt wurden, sondern wo er auch alle Arten von Spuren dokumentierte, analysierte und auf Dauer sicherte. Und wo er, wie jeder hier wusste, seine »Kammer des Schreckens« stehen hatte, einen Schrank mit den grausamsten, seltensten und skurrilsten Dokumenten verbrecherischer Handlungen, die ihm in seiner langjährigen Dienstzeit untergekommen waren.

Kluftinger klopfte an die Tür. Nichts rührte sich, also trat er ein. Im Fotolabor keine Spur von Willi. Kluftinger ging zu Renns Schreibtisch. Der Computer lief noch. Wäre doch gelacht, wenn er nicht die gesuchte Datei finden würde, dachte er, wusste aber, dass dafür jede Menge Zufälle zu seinen Gunsten zusammenspielen mussten. Er drückte willkürlich eine Taste. Verdammt. Passwortschutz, auch das noch. Nachdem er es mit Renns Namen, dem seiner Frau und seiner Kinder probiert hatte, tippte er sein eigenes, wie er meinte unknackbares Kennwort ein. Er hatte das »e« von »Polizei« gerade getippt, da ließ ihn eine Stimme derart zusammenfahren, dass er vor Schreck aufschrie.

»Klufti, lass dir doch helfen, was brauchst du denn?«, gab Willi Renn in ironischem Tonfall von sich.

»Willi, ja wo bist du denn ... ich hab gar keine Tür gehört! Ich wollte nur noch einmal ... die Fotos vom Selbstmörder.«

»Aha, brauchst du noch ein bisschen Horror als Betthupferl, hm? Hast du jetzt deine dunkle Seite entdeckt? Einen kleinen Moment noch, dann komm ich und zeig dir die Bilder. Ich packe gerade meine

Schätze ein, für den Umzug. Komm schnell rüber, dann können wir über den Fall reden.«

Renn, bekleidet mit einem weißen Laborkittel, schlappte wieder in den Nebenraum. Über die Schulter sagte er: »Übrigens: Mein Passwort knackst du nicht. Ich hab was Sichereres als dein albernes ›Polizei‹!«

Kluftinger war baff. Woher kannte Willi sein Kennwort? Er schien seinem Spitznamen »Wühler« mal wieder gerecht zu werden.

»Woher weißt du das?«

Willi lächelte: »Na, da unterhalt dich mal am besten mit deiner Sekretärin. Die erzählt das schon mal bei der Brotzeit. Und auch, dass du das Kennwort auf einem Klebezettel am Bildschirm hängen hast – in irgendeiner Geheimschrift.«

Willi hatte Recht: An seinem Computer hing ein Zettel mit seinem Passwort. Nachdem er es mehrfach vergessen hatte und die EDV jedesmal Stunden gebraucht hatte, seinen Zugang wieder freizuschalten, hatte er sich zu dieser Variante entschlossen. Allerdings mit einem, wie er fand, genialen Trick: Der Zettel enthielt nur Konsonanten. Knnwrt Cmptr Plz. Immerhin, das hätte auch Postleitzahl heißen können. Er seufzte: Jetzt musste er sich über eine neue Datensicherungsstrategie Gedanken machen.

Willi bückte sich zu einer Schachtel. »Halt mal, Klufti«, brummte er.

Kluftinger griff ohne nachzudenken nach dem Gegenstand, den ihm Willi hinstreckte. Ein paar Tropfen der Flüssigkeit spritzten dabei aus dem Glas auf seine Hand.

»Aber pass auf, Klufti, da ist der Deckel locker geworden. Nicht, dass der Alkohol überschwappt. Gib mir bloß auf die Manu Obacht.«

Kluftinger, der Willis makabere Vorlieben nur zu gut kannte, verzog angewidert das Gesicht. Er wollte gar nicht wissen, was für ein Tierchen Manu denn genau war. Sicher eine eingelegte Schlange, ein Skorpion oder gar ein Bandwurm. Willi Renn hatte unterdessen eine Laborflasche zur Hand genommen und den Deckel des Glases völlig gelöst, um etwas Flüssigkeit nachzugießen.

»Weißt du, Klufti, die Manu haben wir damals in den Achtzigern gefunden. Festgenagelt über dem Eingang eines Restaurants. Mitsamt Goldring. Mafia, du verstehst?«

Goldring? Das klang nicht nach einem Tier. Den Kommissar beschlich eine dunkle Ahnung. Langsam ließ er seinen Blick nach unten wandern. Als er sah, was sich in dem Glas befand, richteten sich schlagartig seine Nackenhaare auf. Blitzschnell stellte er das Gefäß auf den Boden, machte einen Satz zurück und sprang zum Waschbecken, wo er die Hände zuerst wusch und dann ausgiebig desinfizierte.

Willis Beteuerungen, dass Manu, angelehnt an den lateinischen Ausdruck für Hand, nicht einmal ein Leichenteil sei und der ehemalige Besitzer sogar noch lebe, konnten Kluftinger nicht im Geringsten beruhigen. Der hatte das untrügliche Gefühl, dass sich der abgestandene Geruch des Alkohols und mit ihm wahrscheinlich Leichengift und Milzbranderreger bereits tief in die untersten Strukturen seiner Haut hineingefressen hatten. Und er wusste, dass er dieses Gefühl für die nächsten Tage nicht mehr losbekommen würde.

Erst nach ein paar Minuten hatte er sich wieder beruhigt. Der eigentliche Grund für sein Kommen war mittlerweile in weite Ferne gerückt. »Und, Willi, weißt du schon was zu den Elektronikbauteilen, die ihr in der Wohnung gefunden habt? Kannst du dir einen Reim darauf machen, wozu die gut sein sollen?«

»Bis jetzt nicht, Klufti. Es geht ja auch nicht nur um Elektronik. Einige Dinge könntest du astrein zum Waffenbau verwenden. Aber da fehlen wiederum wichtige Komponenten. Frag mich nicht, was der sich bauen wollte. Da sind Rohre, Federn und Platinen. Wenn er Waffen bauen wollte – was will er mit der Elektronik? Ich überleg schon die ganze Zeit rum – keine Ahnung. Wenn du willst, kannst ja du morgen mal einen Blick drauf werfen. Ich lasse alles aus der Wohnung holen«, sagte Willi. Grinsend fügte er hinzu: »Obwohl, wenn ich's mir so überlege, du kannst ja mit Elektronik bald noch weniger anfangen als mit Verblichenen.«

Kluftinger beschloss, endlich Feierabend zu machen. »Du, ich pack's, Willi. War ein ganz schön stressiger Tag heut. Und du? Räumst du noch dein Gruselkabinett ein?«

»Ein paar Sachen noch, dann mach ich auch Schluss. Der Umzug liegt mir echt im Magen. Bis da erst mal wieder alles an seinem Platz ist!«

»Ja«, stimmte Kluftinger zu, »wie soll nur aus den ganzen Einzelteilen jemals wieder eine funktionierende Maschinerie werden? Da gerät ja alles aus dem Takt.«

Wie vom Donner gerührt sah Willi Renn den Kommissar an. Dann sprang er abrupt auf, stolperte beinahe über einen Aktenstoß, der zum Einpacken am Boden lag und nahm sich seine Jacke. »Klufti, ich muss weg!«

»Willi, was ...«, rief der Kommissar ihm nach, doch in diesem Moment knallte bereits die Tür ins Schloss.

Kluftinger war perplex. Er konnte sich das Verhalten seines Kollegen beim besten Willen nicht erklären. Aber immerhin: So hatte er wider Erwarten noch einmal Gelegenheit, sich nach dem Foto umzusehen.

Er ging also zurück an Renns Schreibtisch. Das mit dem Computer würde wohl nicht hinhauen. Aber sicher hatte Renn bereits Ausdrucke des Fotos herumliegen. Nachdem Kluftinger auf dem Schreibtisch nichts dergleichen gefunden hatte, zog er eine Schublade auf. Er griff hinein und vergrub seine Hand in einem Stapel Papier. Darunter ertastete er einen festen Gegenstand. Er lugte in die Schublade und zog einen menschlichen Unterkieferknochen heraus. Mit einem schrillen Aufschrei warf er ihn zurück und verließ fluchtartig den Raum. Es wurde wirklich Zeit, dass er nach Hause kam.

»Hallo? Halloho, ich bin daheim!«

Keine Antwort. Offenbar war niemand zu Hause. Kluftinger wunderte sich: Erika hatte ihm gar nicht gesagt, dass sie heute noch weggehen wollte. Dass Markus mal wieder nicht da war, überraschte ihn wenig. Seitdem er sein Praktikum bei der Kemptener Polizei ableistete, sah er ihn mehr im Präsidium als daheim. Aber Erika? Heute war weder Kirchenchor noch Gymnastik.

Schließlich zuckte er die Achseln, stellte seine Tasche ab, zog seine Schuhe aus und ging ins Schlafzimmer. Was nun folgte, hatte sein Sohn Markus einmal hochtrabend »die Verwandlung« genannt. Für Kluftinger war es jedoch einfach nur das tägliche Ritual, mit dem er sich für den Feierabend fertig machte. Es lief immer gleich ab: Seine Hose flog auf den »Gwandsessel«, sein Hemd landete auf dem Bett. Wie immer – zu Erikas Leidwesen – so zerknautscht, dass man es nie und nimmer ein weiteres Mal hätte anziehen können. Dann lief er zum Schrank, um seine bequeme Freizeitkleidung anzulegen.

Als er am großen Spiegel vorbeikam, hielt er inne. Er legte den Kopf schief und betrachtete sich. Dabei zog er reflexartig den Bauch ein und stemmte die Hände in die Hüften. Gut, dass ihn Erika jetzt nicht sehen konnte: Sein Unterhemd steckte in der weißen Doppelripp-Unterhose, die er so weit nach oben gezogen hatte, dass sie bis über seinen Bauchnabel reichte. Seine Frau mochte es gar nicht, wenn er das Unterhemd in den Slip steckte, noch dazu so weit, dass es bei den Beinen wieder herauskam. Er dagegen hasste nichts mehr als mehrere Schichten Kleidung, die sich irgendwo im Grenzgebiet zwischen Hose und Slip zu einem Stoffknäuel zusammenballten.

Sein Blick wanderte weiter nach unten zu seinen Füßen. Sein rechter Kniestrumpf war bis zum Knöchel heruntergerutscht.

Kluftinger klatschte sich auf seinen eingezogenen Bauch und nickte dann seinem Spiegelbild zu. »Gar nicht übel, Meister!«, sagte er anerkennend. »Kann sich alles noch sehen lassen.«

Das Geräusch eines hupenden Autos vor der Tür ließ ihn zusammenzucken. Schnell holte er seine dunkelblaue Trainingshose aus dem Schrank und zog sie eilig an, gerade, als habe er etwas Verbotenes getan.

Eigentlich war der Begriff »Trainingshose« für das Kleidungsstück eine irreführende Bezeichnung: Sie hatte in den vielen Jahren ihres Daseins noch keine einzige Trainingseinheit mitgemacht. Dennoch sah sie schon reichlich mitgenommen aus, was daran lag, dass Kluftinger sie über alles liebte und sich in diesem Fall gegen Erika durchgesetzt hatte, die sie schon mindestens ein Dutzend Mal zuerst in der Altkleidersammlung und dann, weil man so etwas nicht mal mehr den Ärmsten zumuten könne, in den Müll geworfen hatte. Inzwischen hatte sie es aber aufgegeben und ihm sogar den Bund etwas ausgelassen, weil selbst der Gummizug sich seinem sich in den letzten Jahren rapide vergrößernden Körperumfang nicht mehr anpassen konnte.

Anschließend zupfte der Kommissar an seinem Unterhemd, beugte seinen Kopf und hielt es sich an die Nase. Er inhalierte tief und nickte dann beruhigt. Der Geruchstest war und blieb die zuverlässigste Methode, um herauszufinden, ob ein Kleidungsstück in die Wäsche gehörte oder noch weiter getragen werden konnte.

Schließlich zog er sich noch ein Sweatshirt über, von dem er zwar die Aufschrift – UCLA California Sports Squad – kannte, sich aber noch nie über deren Sinn Gedanken gemacht hatte, und verließ als ein anderer Mensch das Schlafzimmer. Dieses Ritual war mehr für ihn als die Vorbereitung auf den Feierabend. Er hatte gelernt, mit seiner Kleidung auch den Hauptkommissar abzustreifen. Sein Beruf verlangte ihm bisweilen sehr viel ab. Um da nicht aus dem Gleichgewicht zu geraten, musste er den Büroalltag aus seinem Privatleben heraushalten. Anfangs war ihm das noch schwergefallen, inzwischen bereitete es ihm nur noch selten Probleme, richtig abzuschalten.

Mit einem Seufzer setzte er sich auf seinen Platz auf dem Wohnzimmersofa aus dunkelbraunem Velours. Plötzlich wurde ihm bewusst, dass er auch hier, wie im Büro, auf der Bürotoilette, in ihrem Doppelbett und auf der Ofenbank, ja mittlerweile sogar beim vierzehntäglichen Schafkopfen beim Mondwirt seinen Stammplatz hatte. Er schämte sich fast ein bisschen dafür und kam sich vor wie sein Vater, den wenige Dinge wütender gemacht hatten, als wenn jemand seinen Platz am Küchentisch belegt hatte. Dabei hatte er nie wie sein Vater werden wollen. Aber er war auch nicht bereit, die Kuhle aufzugeben, die er sich in jahrelanger Sitzarbeit ins Sofa gedrückt hatte und die ihm eine Bequemlichkeit bot, die er auf keinem anderen Sitzmöbel der Welt finden würde.

Er legte seine Beine auf den gekachelten Couchtisch, allerdings nicht, ohne vorher ein Kissen darunterzuschieben. Er tat das weniger aus Komfort-Gründen, als vielmehr, weil Erika es auf den Tod nicht ausstehen konnte, wenn er seine Füße ohne Unterlage auf den Tisch legte. Sie hatte es geschafft, ihm das so einzutrichtern, dass er es selbst dann nicht tat, wenn sie nicht da war.

Dann rückte er sich seine »Utensilien«, wie er sie nannte, auf dem Couchtisch zurecht: Fernbedienung, Bierkrug, den Brotzeitteller mit den vorher gerichteten vier Butter-Schinkenbroten, die Fernsehzeitung und das Kabel der Stehlampe mit dem Lichtschalter – alles musste so angeordnet sein, dass er nicht mehr aufzustehen brauchte. Denn wenn es etwas gab, was er hasste, war es, noch einmal aufstehen zu müssen, weil er irgendeine Kleinigkeit nicht bedacht hatte. Er unterzog alles einer letzten kritischen Inspektion, nickte zufrieden und ließ sich dann mit einem langgezogenen Seufzer zurück in die Polster sinken.

Gerade, als er die Fernbedienung ergriff, um den Fernseher einzuschalten, fiel sein Blick auf den Zettel, der mit einem Tesafilm an die

Mattscheibe geklebt war: »Sind schon in der Probe, bis gleich, Bussi Erika.«

Siedend heiß durchfuhr es Kluftinger: Natürlich, die Probe! Die hatte er ganz vergessen. Kein Wunder, bei dem Tag, den er hinter sich hatte. Jede Faser seines Körpers sträubte sich dagegen, seine eben so liebevoll eingerichtete Feierabend-Kommandozentrale wieder zu verlassen. Hatte Kluftinger einmal seine Metamorphose vollzogen, war eine Rückverwandlung nur unter Aufbringung höchster Willenskraft und geradezu körperlicher Pein zu bewerkstelligen. Aber ihm war klar, dass er gehen musste. Vor allem, wenn er an seinen gestrigen Abschied von Regisseur Heinrich Frank dachte.

»Kreizkruzifixnoamol«, schimpfte Kluftinger, als er sich vom Sofa erhob und dabei schnaubte wie ein Walross, das mühsam über eine Eisscholle Richtung Wasser robbt.

Als der Kommissar sein Auto geparkt hatte und den Weg zum Spielgelände am Fuße der an einem Hügel gelegenen Gemeinde beschritt, war er sogar ein wenig froh, dass er es noch einmal geschafft hatte, sich aus der Umarmung seines Sofas zu befreien. Es war ein wunderschöner Abend, und die frische Luft tat ihm gut. Sie war erfüllt vom Geruch der wieder erwachten Natur, überall surrte und raschelte es, und aus der Ferne drangen die dumpfen Stimmen der Spieler aus den Lautsprechern der Tribüne.

Kluftinger hielt inne und atmete tief ein. Er liebte es, wenn die Luft wieder nach etwas roch, im Gegensatz zum Winter, wenn alles in eine olfaktorische Starre versank. Die Laubbäume hatten das Lindgrün des Frühjahrs bereits verloren und wirkten kraftstrotzend. Die Sonne schickte ihre letzten orangefarbenen Strahlen über das Tribünendach auf die Spielfläche. Auch wenn es ihm manchmal seltsam vorkam, dass sich so viele Altusrieder, ganze Familien sogar, nach Feierabend in albern aussehende Kostüme warfen, um sich mit Mistgabeln und Dreschflegeln die Köpfe einzuschlagen, durchströmte ihn in diesem Moment ein großes Glücksgefühl, an etwas so Außergewöhnlichem wie dieser gemeinschaftlichen Inszenierung teilhaben zu dürfen.

Doch ein spitzer Schrei, der unverkennbar von Regisseur Heinrich Frank ausgestoßen worden war, beendete sein Schwelgen. Er kniff die Augen zusammen und blickte an der Tribüne vorbei Richtung Bühne. Er versuchte zu erkennen, welche Szene gerade geprobt wurde: Er erkannte ein Pferd ohne Reiter auf der Bühne, ein Mann kniete auf dem Boden, und aus allen Ecken kamen Frauen in zerlumpten Kleidern gelaufen, begleitet von Männern in ähnlichen Leggins wie er eine trug. Sie ruderten aufgeregt mit den Armen und deuteten auf den Mann, der am Boden kniete: Selbst ein Passant, der zufällig auf die Szene gestoßen wäre, hätte das nicht als echten Tumult gedeutet, zu ausladend waren die Gesten der Laienspieler, die damit ihrem großen Auftritt zusätzliche Dramatik und Glaubwürdigkeit verleihen wollten. Kluftinger lächelte: Nun war ihm auch klar, weshalb der Regisseur geschrien hatte, denn seit Monaten versuchte er vergeblich, den Statisten genau diese übertriebenen Gesten abzutrainieren – offensichtlich mit bescheidenem Erfolg.

Doch dann verschwand das Lächeln aus dem Gesicht des Kommissars: Ihm wurde klar, dass hier gerade Gesslers Sterbeszene geprobt wurde, der Moment, kurz nachdem Tell ihn mit der Armbrust erlegt hat. Kluftinger fragte sich bei dieser Stelle immer, wie *er* mit einem solchen Mann wohl umgehen würde. Im Stück wurde Wilhelm Tell als der große Held gefeiert, der Befreier, der Freiheitskämpfer. Doch er war auch ein kaltblütiger Mörder.

Würde ihm heute der Prozess gemacht, würde er ohne Zweifel lebenslänglich bekommen. Einen Strafmilderungsgrund nach heutigem Rechtsverständnis konnte er nicht erkennen: Weder war der Protagonist in Schillers Stück betrunken, noch waren seine Sinne sonst irgendwie getrübt. Auch einen Affekt konnte man ihm kaum unterstellen. Er hatte die Tat minuziös geplant und eiskalt durchgeführt. Natürlich hatte er so einen Tyrannen zur Strecke gebracht, aber spielte das eine Rolle? Es war reine Selbstjustiz, die Tell verübte, kein Gericht hatte ihn zu der Hinrichtung ermächtigt. Letztlich war es ein terroristischer Akt gegen den Repräsentanten einer verhassten Staatsmacht, den Tell hier beging. Im wahren Leben würde Kluftinger so etwas nie dulden, im Stück konnte er manchmal nicht anders, als von der Begeisterung über den entschlossen handelnden Schweizer mitgerissen zu werden.

Der entfernt herüberklingende Glockenschlag der Kirchturmuhr im Dorf beendete Kluftingers gedanklichen Exkurs in die Rechtsphilosophie. Er sah auf die Uhr: Wenn er sich beeilen würde, könnte er es vielleicht gerade noch rechtzeitig zu seinem Auftritt schaffen, der unmittelbar im Anschluss folgen würde. Frank würde dann überhaupt nicht registrieren, dass er sich verspätet hatte.

Von dieser Hoffnung angetrieben, beschleunigte er seinen Schritt und verschwand in den Katakomben, um sich sein Ansteck-Mikrofon zu holen. Dann schlich er sich auf einem Umweg über eine kleine Brücke hinter die Szene an das andere Ufer des Baches, denn nur so konnte er sich von der Tribüne aus ungesehen in die Volksmenge mogeln. Er blickte auf das an dieser Stelle noch relativ seichte Gewässer. Weiter vorn hatte man es aufgestaut, um den Vierwaldstädter See darzustellen.

Kluftinger suchte mit seinen Blicken die Wasseroberfläche nach daraus hervorragenden Steinen ab, über die er ans andere Ufer zu balancieren gedachte.

»Ach, das hat heute sowieso keinen Sinn mehr, gehen wir zur nächsten Szene«, hörte er plötzlich den Regisseur über Lautsprecher seufzen. »Alles bereit für Auftritt Altdorf bitte.«

Das war Kluftingers Stichwort. Er musste sich beeilen, wenn er es noch rechtzeitig schaffen wollte. Von hinten erkannte er in der Menge seine Frau, die erst suchend in Richtung Eingang blickte und dann seinem Vater, der neben ihr stand, etwas ins Ohr flüsterte, worauf dieser mit den Schultern zuckte. Kluftinger sprang auf den ersten Stein, machte zwei weitere Sätze und hatte das gegenüberliegende Ufer erreicht.

»Wo ist denn der Herr ...«, rief Frank gerade gereizt ins Mikrofon, als Kluftinger an der Uferböschung nach hinten zu kippen drohte. Er ruderte mit den Armen, schien für einen Augenblick in Schräglage in der Luft zu hängen und konnte seinen drohenden Sturz nur noch mit einem Ausfallschritt nach hinten abfangen. Sein rechtes Bein klatschte ins Wasser, sein Fuß sank bis zum Knöchel im Schlamm ein, und er stand bis zum Knie im eiskalten Nass.

»Huramentkreizkruzitürkn«, schrie Kluftinger mit einer Mischung aus Schreck und Wut.

»Ach, wie ich höre ist unser Hofschauspieler bereits eingetroffen«, ertönte es als Antwort aus dem Lautsprecher.

Kluftinger erstarrte. Hatte der Regisseur ihn gemeint? Aber er konnte ihn hier unten im Bachbett unmöglich sehen. Da weiteten sich seine Augen, und er senkte langsam den Blick, ließ ihn zu seinem Gürtel und dem dort angebrachten Mikrofonsender wandern. Geradezu höhnisch blinkte dort ein rotes Lämpchen und zeigte ihm an, dass der Sender von der Tontechnik bereits auf Empfang gestellt war. Sein Fluch von eben war also für jeden auf dem Gelände laut und deutlich zu hören gewesen.

Er biss die Zähne zusammen, zog mit einiger Anstrengung sein Bein aus dem Schlamm und humpelte dann den kleinen Hügel hinauf zur Spielfläche. Die Volksmenge hatte das Feld bereits geräumt und war auf ihre Auftrittspositionen gegangen, einige spitzten aber neugierig hinter den Häusern hervor, andere lugten um Büsche und Pappmaché-Felsen herum. Als Kluftinger schließlich auf der Bühne angekommen war, erwartete ihn Frank bereits mit verschränkten Armen, den Blick streng über die Gläser seiner Brille hinweg auf ihn gerichtet.

Kluftinger wusste nicht warum, aber er kam sich vor wie ein kleines Kind, das sich schuldbewusst auf eine Standpauke seines Vaters gefasst macht. Dabei hatte er von Anfang an gesagt, dass es wegen seines Berufes immer wieder passieren könne, dass er mal zu spät komme. Doch durch sein heimliches Anschleichen hatte er sich selbst der Möglichkeit einer Rechtfertigung beraubt und erwartete nun mit hängenden Schultern und gesenktem Kopf sein Strafgericht.

Doch zu seiner grenzenlosen Überraschung blieb es aus. Franks Gesicht nahm einen mitleidigen Ausdruck an, als sein Blick über das schlammverschmierte, durchnässte Hosenbein Kluftingers wanderte. Dann schaltete der Regisseur seinen Sender aus, ging auf den Kommissar zu, legte den Arm um seine Schultern und sagte: »Herr Kluftinger, ich weiß nicht, ob Sie's schon gehört haben. Der Herr Sepp hatte einen Unfall ...«

Kluftinger hob die Augenbrauen. Joseph Brunner hatte gleich am Anfang eine Szene mit ihm, und auch jetzt sollte er eigentlich mit von der Partie sein. Er blickte beunruhigt in das ernste Gesicht des Regisseurs.

»Keine Angst, es ist nicht so schlimm. Er hat sich beim Radfahren die Schulter gebrochen. Aber fürs Spiel fällt er aus.«

Kluftinger seufzte erleichtert. Er mochte seinen Mitspieler und hatte wegen Franks Unheil verheißender Miene bereits Schlimmeres befürchtet. Auch wenn eine gebrochene Schulter sicher kein Zuckerschlecken war. Dennoch war Kluftinger noch nicht völlig beruhigt, denn er verstand nicht, warum Frank deswegen so geheimnisvoll tat.

»Ich habe zum Glück schon eine neue Besetzung für den Kuoni aufgetrieben. Aber es ist nicht mehr lange bis zur Premiere, und da wollte ich Sie bitten, ob Sie nicht vielleicht Ihre Szenen mit ihm noch ein bisschen extra proben könnten ...«

Daher wehte also der Wind. Frank bat ihn um einen Gefallen. Kluftinger dachte kurz nach und nickte dann. Zwar fragte er sich, warum das nicht auch seine Doppelbesetzung, der Bürgermeister, machen konnte. Aber die Probenbesuche von Dieter Hösch waren wegen »wichtiger Repräsentationspflichten«, wie er das nannte, eher sporadischer Natur.

Kluftinger hielt Franks Vorschlag dennoch für eine gute Möglichkeit, das belastete Verhältnis zum Regisseur etwas zu verbessern und sich dadurch einen Freibrief für das ein oder andere Zu-Spät-Kommen zu erkaufen.

Franks Miene hellte sich auf. »Das freut mich aber sehr«, sagte er und schlug dem Kommissar kumpelhaft und nach Kluftingers Geschmack etwas zu fest auf die Schulter. »Ich wusste doch, dass Sie ein Schauspieler von altem Schrot und Korn sind. Und mit Ihrem neuen Spielpartner werden Sie sich sicher blendend verstehen, davon bin ich überzeugt ...«

Kluftinger horchte auf: Woher wollte Frank denn das wissen? Und um wen handelte es sich überhaupt?

Bevor er eine entsprechende Frage stellen konnte, hatte Frank seinen Sender wieder eingeschaltet und brüllte ins Mikrofon: »Herr Martin, kommen Sie bitte mal?« Dabei hielt er die Hand über die Augen und blickte gegen die untergehende Sonne in die im Schatten liegende Tribüne. Kluftinger folgte seinem Blick und sah, wie sich aus dem Dunkel eine Gestalt löste. Es war ein großer, hagerer Mann mit Glatze, so viel erkannte der Kommissar. Dann legte auch er die Hand an die Stirn, um besser sehen zu können. Sofort klappte sein Kiefer nach unten. Der Mann, der mit breitem Grinsen und ausladenden Schritten auf sie zukam, war Dr. Martin Langhammer.

»Der frühe Vogel fängt den Wurm, Willi, oder? Was machst du denn schon da?«

»Na, Klufti, das geht anders: Den frühen Vogel holt die Katz!«, gab Willi Renn zurück.

Kluftinger wunderte sich: Er war heute eine halbe Stunde früher als sonst im Präsidium erschienen und traf im Treppenhaus auf Willi. Der bekennende Morgenmuffel war eigentlich berühmt dafür, eher eine halbe Stunde zu spät zum Dienst zu erscheinen als eine Minute zu früh. »Aber heut hat mich nichts mehr im Bett gehalten«, sagte Renn mit einem breiten Grinsen.

Kluftinger runzelte die Stirn. Warum um alles in der Welt war der denn schon so früh so gut aufgelegt? Doch er brauchte gar nicht danach zu fragen, denn Renn lieferte die Erklärung sofort nach: »Und dass ich schon so früh munter bin, das liegt … an dir!«

In Kluftinger keimte ein Verdacht auf: natürlich, das Foto. Sicher hatte er es wieder an einem exponierten Ort aufgehängt. Das also war der Grund für seine blendende Stimmung.

»Willst du denn nicht wissen, um was es geht?«

»Danke nein, Willi, ich kann's mir schon denken«, gab Kluftinger mürrisch zurück und stieg jetzt schneller als sonst die Treppen zu seinem Büro hoch. »Habe die Ehre.«

Doch Willi ließ sich nicht abschütteln. »Nein, jetzt wart halt. Du bist genial, Kluftinger, ein veritables Genie.«

»Mach deinen Spaß mit jemand anderem. Wir sind hier nicht im Kindergarten«, gab Kluftinger zurück, ohne seinen Schritt zu verlangsamen.

Renn hielt seinen Kollegen an der Schulter fest. Kluftinger drehte sich um, Willi sah ihm in die Augen und sagte mit geradezu feierlicher Stimme, in die sich eine fahrige Aufgeregtheit mischte: »Klufti, du bist wirklich einer der intelligentesten Köpfe hier. Deine Einfälle sind schlichtweg fantastisch.«

Kluftinger grinste. »Das weiß ich schon, seit ich hier bin. Da brauchst du jetzt nicht so aufgeregt sein.«

»Du hast mich auf die Idee gebracht, gestern.«

»Ach so, du meinst wegen dem Kennwort? Wie ich da die Buchstaben ausgelassen habe? Na ja, da käme normalerweise …«

Renn legte seine Stirn in Falten. »Kennwort? Nein, wie kommst du denn darauf? Na ja, vielleicht bist du doch nicht so genial. Vielleicht passt hier eher die Geschichte vom blinden Huhn.« Wieder grinste er, doch dann wurde sein Gesichtsausdruck ernst: »Alle Einzelteile muss man zusammensetzen, damit eine funktionierende, präzise Maschinerie entsteht. Dass nichts aus dem Takt gerät.«

Kluftinger sah Willi entgeistert an.

»Ja, Klufti, das hast du gesagt. Und auf einmal hat es in meinem Kopf zu rattern angefangen und aus den einzelnen Puzzleteilen ist ein Bild geworden. Und das kann ich dir auf deinem PC zeigen.« Triumphierend schwenkte er einen Datenstick vor Kluftingers Gesicht.

Für einen kurzen Moment stiegen Zweifel im Kommissar auf, ob Renn ihn nicht doch zum Narren gehalten hatte und wieder mit seinem Kostümbild ankam. Er entschloss sich jedoch, ihm noch eine letzte Chance zu geben und folgte ihm in sein Büro.

»Um Gottes willen«, stöhnte Kluftinger und wandte seinen Blick von seinem Computerbildschirm ab. »Du meinst, das ist es?«

»Definitiv. So oder so ähnlich hätte das selbstgebaute Gerät ausgesehen. Das Bild und die Anleitung gibt's übrigens kostenlos im Internet. Ein Hoch auf die moderne Datenverarbeitung.«

Kluftinger war blass geworden. Er setzte sich schockiert auf seinen Drehstuhl.

Die Tür ging auf, und nach und nach betraten die anderen Kollegen das Zimmer. Hefele und Strobl kamen als Erste herein. »Ja so was, die Herren. Habt ihr heut im Büro geschlafen? Gestern lang gefeiert oder wie? Ihr schaut ja reichlich derangiert aus«, tönte Strobl beschwingt, dem der Ruf vorauseilte, morgens stimmungsmäßig Renns glattes Gegenstück zu sein. Hefele grinste. Dann merkten beide, dass etwas nicht stimmte.

»Was … ?«

Renn winkte sie zum Bildschirm. »Schaut's euch das mal an! Dann wisst ihr, was uns so zusetzt. Das kann man aus den Teilen bauen, die wir beim Schumacher gefunden haben. Dem Selbstmörder, ihr wisst schon.«

Strobl und Maier gingen um den Schreibtisch herum. Beide mussten schlucken. Strobl blieb gänzlich stumm, und alles, was Hefele herausbrachte, war ein leises »Heilig's Blechle«: Sie blickten auf eine Apparatur, bei der einige Elektronikplatinen über Kabel mit Röhren und Batterien verbunden waren. Alle wussten, worum es sich handelte. Was sie sahen, war zweifelsfrei ein Fernzünder für eine Bombe.

»Meine Herren«, setzte Kluftinger eine halbe Stunde später bei der Morgenlagebesprechung an, »euch ist hoffentlich klar, was durch den Selbstmord an uns vorbeigegangen ist.«

Maier konnte nicht an sich halten. »Ja, wir haben da einen Bombenanschlag erster Güte verhindert.«

»Richie, verhindert hast *du* da gar nichts, das hat unser Selbstmörder schon selbst getan. Aber du hast wahrscheinlich Recht. Es war irgendwo ein Bombenattentat geplant. Ob hier oder anderswo, das Gute daran ist, dass der Attentäter sich sozusagen im vorauseilenden Gehorsam schon vor der Tat selbst gerichtet hat. Die Gefahr ist damit zwar abgewendet. Trotzdem müssen wir weiter ermitteln: Richard, du nimmst dir gleich wieder den Laptop von Tobias Schumacher, unserem Selbstmörder, vor. Vielleicht hilft uns das dabei, mögliche Zulieferer und Hintermänner auszumachen.«

Maier machte keine Anstalten, sich an die Arbeit zu begeben. Erst als sein Vorgesetzter ihn fragend anblickte, erhob er sich wortlos und verließ den Raum.

Kluftinger fuhr fort: »Was uns natürlich am meisten interessieren muss, sind, neben den Drahtziehern, vor allem die Fragen, wann und wo der Anschlag geplant war und gegen wen er sich gerichtet hätte. Unser Glück ist nur, dass wir dabei nicht unter Zeitdruck stehen. Was meint ihr, wie sollen wir vorgehen, Kollegen? Habt ihr irgendeine Vermutung, was die Hintergründe angeht?«

Kluftinger blickte Strobl und Hefele an. Keiner sah zurück. Er kam sich vor wie in der Schule, wenn der Lehrer eine Frage gestellt hatte und die ganze Klasse entweder zum Fenster, zu Boden oder an die Decke starrte, um nicht aus Versehen dessen Blick zu kreuzen und sich so als allzu leichtes Opfer preiszugeben.

»Jetzt kommt's, meine Herren. Mal ein bisschen Kopfarbeit!«

Strobl meldete sich schließlich zu Wort: »Wir haben doch ein paar Schriftstücke in der Wohnung gefunden, oder? Briefe, Rechnungen, Belege. Nicht viel, aber immerhin. Die nehm ich mir mal vor und schau, ob wir Hinweise finden.«

»Gut, Eugen. Du und Roland, ihr kümmert euch darum. Und schaut euch auch an, womit er sich sonst so beschäftigt hat, was für Bücher er gelesen hat.«

Kluftinger erhob sich und sah zum Fenster hinaus, während die Kollegen den Raum verließen. Den Ausblick auf die Schrebergarten-siedlung an der Iller, der ihm in all den Jahren so vertraut geworden war, würde er nicht mehr lange haben. Auch wenn er kein Freund von Schrebergärten war: Die Dinge schienen, je mehr sie zum Alltag gehörten, ihre vordergründige Hässlichkeit gegen eine sichere Ver-lässlichkeit einzutauschen. Kluftinger hing seinen Gedanken nach, als auf einmal die Tür auflog. Maier hetzte mit hochrotem Kopf zum Besprechungstisch und stellte ein aufgeklappter Laptop darauf.

»Ich hab's geknackt, ich bin reingekommen, schau dir das an! Das schlägt dem Fass den Boden aus.«

Kluftinger ging zum Tisch und beugte sich stirnrunzelnd über den Computerbildschirm. Maier! Nach dem Auftritt von eben hätte Kluf-tinger doch zumindest etwas im weiteren Sinne Spektakuläres er-wartet. Alles, was er jedoch sah, waren schwarz-weiße Linien, die über den Bildschirm liefen, am Rand einen Knick machten und sich dann in eine andere Richtung ausbreiteten. Der Kommissar zog die Augenbrauen zusammen und blickte zu Maier, der ihm gegen-überstand und ihn mit weit aufgerissenen Augen erwartungsvoll anstarrte.

Kluftinger blickte wieder auf den Bildschirm. Vielleicht wurde aus den sich fortsetzenden Linien ja am Schluss etwas Konkreteres. Er beschloss, bis zu diesem Zeitpunkt zu warten, doch Maier ließ ihm keine Ruhe.

»Was sagst jetzt? Der Hammer, oder?«

Der Kommissar blickte auf. Wollte sein Kollege ihn zum Narren halten? Doch sein Gesichtsausdruck sah eigentlich nicht danach aus. Und er wollte sich nicht ausgerechnet vor Maier die Blöße geben, einzugestehen, dass er nicht wisse, worum es sich hier handle. Also ging er in die Offensive. Schließlich war seine Kombinationsgabe nicht nur im Kollegenkreis geradezu berühmt.

»Ja, Richie toll. Wirklich. Beeindruckend. Ich weiß gar nicht, was ich sagen soll.«

»Schon, gell?«

»Jaja, wirklich, beachtlich dieses … Dings, dieser … Bauplan. Für ein … wofür wird das noch mal genau sein?«

Maiers Leuchten in den Augen verschwand. Verständnislos schüttelte er den Kopf. Dann eilte er um den Tisch herum. »Ein Bauplan? Was soll denn …« Er schaute ein paar Sekunden auf das Display, drückte eine Taste auf dem Computer und sagte: »Hab ich vergessen. Der Bildschirmschoner.«

Bevor Kluftinger etwas erwidern konnte, verschwanden die Striche, und was er nun sah, ließ ihm für einen kurzen Moment den Atem stocken. Er wurde kreidebleich. »Das ist … wirklich … ein Hammer. Der hat es ernst gemeint«, stammelte er und starrte weiter unbewegt auf den Computer. Der zeigte eine Digitaluhr, die die gesamte Bildschirmbreite einnahm. Die Zahlen waren golden, der Hintergrund schwarz mit einigen silbernen Ornamenten, die an arabische Schriftzeichen erinnerten. Doch es war keine normale Uhr, die er da sah. Zu einer normalen Uhr gab es einen kleinen, doch entscheidenden Unterschied: Diese hier lief rückwärts.

»Der Countdown zeigt uns, wie ernst es unser Toter gemeint hat.« Kluftinger hatte die Zeit genutzt, die Maier gebraucht hatte, die beiden anderen Kollegen zu holen, um seine Fassung wiederzufinden. »Und darüber hinaus löst er eine Frage. Wir wissen nun, wann das Attentat stattfinden sollte. Richard, du nimmst dir den Computer weiter vor. Ich will wissen, was sich sonst noch darauf finden lässt. Du hast ihn bisher nur ... hochgefahren, das Passwort geknackt, und dann kam die Uhr, oder?«

Maier nickte, und Kluftinger war erleichtert, dass er offensichtlich die richtige Terminologie benutzt hatte. »Also, Richie, filz das Gerät mal richtig durch. Roland, lass du doch den Eugen allein mit der Korrespondenz und dem Privatleben von Schumacher weitermachen. Und schau dir mal das Enddatum von diesem Countdown an: Ist da irgendwas Besonderes? Veranstaltungen, politische Ereignisse, was weiß ich. Oder fällt jemandem spontan was ein?«

Alle Anwesenden schwiegen.

»Nichts? Also dann: los!«

Mit der Absicht, ein wenig in Ruhe nachzudenken, blieb Kluftinger in seinem Büro, wohl wissend, dass ihm an diesem Tag nicht allzu viele Ruhepausen vergönnt sein würden. Als Alternative warteten im Moment aber nur der drohende Umzug und die damit verbundene Packerei.

Nachdem ihm Sandy Henske eine Tasse Kaffee gebracht hatte, setzte er sich an seinen Schreibtisch und band seine Schnürsenkel auf. Mit Schrecken dachte er daran, dass ihm noch eine gute Ausrede für den drohenden Schuhkauf mit Erika fehlte. Na, das würde er wohl gerade noch hinbekommen. In jener Position, die seine Kollegen gern als »Kluftis Denkerhaltung« titulierten, Lodenbacher aber als »Schlomparai« bezeichnete – die nur mit selbst gestrickten Wollsocken bekleideten Füße auf dem Schreibtisch ruhend –, genoss Kluftinger seinen Kaffee.

Endlich war er wieder Herr des Falles, ohne die ungebetene österreichische »Unterstützung«. Vor allem dieser Bydlinski war Kluftinger deutlich zu ungehobelt – und das wollte etwas heißen, schließlich lag Kluftingers Toleranzschwelle, was rüpelhaftes Verhalten anlangte, deutlich höher als bei den meisten Menschen. Allerdings musste sich der Kommissar eingestehen, dass die Kollegen einer großen Sache auf der Spur gewesen waren. Wenn es auch makaber klingen mochte: Mit seinem Selbstmord hatte dieser Schumacher den Countdown gestoppt, die akute Gefahr, für was und wen auch immer, abgewendet.

Der Kommissar richtete sich auf, stellte seine Tasse beiseite und ließ sich von Sandy Henske mit dem Landespolizeikommando Tirol in Innsbruck, Herrn Haas, verbinden. Die Nachfrage, ob er denn nicht mit Herrn Bydlinski sprechen wolle – denn Valentins Nummern habe sie alle griffbereit –, verneinte Kluftinger. Er runzelte die Stirn. Sandy hatte, was Männer anging, manchmal einen seltsamen Geschmack. Wenigstens war ihr letzter Partner, ein Staatsanwalt, eine gute Partie gewesen.

»Ja, Major Haas, hier Hauptkommissar Kluftinger aus Kempten. Ich hoffe, es geht Ihnen gut, Kollege. Hatten Sie eine angenehme Heimreise? Schön. Ich hoffe, Sie hatten nicht zu großen Ärger mit den übergeordneten Behörden«, begann Kluftinger in ausgesucht freundlichem Ton. »Wir wollten Sie nur gleich über die weiteren Ermittlungen informieren, stellen Sie sich vor, Sie waren da einer großen Sache auf der Spur, einem Anschlag mit Sprengstoff, einem Terrorakt. Und Kollege Maier hat einen Countdown entschlüsselt auf dem Laptop des Toten … Ja, das hat er tatsächlich gekonnt … Ja, möchte man manchmal nicht meinen, gell?«

Im weiteren Verlauf des Gesprächs, das bis zum Schluss herzlich verlief, einigten sich die Polizisten darauf, dass auch weiterhin beide Abteilungen unbürokratisch zusammenarbeiten sollten. Das sei, so Haas, auch ganz im Sinne des Landespolizeikommandanten von Tirol.

Kluftinger jedoch musste einräumen, dass er von seinem obersten Dienstherrn, dem Innenminister, noch keine diesbezügliche Nachricht erhalten hatte. Und er würde wohl auch nie eine solche bekommen, denn zwischen ihm und dem Innenminister stand ein geschätztes Dutzend Abteilungsleiter und Ressortchefs, von denen Lodenbacher das kleinste Licht war. Doch das verschwieg er Haas gegenüber lieber. Dennoch würde man sicher einen Weg der Zusammenarbeit finden. Haas versicherte, das Postfach weiter beschatten zu lassen und die Allgäuer über etwaige Vorkommnisse zu unterrichten.

»Ja, Kollege Haas, dann habe die Ehre. Und grüßen Sie den Herrn Bydlinski.« Kluftinger war so froh, dass der wieder in Österreich war, dass er ihn für diesen Umstand im Nachhinein fast mochte. »Wie, der kommt am Wochenende? Zu uns? Ich meine, in die Dienststelle? … Ach privat … ah ja. Interessant.«

Während des Gesprächs mit Haas hatte Strobl Kluftingers Büro betreten, und der Kommissar hatte seinem Mitarbeiter mit einer Geste zu verstehen gegeben, dass er kurz auf der Couch Platz nehmen und warten solle.

»Eugen«, wandte sich Kluftinger schließlich an den Kollegen, »stell dir vor, der Bydlinski plant am Wochenende einen kleinen Privatbesuch im schönen Allgäu. Jetzt rate mal, wen er da trifft.«

Die beiden sahen sich grinsend an, bevor Strobl lachend bemerkte: »Lass das bloß nicht den Roland hören, sonst bekommt er noch ein Magengeschwür.«

»Hast du was gefunden?«, wollte Kluftinger, der zu einem sachlichen Ton zurückgefunden hatte, wissen.

»Ich sag nur: Islam.«

»Wie: Islam?«

»Islam. Er hat sich offenbar sehr für diese Religion interessiert.«

»Du meinst, er war … Mohammedaner?«, fragte Kluftinger.

Strobl räusperte sich, sah zu Boden und sagte dann leise: »Also … Moslem heißt das offiziell. Mohammedaner ist wohl eher abwertend. Das solltest du vor einem Angehörigen des islamischen Glaubens nicht sagen.«

Kluftinger nickte. Kleine Ausrutscher und Unzulänglichkeiten waren ihm vor Strobl weniger peinlich als vor anderen, was an ihrem

Vertrauensverhältnis lag. Er schätzte dessen Art, ihn diskret und ohne erhobenen Zeigefinger auf etwas hinzuweisen. Was allerdings nur der Fall war, wenn sie allein waren. Waren die Kollegen mit von der Partie, ließ Eugen keinen Kalauer auf Kosten anderer aus.

»Also, dann … Moslem. War er das?«

»Das weiß ich nicht. Aber er hat mehr Bücher über den Islam und sogar den Heiligen Krieg, den ›Dschihad‹, als über Elektronik oder Maschinenbau. Das ist an sich schon etwas komisch, lässt sich aber ja mit bloßem Interesse für Religion erklären. Aber jetzt halt dich fest.«

Strobl holte einige handgeschriebene Seiten, die er auf dem Couchtisch hatte liegen lassen. »Also: ›Vernichtet die Ungläubigen in ihren eigenen Häusern, ihren eigenen Städten.‹ Das ist eine Stelle aus dem Buch ›Der lange Weg des Heiligen Krieges‹, die er sich angestrichen hatte. Oder – Zitat – ›Der Märtyrer darf keine Schmerzen, ja den Tod nicht fürchten. Wenn er Unheil über die Gotteslästerer bringt, wenn er sie der ewigen Verdammnis zuführt, wird er selbst dafür von Allah in höchstem Maße belohnt. Scheut nicht den Tod des Märtyrers!‹. Was sagst du jetzt, Klufti?«

Kluftinger sagte gar nichts, blickte nur stumm vor sich hin. Hatten sie möglicherweise einen Anschlag mit islamistisch-terroristischem Hintergrund vereitelt? Kluftinger schauderte bei dem Gedanken. Aber wo wäre das Ziel gewesen? Hier? In ihrer Region? Kaum anzunehmen, dafür war das Allgäu weltpolitisch dann doch zu unbedeutend. Aber offenbar hatte Schumacher seine Tat hier geplant, was schlimm genug war. Auch die Weltstadt Hamburg war, nachdem bekannt geworden war, dass die Attentäter des 11. September dort ihre Planungen durchgeführt hatten, in Verruf geraten. Kluftinger atmete tief durch und beruhigte sich mit dem Gedanken, dass ja Gott sei Dank alles rechtzeitig verhindert worden war.

Nach einer Pause fuhr Strobl fort: »Viele seiner Bücher sind von oder über Mullah Kaan, den sogenannten ›Hassprediger‹ aus Karlsruhe. Der hat ihn wohl besonders fasziniert.«

In diesem Moment klingelte Kluftingers Telefon. Es war Maier, der eine sensationelle Mitteilung ankündigte, wegen der er unbedingt zu ihm kommen solle. Der Kommissar bat Strobl noch, seine Spur weiterzuverfolgen, und verließ das Büro.

»Kruzinesn, Richard, musst du deine saublöden Umzugskartons mitten in den Weg stellen?«, schimpfte Kluftinger, nachdem er über eine Kiste mit Ordnern in Maiers Büro gestolpert war. »Überhaupt schaut es bei dir aus wie in einem Lager. Alles voller Kartons. Wird hier nichts mehr geschafft, oder wie? Was packst du denn da alles rein? Ich hätte gar nicht so viele Sachen«, grummelte der Kommissar weiter. Kluftinger gestand sich nicht ein, dass auch der Neid aus ihm sprach. Neid, weil Maier so gut wie alles, er aber noch fast gar nichts gepackt hatte.

»Seit du einen Bart hast, bist du viel schlechter aufgelegt.«

Wieder so ein blöder Kommentar von Maier. Konnten sie ihn nicht einfach in Ruhe lassen? Andere Leute trugen das ganze Leben einen Bart, er nur alle heilige Zeit fürs Freilichtspiel. Und immerhin: Kein graues Haar fand sich darin.

»Ja, Milchbart ist sicher auch wieder mal in Mode, das wird dann deine große Zeit, Richard. Was gibt's so Dringendes?«

Maier runzelte die Stirn, dachte kurz nach, beschloss dann aber, sich nicht verbal zur Wehr zu setzen. »Hier«, begann er und drehte seinem Vorgesetzten wieder den Laptop hin, »das habe ich auf dem Rechner entdeckt.«

Kluftinger veränderte den Winkel des Bildschirms so, dass er ihn gut sehen konnte. Doch Maiers gespannte Erwartung wurde erneut enttäuscht.

»Wieder ein Bildschirmschoner, oder wie, Richie?« Das Display war voller arabischer Schriftzeichen.

»Verstehst du nicht?«, hakte Maier nach.

»Ah, jetzt wo du's sagst – ich übersetze mal – Moment – ah ja: ›Richard Maier hat keinen Bartwuchs, obwohl er kein Indianer ...‹«

»Also weißt du, das ist hier eine ernste Sache«, blaffte Maier gereizt zurück. Dann tippte er etwas auf der Tastatur. »Hier ist die englische Übersetzung.«

»The Manual of Djihad – An introduction to the holy war«, las Kluftinger halblaut und wenig gewandt, was die Aussprache anging.

»Ja, jetzt müsste man Englisch können, gell?«, grinste Maier.

»Das kann ich schon grad noch übersetzen. Ein Kalender des Heiligen Krieges ist das.«

»Ein Handbuch, *manual* heißt Handbuch«, korrigierte Maier. »Aber sonst ganz gut.«

Kluftinger ließ ihn gewähren. Er wollte die kleine Kabbelei mit seinem Kollegen nicht ausarten lassen. Denn allzu schnell konnte das dazu führen, dass der tagelang bockte. Und dazu war er im Moment einfach zu wichtig mit seinem Computerwissen.

»Und weißt du, wer dieses Handbuch auch verwendet hat? Ich sag's dir: Atta und seine Komplizen im Vorfeld des 11. September. Das ist eine detaillierte Anleitung für Terroranschläge. Ich werde mir mal die englische Version hier vornehmen. Gibt's alles im Internet.«

Priml. Ein Grund mehr, dieses Medium mehr als kritisch zu beäugen, dachte Kluftinger.

Maier machte eine kurze Pause und sagte dann in verschwörerischem Tonfall: »Wir haben es hier mit einer ganz großen Sache zu tun. Wenn wir uns da gut anstellen ... da kommen wir groß raus. Da steigen wir auf der Karriereleiter ein paar Sprossen nach oben.«

»Ich hab kein Interesse dran, groß rauszukommen. Aber du hast schon Recht. Das ist eine große Sache. Das heißt also definitiv, dass unser Selbstmörder etwas mit Islamisten am Hut hatte. So gesehen ... ein Selbstmordattentäter. Nur anders halt.«

Schon auf dem Gang wartete die nächste Neuigkeit auf Kluftinger. Wie ein Ping-Pong-Ball kam er sich heute vor, so wurde er von einem Kollegen zum anderen hin- und hergeworfen. Immer wieder gab es neue Erkenntnisse, die man ihm sofort mitteilen wollte. Ein aufgeregter Strobl erklärte ihm, dass Schumacher vor zwei Jahren aus der Kirche aus- und zum muslimischen Glauben übergetreten sei. Eine offizielle Urkunde der Konversion, ausgestellt von einer islamischen Gemeinde in Stuttgart, habe sich bei seinen Unterlagen gefunden.

»Eine Gemeinde übrigens, die seit einem halben Jahr vom Verfassungsschutz beobachtet wird. Wegen volksverhetzender, islamistisch-extremer Propaganda und mehrerer Aufrufe zur Gewalt«, hatte Strobl noch angeführt.

Kluftinger machte sich auf den Weg in sein Büro. Er brauchte jetzt unbedingt ein paar Minuten, in denen er die neuen Erkenntnisse zu einem Ganzen zusammensetzen und sich über das weitere Vorgehen ein Bild machen konnte. Doch Hefele wartete bereits vor seiner

Tür auf ihn. Außer Atem hetzte er zu Kluftinger, stellte sich vor ihn, schluckte und presste dann hervor: »EM. Fußball-EM.«

Kluftinger brauchte ein, zwei Sekunden, dann verstand er. Natürlich. Die Europameisterschaft in Österreich und der Schweiz. Das also war die Verbindung nach Österreich.

»Und wo ist da ein Spiel? Ich meine, wenn der Countdown abläuft?«

»Das sind gleich mehrere. Unter anderem eins in Innsbruck!«

»Mein Gott, ich ruf gleich den Haas an. Gute Arbeit, Roland«, lobte Kluftinger ihn für die Information, die zwar im Ergebnis durchaus spektakulär war, Hefele aber lediglich einige Klicks im Internet gekostet hatte.

Nach einem weiteren Anruf in Österreich – zu seinem Bedauern hatte er diesmal Valentin Bydlinski am Apparat – war klar, dass der Wiederanpfiff nach der Halbzeitpause der Viertelfinalspiele genau zu dem Zeitpunkt vorgesehen war, an dem die letzte Sekunde des Countdowns ablief: 21.15 Uhr.

»Ich hoff eh, dass eure Laienspieler an dem Abend dran sind. Die Österreichspiele will ich schließlich sehen«, sagte Bydlinski spöttisch.

Kluftinger antwortete knapp: »Keine Sorge, Herr Bydlinski, das ist kein Vorrundenspiel mehr, da seid ihr eh schon ausgeschieden.«

Nun war es Zeit, dass Kluftinger seinem Vorgesetzten, Polizeidirektor Dietmar Lodenbacher, Bericht erstattete. Schließlich zeichnete der offiziell für alle Fälle verantwortlich.

Nachdem Kluftinger eingetreten war, legte Lodenbacher zunächst ohne Begrüßung los. Die Verwicklungen mit Österreich seien noch nicht ausgestanden, in Zukunft gebe es überhaupt keine Alleingänge mehr ohne sein Wissen, unprofessionell sei das und undiplomatisch und obendrein eine Frechheit. Nachdem der Chef der Polizeidirektion Kempten noch einige stark niederbayerisch intonierte Ausdrücke wie »Grattlerei«, »dös geht geng meine Autorität« und »Schlomparai, elendige« hinterhergeschoben hatte, verriet er auch den Grund seines morgendlichen Wutausbruchs: Der Innenminister habe kein Verständnis für die Aktion mit den Österreichern gezeigt und angekündigt, in Zukunft genauer hinzuschauen in Kempten.

Ob Kluftinger wisse, was das bedeute, wollte Lodenbacher schließlich wissen. Als der verneinte, prasselte ein wahrer Sturzbach von Schreckensszenarien auf den Kommissar ein. »Disziplinarverfohrn«, »Zwangsvasetzung« schienen Kluftinger dabei noch die kleinsten Übel, jedenfalls gegenüber »Auflösung dea ganzn Abteilung, samt Eahna«. Er beruhigte sich aber mit der Überzeugung, dass Lodenbacher sich das in seiner Angst, bei seinem Dienstherren an Ansehen zu verlieren, nur zusammengereimt hatte. Schließlich hatte sich Kluftinger objektiv betrachtet gar nichts zuschulden kommen lassen.

Dann forderte Lodenbacher den Kommissar auf, ihn jetzt sofort über den neuesten Stand aufzuklären. Je länger der Bericht dauerte, desto stiller wurde der Direktionsleiter. Nach fünfzehn Minuten bat er schließlich ruhig darum, eine Besprechung im kleinen Konferenzraum anzuberaumen.

»Wo issn jetza der Herr Maier? Moant der, er miassat ned kemma?«

Keiner der Anwesenden fühlte sich bemüßigt, zu reagieren, nur Kluftinger murmelte, er habe es ihm gerade eben gesagt, könne ihn aber gleich holen. Nach einer kurzen Pause versetzte Lodenbacher: »A gengan S' weida, den brauch ma eigentle ned. So wichtig is der aa wieder ned, der Maier.«

Lodenbacher hielt inne, schwieg für einige Augenblicke und hob dann feierlich an: »Meine Herrn, mia homm olle exzellente Arbat gleistet.« Nachdem sie einige ungläubige Blicke getauscht hatten, fuhr ihr Chef fort, und schlagartig wurde ihnen klar, weswegen der vor wenigen Minuten noch so erregte Direktionsleiter nun so sanft und freundlich zu ihnen sprach. Sie hätten mit ihrer unbürokratischen Zusammenarbeit genau richtig gelegen. Er schloss mit dem entlarvenden Satz: »Do werdn ma sauba dosteh vorm Innenminista.«

Nach gegenseitigem Schulterklopfen versprach er ihnen noch, den Innenminister in Kenntnis zu setzen und nicht zu verschweigen, dass seine Idee mit der bilateralen Zusammenarbeit so erfolgreich gewesen sei.

Die anderen sahen sich wissend an. Lodenbacher verstand es gut, sich für Erfolge anderer loben zu lassen, sei es von der Presse oder im

Ministerium. Und sie wussten auch, dass er sich bei Ausrutschern oder Niederlagen keinen Millimeter vor sie stellte, sondern alles auf seine Mitarbeiter abwälzte.

Immerhin war er nun fest entschlossen, für diesen »fuiminandn Erfoig« eine Brotzeit für alle auszugeben, und er beauftragte Hefele damit, sie zu holen: »Wiener, Weißwürscht, Brezn und ois, wos ma braucht.«

Hefele wandte sich schon zum Gehen, da schob Lodenbacher noch nach: »Zum Tringa frogn S' hoit, wos olle woin, und lossn S' Eahna as Göid mitgebn. Und für mi zwoa Poor Weißwürscht und zwoa Brezn.«

»Danke, Roland. Das hätt's doch nicht gebraucht, mit den Getränken. Noch dazu einen ganzen Kasten Weizen«, sagte Kluftinger, in der einen Hand eine Debreciner Wurst, in der anderen eine Butterbreze.

»Wirklisch, Roland, 'n rischtisch großzügischer Mann biste«, schloss sich Sandy Henske an und sagte das, obwohl sie gleich neben Hefele stand, so laut, dass es alle hören konnten.

»Der ist froh, dass der Bydlinski wieder weg ist, damit der die Sandy nicht mehr angraben kann«, raunte Strobl Kluftinger zu, der vielsagend nickte.

Alle plauderten ausgelassen miteinander, sogar Lodenbacher gab sich volksnah und hörte den Gesprächen der anderen ausnahmsweise zu, bevor er seine eigenen Geschichten beisteuerte. Es roch wie auf dem Kemptener Wochenmarkt, wo Kluftinger seit über fünfzig Jahren Wienerle, Debreciner oder »Bauernschübling«, eine scharfe Wurstspezialität, aß. Zuerst mit der Oma, dann mit Freunden, dann mit Erika, dann mit Markus im Schlepptau und bald möglicherweise mit den eigenen Enkelkindern, wer konnte das schon sagen.

Kluftinger wollte die anderen gerade an seiner nostalgischen Stimmung teilhaben lassen, da flog die Tür auf und Maier stürmte in den Raum. Kluftinger wollte sich gerade entschuldigen, dass sie ihn bei der Brotzeit ganz vergessen hatten, und ihn einladen, sich doch auch etwas zu nehmen, schließlich sei ja noch von allem reichlich da, als ihm auffiel, dass Maiers Gesicht leichenblass war. Verstört blickte er in die Runde, schien gar nicht verstehen zu können, was gerade vor sich ging. Kluftinger hätte nicht gedacht, dass Maier dieses kleine Versehen so aus der Bahn werfen würde.

»Au weh, Richie, jetzt haben wir dich glatt vergessen«, kam Strobl dem Kommissar zuvor, »aber nimm dir doch auch ein Paar Wienerle.«

Maier stammelte nur: »Es gibt was Wichtigeres als Brotzeit. Hört zu …«

»Jetzt verkrampf halt nicht so, wir haben ja was zu feiern«, unterbrach ihn Strobl. »Sei nicht so ungemütlich und überkorrekt!«

Maier sagte etwas, was aber im allgemeinen Gemurmel unterging. Er sah jetzt nicht mehr überrascht, sondern zornig aus. Mit bitterer Miene ging er zum Tisch, auf dem sich die Brotzeit befand.

Doch statt sich ein Würstchen aus dem Topf zu nehmen, schlug er so fest mit der Hand auf die Tischplatte, dass das Wasser im Topf überschwappte. Als er die ungeteilte Aufmerksamkeit aller Anwesenden hatte, brüllte er mit sich überschlagender Stimme: »Es geht weiter, ihr verfressenen Idioten!«

Die Männer saßen betreten um Kluftingers Schreibtisch herum. Die ausgelassene Stimmung, in der sie vor einer Viertelstunde noch gemeinsam ihr zweites Frühstück verspeist hatten, war einer bleiernen Apathie gewichen. Der Schock über Maiers Nachricht und die drastische Art und Weise, in der er diese vorgebracht hatte, saß zu tief, als dass sie sich noch über ihre bisherigen schnellen Ermittlungsergebnisse hätten freuen können.

Maier hatte ein wenig abseits von den anderen Platz genommen, als fühle er sich mitschuldig an dem, was er herausgefunden hatte: Eine weitere E-Mail, die erst vor Kurzem im Postfach des Selbstmörders eingegangen war und die er inzwischen entschlüsselt hatte, ließ keinen anderen Befund zu, als dass der Countdown keineswegs gestoppt war. Wie bei dem Postfach in Innsbruck, das auch noch frequentiert wurde, nachdem die Kollegen seinen Inhaber hochgenommen hatten, schien auch hier der Plan eines Bombenattentats – worauf auch immer – noch nicht vereitelt.

Nun starrten die vier Kommissare mit bitterer Miene auf den Laptop, der auf Kluftingers Schreibtisch stand.

»Und wenn …« Hefele musste sich räuspern, weil seine Stimme nach dem langen, angestrengten Schweigen belegt war. Die anderen sahen ihn erwartungsvoll an. »… und wenn es … doch vorbei ist? Ich meine, der E-Mail-Schreiber hat ja nicht gewusst, dass Schumacher nicht mehr lebt.«

Kluftinger hatte einen ähnlichen Gedanken schon vor einigen Minuten gehabt, ihn jedoch gleich wieder verworfen.

»Herrgott, Roland, jetzt denk doch mal nach!« Maiers Tonfall war noch immer ungewöhnlich aggressiv. »Soll ich's dir noch mal vorlesen?« Er stand auf, ging um den Schreibtisch herum und las laut vor, was auf dem Bildschirm stand: »Ordnet eure weltlichen Dinge, denn der große Tag ist nicht mehr fern. Die Fäden müssen jetzt geknüpft werden zu engen Netzen. So eng, dass auch die kleinen Fische nicht entkommen am großen Tag. Teilt mir innerhalb des nächsten Stundenpaares mit, wie dicht eure Maschen schon sind. Sagt, wie weit ihr auf dem Weg gekommen seid!« Maier blickte auf, kniff die Augen zusammen und sagte dann: »Ihr! Hörst du? Da steht ›ihr‹. Es muss also noch mehr von denen geben.«

Wieder machte sich betretenes Schweigen breit. Hefele blickte zu Boden. Normalerweise hätte er seinen Kollegen nicht so mit sich reden lassen, doch was hier heute geschah, war alles andere als normal.

»Und es gibt keine Chance, den Absender rauszufinden?«, fragte Kluftinger noch einmal.

Maier schüttelte den Kopf: »Ich hab alles versucht. Hab sogar einen Kollegen von der Abteilung Internetkriminaliät um Rat gefragt. Wer immer diese Mail geschickt hat, kennt sich aus. Die Nachricht ging über so viele Router auf der ganzen Welt, da kannst du ewig suchen und kommst doch nie auf die eigentliche Quelle.«

Kluftinger nickte. Er wusste zwar nicht, was Router waren, aber hier kannte Maier sich aus, das stand fest.

»Kreuzhimmelsakrament!«, fluchte er und schlug mit der Hand so fest auf den Tisch, dass der Laptop einen Satz machte.

»Gibt es denn wenigstens eine Möglichkeit, die anderen Adressaten rauszufinden?«, erkundigte sich Strobl.

Wieder schüttelte Maier den Kopf. »Keine Chance. Trotzdem versucht es der Kollege. Aber wenn du mich fragst, ist das aussichtslos.«

Ein paar Minuten herrschte wieder bedrückende Stille, dann setzte sich Kluftinger plötzlich kerzengerade hin. »Mein Gott, wir haben in unserem Selbstmitleid einen Punkt völlig vergessen.«

Seine Kollegen blickten ihn stirnrunzelnd an.

»Was denn?«, wollte Maier wissen, der sich ein wenig angegriffen fühlte. Er hatte sie doch überhaupt erst auf den aktuellen Stand gebracht.

»Ihr habt doch gelesen: Wer immer es geschrieben hat, erwartet in den nächsten zwei Stunden eine Antwort.«

Die anderen schluckten. Tatsächlich, daran hatten sie in ihrem Schockzustand gar nicht gedacht.

»Wann ist die Mail gekommen?«, fragte Kluftinger.

Maier drehte den Rechner zu sich und tippte kurz einige Tasten. »Vor genau einer Stunde und vierzig Minuten.«

Kluftinger schluckte. »Mein Gott! Dann bleiben uns nur noch zwanzig Minuten für eine Antwort.«

Strobl winkte ab: »Wir können ihm doch nicht antworten, wenn wir die Adresse nicht haben.«

»Das ist so nicht ganz richtig«, widersprach Maier. »Natürlich gibt es eine Absenderadresse. Aber die ist wie ein ... ein Briefkasten in einem Briefkasten. Es handelt sich da im Endeffekt um dasselbe Prinzip wie bei diesen russischen Puppen. Wenn du einen Briefkasten aufmachst, kommt ein neuer raus. Und jeder schickt den Brief an eine andere Adresse.«

Verwirrt sahen sich die Männer an. »Aber wenn ein Briefkasten ihn gleich woanders hin verschickt, wie soll der Brief dann in den anderen Briefkasten darin kommen?«, fragte Hefele nun fast angriffslustig.

»Bitte, Leute, beruhigt euch«, versuchte Kluftinger sie zu beschwichtigen, dem von so vielen ineinander verschachtelten Kästen schon der Kopf schwirrte. »Ich glaube, wir haben alle verstanden, was Richard meint.« Das war zwar zumindest in seinem Fall glattweg gelogen, aber die Kernaussage war immerhin klar: Sie konnten den Absender nicht ausfindig machen, aber sie konnten ihm antworten. Sie mussten ihm antworten.

Strobl schien seine Gedanken zu erraten: »Was, wenn er keine Antwort kriegt? Dann weiß er doch Bescheid. Wir müssen reagieren. Schnell.«

Kluftinger nickte. »Zumindest geben wir eine einmalige Chance aus der Hand, wenn wir nichts tun. Wir müssen versuchen, den Kontakt zu halten, vielleicht bringen wir so raus, was sie genau planen. Oder können sie ... ihn ... was weiß ich, jedenfalls können wir sie so vielleicht zu einem Treffen überreden oder so was.«

Von der Apathie, die sie gerade noch gelähmt hatte, war nun nichts mehr zu spüren. Alle wirkten wie elektrisiert.

»Aber was in aller Welt sollen wir ihm schreiben?« Hefele guckte ratlos in die Runde. »Wir müssen das psychologisch angehen. Ich meine, die benutzen doch ganz offensichtlich einen bestimmten Code. Wie sollen wir denn den so schnell imitieren?«

»Unmöglich«, sagte Maier. »Das können wir vergessen. Dafür sind wir gar nicht ausgebildet«

Damit wollte sich Kluftinger nicht zufriedengeben. »Vergessen tun wir gar nichts. Wenn wir ihm etwas schreiben und er erkennt, dass es nicht von Schumacher kommt, dann haben wir zumindest nichts verloren. Wenn wir nicht schreiben, weiß er auf jeden Fall, dass etwas nicht stimmt. Also los, noch achtzehn Minuten. Was schreibt man jetzt da?«

Maier nahm den Laptop auf seinen Schoß und blickte die anderen an, als warte er darauf, dass ihm jemand die Antwort diktierte. »Ihr könnt loslegen, Männer. Ich bin drahtlos online. Auf geht's.«

Doch keiner sagte etwas. Plötzlich griff Kluftinger zum Telefon, wählte eine Nummer und sagte dann: »Ja, ich bin's. Bitte komm sofort in mein Büro. Nein, sofort. ... Das kann warten. Ist dringend.«

Als er auflegte, blickte er in erwartungsvolle Gesichter. »Du hast mich da auf eine Idee gebracht, Roland. Mit deinem psychologischen Vorgehen ...«

Noch bevor die anderen fragen konnten, was der Kommissar damit meinte, ging die Tür auf und Markus Kluftinger betrat den Raum. Seine Wangen waren gerötet, und er war leicht außer Atem. Offensichtlich war er gerannt. »Wo brennt's denn?«, fragte er.

Sein Vater schilderte ihm in knappen Worten, worum es ging. Er beendete seinen kurzen Bericht mit den Worten: »Noch fünfzehn Minuten.«

Markus hatte aufmerksam zugehört. Jetzt ging er auf Maier zu und nahm ihm den Rechner ab, den dieser nur widerwillig hergab. Dann

setzte er sich auf die kleine Couch und starrte auf das Display. »Scheiße«, flüsterte er. »Die benutzen eine Art Geheimsprache, einen Code.«
Hefele nickte in die Runde.

»Irgendwelche Vorschläge?«, fragte Markus nervös.

»Wie wär's mit: ›Wir sind schon ganz schön weit‹«, wagte Kluftinger einen Versuch.

Markus verzog die Mundwinkel. »Nein, das ist zu vage. Und es
passt auch nicht zur Ausdrucksweise der Mail.«

»Wenn wir ganz einfach sagen: ›Fertig‹«, schlug Strobl vor. »Dann
können wir uns nicht durch falsche Formulierungen verraten.«

»Im Prinzip kein schlechter Gedanke, knapp zu bleiben«, fand Markus. »Aber es klingt zu wenig blumig.«

»Blumig wäre vielleicht: ›Auf dem Weg hat uns der dichte Verkehr
aufgehalten. Viel war los gewesen‹«, schlug Kluftinger vor.

»Vatter«, erwiderte Markus, »islamische Terroristen benutzen in
der Regel eine sehr ornamentale Sprache. Denke ich mir zumindest.
Die sind ja ideologisch völlig verbrämt.«

Kluftinger ließ nicht locker: »Dann schreib: ›Es ging gar zu wie auf
großen Basaren.‹«

»Es ging gar zu«, wiederholte Markus leise und kopfschüttelnd.
»Vatter, was Vernünftiges!«

Jetzt hellte sich Maiers Miene auf: »Ich hab's: Wir sagen ›Der Teppich ist geknüpft, wir können auf ihm in die … ewigen Jagdgründe
reiten.‹«

»Die ewigen Jagdgründe«, erwiderte Strobl spöttisch. »Wir sind
doch nicht bei Winnetou. Und ein fliegender Teppich, oder wie?
Vielen Dank, Hadschi Halef Maier!«

»Wir müssen eine Gegenfrage stellen.« Markus hob den Kopf. »Natürlich! Wir müssen eine Gegenfrage stellen. So zwingen wir ihn wieder zu einer Antwort. Bleiben mit ihm in Kontakt. Gewinnen Zeit.«
Er sah seinen Vater erwartungsvoll an.

Der schien ebenso wie seine Kollegen beeindruckt von Markus'
Einfall.

»Sicher, du hast Recht, mein Junge«, stieß Kluftinger begeistert
hervor, und Markus kam es so vor, als habe er das »mein« besonders
stark betont. »Aber was sollen wir fragen?«

Wieder dasselbe Schweigen wie zuvor.

Erneut machte Kluftinger einen Vorschlag: »Wie wär's mit: ›Und selbst, Bruder?‹«

Seine Kollegen nickten zustimmend, doch Markus schüttelte den Kopf: »Wieso Bruder? Es könnte doch auch eine Schwester sein … Außerdem hört sich das jetzt eher nach Stammtisch an.«

Der Blick seines Vaters sagte ihm deutlich, was der von seinem Einwand hielt.

»Ihr müsst euch so knapp wie möglich fassen, denn mit jedem Wort könnt ihr den Code verletzten. Vielleicht: ›Jeder Weg führt dereinst zum Ziel, doch stets ist Fortkommens.‹ Je weniger Wörter, desto besser. Auch solltet ihr in der Aussage möglichst vage bleiben. Und natürlich müsst ihr auch aufpassen, dass ihr in dieser blumigen Sprache …«

»Müsst, sollt, dürft … also weißt du, Markus, dieses theoretische Gebrabbel ist ja vielleicht in der Uni ganz wichtig, aber das hilft uns hier jetzt überhaupt nicht weiter. Da hätt ich mir schon mehr versprochen«, unterbrach ihn sein Vater ungehalten. »Wir müssen handeln, schnelle, konkrete Entscheidungen treffen, das wirst du in deinem Praktikum auch noch lernen. Bisher hast du noch nichts wirklich Konkretes beigetragen.«

Verdutzt sah Markus erst seinen Vater, dann die anderen Beamten an, die peinlich berührt zu Boden blickten. Die Stimmung, wegen des Zeitdrucks schon reichlich gespannt, schien sich durch den sich anbahnenden Vater-Sohn-Konflikt noch weiter aufzuheizen.

»Weißt du was? Dann geh ich jetzt und lern wieder was über die Praxis. Meine Theorie hab ich euch ja mitgeteilt, vielleicht könnt ihr das besser umsetzen.« Mit diesen Worten knallte Markus den Computer auf den Schreibtisch seines Vaters und verließ das Büro.

»Mein Gott, diese Studenten, die vertragen auch gar nix. Wird noch eine Menge lernen müssen«, rief Kluftinger laut in Richtung Tür in der Hoffnung, sein Sohn würde ihn noch hören.

Maier schnappte sich den Computer wieder und las Markus' Vorschlag vor.

»Fortkommens?«, fragte Strobl mit zusammengezogenen Brauen. »Versteht ihr das?«

Das Kopfschütteln der anderen war Maier Rechtfertigung genug, die beiden Zeilen, die Kluftinger junior vorgeschlagen hatte, kurzerhand zu löschen.

Kluftinger blickte nervös auf die Uhr. »Noch sechs Minuten. Herrgott Männer, uns wird doch noch irgendwas einfallen, oder?« Er wollte seinen Kollegen herausfordernd in die Augen schauen, doch sie hatten den Blick abgewendet. Hefele zwirbelte seinen schwarzen Schnurrbart, Strobl untersuchte akribisch seine Fingernägel, und Maier putzte das Display seines Diktiergerätes, das er immer bei sich hatte. Nur das Radio erfüllte den Raum mit leiser Hintergrundmusik.

Nach ein paar Sekunden begann Maier seinen Kopf im Takt des Liedes zu wiegen, das gerade gespielt wurde. Dann begann sein Fuß zu wippen und seine Lippen formten erst lautlos, dann flüsternd die Worte des Liedtextes: »... wird kein leichter sein ... steinig und schwer ...«

Kluftinger sah den singenden Kollegen entgeistert an und wollte gerade seiner Anspannung in Form einer Standpauke Luft machen, da klappte sein Kiefer nach unten. Bevor er etwas sagen konnte, weiteten sich Maiers Augen, und er ließ sein Diktiergerät fallen.

»Meinst du ...«, begann Kluftinger, vollendete den Satz jedoch nicht.

»Genau, das ist es!«, erwiderte Maier aufgeregt.

Strobl und Hefele hoben fragend die Augenbrauen und betrachteten gespannt die Kollegen.

Kluftinger drehte das kleine Radio lauter. Er sprach die Sätze nach, die eine sanfte Männerstimme sang: »Dieser Weg wird kein leichter sein, dieser Weg wird steinig und schwer.«

Jetzt verstanden auch die anderen. Sie rutschten auf ihren Stühlen nach vorn und nickten sich aufgeregt zu.

»Gegenfrage. Wir brauchen noch eine Gegenfrage«, rief Kluftinger und blickte auf die Uhr. Noch drei Minuten.

»Pscht!«, zischte Maier und legte seinen Zeigefinger an die Lippen. Atemlos lauschten sie den nächsten Zeilen: »... manche segnen dich, setz dein Segel nicht, wenn der Wind das Meer aufbraust ...«

»Ich hab's«, schrie Maier mit sich überschlagender Stimme.

»Das war doch keine Frage«, protestierte Hefele.

»Noch nicht, aber wart mal: ›Setzt du die Segel, wenn der Wind das Meer aufbraust?‹« Maier las laut mit, während er den Text eintippte. Dann blickte er auf, fragte »O. K.?« und hielt den ausgestreckten Zeigefinger über die Eingabetaste.

Einer nach dem anderen nickte zögernd. Es war sowieso egal: Sie hatten noch knappe zwei Minuten. Entweder sie schickten diese Botschaft los, oder sie würden mit leeren Händen dastehen. Nachdem alle ihre Zustimmung bekundet hatten, ließ Maier seinen Finger wie ein Fallbeil auf die Tastatur niedersausen. Es machte deutlich vernehmbar »Klick«, darauf folgte ein metallischer Klingelton, der das Absenden der E-Mail signalisierte, dann war es wieder still. Sogar das Radio gab für ein paar Sekunden keinen Laut von sich, bis ein Sprecher sagte: »Ja, diesen Song muss man wirklich bis zur letzten Sekunde genießen. Xavier Naidoo war das, voll ausgespielt, und wie er selbst bekennt, beschreibt er darin seinen Weg zu Gott, der in seinem Leben eine wichtige Rolle spielt.«

Den Beamten blieb der Mund offen stehen. »Na, wenn das kein Volltreffer war«, sagte Maier stolz.

Dann fügte der Sprecher im Radio an: »Denn der Mannheimer ist, was heutzutage selten genug auf einen Popstar zutrifft, bekennender Christ.«

Maier verschluckte sich, als er das letzte Wort hörte.

Auch Kluftingers Mundwinkel sanken nach unten.

»Christ?«, fragte Strobl ungläubig. »Und wir wollen mit diesen Worten einen militanten Moslem hinters Licht führen?«

»Ist jetzt eh schon wurscht«, sagte Kluftinger. Wohl war ihm bei der Sache jedoch nicht. Vielleicht hätten sie doch Markus die Antwort schreiben lassen sollen.

»Meint ihr, er antwortet gleich?« Hefele zwirbelte wieder nervös seinen Bart.

Maier nickte. »Soweit ich den E-Mailaustausch nachvollziehen kann, kamen die Antworten immer in ziemlich rascher Folge. Ich konnte die meisten bisher nur noch nicht entschlüsseln. Oder ich habe nur noch Spuren von Mails gefunden, weil die bereits gelöscht worden sind.«

Kluftinger war beeindruckt, welchen Sachverstand sein Kollege in Bezug auf Computer bewies. Auch wenn Maier nicht immer sehr gewandt im Umgang mit Menschen war, hatte er, gerade was technische Belange anging, doch einiges auf dem Kasten. Sie vergaßen das nur manchmal und behandelten ihn ungerecht, rügte er sich in Gedanken selbst.

Wieder lieferte das Radio die Hintergrundmusik zu ihrem Herumsitzen. Kluftinger hatte sich seinen Teller mit den inzwischen kalten Weißwürsten geholt und nuckelte unmotiviert auf einer herum.

Beim ersten Bissen, den er heruntergeschluckt hatte, riss es ihn: Die Konsistenz war so schwammig, der Geschmack so abstoßend, dass es ihn beinahe würgte. Weißwürste waren tückisch: Erwischte man einen Bissen zu viel davon oder hatten sie nicht die richtige Temperatur, konnte einem schnell der Appetit vergehen.

So hingen sie etwa zehn Minuten lang ihren Gedanken nach und führten dabei Tätigkeiten aus, die ein Verhaltensbiologe wohl als Übersprungshandlungen deklariert hätte: Während Hefele wieder seinen Schnurrbart gewissenhaft zwirbelte, wischte Strobl bestimmt fünfzehn Mal den Tisch vor sich mit der Hand sauber. Kluftinger spitzte einen Bleistift, bis nichts mehr von ihm übrig war, und Maier trommelte mit einem Kugelschreiber auf seiner Schuhsohle herum. Kluftinger wollte gerade nachfragen, ob es der Takt des »Kufsteinliedes« oder der »Bergvagabunden« war, als eine metallisch-laszive Frauenstimme aus dem Laptop sie zusammenzucken ließ: »Sie haben E-Mail erhalten.«

Kluftinger schluckte. Alle starrten auf den Computer, der auf dem kleinen Tischchen vor der Couch stand, doch keiner wagte es, nachzusehen, wie die Antwort lautete. Der Kommissar hatte sich als Erster wieder im Griff und nickte Maier zu: »Richard, wärst du so nett ...«

Maier erhob sich, schnappte sich den Rechner und trug ihn ganz langsam und vorsichtig zurück zu seinem Stuhl. Es schien fast so, als befürchte er, in der Mail könne sich eine Sprengladung befinden. Dann begann er auf die Tastatur einzuhacken. Immer wieder grummelte er Worte wie »Verschlüsselung« oder »Code«. Nach etwa vier Minuten hielten seine Finger inne. Er blickte auf und fragte mit einem Zittern in der Stimme: »Soll ich?«

Keiner verzog eine Miene, und Maier drückte noch einmal eine Taste. Die anderen konnten sehen, wie seine Augen über das Geschriebene sausten und sich eine tiefe Falte zwischen seine Augenbrauen grub. Schließlich sagte er stockend: »Ich ... versteh nicht ...«

Kluftinger hielt die Spannung nicht mehr aus. »Herrgott, Richard, jetzt sag schon, was drin steht.«

Maier räusperte sich und begann zu lesen: »Wir haben verstanden. Hab Dank und Achtung für den Fingerzeig. Nächste Kontaktaufnahme im Hinblick auf den Wink nicht vor dem Ablauf dreier Tage.«

Die Männer blickten sich mit großen Augen an. Strobl schluckte. »Fingerzeig? Wink? Himmelherrgott, was haben wir ihm denn gesagt?«

Darauf hatte keiner eine Antwort. Ihnen war mulmig zumute bei dem Gedanken, dass sie vielleicht unwissentlich eine Reaktion provoziert hatten, die sie gar nicht beabsichtigten.

»Wer hat eigentlich die saublöde Idee mit dem Radio gehabt?«, stieß Hefele wütend hervor und wie auf Stichwort ruckten die Köpfe der Beamten herum.

Alle sahen nun Richard Maier an, der knallrot anlief. »Ach, jetzt bin ich wieder schuld, oder wie? Ist euch vielleicht was Besseres eingefallen?«

»Aber du hast bei dem Lied mitgesungen!«

»Ist Singen jetzt schon eine strafbare Handlung? Ihr habt doch überhaupt keine Idee gehabt. Wenigstens hat er den Kontakt nicht abgebrochen. Hätten wir nix geschrieben …« Maier hielt inne. »Ach wisst ihr was, macht euren Dreck doch alleine.«

Damit stand er auf, knallte den Computer auf Kluftingers Schreibtisch und verließ den Raum.

Die anderen sahen ihm entgeistert und auch ein wenig beeindruckt nach. So kämpferisch kannten sie ihn gar nicht.

»Lass mal sehen«, sagte Hefele und drehte das Notebook herum. Doch als er auf die Tastatur tippte, erschien auf dem Bildschirm lediglich ein kleines Fenster mit der Aufschrift »Enter Password«.

»Weiß jemand das Passwort vom Richard?«, wollte Hefele wissen. Doch er erntete nur Schulterzucken. »Kommt, das kann doch nicht so schwer sein. Wie heißt seine Frau?«

Wieder zuckten die Kollegen mit den Schultern. Es war komisch, aber sie hatten sich in all den Jahren nicht einmal den Namen von Maiers Ehefrau merken können. Peinlich berührt wechselte Hefele das Thema: »Bestimmt hat er seinen eigenen Namen genommen.« Er tippte »Richard« ein, doch der Rechner gab nur ein gequältes, unmelodisches Piepsen von sich, und das Fenster mit der Eingabeaufforderung erschien erneut.

Hefele probierte es noch einmal mit »Richie« und dann »Richard Maier«. Dann gaben sie »Polizei« und »Polizist« und schließlich »Kluftinger« ein.

Auf Nachfrage seines Vorgesetzten nach dem Grund hierfür grinste Hefele und sagte: »Vielleicht nimmt er sein Vorbild als Passwort.«

Nachdem er die Entertaste gedrückt hatte, piepste es diesmal lauter und schriller, und auf dem Rechner erschien die Nachricht »PC locked«. Hefele lief rot an.

»Was hast du denn jetzt gemacht?«, fragte Strobl vorwurfsvoll. »Das ist doch gar nicht der Computer vom Maier, du Depp.«

Auch Kluftinger runzelte die Stirn: »Wenn wir jetzt da nicht mehr an die Mails rankommen, ich sag's euch … Ihr immer mit euren Kindereien.«

Hefele zog seine Hand so ruckartig zurück, als hätte er auf eine heiße Herdplatte gefasst. »Ich … das lassen wir mal lieber den Richard machen«, sagte er kleinlaut, stand auf und verließ den Raum.

Nur Strobl blieb mit seinem Chef zurück. Eine Weile saßen sie einfach nur da, dann ging die Tür auf.

»Ja, Willi! Schön, dass du mal bei uns reinschaust.« Freudestrahlend sprang Kluftinger auf und deutete auf einen Stuhl. »Nimm doch Platz, erzähl uns ein bisschen, wie's bei dir so läuft.«

Willi Renn schaute Kluftinger an, als habe der ihn gerade zum Tanzen aufgefordert.

»Muss ich mir Sorgen machen, Klufti?«

»Wieso? Darf ich nicht einmal einem netten Kollegen einen Stuhl anbieten?«, gab Kluftinger etwas beleidigt zurück. Renn hatte schnell durchschaut, dass die Freundlichkeit des Kommissars wenig mit seiner Person zu tun hatte. Tatsächlich war Kluftinger einfach froh, dass jemand aus einer anderen Abteilung ihnen etwas Ablenkung verschaffen würde.

»Sag mal, Willi, was willst du eigentlich bei uns?«, fragte Kluftinger.

»Ich?« Renn sah unsicher zu Strobl, dann faltete er das Papier, das er in seinen Händen hielt, und schob es in die Hosentasche. »Nix. Äh … wollt nur mal …«

»Ich glaub's ja nicht«, unterbrach ihn Kluftinger. »Ist das das Foto? Das von mir? Und du steckst da mit drin, oder wie, Eugen?« Vorwurfsvoll blickte der Kommissar seinen Kollegen an.

»Ich?«, entgegnete der und hob abwehrend die Hände.

»Ist mir auch egal. Ich sag euch eins: Wenn das Foto hier noch mal auftaucht, dann mach ich ein paar Abzüge von meinen gesammelten Werken. Von den letzten Betriebsfesten. Das wollt ihr nicht, glaubt es mir.«

Schnell antwortete Renn: »Jaja, schon gut. Jetzt sag aber mal: Was ist denn bei euch los grad?«

Von dieser Frage abgelenkt, begann Kluftinger zu erzählen. »… und jetzt kommen wir nicht mehr in diesen Dreckscomputer rein«, schloss Kluftinger seinen Bericht.

Willi nickte verständnisvoll. »Ihr seid ja schließlich nicht vom BKA.«

Kluftinger nickte zunächst automatisch, auf einmal aber fuhr sein Kopf herum. »Was hast du gesagt, Willi?«

»Dass ihr nicht vom BKA seid. Dafür haben die doch Spezialisten. Für Terror und Waffenhandel und internationale Kriminalität.«

Die Augen des Kommissars wurden groß. Kurzzeitig gruben sich tiefe Furchen in seine Stirn, dann glättete sich sein Antlitz, und seine Mundwinkel verzogen sich zu einem schiefen Grinsen. »Diesmal bist *du* genial, Willi.«

»Ich? Sowieso. Eigentlich von Geburt an und seitdem meistens gewesen. Aber warum gerade jetzt?«

Kluftingers Blick wanderte weiter zu Strobl, doch auch der hatte noch nicht verstanden.

»Ist euch nicht klar, was das hier …«, er deutete mit seiner Hand auf den Laptop, »… bedeutet? Terror? Bombenanschlag? Extremisten? Wir waren da ja wie vernagelt, inklusive Lodenbacher.«

Jetzt hellte sich auch Strobls Miene auf. Nur Willi hatte noch nicht verstanden.

»BKA. Wie du gesagt hast. LKA, BND, MAD, Verfassungsschutz, was weiß ich. Aber bei so einer Nummer sind wir aus dem Schneider. Jetzt kümmern sich die Profis drum, da haben wir als Laien nichts mehr zu melden. Unsere Spielzeit ist damit um. Und wir sind das ganze Ding los.« Mit einem Strahlen im Gesicht, als hätte er den Fall gerade eben gelöst und die Verantwortlichen bereits hinter Gitter gebracht, ließ sich Kluftinger auf seinen Schreibtischstuhl fallen.

So beschwingt war er lange nicht mehr nach Hause gekommen. Das Wetter war schön, Vogelgezwitscher begleitete seinen Weg vom Auto zur Tür, und vor ihm lag ein lauer, verheißungsvoller Frühsommerabend. Alles roch nach einem perfekten Feierabend. Zwar plagte ihn schon ein bisschen das schlechte Gewissen, weil er gar so erleichtert war, dass sie sich mit diesem Fall nun nicht mehr beschäftigen mussten. Immerhin bestand die Bedrohung nach wie vor. Aber dafür gab es nun einmal Spezialeinheiten, extra ausgebildete Fachkräfte, bei denen die ganze Geschichte besser aufgehoben war.

Sicher, er hatte in den letzten Jahrzehnten mit ansehen müssen, wie das vermeintlich idyllische Allgäu immer mehr Verbrechen anzog: In den Achtzigerjahren hatte sich die organisierte Kriminalität in Form der italienischen Mafia hier breitgemacht und Kempten sozusagen zur Europazentrale ihrer Geschäfte auserkoren. Eng damit verknüpft war ein Anstieg der Drogenkriminalität gewesen.

Man hatte die Situation jedoch inzwischen unter Kontrolle. Mehr oder minder, wie in allen Städten wahrscheinlich. Aber Kluftinger wusste, dass es diese Art der Kriminalität nach wie vor gab, auch wenn sie sie eindämmen konnten.

Das Bild des vermeintlich so unschuldigen Allgäus – das nie seines gewesen war – hatte für kurze Zeit Risse bekommen. Ebenso schnell hatten die Menschen jedoch auch wieder vergessen. Als vor ein paar Monaten im Fünftausend-Seelen-Ort Bad Hindelang im hintersten Oberallgäu fünfundsiebzig Jugendliche aufgeflogen waren, die regelmäßig Hasch, Marihuana und andere illegale Drogen konsumiert hatten, war ein Aufschrei durch die Bevölkerung gegangen. Dass es so etwas hier gebe, dass jetzt auch schon der »Schmutz der Großstädte« in die ländliche Idylle schwappe, sei ungeheuerlich, war damals der Tenor.

Auch der Bürgermeister hatte sich so geäußert. Kluftinger und seine Kollegen hatten darüber nur den Kopf geschüttelt. In ihren Augen machten sich die Leute selbst etwas vor. Fragte sich denn keiner von denen, wozu die vielen Menschen tagtäglich zur Arbeit in das Gebäude mit der Aufschrift »Polizei« gingen? Dachten sie, man unterhalte die Abteilungen zur Drogen- und Gewaltkriminalität lediglich aus Imagegründen?

Nein, das Verbrechen gibt es hier wie anderswo, sagte Kluftinger immer, wenn man ihn auf Fortbildungen auf die vermeintlich heile Welt ansprach, aus der er doch komme. Auch wenn ihnen gewisse Probleme urbaner Ballungsräume bisher erspart geblieben waren. Aber die Einschläge kamen näher, da machte sich der Kommissar keine Illusionen. In Memmingen gab es eine schwelende Aussiedler-Problematik, in Lindau eine besorgniserregende Drogenszene.

Internationaler Terrorismus allerdings war kein Problem, mit dem sie sich herumschlagen mussten. Es wäre auch ein Widerspruch in sich gewesen – internationaler Terror, der sich gegen kollektive Wahrzeichen und Institutionen einer Gesellschaft oder Kultur richtet, der die Aufmerksamkeit braucht, in der Abgeschiedenheit der Provinz. Manchmal war Kluftinger sehr froh, dass sie hier wenigstens noch ein kleines bisschen hinter dem Mond lebten. Dort ließ es sich bisweilen ganz gut aushalten. Meist besser als im grellen Licht der Sonne.

Er schüttelte über sich selbst den Kopf, als er die Tür aufschloss: So tiefgründige Gedanken passten gar nicht zu seiner ausgelassenen Stimmung. Erika war überrascht, ihren heute früh noch so mürrisch aus dem Haus gegangenen Gatten derart verwandelt wiederzusehen. Doch sie fragte nicht nach, denn sie wusste, dass er solche Fragen gleich nach Betreten der Wohnung hasste. Heute Abend würde er ihr ohnehin alles erzählen, spätestens vor dem Einschlafen im Bett. Sie genoss fürs Erste also einfach seine gute Laune. Und hatte natürlich nichts dagegen, als er ihr vorschlug, noch schnell den Rasen zu mähen.

Während er mit seinem uralten handbetriebenen Rasenmäher so schnell über den kleinen Garten fuhr, dass sich auf seinem alten karierten »Gartenhemd«, eines jener hauteng geschnittenen, karierten Endsiebziger-Jersey-Modelle, große Schweißflecken bildeten, lugte er immer wieder verstohlen grinsend zum Tisch auf der Terrasse. Darauf hatte er zur Feier des Tages ein Weizenglas und eine Zigarre bereitgestellt. Nach getaner Arbeit würde er sich einen eiskalten Schluck und – ein seltenes Vergnügen – eine Havanna genehmigen. Als er daran dachte, legte Kluftinger noch einen Zahn zu, und die Grashalme flogen links und rechts nur so aus den rotierenden Klingen. Das sei echtes »Trimm-Dich«, sagte er immer zu seiner Familie, da könne er sich das Geld fürs Fitnesscenter locker sparen.

»Hörst du?«

Kluftinger blieb stehen. Hatte seine Frau gerade nach ihm gerufen? Er drehte sich um: Tatsächlich, auf der Terrasse stand Erika und hatte beide Hände trichterförmig um den Mund gelegt.

»Was ist denn los? Hörst du schlecht?«, beklagte sie sich mit einem milden Lächeln.

»Tschuldige, ich war so in Gedanken …«

»Schon gut. Du hast nämlich Besuch.« Bei diesen Worten blickte Erika auf sein verschwitztes Hemd, die zu enge Popelinehose sowie auf seine grünen Gartenclogs aus Gummi und verzog ein wenig die Mundwinkel.

Besuch? Kluftingers Mundwinkel bewegten sich ebenfalls: nach unten. Er wollte heute keinen Besuch mehr. Er hatte sich sogar vorgenommen, nicht mehr ans Telefon zu gehen. Er hatte doch schon seine »So-sollte-mich-besser-niemand-mehr-sehen«-Kleidung angelegt. Wollte rauchen, trinken, sitzen … aber doch nicht reden. Zumindest mit niemand anderem als mit Erika. Er überlegte noch fieberhaft, wer da zu ihm gekommen sein und vor allem, wie er ihn schnell wieder loswerden könnte, da sagte seine Frau: »Schau mal, wer da ist.« Dabei machte sie eine ausladende Handbewegung in Richtung Terrassentür, wie eine der Frauen aus den Fernsehspielshows, wenn sie den Hauptgewinn präsentieren.

Durch die Tür kam grinsend und gut gelaunt Doktor Langhammer.

Kluftinger zog die Brauen zusammen. Erika hatte doch gesagt, *er* habe Besuch bekommen. Der Arzt hatte ihn aber noch nie aufgesucht, wenn man von einem aus Kluftingers Sicht eher unfreiwilligen gemeinsamen Koch-Abend einmal absah. Aber das war, als Langhammers Frau Annegret und Erika zusammen in Urlaub gefahren waren. Ein absoluter Ausnahmefall also. Und genau das sollte es auch bleiben.

»Abend, mein Lieber«, rief der Doktor und hob die rechte Hand mit seinem goldenen Siegelring zum Gruß. »Schön, dass Sie Zeit für mich haben!«

Zeit? Er hatte keine Zeit. Jedenfalls nicht für Martin Langhammer. War der jetzt völlig übergeschnappt? Wieso besuchte er ihn? Sie hatten praktisch keine gemeinsamen Interessen. Sie mochten sich nicht einmal. Jedenfalls galt das für Kluftinger. Beim Doktor dagegen hatte er bisweilen schon unangenehme Züge von Sympathie gespürt. Er öffnete den Mund, um ihm genau das – natürlich etwas eleganter – beizubringen, da zog sich Erika mit den Worten »Ich bring dir gleich was zu trinken, Martin!« ins Haus zurück.

Kluftinger schloss den Mund wieder. Er war verwirrt. Sollte er, wie es die Höflichkeit eigentlich befahl, den Arzt fragen, was er für ihn tun könne? Aber er wollte ja keine schlafenden Hunde wecken. Erst jetzt sah Kluftinger Langhammers Aufzug und seine Laune besserte sich etwas. Fast verspürte er ein wenig Mitleid mit dem Mann, der da vor ihm stand, mit Caprihose in Flecktarnmuster zu einem hauteng, knallorangen T-Shirt mit der Aufschrift »Public Enemy«. Einer seiner Mundwinkel hob sich wieder ganz leicht zu einem schiefen Grinsen. Hatte Langhammer also mal wieder einen Trend aufgeschnappt, der für eine ganz andere Generation bestimmt gewesen war. Er nahm sich vor, diesen geschmacklichen Totalausfall, der da vor ihm stand, freundlich zu empfangen. Der Tag war so schön, auch Langhammer konnte den nicht kaputt machen.

Sein Vorsatz bröckelte schon nach wenigen Sekunden.

»So, Sie mähen noch von Hand. Sehr umweltbewusst, mein Lieber. Aktiver Klimaschutz. Und das hält fit, was?« Bei diesen Worten zeigte der Arzt auf die Schweißflecken auf Kluftingers Hemd. »Aber wo es angezeigt ist, darf man sich durchaus der segensreichen Hilfsmittel unserer modernen Zeit bedienen. Also, wenn Sie wollen, ich kann Ihnen gerne mal meinen fahrbaren Rasentraktor vorbeibringen. Zu Testzwecken, meine ich.« Langhammer warf einen abschätzigen Blick auf Kluftingers Garten, schürzte die Lippen und fügte hinzu: »Da müssten Sie nur zweimal hin und her fahren und alles wäre erledigt. Vorausgesetzt, Sie kämen überhaupt zum Wenden bei der Enge hier. Aber ... gemütlich, so ein Handtuchgarten.«

Kluftinger notierte sich im Geiste: Bei Gelegenheit unbedingt ein paar große Steine, Drahtstückchen und Scherben in Doktors Garten verstecken. Notfalls Kinder aus der Nachbarschaft gegen Bezahlung damit beauftragen. Dann presste er ein »Hm« hervor und schob seinen himmelblauen Rasenmäher weiter.

Langhammer konnte von seinem Standpunkt aus nicht erkennen, dass der Kommissar dabei die Hände so stark um den Griff krallte, dass die Fingerknöchel weiß hervortraten.

»So, deine Erfrischung, Martin. Toll, dass du gleich gekommen bist.« Mit diesen Worten stellte Erika ein Glas Bier auf dem Gartentisch ab. »Jetzt zeig aber mal dein Gerät«, fuhr sie aufgeregt fort.

Gerät? Welches Gerät sollte der Doktor ihr bitteschön zeigen? Noch bevor sich der Kommissar über die Zweideutigkeit ihrer Aufforderung wundern konnte, griff Langhammer in die Tüte, die er die ganze Zeit in der Hand gehalten hatte, und holte ein rechteckiges, metallisch glänzendes Ding heraus, das wie ein zu groß geratenes

Handy aussah. Jetzt hielt Kluftinger nichts mehr auf seinem Rasen, und er eilte auf die Terrasse, um Langhammers Mitbringsel in Augenschein zu nehmen.

»Das hat mir bislang immer gute Dienste geleistet«, sagte der Doktor, als er noch ein paar Kabel dazu auf den Tisch legte.

Für Kluftinger sah es aus wie ein kleiner Computer. Er hatte keine Ahnung, was der Doktor und vor allem Erika damit wollten.

»Toll, Martin«, rief Erika entzückt aus. Dann wandte sie sich an ihren Mann: »Das wird uns in Zukunft hoffentlich stressfreier ans Ziel bringen, gell, Schätzle?«

Kluftinger sah sie mit großen Augen an. Sie wusste, wie sehr er es hasste, wenn sie ihn vor Fremden mit Kosenamen bedachte.

»Ist auch ganz einfach zu bedienen. Erklärt sich quasi von selbst«, sagte Langhammer.

»Das ist schon wichtig«, nickte Erika. »Mit den neuen technischen Geräten hat er's ja nicht so.«

Er?

»Und nach dem Weg will er ja dann auch nicht fragen, auch wenn er sich in letzter Zeit schon öfter mal verfährt. Da ist er halt ein typischer Mann.«

Langsam dämmerte es Kluftinger: Sie redete von ihm. Und nun war ihm auch klar, was da vor ihnen auf dem Tisch lag: Es war ein mobiles Navigationsgerät. Er erinnerte sich wieder daran, es schon im Auto des Doktors gesehen zu haben. Aber warum hatte er es mitgebracht? Wo wollte Erika hin, dass sie es sich von ihm ausleihen wollte? Hatte er ihr am Ende fürs Wochenende einen Ausflug versprochen, von dem er nichts mehr wusste?

»Du hast uns ja einen tollen Preis gemacht, Martin, das hätt's aber wirklich nicht gebraucht. Das ist ja fast geschenkt.«

»Ach, papperlapapp!« Der Arzt machte eine wegwerfende Handbewegung. »Schwamm drüber. Jetzt erklär ich's euch mal schnell, damit ihr in Zukunft keine Probleme mehr habt.«

Der Kommissar lief rot an: »Ich hab meinen Weg noch immer gefunden«, protestierte er.

»Ja, nach spätestens zwei Stunden«, seufzte Erika.

Bei den anschließenden Ausführungen des Doktors über Funktionsweise und »Features« des Gerätes schnaufte Kluftinger immer wieder hörbar gelangweilt und verhielt sich sichtbar desinteressiert, um zu signalisieren, dass er das alles wirklich für banal halte.

»Ein Navi?« Markus war durch die offene Schiebetür nach draußen getreten: Seine Augen leuchteten begeistert. »Cool. Respekt, Vatter, dass du dir deine Orientierungsschwäche endlich eingestehst.«

Kluftinger blickte seinen Sohn mit hochrotem Kopf an.

»Weißt schon, dass da ein Computer drin ist?«

Die Augen des Kommissar verengten sich zu Schlitzen, und er zischte: »Wenn du so gescheit bist, Brutus, dann kannst *du* es mir ja fertig erklären.« Und an Langhammer gewandt sagte er: »Also, vielen Dank, dass Sie's gleich vorbeigebracht haben. Fahren Sie jetzt nicht mehr so viel, in Ihrem Alter, oder warum brauchen Sie's nicht mehr?«

»Ich habe mir ein festes einbauen lassen. Mit ausfahrbarem Bildschirm und integriertem DVD-Player. Da können wir unseren Spanischkurs neben dem Fahren nicht nur hören, sondern auch sehen. Ich zeig's Ihnen gern mal.«

»Ja, ich kann's kaum erwarten.« Mit diesen Worten schlurfte Kluftinger wieder zu seinem Rasenmäher. Er gefror mitten in der Bewegung, als er seine Frau sagen hörte: »Dann lass ich euch zwei mal allein.«

Was gab es denn noch zu besprechen? Wollte ihm der Doktor auch noch seinen Mercedes andrehen? Seinen bescheuerten Aufsitz-Rasenmäher? Seine Schneefräse? Mit einem flauen Gefühl im Magen wandte er sich langsam um. Und sah, wie der Doktor mit großer Geste ein gelbes, kleines Büchlein aus der Tüte hervorholte und es mit den Worten »Dann wollen wir mal, wir zwei Schauspieler, was?« auf den Tisch legte.

Kluftinger begriff – und bekam weiche Knie. Offenbar war der Doktor zum Proben gekommen. Aber da hatte er sich sauber geschnitten. Niemals. »Nein, Herr Langhammer, ohne den Regisseur sollten wir das nicht … nicht dass sich noch falsche Betonungen einschleichen und …«

»Ich habe schon mit Herrn Frank geredet«, unterbrach ihn der Doktor. »Er ist sehr dafür, dass wir das zu zweit durchgehen.«

Der Kommissar sah sich Hilfe suchend um, doch sein Blick fiel auf nichts, woraus er sich auf die Schnelle eine Ausrede hätte zurechtzimmern können. Mit hängenden Schultern setzte er sich zum Doktor an den Tisch. Dann fiel sein Blick auf sein Weizenglas und die Flasche daneben, die wegen des eiskalten Inhalts beschlagen war. Seine Stimmung hellte sich wieder etwas auf, als er sie öffnete und den Inhalt in das Glas laufen ließ, das er schräg an den Flaschenhals hielt.

Währenddessen griff sich Langhammer das Reclam-Heftchen, hielt es hoch und sagte: »Bevor wir in die Textarbeit einsteigen, sollten wir noch über die Anlage unserer Rollen sprechen, Herr Kluftinger. Ich habe das auch unserem Regisseur vorgeschlagen, und er war sehr angetan von meiner Idee.«

Kluftinger starrte den Doktor mit weit aufgerissenen Augen an. »Das kommt ... kruzifixnochamal!« Der Kommissar sprang auf und streckte Flasche und Glas weit vom Körper weg. Er war vom Vorschlag seines Gegenübers so überrascht worden, dass er das Einschenken vergessen hatte, bis sich der Schaum des Weizens auf seine Hose ergoss.

»So eine Dreckssauerei«, schimpfte er. Die Äderchen auf seinen Wangen und seiner Nase färbten sich tiefrot.

»Ach, ist doch nicht so schlimm, mein Lieber«, beruhigte ihn der Doktor. »Wenn Sie diese Emotion in Ihre Rolle bringen könnten, dieses Cholerische, das würde doch exzellent passen.«

Fassungslos starrte er den Doktor an: Er wusste nicht, ob er bleich oder noch roter werden sollte. Er spielte schon sein ganzes Leben beim Freilichttheater mit, war schon als Junge der Tellbub gewesen. Schließlich beschloss er, erst einmal einen Schluck zu trinken. Dann ließ er sich wieder auf seinen Stuhl fallen.

»Ihr Ruodi ist ja wütend, weil ihn alle beschwatzen wollen, den armen Baumgarten mit seinem Kahn überzusetzen.« Langhammer sprach dabei Kluftingers Schweizer Rollennamen so hochdeutsch und damit so falsch aus, dass sich der Kommissar wieder ein bisschen beruhigte. Er sah nicht ein, warum er sich nach Jahrzehnten Laienspielerfahrung auf einmal um seinen »Ru-ohti«, wie es beim Doktor klang, so tiefschürfende Gedanken machen sollte. Vermutlich war es aber das Beste, einfach mitzumachen, um so alles schnell hinter sich zu bringen. Eine weitere Zweierprobe würde es dann nicht geben, dafür würde er bei einem klärenden Gespräch mit dem Regisseur schon sorgen. Außerdem wollte er vor dem Doktor nicht dastehen, als interessiere er sich zu wenig für seine Rolle.

»Wie sehen Sie denn Ihren Charakter?«, fragte Langhammer mit gesenktem Kopf, wobei er mit Daumen und Zeigefinger seine Nasenwurzel massierte.

Auf Kluftingers Gesicht machte sich ein kaum merkliches Grinsen breit: »Ich denke, mein Charakter ist gut. Viel zu gut für diese Welt. Zu geduldig, zu gastfreundlich und zu wenig direkt.«

Langhammer blickte verstört auf. »Wie können Sie denn etwas über die Gastfreundschaft des Fischers sagen?«

»Ach so, Sie meinen, wie ich … den Ruodi im Stück sehe?« Wieder lächelte der Kommissar. »Mei, ein Fischer halt. Ich kenn ihn ja nicht persönlich.«

»Ich werde Ihnen mal sagen, wie ich ihn sehe. In erster Linie ist er ja Fischer und nicht Fährmann, wissen Sie? Nun, und als Jäger ist ihm der Werni, also in diesem Falle ich, Ihnen, also seelenverwandt, denke ich. Vielleicht sollten Sie sich das auch notieren?«

»Ich merk's mir lieber«, antwortete Kluftinger brummig.

»Na gut, fangen wir einfach mal an.«

Also verschränkte Kluftinger die Arme, dachte kurz nach und sagte seinen ersten Satz. Immerhin, im Gegensatz zum Neuling Langhammer konnte er seinen Text bereits auswendig: »Mach hurtig, Jenni, zieh die Naue ein!«

Erwartungsvoll blickte er darauf den Doktor an, der mit geschlossenen Augen vor ihm saß und keinen Laut von sich gab. Kluftinger wartete etwa dreißig Sekunden, dann stahl sich ein Lächeln auf sein Gesicht: »Kleiner Texthänger?«

Die Augen des Doktors öffneten sich einen Spalt, dann flüsterte er: »Bitte, bleiben Sie in der Rolle. Ich versuche nur, mich in die Situation einzufühlen. Kann ich den Satz noch mal haben?«

Kluftinger war so perplex, dass er ohne zu zögern noch einmal begann. Diesmal antwortete ihm der Doktor aufs Stichwort: »Die Fische springen, ein Gewitter ist im Anzug.«

Ein paar Sätze lang sagten sie einfach ihren Text auf, und in Kluftinger wuchs die Hoffnung auf ein baldiges Ende des Tête-a-Têtes. Doch als sie zu der Stelle gelangten, in der Ruodi mit Blick auf seine eigene Familie die Überfahrt des flüchtigen Baumgarten über den tosenden See ablehnt, murmelte der Doktor: »Vielleicht etwas zornig.«

»Wie bitte?«

»Nichts.«

»Doch, Sie haben doch gerade etwas gesagt.«

»Nichts Wichtiges.«

»Dann sagen Sie's halt.«

»Es war nichts von Bedeutung.«

»Na gut, dann eben nicht.«

»Also, wenn Sie mich schon so drum bitten: Ich finde, Sie sollten ihn doch ein bisschen weniger zornig anlegen. Er hat Angst um sein Leben, er ist ja nicht wütend auf irgendjemanden.«

Ein paar Sekunden blieb es still. Kluftinger hatte Mühe, Luft zu bekommen.

»Überlegen Sie sich doch einfach mal, wie Sie in dieser Situation reagieren würden«, gab Langhammer weiter den Regisseur.

Eins drüberziehen würd ich ihm, und eine Ruh wär, dachte sich der Kommissar. Doch was er sagte, klang wie: »Aha.«

»Ich meine ja nur.«

»Soso.«

»Vielleicht sollten wir noch mal von vorn anfangen. Ich finde, die Aggression überlagert die Szene jetzt. Kann ich noch mal Ihren ersten Satz haben? Damit ich reinkomme?«

In Kluftinger zog ein Gewitter auf, wie er es lange nicht mehr gespürt hatte. Er biss die Zähne zusammen, bis seine Kaumuskeln deutlich hervortraten, und presste dann gereizt seinen Text hervor: »Mach hurtig, Jenni. Zieh! Die! Naue! Ein!« Mit geröteten Wangen schmetterte Kluftinger dem Doktor die Worte entgegen.

Eine Minute später gab er seinem »Ihr habt ein schön Geläute, Meister Hirt« einen derart zweideutigen Unterton, dass Langhammer seine Replik vergaß und im Textbuch nachschauen musste.

»Ich kann nicht steuern gegen Sturm und Wellen«, schrie Kluftinger schließlich so laut, dass sich im ersten Stock das Fenster öffnete und seine Frau kurz den Kopf herausstreckte.

»Es geht ums Leben, sei barmherzig, Fährmann.«

»Was? Ich hab … Moment. Der Teil ist doch gestrichen«, wunderte sich der Kommissar.

»Hm?«

»Ihr Satz. Der zweite Teil. Mit dem barmherzig. Der ist gestrichen.« Kluftinger hatte schon als Kind auch den Text seiner Mitspieler gelernt. Die Erwachsenen hatte es immer geärgert, wenn ihnen ein Halbwüchsiger soufflierte.

»Ach das, ja. Den … den Strich hab ich wieder aufgemacht.«

»Wie: aufgemacht?«

»Ich habe den Strich rückgängig macht, weil ich finde, dass das Wernis Intention besser erklärt. Es geht ihm nicht um Konfrontation, sondern um Mitgefühl. Einen Strich aufmachen, heißt das in der Theatersprache.«

»Sie müssen's ja wissen. Zeilen schinden, heißt das bei uns«, murmelte Kluftinger.

»Bitte?«

»Nix. Spielen Sie's halt, dann brauchen Sie nicht so viel zu reden.«

»Natürlich, spielen. Deswegen sind wir ja hier.«

»Aber ich kann's verstehen«, sagte Kluftinger und nahm einen großen Schluck aus seinem Weizenglas.

»Was?«

»Dass Sie mehr Text wollen.«

»Ich will nicht mehr Text. Mir geht es nur um die Integrität der Rolle.«

»Mir soll's gleich sein. Wo Sie doch eh nur diese paar Sätzchen haben.« Bei diesen Worten wischte sich der Kommissar genüsslich den Schaum vom Mund.

»Meine Rolle ist wichtig!«, protestierte der Doktor.

»Keine Frage«, erwiderte Kluftinger mit übertriebenem Nicken und stellte das Weizenglas wieder ab.

»Ja, sie ist … der Katalysator dieser ersten Szene.«

Kluftinger hob erneut das Glas und murmelte in den Schaum hinein: »Wohl eher der Bremsklotz.«

»Herr Kluftinger, vielleicht sollten wir uns noch einmal jeder für sich ein paar Minuten in Ruhe und alleine in die Szene vertiefen und dann erst weitermachen? Ich finde, es herrscht gerade kein kreatives Klima, in dem etwas entstehen kann.«

Ungläubig musterte Kluftinger den Doktor. Hatte der ihm wirklich gerade die Möglichkeit zur schnellen Beendigung der Probe geboten?

»Eine sehr vernünftige Idee, Herr Langhammer«, ging er betont freundlich auf die Anregung ein. »Ich geh dann mal nach oben, Sie können sich derweil ja hier … vertiefen.«

Mit diesen Worten schnappte er sich sein Glas, erhob sich und verschwand in der Terrassentür. Er eilte die Treppe in den ersten Stock, wo er den Fernseher einschaltete und sich mit einem Seufzen in den Sessel fallen ließ. Sollte sich der Doktor ruhig »in die Rolle vertiefen«, wie immer er das auch tat, er hatte das noch nie gebraucht, und sie spielten hier immerhin schon seit 1879 Theater – auch ohne Dr. Langhammer.

Er würde hier einfach ... noch ein bisschen ... bis ... Kaum eine Minute, nachdem er sich gesetzt hatte, war er eingeschlafen.

Das Klopfen an der Wohnzimmertür riss ihn so jäh aus seinem Schlummer, dass er für einen kurzen Moment orientierungslos um sich blickte. Draußen war es stockdunkel, im Fernsehen lief bereits der Spielfilm. Verschlafen rieb sich Kluftinger die Augen und drehte sich um. Im Türrahmen stand der Doktor, die Tischdecke um die Schulter geschlungen. Offenbar war ihm in seinen albernen Shorts kalt geworden. So war das eben im Frühsommer im Allgäu: Zwischen einem lauen Abend und der Nacht lagen schnell mal zehn Grad Celsius.

»Ich wär so weit, Herr Kluftinger«, sagte der Doktor, und Kluftinger war sich nicht sicher, ob seine Stimme dabei anklagend, beleidigt oder kleinlaut klang. Er musste gut eine Stunde im Garten ausgeharrt haben, das nötigte dem Kommissar einigen Respekt ab. Doch als seine Gedanken zu der gemeinsamen »Probe« zurückkehrten, war davon nichts mehr übrig.

»Es tut mir leid, ich noch nicht«, erwiderte er deswegen kurz. Und bevor der Arzt antworten konnte, erhob er sich und geleitete ihn aus der Wohnung. Im Türrahmen stehend, sagte er noch: »Wenn man mal angefangen hat, stößt man tatsächlich in Tiefen vor, die man bisher gar nicht für möglich gehalten hätte. Das ist ganz neu für mich, ich muss da noch ein bisschen weiterschürfen. Ein andermal dann, gell, Herr Langhammer. Gut Nacht.«

Er geleitete ihn zur Tür, ging zurück ins Wohnzimmer, klatschte sich mit der Hand an die Stirn, machte noch einmal kehrt, lief zum Badfenster, öffnete es und rief dem Doktor hinterher: »Die Tischdecke kann ja die Annegret mal der Erika mitgeben, wenn sie gewaschen ist.« Dann ging er mit einem Grinsen zurück ins Wohnzimmer und murmelte dabei ein Textfragment aus dem Stück vor sich hin: »Gerechtigkeit des Himmels!«

Als Kluftinger Erika vor dem Einschlafen, wie von ihr erwartet, seinen Arbeitstag geschildert hatte, war er wieder versöhnlich gestimmt. Nur eine Frage ließ ihm noch keine Ruhe: »Was hast du denn jetzt bezahlt?«

»Wofür?«

»Für dieses Navidings.«

»Das ist ein Geschenk.«

»Jetzt sag halt …«

Nach zwei Minuten hartnäckigen Bohrens rückte Erika schließlich mit der Sprache raus: »Na gut, ich sag's dir, wenn du schon so neugierig bist. Der Martin wollte eigentlich gar nichts dafür. Aber ich habe ihm dann zweihundert Euro gegeben. Ist ja erst zwei Jahre alt.«

Kluftingers Fluch hörte nur noch sein Kopfkissen. Für das Geld hätte er locker ein nagelneues Navigationsgerät, ein Mittagessen für die ganze Familie und ein Päckchen Kieselsteine für Langhammers Rasen bekommen.

Es waren einige ruhige Tage vergangen, und Kluftinger hing ihnen in Gedanken noch nach, als er an diesem Morgen die Stufen zu seinem Büro erklomm. Es herrschte die beschauliche Ruhe einer Polizeidirektion in der Provinz. Manchmal brauchte es eben einen unangenehmen Vorfall, der einem erst bewusst machte, wie schön eigentlich der Alltag war. Er kannte das von zu Hause: Ein ungebetener Besuch führte ihm die behagliche Zweisamkeit mit seiner Frau oft erst richtig vor Augen, eine Erkältung ließ ihn spüren, wie angenehm das Leben doch als gesunder Mensch war, und hatte er etwas verzweifelt gesucht und schließlich gefunden, genoss er den Besitz des Gegenstandes weit mehr als vor dem Verlust. Der Kommissar schüttelte den Kopf über diesen menschlichen Makel, nie wirklich mit dem zufrieden zu sein, was man gerade hatte.

Als er die letzte Stufe genommen hatte, blieb er abrupt stehen. Er verbrachte in der Polizeidirektion fast so viel Zeit wie bei sich zu Hause, eigentlich sogar mehr, wenn man nur die wachen Stunden des Tages zählte, und er merkte sofort, wenn hier irgendetwas anders war als sonst. Und heute war das der Fall. Er ahnte es mehr, als dass er es schon wirklich hätte benennen können. Alles schien normal. Auf den Gängen hörte man vereinzelt gedämpfte Stimmen, wie immer um diese Uhrzeit. Der Kopierer ratterte, Tastaturklacken drang aus den Büros. Auch die Kaffeemaschine röchelte bereits in der kleinen Küche. Ehe er noch weiter darüber nachdenken konnte, warum er diesen seltsamen Eindruck hatte, ging Dietmar Lodenbachers Bürotür auf, und der Polizeidirektor trat auf den Korridor.

Au weh, dachte Kluftinger.

Schon am Gang seines Chefs konnte er sehen, dass ihn sein erster Eindruck nicht getrogen hatte. Hektisch, wenn auch nicht ganz so aufgeregt wie sonst, wenn sich etwas Dramatisches ereignet hatte, kam er auf ihn zu. Er wirkte ein wenig fahrig und blass. Als er vor ihm stand, nickte er ihm nur kurz zu, wandte sich dann um und sagte über die Schulter: »Kemman S' mit!«

Kluftinger zog die Augenbrauen zusammen: Hatte er irgendetwas vergessen? War heute sein Dienstjubiläum? Nein, das nächste stand doch erst in ein paar Jahren an. Ein Disziplinarverfahren? Aber weswegen? Hatte er irgendetwas bei den Fahrtkostenabrechnungen …? Er hatte doch immer alles akribisch aufgeführt. Seine Kostümierung am Tatort neulich? Das konnte nicht sein, Lodenbacher hatte sein O. K. zu Kluftingers Theater-Engagement gegeben – mit allen Konsequenzen. Und eine Beförderung stand nicht ins Haus. Vielleicht eine Belobigung? Aber einen Grund hierfür konnte er sich noch weniger ausmalen als für ein Disziplinarverfahren.

Während er sich den Kopf zerbrach, blieb sein Chef abrupt stehen. Sie waren am Konferenzraum ihrer Abteilung angelangt. Aus dem Inneren drangen Stimmen, von denen Kluftinger einige noch nie gehört hatte. Was ihn am meisten irritierte, war der Zettel, der an der Tür klebte: »War Room« hatte jemand darauf mit einem dicken Filzstift geschrieben. Kluftingers Verwirrung wurde immer größer. Er trat über die Schwelle und blieb wie erstarrt stehen. Er erkannte das Besprechungszimmer nicht wieder: Der Raum, in dem er mit seinen Kollegen normalerweise die Morgenlage und andere Konferenzen durchführte, hatte sich in irgendetwas zwischen Raumschiff und Kommandozentrale verwandelt. Ein halbes Dutzend PCs waren aufgestellt worden, mindestens ebenso viele Telefone standen herum, Kabel lagen auf dem Boden, und die Jalousien waren heruntergelassen worden, so dass die Neonlampen alles in ein fahles Licht tauchten. Eine riesige Magnet-Pinnwand stand an der Längsseite.

Er brauchte eine Weile, bis er den Anblick verkraftet hatte, erst dann nahm er auch die Menschen bewusst wahr, die im Raum standen. Links von ihm, an der Ecke der zu einem großen Hufeisen zusammengestellten Tische, stand Willi Renn mit einem Stapel Papier in der Hand. Er sprach mit einem großen, schwarzhaarigen Mann von dunkler Hautfarbe und mit stechenden, schwarzen Augen. Besser gesagt, er sprach nicht, er hörte zu, nickte hin und wieder, sah auf seine Papiere, nickte wieder und kratzte sich mit einer Hand am Hinterkopf, als sei ihm die Situation unangenehm.

Zwei Männer stöpselten gerade einen Bildschirm an einem Computer an, daneben saß eine Frau, die sich ebenfalls über einen Stapel Papier gebeugt hatte. Als sie den Kopf hob, um das Gespräch zwischen Willi Renn und dem Dunkelhäutigen zu verfolgen, klappte Kluftingers Kiefer nach unten. Er kannte die elegante Frau mit den kurzgeschorenen Haaren: Sie war Mitarbeiterin des Bundeskriminalamts in Wiesbaden. Jedenfalls war sie das das letzte Mal noch gewesen, als Kluftinger sie getroffen hatte. Damals, am Alatsee, hatte sie sich in seine Ermittlungen eingeschaltet und hätte mit einer unbedachten Aktion um ein Haar eine Katastrophe ausgelöst. Kluftinger konnte nicht behaupten, dass er sich freute, sie zu sehen.

Jetzt hatte auch sie den Kommissar entdeckt, und an ihrem gequälten Lächeln konnte er ablesen, dass sie über das Zusammentreffen ebenso wenig glücklich war.

»Guten Morgen, Herr Kluftinger«, sagte sie tonlos.

»Grüß Gott, Frau ...« Erst, nachdem er schon mit der Anrede begonnen hatte, bemerkte der Kommissar, dass er ihren Namen nicht mehr wusste. Fieberhaft überlegte er: Es hatte irgendwas mit Fortbewegung zu tun, Hink oder Latsch oder ...

»... Lahm«, vollendete sie seinen Satz, und er lief rot an.

Durch ihren kurzen Wortwechsel waren auch die anderen auf sie aufmerksam geworden. Willi und der Dunkle, wie Kluftinger ihn gedanklich nannte, wandten sich ihnen zu. »Sehr schön, dann sind ja endlich alle da«, sagte der Schwarzhaarige mit sonorer Stimme, und Kluftinger war sich nicht sicher, ob er aus dem »endlich« nicht einen Vorwurf herausgehört hatte.

Aber wie hätte er denn wissen sollen, dass er heute hier zu ... was auch immer erwartet wurde? Niemand hatte ihn informiert. Und was hatte »alle da« zu bedeuten? Wer, bitte, war mit *alle* gemeint? Was hatten sie denn gemeinsam, dass sie sich zu dieser frühen Stunde hier trafen? Und vor allem: Was wollte das BKA hier in Kempten? Warum richteten sich fremde Leute hier häuslich ein? Kluftinger wurde von den vielen Fragen, die binnen Sekunden durch seinen Kopf schwirrten, ganz schwindlig.

Mit einer Kopfbewegung deutete der Dunkle den beiden Technikern an, dass sie den Raum verlassen sollten. Als sie die Tür hinter sich geschlossen hatten, bat er darum, Platz zu nehmen. Kluftinger kam sein dunkles Gesicht mit den buschigen Augenbrauen vor wie das einer Märchenfigur aus »Tausendundeiner Nacht«. Erst jetzt bemerkte er, dass auf den Tischen Namensschilder aufgestellt worden waren. Allerdings entdeckte er keines mit dem Namen Lodenbacher darauf. Er setzte sich an den Platz mit seinem Schildchen, Lodenbacher ließ sich auf einen Stuhl hinter ihm nieder. Der Kommissar erwartete, dass sein Chef nun etwas sagen würde, doch stattdessen ergriff der Dunkle das Wort: »Marlene, meine Herren, ich danke Ihnen, dass Sie sich alle hier zusammengefunden haben. Vor allem bei Ihnen, Herr Lodenbacher, bedanke ich mich ganz herzlich, dass Sie alles so schnell und unbürokratisch in die Wege geleitet haben.« Er nickte dem Polizeidirektor zu.

Schnell? Unbürokratisch? Lodenbacher? Kluftinger verstand die Welt nicht mehr. Er legte seine Tasche, in der sich wie immer nur seine Brotzeit, ein Taschentuch, ein Schweizer Messer sowie ein paar kleine Notizblöcke samt Kugelschreiber befanden, auf den Tisch. Da fiel sein Blick auf den kleinen Papierstapel vor ihm. Auf dem Deckblatt standen die Namen der Personen, die jetzt um den Tisch saßen. So vermutete er jedenfalls, denn einen davon kannte er nicht und eine Person auf der Liste war nicht im Raum: Simon Haas. Langsam keimte in Kluftinger ein Verdacht auf.

»Ich darf Sie also hier bei unserer Task Force begrüßen. Mein Name ist Faruk Yildrim.«

Kluftinger nickte. Das war der unbekannte Name.

»Ich leite diese Gruppe und freue mich, dass Sie alle dabei sind. Sie wurden ja bereits vorinformiert und wir können gleich in medias res gehen.«

Kluftinger blickte sich fragend zu seinem Chef um, doch der nickte ihm nur aufgeregt zu. Der Kommissar hielt die vielen Fragen, die ihn beschäftigten, einstweilen zurück.

Yildrim fuhr in scharfem Ton fort: »Sie sind für die Dauer dieser Operation mir unterstellt. Mir allein. Was die anderen Arbeiten betrifft, mit denen Sie zurzeit zu tun haben: Davon sind Sie mit sofortiger Wirkung freigestellt. Es gibt für Sie im Moment nichts Wichtigeres als das hier.« Er zeigte mit dem Finger auf den Haufen Papier, der vor ihm auf dem Tisch lag.

Kluftinger wagte nicht, seinen Stapel durchzublättern, um so zu erfahren, worum genau es denn ging und was ihm von nun an so wichtig sein sollte. Der Mann am Kopfende des Tisches hatte ihm schon mit wenigen Worten einen Heidenrespekt eingeflößt.

Schließlich fuhr dieser fort: »Es gibt von nun an außer mir niemanden mehr, der Ihnen gegenüber weisungsbefugt ist.«

Kluftinger, der sich eigentlich vorgenommen hatte, sich erst mal über gar nichts mehr zu wundern, wurde jetzt doch noch einmal überrascht: Lodenbacher sollte nun nicht mehr sein Chef sein? Die Vorstellung gefiel ihm. Die weitere Rede des Mannes, von dem Kluftinger aufgrund des Namens vermutete, dass er Türke war, beinhaltete markige Sätze wie »Nur das Ergebnis Ihrer Arbeit zählt!« oder »Wir können hier keine Heulsusen gebrauchen!«. Er schloss mit den Worten: »Ich arbeite schnell, präzise und effektiv. Und das erwarte ich auch von Ihnen.« Dann setzte er sich.

Erst einmal blieb es still. Yildrim blickte einen nach dem anderen an, und als er seine schwarzen Augen auf ihn richtete, spürte Kluftinger eine Beklommenheit, von der er nicht wusste, ob sie vom stechenden Blick seines Gegenübers oder von der ungewohnten Situation herrührte. Dann milderte ein Lächeln die harten Züge des Mannes, und er fuhr fort: »Mir ist klar, dass Sie noch nie auf diese Weise gearbeitet haben. Aber Sie wurden uns von Ihren Vorgesetzten als die besten Mitarbeiter und Experten empfohlen. Ich glaube das fürs Erste, doch diese Empfehlung müssen Sie in Ihrer Arbeit nun auch rechtfertigen. Falls es noch keine Fragen gibt, würde ich gerne ein paar Worte zu den einzelnen Mitarbeitern hier sagen. Sie kennen sich ja bereits. Korrigieren Sie mich also, wenn ich bei irgendetwas falsch liege.«

Kluftinger wären etwa hundert Fragen eingefallen, doch er hielt sich zurück.

»Wir haben zu meiner Rechten Herrn Wilhelm Renn, Leiter des Erkennungsdienstes hier in Kempten und allein durch seine Erfahrung eine echte Kapazität auf diesem Gebiet. Leider hat ihn die Liebe zu seiner Heimat dazu bewogen, ein, wie ich meine, nicht uninteressantes Angebot von uns abzulehnen. Ich hatte schon einmal das Vergnügen, einen Vortrag von ihm in unserem Haus in Wiesbaden zu hören.«

Willi nickte ihm geschmeichelt zu.

»Zu meiner Linken sitzt eine meiner engsten Mitarbeiterinnen, Kriminaloberrätin Marlene Lahm vom Bundeskriminalamt. Sie haben ja bereits mit Marlene zusammengearbeitet, Herr Kluftinger. Das wird die Sache einfacher machen. Tja, und schließlich Kriminalhauptkommissar Kluftinger, ebenfalls eine Kapazität auf seinem Gebiet und vor allem durch seine exzellente Ortskenntnis eine Bereicherung für unsere Gruppe.«

Kluftingers Wangen begannen zu leuchten. Eine Kapazität hatte ihn bisher noch niemand genannt.

»Erlauben Sie, dass ich noch ein paar Worte zu meiner Person verliere. Bevor ich mit meiner jetzigen Position betraut wurde, war ich als Terrorexperte bei Interpol tätig und Berater mehrerer internationaler Gremien, unter anderem nach den Terroranschlägen auf die Vorortzüge in Madrid und nach den vereitelten Anschlägen am Londoner Flughafen.«

Also doch. Kluftinger hatte es geahnt, aber er hatte doch gehofft, falsch zu liegen. Nun war ihm klar, worum es ging: Sein österreichischer Kollege Haas auf der Namensliste, die Geheimniskrämerei, das BKA – offenbar war die Sache mit dem Anschlag, die sie vor einigen Tagen noch so glücklich hatten abgeben können, wie ein Bumerang zu ihnen zurückgekehrt. Kluftingers Hände fühlten sich auf einmal klamm an, und er spürte, wie ihm kalter Schweiß auf die Stirn trat.

Yildrim stand auf und ging zu dem Laptop, der hinter ihm stand. Er stellte ihn vor sich auf den Tisch und sagte: »Ich schlage vor, dass Sie das Ganze als Spiel sehen. Ein sehr ernstes, aber es hat sich bewährt, es so zu sehen. Das ist kein Laienspiel, wir treten gegen Profis an, und es gibt Regeln, die wir zwar nicht selbst aufgestellt, aber unbedingt zu befolgen haben. Jeder falsche Zug kann uns weit zurückwerfen. Ich hoffe, Sie sind sich der Bedeutung des Spiels bewusst. Und das hier ...«, bei diesen Worten drehte er den Laptop zu ihnen um, »ist Ihre Spielzeit.« Auf dem Bildschirm war wieder die rückwärts laufende Uhr zu sehen, die Maier ihnen bereits vor ein paar Tagen präsentiert hatte. Kluftinger schluckte. Der Countdown stand bei 6 Tagen, 12 Stunden und 29 Minuten.

In diesem Moment öffnete sich die Tür und Valentin Bydlinski betrat den Raum. Yildrims Augen verengten sich, und der Kommissar meinte zu erkennen, dass sein Gesicht eine noch dunklere Färbung annahm. Dann fragte er mit kalter Stimme: »Sind Sie der Kollege aus Österreich?«

Bydlinski grinste und antwortete: »Die Kavallerie aus Innsbruck, immer zur Stelle, wenn's brennt.« Damit ließ er sich in den erstbesten freien Stuhl fallen.

Yildrim wies den Österreicher in so scharfem Ton zurecht, dass alle am Tisch unwillkürlich die Köpfe einzogen. Alle bis auf Bydlinski. Er ließ die Standpauke über sich ergehen, in der Yildrim Dinge sagte wie »Ein solches Vorgehen werde ich nicht dulden, Herr Haas!« und »Ihre Vorgesetzten haben Sie hierher abkommandiert, Herr Haas, und wären sicher nicht erfreut, wenn wir Sie vor der Zeit zurückschicken!«

Bydlinski grinste ihn an und sagte dann, nachdem Yildrim sich wieder gesetzt hatte: »Is recht. Ich werd's dem Herrn Haas ausrichten, wenn ich ihn seh.«

Yildrim funkelte ihn böse an.

»Der Herr Haas ist nämlich leider krank geworden, und da hat man kurzfristig mich als seine Vertretung geschickt, weil ich auch über den Fall Bescheid weiß. Ich bin der Bydlinski. Valentin Bydlinski vom Landesgendarmeriekommando Tirol in Innsbruck. Habe die Ehre.«

Yildrim biss die Zähne zusammen und dachte offenbar über eine Erwiderung nach, setzte sich dann aber und richtete sich wieder an alle: »Gut, dann fangen wir an. Eins aber noch vorweg: Alles, was hier in diesem Raum gesprochen wird, bleibt auch in diesem Raum, dass wir uns da verstehen. Nichts dringt nach außen, nichts wird mit Ihren Familien besprochen und vor allem auch nichts mit Ihren anderen Kollegen. Kein Wort. Auch der Grund, warum wir hier sind, wird nicht nach außen kommuniziert. Ist das klar?« Yildrim sah sie wieder der Reihe nach an. Als keiner darauf reagierte, hakte er scharf nach: »Ob das klar ist?«

Mit einem Kopfnicken und einem undefinierbaren Gegrummel, das Kluftinger an ein Rosenkranzgebet erinnerte, signalisierten die Anwesenden ihre Zustimmung.

»Gut, wenn Sie nichts dagegen haben, sollten wir anfangen.« Yildrim blickte zwar kurz in die Runde, machte aber nicht den Eindruck, als ob er wirklich Einwände erwarte.

»Marlene …« Er nickte seiner Kollegin zu, die sofort dienstbeflissen aufstand und das Licht ausschaltete. Dann nahm sie hinter ihnen an einem weiteren Laptop Platz und schaltete einen Beamer ein. Auf einer Leinwand in Yildrims Rücken erschien ein schwarz-weißes, grieselig wirkendes Bild eines großen Raumes. Die Kamera war auf eine mehrere Meter breite Schließfachbatterie gerichtet.

»Das sind die Bilder, die uns die Kollegen aus Österreich zur Verfügung gestellt haben«, sagte Yildrim, ohne sich dabei zur Leinwand umzudrehen. »Was Sie darauf sehen, sind die Postschließfächer des Hauptpostamtes in Innsbruck. Darunter befindet sich auch jenes, das die ganze Sache ins Rollen gebracht hat. Wegen dieses Schließfaches sind wir hier. Was sich in den Sendungen darin befand, wissen Sie bereits. Falls Sie sich übrigens gefragt haben, was es mit dem Rosenwasser auf sich hat: Damit parfümieren sich islamische Terroristen gerne. Besonders dann, wenn sie einen Anschlag ausführen. Eine der letzten Anweisungen an die Attentäter des 11. September lautete etwa: ›Parfümiere dich, rasiere die überflüssigen Haare, trage deine beste Kleidung.‹ Gern tragen sie dann auch noch einen Schlüssel um den Hals. Zum Paradies, Sie verstehen.« Yildrim seufzte. »Aber ich schweife ab. Zurück zum Schließfach: Es befindet sich in der mittleren Reihe und trägt die Zahl fünfhundertsiebzig. Übrigens das Geburtsjahr des Propheten Mohammed, aber das sei nur am Rande erwähnt.«

Kluftinger kniff die Augen zusammen, konnte aber beim besten Willen keine Zahlen ausmachen.

»Falls Sie die Zahlen nicht erkennen, warten Sie das nächste Bild ab«, fuhr Yildrim fort. Lahm klickte mit ihrer Maus, und nun war ein dunkelhaariger, kleiner Mann zu sehen, der ein Päckchen aus einem der Schließfächer nahm.

»Die österreichischen Kollegen haben den Mann bereits identifiziert, er steht unter ihrer ständigen Beobachtung.« Bydlinski schien bei der häufigen Nennung der Arbeit seiner Einheit förmlich zu wachsen.

Yildrim fuhr in sachlichem Ton fort: »Es handelt sich dabei um Igor Metjev. Er ist schon des Öfteren im Zusammenhang mit Waffenschiebereien aus ehemaligen GUS-Staaten auffällig geworden. Ein kleiner Fisch allerdings. Aber wie wir sagen: Die kleinen Fische werden irgendwann von den großen gefressen! Tatsächlich hat er Kontakt zu einer weit verzweigten Familie aus Tadschikistan, die in großem Stil mit Waffen handelt. Zum einen rein kommerziell, zum anderen wissen wir, dass die Iljanovs Waffen an Sympathisanten ihrer Sache nach ganz Europa verschicken. Das geht dann natürlich nicht mehr über das Schließfach.«

Kluftinger hätte gerne gefragt, um was für eine Sache es sich dabei denn handle, traute sich aber nicht, Yildrims Vortrag zu unterbrechen.

»Es handelt sich dabei um eine Art Clan, angeführt von Sergeij Iljanov.« Wieder erschien ein Foto, diesmal das Porträt eines Mannes in den Fünfzigern mit krausen Locken und wulstigen Lippen.

»Iljanov verfügt über ausgezeichnete Kontakte in die islamische Welt. Sie wissen ja wahrscheinlich, dass Tadschikistan islamisch geprägt ist.«

Kluftinger hatte noch nie irgendetwas über Tadschikistan gehört. Er nickte.

»Gut. Hier haben wir die Spur, die ins Allgäu führt.« Auf der Leinwand war zunächst ein Foto des Selbstmörders zu sehen, das vermutlich von seinem Pass stammte, dann ein Foto des Tatortes. Kluftinger sog pfeifend die Luft ein.

»Kein schöner Anblick, ich weiß. Leider verliert sich diese Spur hier, dank des beherzten Eingreifens unserer Kollegen«, sagte Yildrim mit ironischem Unterton. Bydlinski wurde wieder etwas kleiner.

»Ich gehe davon aus, dass sich Schumacher deshalb das Leben nahm, um nicht Gefahr zu laufen, sich und damit die ganze Sache zu verraten. Es wird nun unsere Aufgabe sein, die losen Enden zu verknüpfen. Noch haben wir ein wenig Zeit, aber machen Sie sich keine Illusionen: Es wird verdammt knapp werden.« Er nickte Frau Lahm zu, und das Licht ging wieder an.

Die Kollegen blinzelten wegen der Helligkeit, aber wohl auch ein bisschen deswegen, weil ihnen das, was da auf sie zukam, nicht geheuer war. Genau wie ihm, dachte Kluftinger.

Während des Vortrags hatte sich der Kommissar nicht getraut, Fragen zu stellen, nun aber hob er zögernd die Hand. »Entschuldigen Sie, vielleicht ist das eine blöde Frage: Aber diese Waffenschieber, Tadschikistan, der Selbstmörder, internationaler Terrorismus, der Islam und wir hier im Allgäu – ich kann mir da keinen Reim darauf machen.«

Lodenbacher schnaufte hörbar aus und schüttelte den Kopf. Doch Yildrim nickte. »Eine sehr gute Anmerkung. Vielleicht sollte ich Ihre

Frage als Anlass zu einem kleinen Exkurs nützen. Lassen Sie mich die Dinge einmal ganz klar beim Namen nennen: Vermutlich ist es tatsächlich unsere Aufgabe, einen terroristischen Anschlag zu verhindern. Ich sage bewusst ›vermutlich‹, denn diese Dinge laufen so verschachtelt und undurchschaubar ab, dass man das nie sicher wissen kann.

Moderner Terrorismus funktioniert über sogenannte Zellen, die parallel arbeiten, getrennt voneinander, und doch denselben Auftrag haben. Es gibt nur noch ganz wenige Köpfe, die hinter den Aktionen stecken. Und diese werden natürlich nicht selbst aktiv bei Anschlägen, machen sich nicht die Finger schmutzig. Sie setzen die Richtung fest, die Ideologie, wenn Sie so wollen, geben Parolen aus. Welchen Schluss ihre Sympathisanten daraus ziehen, welche Aktionen sich daraus ergeben, können sie nur erahnen oder mutmaßen.

Nehmen Sie das bekannteste Terrornetzwerk Al-Qaida: Das funktioniert inzwischen auch ohne Bin Laden. Er hat nur den Startschuss gegeben, indem er 1996 den Dschihad ausrief. Er legt natürlich ideologisch ständig nach, agitiert. Aber rein organisatorisch hat sich alles längst verselbstständigt und aufgesplittert. Und das macht es für uns so ungemein schwierig: Da wir es mit getrennt voneinander operierenden Einheiten zu tun haben, mit Ad-hoc-Koalitionen, Zweckbündnissen von Menschen, die eigentlich nie etwas miteinander zu tun hatten, sind wir wie eine Handvoll Spürhunde, die hinter einem Rudel Wölfe her rennen, das sich plötzlich trennt. Welche Fährte führt zum Ziel? Wir finden das leider manchmal zu spät heraus.

Das ist die neue Bedrohung unserer Zeit, werte Kollegen, angesichts derer wünscht man sich geradezu den Ost-West-Konflikt zurück. Klare Fronten waren das gewesen. Bei den Sowjets wussten wir, wozu sie in der Lage sind, aber wir kannten ihre Absichten nicht. Die Absichten des modernen Terrorismus kennen wir, aber wir wissen nicht, was er kann. Dieses Zitat stammt übrigens nicht von mir. Jedenfalls macht dieser Umstand den Terrorismus so ungeheuer tückisch. Und fällt eine Zelle aus, übernimmt eine andere und führt den Plan aus. Irgendjemand hat das einmal ›Franchise-Unternehmen des Glaubenskrieges‹ genannt. Deswegen läuft der Countdown« – er zeigte auf den Laptop neben sich – »auch weiter, obwohl sich der Mann umgebracht hat. Und sicher nicht nur auf diesem Computer.«

Es war mucksmäuschenstill im Raum.

»Ja, meine Herren, Sie sind zu Recht schockiert. Es ist ein Spiel, das zu gewinnen sehr unwahrscheinlich ist. Dennoch müssen und werden wir die Herausforderung annehmen.«

Nach seinen Worten blieb es eine ganze Weile lang völlig ruhig. Dann ergriff Yildrim noch einmal das Wort: »Wir sind hier, weil wir uns keine Fehler erlauben dürfen. Unprofessionelle Arbeit kann katastrophale Folgen haben.« Er kramte ein Papier hervor, legte es auf den Tisch, zeigte mit dem Finger darauf und sagte: »Unprofessionelle Arbeit wie das hier!«

Alle reckten die Köpfe, und Kluftinger ahnte sofort, was da auf dem Tisch lag: Es war die E-Mail-Antwort, die sie vor einigen Tagen in seinem Büro verfasst hatten.

»Sie hätten damit alles zerstören können, meine Herren, womöglich eine Kettenreaktion auslösen können«, sagte Yildrim in scharfem Ton und blickte Kluftinger und Lodenbacher dabei streng an. Der runzelte seinerseits die Stirn und schüttelte mit Blick auf Kluftinger den Kopf. »Es ist ein glücklicher Zufall, dass nichts passiert ist. Natürlich, Sie sind nicht täglich mit solchen Dingen betraut, haben da wenig Erfahrung.«

Überhaupt keine trifft es wohl besser, schoss es Kluftinger durch den Kopf.

»Sie müssen versuchen, die Sprache der Terroristen zu sprechen, sonst kann der Schuss schnell nach hinten losgehen. Sie müssen sich ihres Codes bedienen, Gegenfragen stellen, sich nie festlegen – jedenfalls auf keinen Fall einfach einen Songtext aus dem Radio übernehmen.«

Schuldbewusst senkte Kluftinger den Kopf. Dass Yildrims Worte genau den Vorschlägen seines Sohnes entsprachen, behielt er für sich.

»Nun ja, es ist noch einmal gut gegangen. Aber in Zukunft kümmere ich mich um solche Aufgaben. Ohne Absprache mit mir geht nichts mehr nach draußen, ist das klar?«

Alle nickten.

»Gut. Dann können wir uns ja unserer ersten wichtigen Aufgabe zuwenden. Also: Wir haben eine weitere E-Mail abgefangen. Ich habe Ihnen den Text ja bereits zugeleitet, und Sie haben sich das Ganze angeschaut.«

Schockiert drehte sich Kluftinger zu Lodenbacher um. Er hatte nichts dergleichen bekommen. Doch sein Chef nickte ihm nur wieder aufgeregt zu, was Kluftinger als Zeichen verstand, so zu tun, als wisse er Bescheid.

»Gut. Sagen Sie mir bitte der Reihe nach, was Sie davon halten und begründen Sie Ihre Einschätzung.«

Hektisch zog Kluftinger das fragliche Blatt aus seinem Stapel und überflog es. Wieder war es voller blumiger Formulierungen: »Dort, wo die weiß bedeckten Gipfel auf das große Wasser treffen«, las er etwa und »Wo das Grün der Hoffnung sich in das Rot unseres Zorns und das Blut unserer Feinde verwandelt«. Er wurde daraus nicht schlau. Für ihn klang das alles ein bisschen nach Karl May.

»Herr Kluftinger, wenn Sie vielleicht einfach mal anfangen und uns Ihre Gedanken dazu verraten …«

Der Kommissar wurde bleich. Er drehte sich zu Lodenbacher um, der aber nur auf den Boden starrte. Die Äderchen auf seinen Wangen begannen zu pulsieren. »Also … ich … äh … mein …«, stotterte er. Eine peinliche Stille entstand.

»Nur zu, frisch von der Leber weg!«, ermunterte ihn Yildrim.

»Na gut«, setzte Kluftinger mit einem resignierten Lächeln an, »also, ganz ehrlich: Für mich klingt das ein bisschen nach Karl May.«

Zwei, drei Sekunden blieb es still, dann brachen die anderen in ein höhnisches Gelächter aus. Sofort taten dem Kommissar seine Worte leid, und er versteckte seine roten Wangen hinter dem Blatt. Die Heiterkeit der Anwesenden steigerte sich noch, als Bydlinski seine Hand vor den Mund hielt, sie schnell vor und zurück bewegte und dabei den Schlachtruf der Indianer aus billigen Western nachahmte. Dann sagte er: »Ist wohl eh noch nicht genug, dass Sie im Dienst wie Robin Hood rumlaufen? Holen Sie jetzt auch noch den Federkranz raus, Häuptling Roter Zinken? Oder vielleicht brauchen die bei den Karl-May-Festspielen ja noch einen Schauspieler für die Rolle des Kara Ben Nemsi. Ah nein, ich glaub, für einen Laienspieler haben sie da eh keine Verwendung.«

Kluftinger rührte sich nicht. In das allgemeine Gelächter hinein beugte sich Lodenbacher vor und flüsterte: »Herr Kluftinger, jetzt reißen's Eahna hoid a weng zamm. Des fallt doch ois auf uns zruck.«

Nur Yildrim verzog keine Miene. In das allgemeine Gelächter hinein sagt er: »Sie haben völlig Recht, Kollege.« Schlagartig war es wieder still.

Yildrim musterte sie einen nach dem anderen, dann erklärte er sehr leise: »Was Sie da gelesen haben, ist eine Art Geheimsprache. Alles ist symbolisch aufgeladen, alles mythologisch verbrämt. Sie müssen das verstehen: Es geht nicht nur darum, die Inhalte vor anderen zu verbergen. Die Menschen verstehen sich als Werkzeug einer transzendenten Macht. Genau wie überall sonst auf der Welt bedienen sie sich in ihrer quasi-religiösen Kommunikation einer archaischen, ornamentalen Sprache.« Auch wenn Kluftinger nicht jedes Wort verstanden hatte, wusste er doch, worauf der Leiter der Task Force hinauswollte. Auch die anderen nickten betroffen und verständnisvoll.

Yildrim schob mit einem Nicken in Richtung des Kommissars nach: »Karl May hat ja versucht, einen geheimnisvollen, fremdartigen Code zu imitieren, und er hat das nicht schlecht gemacht.«

Plötzlich spürte Kluftinger eine Hand auf der Schulter. Sie gehörte Lodenbacher, der sich erhoben hatte, ihm noch ein »Guader Mann« ins Ohr flüsterte und dann schleunigst das Zimmer verließ.

Yildrim wartete ein paar Sekunden, dann sagte er ernst: »Ich möchte, dass wir uns in diesem Kreis alles sagen, verstehen Sie? Wir sind die Spezialisten, aber es ist wichtig, sich einen unverstellten, wenn Sie so wollen, naiven Blick auf diese spezielle Art der Bedrohung zu erhalten. Das ist Ihre Aufgabe. Es muss hier Raum für Kreativität sein, für unkonventionelle Ideen, auch wenn sie noch so abstrus erscheinen. Jede Frage darf gestellt werden, nichts soll ungesagt bleiben, auch wenn es uns nicht zum Ziel führen wird.«

Kluftinger traute seinen Ohren kaum: Er hatte aus Verlegenheit einen, wenn er es im Nachhinein betrachtete, vollkommenen Blödsinn erzählt, und wurde dafür jetzt von Yildrim ausdrücklich gelobt? Wenn das so war beim BKA, dann sollte er sich vielleicht einmal bewerben.

Yildrim wandte den Kopf und sah den Beamten aus Österreich an: »Herr Bydlinski?«

Der räkelte sich in seinem Stuhl, setzte ein Grinsen auf und antwortete: »Was soll ich sagen, Herr Lindström? Ich schließ mich den Ausführungen meines Vorredners an.«

Ohne auch nur einen Augenblick nachzudenken konterte Yildrim: »Vielen Dank für diesen wichtigen Beitrag, Herr … Iblicksnie.« Bydlinski zuckte zusammen und sein Grinsen verschwand.

»Marlene?«

Frau Lahm schob nervös die Blätter vor sich auf dem Tisch hin und her und raffte sie dann zu einem Stapel zusammen. Auf Kluftinger wirkte sie noch verkrampfter als er selbst. Unentspannt, hätte Bydlinski das wohl genannt. Sie hob zu einem Kurzreferat über terroristische Kommunikation an, griff Yildrims Exkurs über die Zellen noch einmal auf und endete mit den Worten: »Die Leaderless Resistance ist es, die es uns so besonders schwer macht.« Dann räusperte sie sich und trank einen Schluck Wasser.

Die anderen starrten sie einige Sekunden lang an. Niemand war sich sicher, ob sie damit ihren Vortrag beendet hatte, denn keiner hatte auch nur ansatzweise verstanden, was sie eigentlich hatte sagen wollen.

Als sie keine Anstalten machte, fortzufahren, ergriff der Leiter der Task Force das Wort: »Leaderless Resistance ist im Prinzip genau das, was ich vorher gesagt habe: Es gibt keinen wirklichen Kopf mehr, der die Zellen steuert. Ein Fachterminus, den wir benutzen. In Zukunft wollen wir aber versuchen, uns möglichst verständlich auszudrücken, Marlene. Wir müssen uns hier um eine akute Bedrohung kümmern, nicht um allgemeine Reflexionen über Kommunikationsformen. Unsere Theorie haben wir schließlich alle drauf. Herr Renn?«

Willi Renn räusperte sich, leckte sich über die Lippen und sagte dann: »Es tut mir leid, aber ich kann mit dem ganzen Geschwurbel nix anfangen. Ich hab's mir mehrmals durchgelesen, ehrlich, aber ich versteh nix. Sind für mich böhmische Dörfer. Entschuldigung.«

Yildrim schüttelte energisch den Kopf. »Nein, Herr Renn, da brauchen Sie sich nicht zu entschuldigen. Genau das will ich hier: absolute Ehrlichkeit. Wer nichts weiß, darf das auch sagen. Das ist mir lieber, als dass irgendjemand fünf Minuten redet, ohne dabei irgendeinen brauchbaren Inhalt zu vermitteln.« Bei diesen Worten bedachte er Marlene Lahm mit einem Seitenblick, den diese mit heftigem Erröten quittierte. »Zudem sind Sie ja vor allem als Spurenleser im Team, wenn ich das mal so flapsig formulieren darf. Dennoch möchte ich Sie ermuntern, jederzeit Ihre Gedanken kundzutun, wenn Sie es für richtig halten.« Mit einem wohlwollenden Kopfnicken in Richtung Willi Renn beendete er die Fragerunde.

»Ich habe mir selbst auch schon ein paar Gedanken gemacht, zusammen mit meinen Kollegen in Wiesbaden.« Diesmal ging er selbst zum Laptop. Auf der Leinwand erschien ein Satz aus der E-Mail, der allerdings schwer zu lesen war, da Yildrim das Licht nicht ausgeschaltet hatte.

»Weswegen wir hier sind, habe ich Ihnen ja bereits grob skizziert. Was Sie noch nicht wissen, ist etwas, das Ihnen nicht gefallen wird: Wir haben Grund zu der Annahme, dass der Terroranschlag nicht nur hier geplant und vorbereitet wird, sondern dass er auch irgendwo in der Nähe durchgeführt werden soll.«

Er ließ seinen Worten die Zeit, die die Anwesenden brauchten, um sie in ihrer ganzen Tragweite zu verstehen. Dann fuhr er fort: »Wobei, wie Sie gleich sehen werden, die Bezeichnung ›hier irgendwo‹ ein recht großes mögliches Zielgebiet umfasst. Lesen Sie selbst: Der ›große See‹, natürlich eine allzu deutliche Anspielung auf den Bodensee, kein Zweifel. Doch das ›knapp bevor‹ gibt Raum für Interpretationen. Es ist von ›schneebedeckten Gipfeln‹ die Rede. Das ist, denke ich, auch wörtlich zu verstehen. Der Alpenraum läge also auf der Hand. Das bestätigt das ›Grün der Hoffnung‹, von dem ebenfalls die Rede ist. Die nördliche Alpenregion ist ja für ihre Grünlandwirtschaft geradezu berühmt. Was haben wir noch?« Er drückte auf eine Taste und ein weiterer Satz aus der Nachricht erschien: »Dort werden sich die Früchte der Erde, die Er ihnen so reich geschenkt hat und die sie mit ihrem Irrglauben mit Füßen treten, in die Früchte unseres Zorns verwandeln.«

»Sicher werden Sie mir zustimmen, dass das alles auf rurale Strukturen, auf fruchtbare Erde hindeutet. Ganz im Gegensatz zu den Städten, von denen sonst in derlei Botschaften die Rede ist. Da lesen wir dann oft ›Monumente ihrer frevelhaften Arroganz‹ oder ›Stein gewordene Götzen ihrer Großmannssucht‹. So oder so ähnlich drücken sie sich diesbezüglich aus. Das hier ist neu für uns, deswegen müssen wir auch ganz neu denken. Der letzte Hinweis, der auf diese Region – also, wie gesagt, im weitesten Sinne – deutet, ist dieser.« Wieder ein Klick und ein neuer Satz erschien: »In der Region, die dreien gehört und doch nur die des Einen ist …«

»Drei Länder ...«, murmelte Kluftinger.

»Genau«, antwortete Yildrim. »Drei Länder. Das war auch unser Gedanke.« Er lächelte den Kommissar an. »Das alles in Verbindung mit den Spuren, die wir bisher schon haben – das Postfach, der Selbstmörder – deutet also ganz klar auf einen Landstrich hin, der ...«, Yildrim drückte noch einmal auf eine Taste und eine Landkarte erschien, »...in etwa diesen Bereich umfasst.« Er ging zur Leinwand und zeigte auf ein Gebiet, das vom Ammersee bis nach Innsbruck reichte und südwestlich vom Bodensee und der Schweiz begrenzt wurde. Kluftinger runzelte die Stirn. Er hatte keine Ahnung, wie sie in einem solch riesigen Gebiet einen möglichen Ort für den Anschlag finden sollten. Er wusste nur: Mitten in diesem Bereich lag das Allgäu. Der Kommissar schluckte.

»Wir haben uns also, genau wie Sie, gefragt, was als mögliches Zielgebiet infrage kommen könnte«, griff Yildrim Kluftingers Gedanken auf. »Denn sehen Sie, so wenig berechenbar der Terrorismus an sich auch ist, er funktioniert nach ein paar Gesetzmäßigkeiten. Die wichtigste ist: Ein Anschlag macht nur dann Sinn, wenn er Angst und Schrecken verbreitet. Und dazu brauchen die Täter ...?« Er blickte in die Runde und macht eine kleine Pause.

»Öffentlichkeit«, vollendete Willi Renn den Satz.

»Exakt. Wir haben deswegen schon einmal die von Ihnen erarbeiteten Vorschläge geprüft. Natürlich wollen wir Ihre Region nicht herabwürdigen«, sagte Yildrim mit einem Augenzwinkern in Richtung Kluftinger, »dennoch halten wir es für eher unwahrscheinlich, dass hier im Allgäu etwas passiert. Denn genau das haben Sie hier nicht – Öffentlichkeit.«

Gott sei Dank, dachte der Kommissar.

»Nun, was es so schwierig macht, den Raum näher einzugrenzen, ist, dass die Angaben gezielt so formuliert sind, dass sie interpretierbar bleiben, dass man nicht auf ein sicheres Zielgebiet abheben kann. Sehr vielversprechend scheint uns der Ansatz ihres Kollegen, Herrn ...«, der Türke blickte auf einen Zettel, »... Hefele, wenn ich das richtig notiert habe. Die Fußball-EM in Österreich.«

Bydlinski kniff die Augen zusammen.

»Tatsächlich laufen während des fraglichen Countdown-Zeitpunkts mehrere Spiele. Eins davon sogar in Innsbruck. Noch einmal: Der Terrorismus benötigt Öffentlichkeit, und die wäre hier zweifelsohne gegeben. Doch es spricht noch mehr für dieses Sportereignis als Ziel: Moderner Terror funktioniert nach der Methode ›Low Key, Low Cost‹. Das bedeutet, dass schon ein kleiner Anschlag mit relativ geringen Mitteln verheerende Auswirkungen hat. Denken Sie nur an Bali mit seinen zweihundertzwei Toten im Jahr 2002, an Madrid im Jahr 2004 mit hundertzweiundneunzig Toten oder an London 2005 mit zweiundfünfzig Toten.«

Kluftinger war vom Faktenwissen des Mannes beeindruckt.

»Wie viele Opfer mehr wären wohl in einem voll besetzten Fußballstadion zu beklagen? Durch den Anschlag und die daraufhin einsetzende Panik? Hunderte? Tausende?«

Wieder ließ Yildrim seine Worte in den Köpfen der Anwesenden nachhallen, bevor er fortfuhr. Inzwischen blickte er in große Augen und bleiche Gesichter. »Schließlich ist ein derartiger sportlicher Wettkampf auch ein emotional aufgeladenes Ereignis. Und ein Fest des großen Geldes, das wirft man dem Sport schließlich immer wieder vor. Kurz gesagt: ein Symbol für unseren aus islamistischer Sicht oberflächlichen, konsumorientierten, gottlosen Lebensstil. Und wenn es etwas gibt, worauf Terroristen wirklich abfahren, dann sind es Symbole.« Yildrim räusperte sich. Es war ihm offenbar ein wenig peinlich, dass er eine für ihn ungewohnt legere Sprache im Zusammenhang mit der Schilderung des Bedrohungsszenarios benutzt hatte.

»So, und jetzt sehen Sie sich noch folgende Zeile genau an«, fuhr er fort, und nach einem weiteren Mausklick erschienen zwei Wörter auf der Leinwand, mit denen Kluftinger nicht das Geringste anfangen konnte. Er konnte sie noch nicht einmal innerlich aussprechen, geschweige denn laut.

»Nun, was Sie hier sehen, ist Teil der Betreffzeile einer E-Mail, die wir zunächst als völlig unsinnigen Buchstabensalat abgetan haben. Erst später sind wir darauf gestoßen, dass es sich hier um die Transkription zweier Wörter aus der tadschikisch-persischen Sprache handelt. Sie unterscheidet sich in einigen Bereichen vom klassischen Persisch, wie es in Afghanistan oder dem Iran gesprochen wird. Und deswegen sind wir nicht gleich darauf gekommen. So sieht das Wort in arabischen Schriftzeichen aus.«

Yildrim drückte auf den Laptop, wartete ein paar Sekunden und fuhr fort: »Die Wörter bedeuten ›wichtiges gemeinsames Spiel‹ und wir wissen, dass ›Spiel‹ in Farsi, wie das Persische international heißt, in etwa die gleichen Konnotationen hat wie im Deutschen. Kinderspiel, Theaterspiel und das sportliche Spiel, darüber hinaus heißt es Wettstreit und zudem einfach auch etwas wie ›gemeinsames Vorhaben‹. Sie sehen, das Fußballmatch läge also durchaus nahe«, endete Yildrim.

Kluftinger hatte seinen Ausführungen gebannt gelauscht. Er war schockiert und fasziniert gleichermaßen. Was er in dieser kurzen Zeit, seit er den Raum betreten hatte, über Terrorismus gelernt hatte, war mehr als in seinem bisherigen Leben zusammen.

Plötzlich flog die Tür auf, und Lodenbacher stand im Zimmer. Er fuchtelte aufgeregt mit den Händen in der Luft herum und sagte irgendetwas, von dem Kluftinger nur »Anruf«, »dringend« und »Minister« verstand. Yildrim konnte sich offenbar einen Reim auf Lodenbachers panisches Gefuchtel machen, denn er nickte, bedeutete ihm, Platz zu nehmen, und drückte auf einen Knopf auf dem Telefon vor ihm.

Aus dem Lautsprecher drang eine sonore Stimme, die Kluftinger von irgendwoher bekannt vorkam: »Guten Tag Frau Lahm, guten Tag meine Herren«, sagte sie.

»Guten Tag, Herr Staatsminister«, antwortete Yildrim.

Kluftinger und Renn blickten sich an. Minister? Doch nicht etwa …

»Ich will Sie nicht lange aufhalten«, tönte die Stimme weiter. »Erlauben Sie mir dennoch ein paar kurze Worte: Was Sie hier tun, das brauche ich nicht extra zu betonen, ist von allergrößter Wichtigkeit. Ihre Arbeit in der Task Force genießt Top-Priorität.«

Kluftinger fühlte sich an eine Fernsehserie aus den Siebzigerjahren erinnert: Drei muntere, hübsche Detektivinnen bekamen darin von ihrem Chef die Anweisungen immer per Lautsprecher übermittelt. Er ließ seinen Blick schweifen: Seine Kollegen waren, mit Ausnahme von Frau Lahm vielleicht, weder besonders hübsch, noch wirkten sie munter. Und wie Engel – die Serie hieß »Drei Engel für Charlie«, das war ihm eben wieder eingefallen – sah nun wirklich niemand von ihnen aus.

»Alles muss mit äußerster Diskretion behandelt werden!« Die Stimme hatte nun einen etwas schärferen Ton angenommen. »Ihre Arbeitsleistung entscheidet über Gelingen oder Misserfolg dieser Operation. Strengen Sie sich an. Und wenn es irgendetwas gibt, womit wir Sie unterstützen können, lassen Sie es mich wissen. Sämtliche Ressourcen der bayerischen Polizei stehen zu Ihrer Verfügung. Leute, Fahrzeuge, Hubschrauber, Boote – was immer Sie brauchen, werden Sie bekommen. Ich habe das auch mit dem Bundesinnenminister besprochen. Auch er sichert Ihnen alle Unterstützung zu und ermahnt Sie – Sie kennen seine Haltung in der Terrorbekämpfung –, im Notfall mit unerbittlicher Härte vorzugehen. Nur keine falsche Zurückhaltung, die man später bereuen könnte. So, Herr Lodenbacher …«

Die Stimme hatte den Namen noch nicht ganz ausgesprochen, da war der Polizeidirektor bereits aufgesprungen und vollführte einen angedeuteten Diener: »Herr Innenminister …?«

»Sie sind mir dafür verantwortlich, dass die Leute alles bekommen, verstanden? Alles.«

Lodenbacher wurde bleich. Das Wort Verantwortung an seine Adresse und dann auch noch aus dem Mund des zuständigen Ministers war zu viel für ihn. Er schluckte und antwortete mit belegter Stimme: »Selbstverständlich.«

»Danke. Ich weiß, dass ich mich da auf meine Allgäuer verlassen kann.« Die Stimme klang nun wieder etwas sanfter. »In diesem Sinne: Viel Erfolg. Gott segne Sie.« Dann ein Knacken und die Leitung war tot.

Willi Renn stand, die Hände tief in den Hosentaschen vergraben, ein paar Meter neben der Tür zum Besprechungsraum und betrachtete etwas betreten den Fußboden, als Kluftinger den Raum verließ. Der Kommissar merkte sofort, dass Renn mit ihm über das, was sie eben gehört hatten, reden wollte. Also blieb er stehen, atmete tief durch und blickte seinen Kollegen an, als wolle er sagen: Da müssen wir jetzt wohl durch.

»Da simmer sauber wo neidappt, oder, Klufti?«, seufzte Renn. »Mit so was hammer hier ja noch nie zu tun gehabt. Da graust's mir schon ein bisschen davor, ganz ehrlich. Wenn wir da einen Fehler machen … Sonst geht uns vielleicht mal ein Hundling durch die Lappen. Aber jetzt? Wenn wir das vermasseln, kann das Tausende das Leben kosten.«

Kluftingers Kehle schnürte sich zu. Willi hatte Recht: Ein Fehler würde fatale Folgen haben. Er sah Willi an und zuckte die Achseln: »Ist jetzt halt so«, antwortete er lapidar. Und als er merkte, dass Renn das zu wenig war, fügte er hinzu: »Klar, ich hoffe auch, dass wir aus der Sache gut rauskommen. Aber ich fand das, was der Yildrim erzählt hat, wahnsinnig interessant. Ist doch mal was ganz anderes, oder? Was der alles weiß, da können wir noch eine ganze Menge lernen.«

Renn sah plötzlich über Kluftingers Schulter.

»Was können Sie noch lernen?« Yildrim war unbemerkt hinter Kluftinger getreten.

Sofort bekam der Kommissar einen roten Kopf. Er wollte nun wirklich nicht den Eindruck erwecken, sich bei seinem neuen Vorgesetzten einschmeicheln zu wollen.

»Also dann, bis später«, sagte Renn, hob die Hand zum Gruß und machte auf dem Absatz kehrt.

»Gut, dass ich Sie mal allein habe, Herr Kluftinger«, sagte Yildrim mit sanfter Stimme und deutete auf den Gang. »Gehen wir ein Stück?«

Kluftinger nickte mechanisch. Er konnte sich nicht vorstellen, was der Mann von ihm wollte.

»Ich freue mich sehr, dass ich Sie im Team habe«, sagte Yildrim mit einem gewinnenden Lächeln, das den Blick auf eine strahlend weiße Zahnreihe freigab. »Wissen Sie, es ist immer gut, wenn man jemanden dabei hat, der sich vor Ort auskennt.«

Jetzt kam es dem Kommissar so vor, als ob sich Yildrim bei *ihm* einschmeicheln wollte.

»Sicher ist das für Sie jetzt keine einfache Situation, das verstehe ich schon. All das ist neu für Sie. In Ihrer täglichen Arbeit sind Sie es, der die Anweisungen gibt. Aber die Lage ist ernst, und deswegen dürfen Sie es mir nicht übel nehmen, wenn ich mal ein bisschen ungeduldig werde. Ist dann nicht so gemeint.« Bei diesen Worten klopfte er dem Kommissar kumpelhaft auf die Schulter.

»Na … natürlich«, erwiderte der irritiert. Schien ja gar nicht so unrecht zu sein, dieser Yildrim. War er vorher noch sehr geschäftsmäßig aufgetreten, hatte Kluftinger nun den Eindruck, dass sie sich auf Augenhöhe unterhielten.

»Jetzt gehen Sie mal und regeln alles in Ihrer Abteilung. Ich werde Sie hier ziemlich mit Beschlag belegen, da werden sich andere um die laufenden Geschäfte kümmern müssen.« Er nickte dem Kommissar zu und ging.

Kluftinger sah ihm nach, bis er in einen Seitengang einbog. Auch wenn er nicht wusste, was die nächsten Tage mit sich bringen würden, reizte ihn die Aufgabe doch. Es war eine völlig neue Herausforderung, der er sich mit aller Kraft stellen wollte. War er neulich noch froh darüber gewesen, dass er den Fall wieder los war, hatte er dennoch das Gefühl, in dem Expertenteam gut aufgehoben zu sein. Vielleicht lag es aber auch nur daran, dass er nicht die Verantwortung für die Ermittlungen trug, dachte er sich, als er die Tür zu Sandy Henskes Büro öffnete.

»Na, Sie sind ja vielleischt gut gelaunt«, empfing ihn diese mit einem Lächeln. Sie schien überrascht zu sein, ihren Chef in so guter Stimmung vorzufinden. Normalerweise wurde die von unvorhergesehenen Zwischenfällen eher getrübt.

»Ja, wieso auch nicht?«, gab er zurück. Sein Grinsen hatte nun einen verschlagenen Zug angenommen. »Ach, Fräulein Henske, sind Sie doch so gut und rufen meine Frau an. Die wollte mit mir in die Stadt, aber die Lage hat sich hier ja nun etwas geändert, ich kann jetzt unter keinen Umständen mehr weg.« Mit diesen Worten drehte er sich um und öffnete die Tür zu seinem Büro.

»Doch, doch.«

Kluftinger blieb auf der Schwelle stehen. »Bitte?«

»Doch. Isch meine, Sie können weg.«

»Also, Fräulein Henske, ich glaube wirklich nicht, dass Sie …«

»Doch. Ich habe den Herrn Lodenbacher gefragt. Es geht erst heute Nachmittag weiter. Sie können also ohne Probleme noch mit Ihrer Frau in die Stadt und Schuhe kaufen.«

Kluftinger sah sie misstrauisch an.

»… oder was Sie auch immer vorhaben. Das schaffen Sie leischt.«

Verdutzt schloss Kluftinger die Tür hinter sich. So bekam er auch nicht mit, wie Sandy Henske zum Telefon griff, auf Wahlwiederholung drückte und in die Sprechmuschel flüsterte: »Alles klar, Frau Kluftinger. Ich hab das genau so eingefädelt wie besprochen.«

»Ja, Mutter, was machst denn du hier?« Ungläubig zwang Kluftinger sich zu einem Lächeln. Schlimmer konnte es nicht mehr kommen: Schuhe kaufen. Mit seiner Frau. Und seiner Mutter! Priml.

Erika wusste, dass ihr Mann den obligatorischen Schuhkauf gerne auf einen jährlichen Rhythmus reduzierte und ihn so schnell wie möglich hinter sich brachte. Auch war ihr klar, dass er über die Anwesenheit seiner Mutter nicht erfreut sein würde, doch sie fand, dass er das überraschend gut überspielte. Und sie hatte keine Möglichkeit gehabt, es ihrer Schwiegermutter auszureden. Wenn es um die Gesundheit ihres Sohnes ging, auch um die orthopädische, verstand Hedwig Kluftinger keinen Spaß. Und als sie heute Morgen überraschend vorbeigekommen war und erfahren hatte, was Erika vorhatte, war ihr Beschluss unanfechtbar gewesen. Eine Terminverschiebung kam auch nicht infrage, denn der Countdown lief: Morgen Abend stand die erste Tanzstunde auf dem Programm.

Hedwig Kluftinger missdeutete im Gegensatz zu ihrer Schwiegertochter das Lächeln ihres Sohnes. Sie war froh, dass er froh war, dass sie sich die Zeit genommen hatte, ihn zu beraten. Schließlich war der Junge doch immer so dankbar dafür, wenn sie ihm bei so etwas zur Seite stand. Das glaubte sie zumindest.

»Schau, ich hab dir eine Brotzeit mitgebracht«, strahlte sie ihren Sohn an und reichte ihm eine Tüte mit zwei Semmeln und zwei Paar Landjägern. »Und hier ist eine Apfelschorle. Ihr müsst immer was trinken zum Essen, sonst bekommt ihr Schluckauf.«

Kluftinger verzog das Gesicht, als er die verbeulte Aluminiumflasche sah, in die seine Mutter schon die Getränke gefüllt hatte, als er noch zu Schulausflügen gegangen war. Er hatte die Hoffnung darauf, dass sie ihn einmal wie einen Erwachsenen behandeln würde, irgendwann zwischen seiner Hochzeit und seiner Beförderung zum Hauptkommissar aufgegeben. Bei deren Feier hatte sie ihn ermahnt, sich auch höflich beim Polizeidirektor zu bedanken, wenn er die Urkunde bekomme.

Anderthalb Minuten später fühlte er sich endgültig wieder in seine Kindheit zurückversetzt, denn sie standen im ersten Stock des Schuhladens in der Kemptener Altstadt, in dem Kluftinger schon als Bub eingekauft hatte. Er hatte damals darauf bestanden, wie alle seine Freunde, weil es dort eine Rutsche hinunter zur Kinderabteilung gab.

Die Rutsche gab es immer noch. Und auch seine Mutter war immer noch dabei. Er warf seiner Frau einen Blick zu, als müsse er sich vergewissern, dass die letzten vierzig Jahre tatsächlich stattgefunden hatten.

Ein plötzlicher Hustenanfall holte ihn wieder ganz in die Gegenwart: Er hatte sich vor dem Geschäft den letzten Landjäger zusammen mit einer dreiviertel Semmel in den Mund geschoben, nachdem seine Mutter ihn ermahnt hatte, »ein Herr« gehe niemals mit Essen in der Hand in einen Laden. Als sie ihn husten hörte, seufzte sie und reichte ihm »das Trinken«, wie sie immer sagte.

»Wir holen am besten gleich eine Verkäuferin«, schlug Erika vor, die das demonstrative Bemuttern ihres Gatten nicht ausstehen konnte. »Wir haben nicht so viel Zeit, da braucht es schon eine Fachkraft.«

Mutter Kluftinger nickte zustimmend.

Der Kommissar jedoch rief mit vollem Mund aufgeregt etwas, das sich anhörte wie »Der Kaiser hat jetzt eine Gnu-Farm«, worauf ihn Erika kurz anblicke und sich ohne Nachfrage auf den Weg machte, um die besagte Fachkraft zu suchen. Ihr Mann war sicher, dass sie sehr wohl verstanden hatte, dass er sich erst ein wenig umschauen wollte.

Die angekündigte Verkäuferin kam bereits zu ihnen – zu Kluftingers noch größerem Verdruss in Gestalt eines untersetzten Mannes Ende fünfzig.

»So, der Herr, womit kann ich dienen?«

»Der Junge braucht Schuhe«, antwortete seine Mutter, als verkünde sie eines der zehn Gebote. Der Mann sah sie stirnrunzelnd an. »Die Kinder machen einen Tanzkurs, und da braucht er ein gutes Paar mit Ledersohle. Bequem müssen sie halt sein, er hat ja ein bissle einen breiten …«

»Bequem ist ja schön und gut. Aber die Optik ist auch wichtig«, unterbrach sie Erika.

Hedwig Kluftingers Stirn bewölkte sich. »Du weißt doch, dass der Junge einen breiten Vorfuß und Hammerzehen hat.« Und wieder zum Verkäufer gewandt: »Ach, und atmen müssen sie, die Schuhe. Bei den Schweißfüßen, die der Junge hat. Seine Gesundheit ist doch wichtiger als das Aussehen.«

Erika biss die Zähne zusammen. Dass sie keine körperliche Gewalt angewandt hatte, um ihre Schwiegermutter am Mitkommen zu hindern, rechnete sie sich nun als Fehler an. Schließlich hatte sie es allein schon schwer genug, ihrem Mann zu einem einigermaßen adretten Auftreten zu verhelfen. Und jetzt erzählte seine Mutter freimütig von seinen Fußdeformationen. Wenigstens hatte sie den immer wiederkehrenden Fußpilz nicht …

»Von diesen Plastikschuhen hat er damals auch den Pilz bekommen«, tönte Mutter Kluftinger, und der Verkäufer nickte verständnisvoll.

Erika blickte ihren Mann scharf an. Ihr schien die Sache nicht weniger peinlich zu sein als ihm. Aber schließlich hatte sie seine Mutter ja angeschleppt. Seufzend zuckte er die Achseln. Die ganze Situation erinnerte ihn an früher, wenn seine Mutter beim Kleidungskauf attraktiven jungen Verkäuferinnen erklärte, dass ihr »Bub« keinesfalls Synthetikfasern tragen könne – wegen des unangenehmen Schweißgeruchs, zu dem er neige, und wegen des Ausschlags, den er so schnell bekomme.

»Schön, ich würde sagen, ich bringe ihm einfach mal ein paar Modelle aus dem Lager. Dann kann ich mir auch ein Bild von der Fußform machen«, sagte der Verkäufer zu Kluftingers Mutter. Heute hatten offensichtlich alle beschlossen, *über* ihn, statt *mit* ihm zu reden.

»Größe?«, fragte er an Kluftingers Mutter gewandt.

»Dreiundvierzig«, kam es vom Kommissar wie aus der Pistole geschossen.

»Zweiundvierzig«, fügte seine Mutter an.

»Einhalb«, schloss Erika.

Der Verkäufer, dessen Namensschild ihn als »H. Sigel« auswies, woraus nicht klar hervorging, ob das H. für seinen Vornamen oder für die Anrede »Herr« stand, verschwand, um eine Minute später mit drei Schuhkartons in Größe Zweiundvierzigzweidrittel zurückzukehren.

»So, dann machen wir uns mal ans Probieren, mein Herr!«, tönte der Verkäufer betont fröhlich und zog sich einen der Hocker mit Probierbrett heran, die es nur noch in alteingesessenen Schuhläden gab.

Kluftinger hatte mittlerweile auf einer Bank Platz genommen und machte sich nach dieser Aufforderung missmutig daran, seine Haferlschuhe auszuziehen. Ganz zum Missfallen der beiden Damen ohne vorher die Schnürsenkel zu öffnen. Als er sein Schuhwerk abgelegt hatte, starrte Erika mit großen Augen auf die lodengrünen, selbst gestrickten Wollsocken. Als sie seltsam zu zischen begann, sah Kluftinger zu ihr auf. Er verstand nicht. Er trug immer Selbstgestrickte, weil die den Schweiß aufsaugten, und die Farben suchte Erika im Wollladen selbst aus. Was also war ihr Problem? Er wollte sie gerade fragen, als er selbst ein wenig erschrak: Der Blick auf seine Füße offenbarte in der rechten Socke, auf Höhe des großen Zehs, ein Loch. Ihre Blicke begegneten sich, und sie trafen eine stille Übereinkunft darüber, wie sie mit dieser Sachlage umgehen würden: Sie würden schweigen. Nur keine Aufmerksamkeit auf das Loch im Strumpf lenken. Hoffen, dass es nicht auffallen würde. Ganz langsam krümmte er den Zeh und zog ihn tiefer in den Strumpf zurück. Das wortlose Einverständnis zwischen ihnen in derartigen Situationen war einer der Gründe, warum er seine Frau so liebte.

»Hoi«, beendete Mutter Kluftinger seinen sentimentalen Gedankenflug, »da schaut ja die Kartoffel raus!«

Kluftinger presste die Zähne zusammen. Er erwog ernsthaft, seine Eltern entmündigen und in ein Altersheim in Brandenburg einweisen zu lassen. Er versteckte seinen rechten Fuß verschämt unter dem Linken und warf dem Verkäufer einen prüfenden Blick zu. Der neigte sich zu Hedwig Kluftinger und seufzte: »Kinder!« Und obwohl seine Mutter zu flüstern versuchte, was bei ihr mit zunehmendem Alter und ebensolcher Schwerhörigkeit immer mehr in Zimmerlautstärke geschah, bekam er mit, wie sie zu Erika sagte: »Gib mir halt die Socken mit, wenn sie Löcher haben, ich stopf sie ihm. Einen Mann in seiner Position kann man ja nicht in löcherigen Strümpfen rumlaufen lassen, das geht doch nicht.«

Für Kluftinger war dies das Stichwort: Augen zu und durch, dachte er, probierte den ersten Schuh, ein elegantes schwarzes Modell mit »Budapester Lochmuster«, wie der Verkäufer extra erwähnte, stellte sich kurz hin, stampfte einmal mit dem Fuß auf dem Boden auf und sagte: »Passt wie angegossen. Die nehmen wir.« Dann setzte er sich wieder hin, streifte den Schuh abermals ab, ohne ihn aufzuschnüren und hielt ihm den Verkäufer hin: »Können S' gleich einpacken.«

»Ja, von wegen!«, mischte sich Hedwig Kluftinger ein. »Die werden jetzt erst einmal richtig probiert. Kein bisschen verändert hat sich der Junge.«

Erikas »Elegant wären sie aber schon!« überhörte sie einfach. Der Kommissar hatte sich schon oft über ihre selektive Schwerhörigkeit geärgert, manchmal nötigte sie ihm aber auch Respekt ab.

Während er, wie von seiner Mutter geheißen, *beide* Schuhe anzog und sie *fest* zuschnürte, setzte die ihre Unterhaltung mit H. Sigel fort: »Schon als Kind hat er nie probieren wollen und beim ersten Paar gesagt, es würde passen. Und dann sind sie in der Ecke gestanden, weil sie gedrückt haben hinten und vorn. Und dann hat man wieder neue kaufen müssen für ihn.«

Der Verkäufer begleitete jeden ihrer Sätze mit heftigem Kopfnicken. Die beiden schienen sich blendend zu verstehen. Schlagartig wurde dem Kommissar klar, wieso er es so hasste, Schuhe zu kaufen. Es handelte sich ganz offensichtlich um ein unverarbeitetes Kindheitstrauma.

»Passen. Beide«, versuchte Kluftinger noch einmal, den Einkauf schnell zu beenden.

Doch seine Mutter nahm das gar nicht zur Kenntnis. »Lauf doch mal ein bissle rum. Oder, Erika?«

Unsicher blickte Erika zwischen ihrem Mann auf der einen, Hedwig und dem Verkäufer auf der anderen Seite hin und her. »Ja, laufen wär gut«, sagte sie schließlich kleinlaut.

Kluftinger seufzte und begann zu laufen. Als er die Runde durchs erste Stockwerk beendet hatte, bückte sich seine Mutter und drückte auf seiner Schuhspitze herum.

»Wir bräuchten doch besser mal das Größenmessbrett«, wandte sie sich an den Verkäufer.

»Mutter, jetzt bittschön, ich weiß meine Größe seit vierzig Jahren.«

»Nein, die sind zu klein. Fühlen Sie mal«, forderte sie den Verkäufer auf. Auch der bückte sich nun und drückte auf Kluftingers Zehen herum. Als sich schließlich auch noch Erika in die Hocke begab, lenkte Kluftinger ein: Man könne ja ruhig noch einmal nachmessen, sicher sei eben sicher.

Nachdem Sigel aus der Kinderabteilung das Messgerät geholt und der Kommissar eine entwürdigende Mess-Prozedur über sich hatte ergehen lassen und der Verkäufer schließlich zu Erikas stiller Freude wie ein Wahlergebnis die Größe »Zweiundvierzigeinhalb mit sehr breitem Vorfuß und hohem Rist« verkündete, wurde dem Kommissar ein zweites Paar gebracht. Er nahm es mit den Worten »Hätt's

nicht gebraucht, wo doch die ersten schon so gut gepasst haben!«
entgegen. Dass ihn die in der kurzen Zeit schon so gedrückt hatten,
dass seine Füße höllisch wehtaten, behielt er für sich. Vielleicht
kamen die Schmerzen ja auch vom allgemeinen Herumdrücken auf
seinen Zehen.

»Beweg mal die Zehen, dann kann man besser sehen, wie viel Platz
du noch hast«, forderte ihn Erika auf, nachdem er sich standhaft einem
Kollektivdrücken an seinen Füßen verweigert hatte.

»Na ja, ein bissle eng sind sie schon vorne. Steh mal auf, dann
rutscht der Vorfuß in die Spitze. Darauf muss man am meisten achten«, riet Hedwig Kluftinger.

»Ganz richtig, gnädige Frau. Sind Sie denn vom Fach?«, wollte
Sigel wissen. Kluftingers Mutter fühlte sich sichtbar geschmeichelt,
verneinte jedoch.

Schließlich wurde mit einer gegen drei Stimmen beschlossen, dass
auch dieses Paar nicht passe.

»Problemfüße«, murmelte der Verkäufer, kraulte sich am Kinn und
erklärte auf Kluftingers Nachfrage, er wolle sich das doch einmal
genauer ansehen. Sigel nahm wieder auf seinem Spezialhocker Platz
und schnappte sich Kluftingers linken Fuß. Zunächst zog er den
Schuh aus, um sanft an der Fußsohle entlang zu streifen. Dann nahm
er sich den Fußrücken vor und massierte den Ballen des Kommissars.
Kluftinger war wie gelähmt, er konnte nicht fassen, was da gerade passierte. Nicht einmal seine Frau ließ er so an seine Füße. Mehrmals
strich Sigel mit beiden Händen den Strumpf glatt. Dann forderte er
Kluftinger auf, seine Socken auszuziehen, wegen der Zehenstellung
und weil er dann den Fuß besser befühlen könne.

»Niemals!«, bellte Kluftinger, verschränkte die Arme und schüttelte
trotzig den Kopf.

»Dann nicht«, erwiderte H. Sigel beleidigt und hob die Hände. Als
er aufstand, wischte er sich diese an der Hose ab und flüsterte der
Mutter des Kommissars zu: »Sie haben wirklich Recht. Ihr Sohn hat
stark schwitzende Füße. Wir werden jetzt eine Nummer größer probieren und den Unterschied durch Moos-Einlegesohlen ausgleichen.
Die regulieren die Feuchtigkeit.«

Kluftinger hatte das Gefühl, dass ihn die anderen gar nicht mehr
wahrnahmen.

Nach schätzungsweise einem weiteren Dutzend Schuhe, die entweder Erika zu klobig, seiner Mutter zu eng, dem Verkäufer suboptimal und in einem Fall sogar Kluftinger zu unbequem waren, schien Sigel mit seinem Latein am Ende: »Also, das ist wirklich das letzte Paar mit Ledersohle, das ich Ihnen anbieten kann.«

»Passt nicht«, sagte Kluftinger etwa drei Sekunden, nachdem er hineingeschlüpft war. Seine Laune hatte sich, als er die Worte »letztes Paar« vernommen hatte, schlagartig von resignierter Lethargie zu fröhlicher Ungeduld gewandelt.

»Warum? Der sieht aber recht weit aus«, wunderte sich Erika.

»Genau«, erwiderte ihr Mann, mühevoll ein triumphales Grinsen unterdrückend, »leider zu weit, da schwimme ich ja regelrecht drin rum.«

»Das geht natürlich nicht«, warf Hedwig Kluftinger besorgt ein.

Dann fischte der Kommissar aus dem Schuhberg vor ihm seine Haferlschuhe und zog sie an. »Ah! Passt. Gehen wir.«

»Haben Sie denn sonst wirklich gar nichts mehr? Auch nicht im Lager?«, erkundigte sich Erika mit einem leicht verzweifelten Unterton in der Stimme.

Der Verkäufer zögerte lange und sagte dann in verschwörerischem Tonfall: »Also, wo Sie gerade das Lager erwähnen: Wir hätten vielleicht … etwas. Für … Problemfälle.« Er sah den erschrockenen Kluftinger kurz und prüfend an und fügte dann hinzu: »Ich denke, hier muss man von einem solchen sprechen.« Dann verschwand er wieder in dem ominösen Raum hinter dem Vorhang.

Diesmal jedoch kam er lange nicht zurück. Die drei Kluftingers im Verkaufsraum warteten, ohne ein Wort miteinander zu wechseln. Der Kommissar starrte auf den Boden. Hätte ihn Faruk Yildrim so gesehen, er hätte ihn garantiert nicht mehr in der Task Force haben wollen, dachte er. Hinter jedem schwachen Mann steht eine zu starke Frau … oder wie auch immer dieser Spruch ging. Und wenn dann noch eine resolute Mutter dazu kam – was konnte Mann hier noch ausrichten? Zudem war er ein wenig verdrießlich, dass ihm kein Paar dieser vornehmen Schuhe gepasst hatte. Hatte ihm seine Vorliebe für bequeme Haferlschuhe die Füße derart deformiert? War er nicht mehr salonfähig?

»So«, riss ihn der Verkäufer aus seinen trüben Gedanken, »leider durfte ich Ihre Füße ja nicht nackt befühlen, aber meines Erachtens kommt zu Ihrer Zehenfehlstellung ein Platt- beziehungsweise Senkfuß. Mag auch am … Gewicht liegen.«

Eine Unverschämtheit, dachte sich der Kommissar, war aber seltsam versöhnt durch die Tatsache, dass sich Sigel nun nicht mehr über ihn, sondern mit ihm unterhielt. Jetzt würden sie das Problem unter Männern lösen. Auch wenn einer davon ein Exemplar war, das wohl für sein Leben gern nackte, schwitzige Männerfüße berührte.

In der Hand hielt der Verkäufer eine verstaubte, angegilbte Schachtel ohne Aufdruck. Sie war mit einer Paketschnur zusammengebunden und am Deckel bereits ausgefranst.

»Hier ist das, was Sie brauchen. Schuhe für multiple Problemfüße. Dieses Paar hat einen Dornröschenschlaf im Lager hinter sich und scheint nur darauf gewartet zu haben, von Ihnen wach geküsst zu werden. Ich habe die einmal einem Mann mit Kriegsverletzung verkauft, der war sehr zufrieden.«

Pass bloß auf, dass du hier heut nicht mit einer Kriegsverletzung rausgehst, dachte der Kommissar. Denn so fühlte er sich mittlerweile: wie auf dem Schlachtfeld. Allerdings allein und unbewaffnet. Und ohne Schuhe.

In diesem Moment holte Sigel das Paar aus dem Karton. Die Augen der Anwesenden weiteten sich: Die Schuhe waren aus schwarzem, stumpfem, narbigem Leder, demselben Material, aus dem in den Siebzigerjahren billige Aktentaschen für Behörden gefertigt worden waren, bei denen bereits nach zwei Wochen die Farbe abging. Vorn waren die Schuhe rund geschnitten und etwa doppelt so breit wie hinten. Die Sohle war aus drei Zentimeter dickem, gelblich-weißem Krepp, der in der Mitte keilförmig zulief. Unten war eine naturfarbene Ledersohle aufgeklebt.

Erika entfuhr ein erschreckter, spitzer Laut, und auch Kluftinger schüttelte ungläubig den Kopf. Selbst für ihn war dieses Modell völlig indiskutabel.

»Anziehen«, befahl seine Mutter, und auch dem Verkäufer schien es der gerechte Lohn für seine Mühe zu sein, so fordernd hielt er dem Kommissar das Paar unter die Nase. Kluftinger fügte sich – ein letztes Mal, wie er innerlich beschloss, und schlüpfte hinein. Er stand auf, ging ein Stückchen, ging noch ein Stücken weiter, stieg die Treppe hinunter und kam nach zwei Minuten lächelnd zurück.

»Da läuft man wie auf Wolken.«

Erika glaubte zunächst an einen Scherz, aber der verklärte Blick in den Augen ihres Mannes belehrte sie eines Besseren.

»Das ist jetzt nicht dein Ernst?«, zischte sie, sorgsam darauf bedacht, dass vor allem ihre Schwiegermutter sie nicht hören konnte. »Diese Dinger sind ja schlimmer als … Skischuhe. Da muss man sich ja genieren.«

»Erika«, schallte es vom anderen Ende des Raums, »wenn der Junge die Spezialschuhe braucht, dann muss er sie auch nehmen. Die Gesundheit ist wirklich wichtiger als alles andere.« Zuckersüß fügte sie hinzu: »Nimm sie ruhig, Junge, wenn sie so gut passen.«

Erika kochte. Das war zu viel. Das würde sie sich nicht bieten lassen. Hier würde sie sich durchsetzen gegen ihre Schwiegermutter, koste es, was es wolle.

Fünf Minuten später standen alle drei mit dem vergilbten Karton an der Kasse. Hedwig Kluftinger hatte noch ein Deo gegen Fußgeruch als Dreingabe zu den Schuhen gestellt.

»Hundertachtzig, der Herr«, trällerte der sichtlich erleichterte Sigel und tippte den Betrag in seine alte Registrierkasse ein.

»Was?« Kluftingers Kiefer klappte nach unten. »Haben Sie sich vertippt?«

Verwirrt sah Sigel zuerst auf die Anzeige der Kasse, dann auf den Verkaufstresen. »O, natürlich, entschuldigen Sie.«

Kluftinger atmete auf und entspannte sich.

»Macht dann einhundertfünfundneunzig. Das Deo hatte ich ganz vergessen. Ich bitte nochmals um Entschuldigung.«

Der Kommissar reagierte nicht. Er stand einfach regungslos da.

»Ich zahl für meinen Sohn«, mischte sich Kluftingers Mutter ein, zückte den Geldbeutel und löste damit seine Erstarrung.

Was nun geschah, lief in Kluftingers Wahrnehmung wie in Zeitlupe ab. Er zögerte nur einen Augenblick, holte dann auch seinen Geldbeutel aus der Hosentasche und rangelte mit seiner Mutter, die ihm jeden Geldschein, den er herausnahm, entweder zurück in den Geldbeutel oder in die Hosentasche schob. Wenigstens war er der Achtzigjährigen körperlich überlegen, und so gelang es ihm schließlich, sie abzudrängen und dem Verkäufer zweihundert Euro in die Hand zu drücken. So weit käme es noch. Die Zeiten, dass er sich von seiner Mutter die

Schuhe bezahlen ließ, waren vorbei. Große Sprünge konnten seine Eltern von der kleinen Landpolizisten-Pension sowieso nicht machen.

»Geht ihr schon mal raus, Kinder, ich komme gleich«, sagte Hedwig Kluftinger schließlich, als ihr Sohn sein Schuhpaket in Händen hielt, dem Erika einen verächtlichen Blick zuwarf. Als sie drei Minuten später wieder zu ihnen stieß, schob sie ihrem Sohn bei der Verabschiedung noch etwas in die Tasche seines Jankers.

»Für dich, Bub«, flüsterte sie, ohne die Lippen zu bewegen.

Kluftinger langte in die Tasche hinein und wollte seiner Mutter den vermeintlichen Geldschein schon wieder zurückgeben, spürte aber nur etwas Weiches. »Ich strick dir auch bald wieder welche«, fügte seine Mutter noch an, und nun war ihm klar, was sie da in seine Jacke gesteckt hatte: Socken.

Manchmal bedauerte er, dass er nicht ihre Durchsetzungsfähigkeit geerbt hatte. Die hätte ihm in seinem Beruf sehr hilfreich sein können.

Eine der vom Kommissar ungeliebten organisatorischen Aufgaben wartete auf ihn, als er zurück an seinen Arbeitsplatz kam. Nach dem, was er gerade hinter sich gebracht hatte, freute er sich jedoch geradezu auf die Büroarbeit: Er musste die Leitung seiner Abteilung kommissarisch übergeben, schließlich würde er für unbestimmte Zeit unabkömmlich sein. Yildrim hatte die nächste Sitzung erst für fünfzehn Uhr anberaumt, ihm blieb also eine knappe halbe Stunde Zeit, um alles zu regeln. Strobl würde das in seinem Sinne machen, da war sich Kluftinger sicher. Auch während seines Urlaubs war er stets kommissarischer Leiter, das hatte sich seit Langem so eingebürgert.

Als er den Fahrstuhl verließ, erblickte er im Vorzimmer nicht nur Sandra Henske, sondern zu seinem Missfallen auch Valentin Bydlinski, der auf Sandys Schreibtisch Platz genommen hatte und sich tief zu ihr hinüberbeugte. Sandy strahlte den österreichischen Kollegen an. Erst als sie ihren Chef sah, richtete sie sich auf, räusperte sich und machte ein dienstbeflissenes Gesicht. Kluftinger konnte nicht verstehen, wie man dem pomadigen Charme Bydlinskis auch nur das Geringste abgewinnen konnte. Aber schließlich war er ja auch keine Frau. Gott sei Dank.

»Herr Kluftinger, ich …«, setzte Sandy an. Bydlinski drehte sich, weiterhin auf den Schreibtisch gefläzt, um und unterbrach sie: »Ja, jetzt aber. Der Herr Kollege. Haben Sie schöne Schühchen bekommen zum Tanzen? Ist eh wichtig, dass man sich auch im Alter ein bisserl fit hält, gell?«

Kluftinger warf seiner Sekretärin einen bitterbösen Blick zu. Sandy zog schüchtern und entschuldigend die Schultern hoch und neigte ihren Kopf, während Bydlinski ihn breit grinsend anglotzte.

»Frau Henske, sofort Abteilungskonferenz in meinem Büro. In zwei Minuten, hören Sie?«, blaffte Kluftinger und wandte sich bereits zu seiner Bürotür, als sich Bydlinski erneut ungefragt zu Wort meldete: »Die Frau Sandy untersteht nicht mehr Ihrem Kommando!«

Verwirrt sah Kluftinger zu Sandy, die unsicher nickte. »Isch bin tatsäschlich abkommandiert worden zum Sonderkollektiv.«

»Sondergruppe«, korrigierte Bydlinski. »Du bist doch nicht mehr im Osten, du DDR-Schneckerl.«

»Warum jetzt das?«, wollte Kluftinger wissen.

»Nu, isch bin … also«, begann Sandy, und Bydlinski fuhr für sie fort: »Sie ist auf meinen Vorschlag hineingekommen. Der Oberboss hat gemeint, man braucht noch eine Sekretärin, und ich hab gesagt, da können wir eh gleich die Frau Sandy nehmen, dann haben wir wenigstens ein hübsches Gesicht dabei.« Bei diesen Worten warf er Sandra Henske einen Blick zu, dass Kluftinger übel wurde.

Sandy dagegen strahlte. Sie schien Kluftingers Ärger wegen ihres Vertrauensbruchs bereits völlig verdrängt zu haben.

»Ja, und da hat der Yildrim eh gleich zugestimmt. Also ein bisserl Vorsicht mit Anweisungen an die Frau Sandy, gell?« Der Österreicher grinste herausfordernd.

Noch bevor Kluftinger dem Alpencasanova Kontra geben konnte, betrat Hefele den Raum. Er stutzte kurz, als er Bydlinski auf dem Schreibtisch liegen sah, warf Sandy einen bitteren Blick zu und bat Kluftinger um ein kurzes Gespräch.

Im Büro öffnete Kluftinger zunächst ein Fenster, denn die Luft kam ihm stickig vor. Normalerweise lüftete Sandy jeden Tag, doch heute schien sie mit anderen Dingen beschäftigt zu sein.

»Also Klufti, ehrlich, ich will nicht mehr, dass dieser widerliche österreichische Typ dauernd bei uns hier herumhängt. Das hier ist ein

Kommissariat und keine Wärmestube. Der soll schauen, dass er wieder heimfährt. Das geht den hier gar nichts an. Außerdem hält er ständig die Sandy vom Arbeiten ab. Ich kann auch nicht irgendwelche Freunde mitbringen zum Dienst und gemütlich ein Schwätzchen halten.«

»Roland, jetzt beruhig dich erst mal. Der Bydlinski ist in einer geheimen Sondergruppe eingesetzt, ist also durchaus dienstlich hier. Und die Sandy ist auch in diese Gruppe abkommandiert. Somit wird auch der Kollege nicht mehr oft hier in der Abteilung herumlungern, und dein Problem ist gelöst.«

Hefele rang sichtlich nach Luft. »Was ist die Sandra? Abkommandiert? Mit diesem …«

»Und mit mir auch, Roland. Keine Angst, ich pass schon auf, dass der Sandy nichts passiert«, sagte Kluftinger und versuchte, sachlich zu klingen.

»Ach, hör doch auf, ich bin einfach nur …«, versuchte Hefele sich zu rechtfertigen, doch Maier und Strobl, die gerade das Büro betraten, erlösten den Kommissar.

»Männer, gut, dass ihr kommt«, legte er sofort los und unterband damit Hefeles Lamento. »Es gibt eine Menge zu besprechen.«

»Ach so?«, wunderte sich Strobl, »wir haben doch im Moment eher nur Bagatellsachen.«

»Es geht nicht um unsere momentanen Fälle. Es geht um etwas Größeres. Setzt euch bitte.«

Als alle saßen, fuhr er mit ernster Miene fort: »Also, Kollegen, es gibt hier im Haus seit heute Morgen eine Sondereinheit, eine …« Kluftinger zögerte einen Moment und murmelte etwas Unverständliches.

»Was?«, hakten die Kollegen nach.

»Ja, so eine Dark Fors«, nuschelte Kluftinger erneut.

»Star … Wars?«

Die Beamten blickten ihren Vorgesetzten entgeistert an.

»Star … nein. Jedenfalls ist das eine neue Gruppe, und ich bin dabei. Und der Willi auch. Die ist hier nur vorübergehend. Wie dem auch sei, ich werde mich eine Weile nicht um die Abteilung kümmern können. Auch Sandy steht euch wohl nicht mehr oder zumindest nur stundenweise zur Verfügung. Sie ist auch abkommandiert.«

»Worum geht es denn bei dieser neuen Einheit?«, wollte Maier wissen.

»Geheim«, gab Kluftinger knapp zurück.

Die anderen runzelten die Stirn.

»Wie … geheim? Wir alle unterliegen dem Dienstgeheimnis, das ist doch klar«, hakte Strobl nach. »Jetzt sag schon. Was macht ihr da?«

Kluftinger schürzte die Lippen und sah zu Boden: »Ge-hei-eim.«

Damit wollte sich Strobl nicht abfinden: »Klufti, also bitte, wir sind hier nicht beim Indianerspielen.«

Der Hauptkommissar kniff die Lippen zusammen und schüttelte den Kopf.

Nach einer Pause sagte Strobl, an seine Kollegen gerichtet: »Ah, jetzt weiß ich schon, was sie machen. Das wird so eine interne Evaluationsgruppe sein. Und da haben sie unseren Kluftinger als Spitzel geworben, die vom Ministerium. Damit kann er sich, quasi als Kronzeuge, von all seinen Verfehlungen reinwaschen. Und uns hängt er hin.«

Kluftinger zeigte sich von Eugen Strobls Provokationsversuch unbeeindruckt und schwieg.

Maier versuchte eine andere Methode. In besorgtem Ton fragte er: »Haben sie dich von deinen Pflichten entbunden? Bist du suspendiert? Ist was vorgefallen? Sind … wir schuld?«

Doch auch er hatte keinen Erfolg, und Kluftinger fuhr ruhig mit seinen Ausführungen fort. »Wie gesagt, eine geheime Aktion. Wenn ihr eingeweiht werden sollt, dann wird das früh genug geschehen. Fest steht jedenfalls, dass der Dienstälteste von euch kommissarischer Leiter wird. Eugen …«

Maier räusperte sich.

»Ist was?«, fragte Kluftinger.

»Hm?«

»Ob was ist?«

»Wieso?«

»Weil du so … herrgottnochmal, ist was, dann sag's, sonst lass es bleiben. Wie meine Frau …«

»Warum Strobl?

»Wie? Ich meine … weil er der Dienstälteste ist … denk ich.«

»Soso, denkst du. Willst du nicht lieber nachsehen?«, insistierte Maier.

»Du könntest es mir auch sagen.«

»Nein, ich finde schon, wir sollten die Akten zurate ziehen. Sonst kann ja jeder alles behaupten.«

Missmutig stand Kluftinger auf, ging zu einem Aktenschrank, holte sich den Ordner »Personalien« und setzte sich wieder. Ruhig blätterte er die Seiten durch und stöberte darin herum. Die anderen Anwesenden schwiegen und sahen ihm zu. Auf einmal wurden Kluftingers Bewegungen hektischer. Wild blätterte er zurück. Seine Augen hasteten über das Papier. Er wurde blass. Die Kollegen sahen ihn mit gespannter Miene an. Nur Maier lehnte sich entspannt seufzend zurück.

»Es …«, Kluftingers Stimme war belegt, »es ist nicht Eugen. Du bist das, Richard.«

Maier lächelte.

»Seht ihr? All die Jahre hab ich nix gesagt, aber jetzt finde ich, dass es an der Zeit ist, dass mal die Vorschriften …«

»Richard, jetzt krieg dich wieder ein. Dann macht es halt nicht der dienstälteste Kollege, sondern der, der es immer macht, wenn ich nicht da bin.«

Maier setzte sich auf. »Nein, das lass ich jetzt nicht durchgehen. Meine Frau hat mir gesagt, ich darf mir nicht mehr alles gefallen lassen. Und sie hat Recht. Ab jetzt bin ich ein anderer Maier.« Entschlossen funkelte er Strobl und Kluftinger an.

»Bitte, Richie. Ich bin nicht scharf drauf«, sagte Strobl mit einer wegwerfenden Handbewegung. »Wenn du da so ehrenkäsig bist … Wirst schon sehen, was du von dem ganzen Papierkram hast.«

»Na schön. Ist ja gut, wenn ihr nicht streitet«, mischte sich Kluftinger mit väterlichem Ton ein. »Ich möchte, dass ihr mir jeden Tag sagt, wie es euch hier geht.« Als er merkte, dass das etwas seltsam geklungen hatte, korrigierte er seine Formulierung: »Will sagen, ihr erstattet mir täglich Bericht. Leider kann ich auch nichts mehr packen in meinem Büro. Den Umzug musst du für mich übernehmen, Richard.«

Maier blickte ein wenig irritiert und presste dann ein »Natürlich« hervor.

Kluftinger fuhr fort: »Es kann sein, dass ich euch für Spezialaufgaben brauche. Ihr werdet nur Einzelaufträge bekommen und nicht über Zusammenhänge informiert werden.«

Hefeles »Jawohl, Null-Null-Klufti«, ignorierte er einfach.

»Hört zu, ich muss mich hundertprozentig auf euch verlassen können. Ich brauche jetzt absolute Profis«, sagte Kluftinger und versuchte dabei möglichst genau so zu klingen wie Yildrim. Offenbar funktionierte das aber nicht bei jedem, denn was Kluftinger bei seinen Mitarbeitern erreichte, war lediglich ein weiteres Kopfschütteln über die seltsamen Veränderungen, die sich an ihrem Vorgesetzten in den letzten Stunden vollzogen hatten. Kluftinger kehrte zu seinem gewohnten Führungsstil zurück. »Was steht denn aktuell an bei euch? Wenn ihr die Zeugen zur Messerstecherei in Leubas vernommen habt, kommt ihr sicher weiter. Was gibt's sonst?«

Hefele und Strobl schwiegen und schienen ein wenig zu schmollen, während sich Maier eilfertig zu Wort meldete: »Also, der Hefele wird sich um die Messerstecherei kümmern. Die Illerleiche, die man gestern am Wehr unterhalb der St.-Mang-Brücke gefunden hat, wird Strobl heute Nachmittag beschäftigen. Wahrscheinlich ein Obdachloser, der betrunken ins Wasser gefallen ist.«

Strobl sah Kluftinger hilflos an, als wollte er sagen: »Geht schon los!«, worauf der Kommissar einwarf: »Ach, und der *Maier*, was macht der? Der spielt Chef, oder?«

Maier reagierte gereizt: »Ich fände es eben besser, wenn man als Vorgesetzter beim förmlichen Nachnamen bleibt. Schließlich muss ich auch mal unangenehme Dinge befehlen, und da tut man sich leichter, wenn ...«

»So, befehlen musst du? Hm, noch bin ich ja der Chef, und deswegen lautet mein Befehl, dass du dich heute Nachmittag dann gleich mal um die Umzugskisten in meinem Büro kümmern kannst, Richard. Aber sauber beschriften, gell?«

Der Kommissar grinste die beiden anderen an, doch deren Mienen verrieten, dass sie für die nächste Zeit Schlimmstes befürchteten.

Er wollte noch ein paar allgemeine Worte über den Zusammenhalt unter Kollegen verlieren, da öffnete sich die Tür und Sandy Henske kam aufgeregt herein. »Herr Kluftinger, der Herr Yildrim bräuschte Sie dringend. Es ist schon drei nach drei.«

Kluftinger erhob sich schnell. Mit einem Kopfnicken in Richtung Maier und einem mitleidigen Schulterzucken in Richtung Hefele und Strobl verabschiedete er sich.

»Was es für uns zu klären gilt, sind nun die sogenannten W-Fragen: Warum? Wo? Wer?« Faruk Yildrim begann die Sitzung, als hätten sie gar keine Pause gehabt. Dietmar Lodenbacher war wieder zu ihnen gestoßen, auch wenn Kluftinger nicht genau wusste, weshalb. Schließlich war er nicht Teil der Task Force und Yildrim schien über seine Anwesenheit auch nicht gerade erfreut.

»Mit *Warum* meine ich übrigens die Hintergründe, die zu dem Plan geführt haben.«

Lodenbacher murmelte halblaut etwas, was jedoch niemand verstand. Yildrim blickte irritiert auf: »Bitte?«

Kluftingers Chef schüttelte mit dem Kopf »Äh nix ... oiso ... i moan hoid ... *wann*.«

»Ich verstehe Sie nicht.«

»*Wann* wär auch wichtig, ned?«, sagte Lodenbacher.

Yildrim hob die Augenbrauen. Offenbar war er sich nicht sicher, ob Lodenbacher einen Scherz gemacht hatte oder es ernst meinte. Als er für sich zu einer Entscheidung gekommen war, drehte er, ohne dabei aufzusehen, den Laptop mit dem Countdown in Lodenbachers Richtung. Der wurde erst bleich, dann rot, stand hektisch auf, murmelte noch einmal etwas Unverständliches und trollte sich aus dem Besprechungsraum. Dann fuhr Yildrim fort: »Das *Wer* steht im Zentrum unserer Ermittlungen. Nur über das *Wer* kommen wir auch zum *Warum*.«

»Sozusagen eine Wehrübung bei der Wehrmacht. Müssmer eh aufpassen, dass uns kein Werwolf in die Quere kommt«, grinste Bydlinski.

»Bitte?«, sagte Yildrim.

Das Grinsen des Österreichers wurde noch breiter. »*Wer*-Übung! *Wer*-Macht! Das *Wer* ist doch das Wichtigste.«

Yildrim blickte Bydlinski verständnislos an. Kluftinger hatte nicht den Eindruck, dass ihre Arten von Humor irgendeine Schnittmenge besaßen.

»Wie ... äh ... wie auch immer«, fuhr Yildrim fort, und Kluftinger hatte zum ersten Mal das Gefühl, etwas habe ihn aus dem Konzept gebracht, »wir haben bereits einen Anknüpfungspunkt für dieses *Wer*. Ausgehend von unserem Selbstmörder haben wir ein Lokal ausfindig gemacht, das sich zwei von Ihnen einmal genauer ansehen sollten.« Er ging zu der metallenen Pinnwand und schrieb einen Namen und eine Straße darauf.

»Hm, klingt komisch«, dachte Kluftinger laut.

Wieder fragte Yildrim: »Bitte?«

Kluftinger zuckte zusammen. »Äh … der Name klingt komisch, meine ich. Wer nennt eine Kneipe schon ›Duschhaube‹?«

Yildrims Mundwinkel zuckten einen kurzen Moment, doch er hatte sie sofort wieder unter Kontrolle.

»Herr Kluftinger … das heißt nicht Duschhaube, sondern natürlich Duschanbe. Entschuldigen Sie bitte meine Handschrift. Duschanbe ist Ihnen aber schon ein Begriff, nehme ich an?«

»Jaja, natürlich, wie dumm von mir. Duschanbe, klar«, log Kluftinger.

»Gut, ich würde vorschlagen …«, Faruk Yildrim blickte sie einen nach dem anderen an, »… Sie, Herr Kluftinger, und Sie, Herr Bydlinski, machen sich mal auf den Weg. Ach, und noch etwas: Ich möchte nicht, dass irgendjemand ohne Waffe nach draußen geht.«

Die Beamten nickten und standen auf. Bevor sie den Raum verließen, drehte Kluftinger sich noch einmal um. »Eine Frage noch, Herr Yildrim: Warum sollen wir eigentlich in diese Wirtschaft gehen?«

»Oh, entschuldigen Sie, ich vergaß. Wir haben bei den persönlichen Sachen des Selbstmörders ein paar Schachteln Zigaretten aus Tadschikistan gefunden. Mit deutscher Zollbanderole. Laut Zollamt werden die hier im Allgäu nur in diesem Etablissement verkauft.«

Kluftinger nickte und verließ mit Bydlinski den Raum.

»Was ist denn das mit dem Duschanbe? Was heißt'n des jetzt?«, wollte Bydlinski wissen, als sie in Kluftingers Auto in den Kemptener Stadtteil Thingers fuhren. Aus für den Kommissar unerfindlichen Gründen hatte man die Hochhäuser hier auf einer weithin sichtbaren Anhöhe gebaut. Heute boten sie günstigen Wohnraum vor allem für Zuwanderer. Mit der Zeit hatte sich eine eigene, osteuropäisch geprägte Infrastruktur gebildet, mit einem russischen Supermarkt, Wäschereien und verschiedenen Kneipen, von denen einige problemlos als Spelunken durchgingen.

»Hm?« Kluftinger tat, als habe er nicht zugehört. »Wir sind fast da, ja. Das müsste hier irgendwo sein.«

»Weißt eh selber nicht, was es heißt«, grummelte Bydlinski.

Kluftinger stellte den Passat auf dem Parkplatz gegenüber einem Hochhaus ab. Unten in dem Gebäude befand sich neben einem Lebensmittelgeschäft, einem Schlüsseldienst und einem Spezialreisebüro namens »Odessa-Travel« auch ein sogenanntes Schreibbüro. Die Institution, die Kluftinger im Rahmen einer Ermittlung bereits einmal unter die Lupe genommen hatte, war in einer ehemaligen Sparkassenfiliale eingezogen. Man kümmerte sich um Formalitäten mit deutschen und ausländischen Behörden. Nebenbei konnte man Versicherungen abschließen, Autos kaufen, Visa für sämtliche osteuropäische Länder bekommen und, da war sich Kluftinger sicher, noch einiges andere unter dem Ladentisch.

Links vom Schreibbüro waren auf zwei Fenstern mit Leuchtbuchstaben die Worte »Duschanbe Tadschik« und einige kyrillisch und arabisch aussehende Schriftzüge angebracht. Darüber hing noch die Leuchtschrift »Bierhaus zum Zapfhahn«, offenbar der vorherige Name des Etablissements. Der Blick hinein wurde von halbhohen, gelblichen Scheibenvorhängen versperrt.

»Schaut nett aus«, sagte Bydlinski und ging auf die Eingangstür zu. Kluftinger sah ihm entgeistert nach. Er hatte das Gefühl, dass der österreichische Kollege das ernst gemeint hatte.

Als sie den schummrig beleuchteten Raum betraten, blieb Kluftinger beinahe die Luft weg. Vom neu eingeführten Rauchverbot schien man hier nichts zu halten.

Über einer massiven Theke hing ein Leuchtkasten mit dem Schriftzug einer Münchner Brauerei, über die fünf Tische in der Gaststube fiel gedämpftes Licht aus dunklen, mit grobem Stoff bezogenen Lampen.

Die Stahlrohrstühle mit kunstledernen Bezügen, die um die Tische standen, waren trotz der frühen Stunde fast alle besetzt, überwiegend von älteren, dunkelhaarigen Männern, die rauchten, Karten spielten oder lustlos an ihren Gläsern nippten. An einem Tisch spielten zwei höchstens Dreißigjährige in ballonseidenen Trainingsanzügen Backgammon. Beinahe alle Gäste tranken Tee und, wie Kluftinger vermutete, irgendetwas Hochprozentiges aus einer unetikettierten Flasche mit einer transparenten Flüssigkeit. Frauen schienen hier nicht zu verkehren.

Für einen kurzen Moment sahen alle Anwesenden die beiden Beamten an. Wie in diesen Western, dachte Kluftinger, wenn ein Cowboy den Saloon betritt und sofort Musik und Gespräche verstummen. Doch die Gäste verloren ziemlich schnell das Interesse an den Neuankömmlingen und wandten sich wieder ihren Gesprächen und Spielen zu.

Im Halbdunkel erkannte Kluftinger hinter der Theke einen schnauzbärtigen Mann um die fünfzig mit stechenden Augen und Bierbauch. Über seiner Schulter hing ein schmutziges, löcheriges Geschirrtuch. Der Kommissar ging auf ihn zu. Dass Bydlinski hinter ihm an der Eingangstür zurückblieb, war ihm gleichgültig. Eine fruchtbare Zusammenarbeit mit ihm bei einer Befragung konnte sich der Kommissar ohnehin nicht vorstellen.

An der Bar waren nur zwei der Hocker von älteren Männern besetzt, die sich angeregt in einer dem Kommissar fremden Sprache unterhielten. Kluftinger winkte den Wirt zu sich her.

»Bitte?«, sagte der, und schon in diesem einen Wort schwang ein Akzent mit, den Kluftinger am ehesten als Russisch bezeichnet hätte. »Was kann ich für die Polizei tun?«

Kluftinger hob verwundert die Augenbrauen. Er konnte sich nicht erinnern, hier schon einmal gewesen zu sein.

»Unser Wodka ist offiziell eingeführt und besteuert. Und letzten Monat war der Kammerjäger hier. Wir sind ungezieferfrei und mein Gesundheitszeugnis ist noch gültig.«

»Wir sind aus einem anderen Grund hier, Herr ...«

»Kyritkov.«

»Herr Kyritkov, einer Ihrer Gäste, Tobias Schumacher, hat sich vor Kurzem das Leben genommen. Die Hintergründe sind uns unklar. Vielleicht können Sie uns weiterhelfen?«

Kluftinger legte ein Foto des Selbstmörders auf die Theke.

»Erkennen Sie ihn?«

Vladimir Kyritkov griff sich die Fotografie, warf einen schnellen Blick darauf und sagte im Brustton der Überzeugung: »Das ist keiner meiner Stammgäste.«

»Hören Sie, wir wissen, dass ...«

»Nun, wenn Sie wissen, dann ist es ja gut«, fiel Kyritkov Kluftinger rüde ins Wort.

»Tobias Schumacher muss öfter hier bei Ihnen gewesen sein. Das ist uns bekannt ...«

Plötzlich lachte der Wirt kehlig auf und fingerte eine Zigarette ohne Filter aus einem Päckchen, steckte sie sich mit einem Gasfeuerzeug in Form eines Frauentorsos an und nahm einen tiefen Lungenzug.

»Man wollte mir schon so viel anhängen.«

»Ich will Ihnen nichts anhängen. Ich will lediglich eine Information über diesen Mann.« Er nahm das Foto wieder an sich.

»Und ich habe gesagt, ich kann Ihnen nicht helfen«, beharrte Kyritkov ungerührt. Kluftinger war klar, dass er bei seinem Gegenüber nicht weiterkommen würde. Nicht hier, nicht unter diesen Umständen. Vielleicht in der Polizeidirektion. Wenn man diese Typen aus ihrer sicheren Umgebung heraus hatte, wurden sie oft etwas zahmer.

Doch in diesem Fall wollte er nichts überstürzt entscheiden. Schließlich war es diesmal nicht er, der die Ermittlungen leitete. Ein Umstand, an den sich Kluftinger erst gewöhnen musste.

Er würde also mit Yildrim das weitere Vorgehen absprechen, nicht dass er und Bydlinski noch Ärger bekämen.

Bydlinski. Wo war der eigentlich abgeblieben?

Kluftinger sah sich in der Kneipe um. Schließlich erblickte er seinen Kollegen, der an einem der Tische verkehrt herum auf einem der Stühle lümmelte und sich angeregt und lachend mit dreien der Männer unterhielt. Gerade wurde ihm in ein Trinkglas Schnaps nachgeschenkt, einer der Gäste klopfte dem Österreicher auf die Schulter.

Kluftinger hob verwundert die Augenbrauen, warf dem Wirt ein »Wir sprechen uns noch!« über die Theke zu und wandte sich dann an seinen Kollegen: »So, auf geht's, genug gezecht.«

»Müssn S' schon wieder pressieren? Sie sind mir ja ein ganz ein Unentspannter.«

Da Bydlinski keine Anstalten machte, zu gehen, wandte sich Kluftinger wortlos um und verließ das Lokal. Bydlinski verabschiedete sich hastig und lief ihm nach.

»Was sollte das denn jetzt, Kollege? Sie sind nicht zum Saufen hier. Das gibt sowieso eine peinliche Vorstellung, wenn wir mit völlig leeren Händen zurück ins Präsidium kommen.«

»Wieso mit leeren Händen?«

»Ich habe den Wirt vernommen, während Sie hier mit Ihren neuen Freuden gepichelt haben. Und ich habe leider nicht das Geringste erfahren.«

»Ich hab schon was«, grinste Bydlinski.

»Ja, einen Rausch im Gesicht«, gab Kluftinger zurück.

»Nein, Tik.«

»Ja, das auch, das brauchen Sie jetzt nicht extra betonen.«

»Nein, T − I − K, verstehst? Tadschikisch-islamischer Kulturverein. Stadtteil Kottern. Noch Fragen, Kara Ben Nemsi? Ihr könnt's noch viel lernen von uns Kieberern, ihr Piefkes.«

Der Ausländeranteil in diesem Viertel in Kempten war ähnlich hoch wie in Thingers. Nur herrschte hier, in diesem eingemeindeten Stadtteil, eine andere Struktur als im Kemptener Hochhausbezirk. In Kottern hatte sich mit der Industrialisierung die Textilindustrie angesiedelt. Und für die Baumwollfabriken hatte man Arbeitskräfte gebraucht. Die wurden in Italien rekrutiert und in einfachen, aber ausreichend dimensionierten Wohnungen einquartiert. Die Zahl der Italiener war hier noch in den Achtzigerjahren so hoch gewesen, dass man rein italienischsprachigen Unterricht an der Volksschule anbot. Nach und nach war aber aus dem italienischen Viertel durch Zuzug von jugoslawischen und türkischen Arbeiterfamilien ein internationaler Stadtbezirk geworden. Doch nie wurde Kottern zum sozialen Brennpunkt. Es herrschte eine Arbeiterkultur des Miteinanders und der gegenseitigen Akzeptanz, auch wenn die Häuser zusehends verfielen und viele ausländische Familien in schöneren Vororten ihr Reihenhäuschen bezogen hatten. Immer mehr Wohnungsleerstände waren die Folge. Und anscheinend war aus diesem Grund auch der Tadschikische Kulturverein hier eingezogen.

Zusammen mit Bydlinski war Kluftinger nach der morgendlichen Besprechung gleich zu der Adresse gefahren, die sein österreichischer Kollege gestern so geschickt den Gästen der Kneipe entlockt hatte. Nun, da sein Groll verraucht war, zollte ihm Kluftinger dafür Respekt.

Das alte Haus, zu dem die Adresse gehörte, war Teil einer Arbeitersiedlung aus den Zwanzigerjahren. Die Häuserreihe lag schräg an einer leichten Steigung. Die schmale Straße war in schlechtem Zustand: Überall war das alte Kopfsteinpflaster mit Teer geflickt. Er parkte seinen Wagen vor dem Haus mit der Nummer drei. Die Fassade war einst dunkelgrün getüncht gewesen, mit der Zeit aber sehr ausgeblichen. An beinahe jedem der Fenster war eine Satellitenschüssel angebracht.

Auf den teilweise demolierten Klingelschildern standen viele ausländische Namen. Nur auf einem Schild prangten lediglich drei Buchstaben, geschrieben mit einem dicken, schwarzen Stift: TIK. Bydlinski drückte den Knopf mehrmals, als habe er es besonders eilig. Ein Summer ertönte, und Kluftinger drückte die Tür auf. Das Treppenhaus war düster und roch muffig. Blecherne, verbeulte Briefkästen hingen auf der rechten Seite, gegenüber befand sich ein großer Sicherungsschrank ohne Abdeckung, aus dem einige Kabel heraushingen. Da es keinen Aufzug gab, mussten sie den dritten Stock zu Fuß über eine ausgetretene Holztreppe erklimmen. Ein vielleicht sechzig Jahre alter Mann mit dunklem Haar und grauem Bart erwartete sie dort in einer offen stehenden Tür.

»Wer sind Sie?«, fragte er kurz, aber mit einem freundlichen Lächeln, bei dem er seine gelben Zähne zeigte. Entweder ein starker Raucher oder ein leidenschaftlicher Teetrinker, vermutete Kluftinger. Er entschied sich für Letzteres, denn der Bart wies keine Verfärbungen auf, was bei einem Raucher der Fall gewesen wäre.

Der Kommissar holte ein paar Mal tief Luft, denn vom Treppensteigen war er etwas außer Atem. »Kluftinger, Kripo Kempten«, sagte er schließlich. Dann deutete er mit der Hand auf seinen Kollegen. »Bydlinski.«

Der Bärtige schien nicht überrascht zu sein. Er zeigte überhaupt keine Regung und lächelte sie gleichbleibend freundlich an. »Bitte, kommen Sie doch herein«, forderte er sie auf. Es schien fast, als habe er sie erwartet.

Als sie die Wohnung betraten, flüsterte Bydlinski dem Kommissar ins Ohr: »Der schießt sich wenigstens nicht gleich den Kopf weg.«

Sie folgten dem Bärtigen durch die Zimmer, die sehr spartanisch eingerichtet waren: Ein paar einfache Stühle standen herum, wenige Tische, in einem Raum auch eine Couch und in einem anderen vier Stockbetten. In den Zimmern saßen Männer, die Karten spielten, Männer, die rauchten, Männer, die sich um einen dampfenden Samowar gruppierten. Es wirkte ein bisschen wie gestern im »Duschanbe«, nur ein wenig heller und freundlicher. Alle Räume waren mit dicken Teppichen ausgelegt.

Die Männer blickten die Beamten gleichgültig an, manche auch feindselig. Der Bärtige deutete jeweils in die trostlosen Zimmer und murmelte dabei Dinge wie »unser Schlafsaal«, »unsere Küche«, »unser Gemeinschaftsraum«. Kluftinger wunderte sich ein wenig über diese unaufgeforderte Führung. Der Mann hatte sie noch überhaupt nicht nach dem Grund ihres Erscheinens gefragt. Er wollte sein Mitteilungsbedürfnis ausnutzen und erkundigte sich: »Wer sind all diese Männer? Ich meine, warum haben sie an einem ganz normalen Wochentag Zeit, hier herumzu...sitzen?«

»Die meisten von ihnen haben keine Arbeit«, antwortete der Bärtige sofort. »Es ist für unsere Landsleute nicht leicht, etwas zu finden, wissen Sie. Teilweise sind sie erst angekommen, nicht alle sprechen die Landessprache besonders gut.«

»Nicht so gut wie Sie?« Tatsächlich sprach der Mann akzentfrei Deutsch.

»Oh, Sie sind zu freundlich, vielen Dank.«

»Aber was machen die Männer hier?«, hakte der Kommissar nach.

»Oh, das ist ganz unterschiedlich. Viele treffen sich hier einfach nur. Andere, vor allem auch Kinder, unterweisen wir in der islamischen Lehre, im Koran und in Glaubenspraxis. Wir erzählen Geschichten von zu Hause und helfen uns gegenseitig über die Sorgen des Lebens hinweg. Einige musizieren oder spielen Karten. Ein bisschen Kultur unserer Heimat hier in einem fremden Land.« Es klang, als habe er diese Frage schon oft beantwortet.

Sie hatten den einzigen Raum erreicht, der eine Tür besaß. Der Mann öffnete sie, und sie traten in eine Art Büro. Die Wände waren zur Hälfte holzvertäfelt, in der Mitte stand ein einfacher Küchentisch, darauf ein Computer und ein großer Flachbildschirm sowie ein Laptop. Der Bärtige setzte sich hinter den improvisierten Schreibtisch und deutete mit einer Geste auf zwei Hocker, die davor standen. Die Beamten nahmen Platz, und noch bevor Kluftinger eine Frage stellen konnte, ergriff Bydlinski das Wort: »Kennen Sie Tobias Schumacher, Herr ...«

»... Kudratov. Ja, den kenne ich.« Wieder hatte er ohne Zögern geantwortet. »Er war sehr interessiert an unserer Lehre. Ein wirklich aufgeschlossener junger Mann. Wissen Sie, viele junge Menschen sind zurzeit auf der Suche nach Orientierung. Und die finden sie oft im

Islam. So wie Tobias. Er ist schließlich auch konvertiert und nannte sich Muhammed Ibrahim.«

»Ist das nicht ungewöhnlich?«, wollte Kluftinger wissen.

»Was?«

»Na, dass ein Deutscher zum Islam überläuft.«

»Konvertiert, meinen Sie?«

Kluftinger senkte den Blick und nickte.

»Nein, ganz und gar nicht. Erfreulicherweise. Sehen Sie: Die letzten Zahlen, die mir vorliegen, sagen, dass innerhalb des letzten Jahres viertausend Deutsche zum Islam konvertiert sind. Das mag vielleicht nicht nach viel klingen, aber es sind immerhin viermal so viel wie im Jahr zuvor. Vor drei Jahren waren es erst dreihundert. Damals handelte es sich noch überwiegend um Frauen, die Muslime geheiratet haben. Jetzt haben wir auch sehr viele Akademiker und Frauen, die diesen Schritt vollziehen, ohne dass sie heiraten. Wir sind die Religion der Zukunft, meine Herren. Mit exponentiellen Steigerungsraten. Weltweit.« Kudratov lehnte sich zurück und blickte die Beamten an. Er sah ein wenig stolz aus, fast so, als habe er ihnen gerade die positiven Wachstumszahlen seiner Firma vorgelegt.

»Haben Sie eine Erklärung für diese Entwicklung?«

»Wie schon gesagt: Viele suchen Halt und finden ihn hier. Klare Regeln. Und wir sind eine starke Gemeinschaft, die gegen ihre Feinde zusammenhält. Die Leute wollen keine Weichspülerreligion, sondern klare Ansagen. Auch persönliche Krisen sind manchmal ein Grund, sich neu zu orientieren.«

»Wissen Sie denn von einer persönlichen Krise bei Schumacher?«

Bevor Kudratov antworten konnte, wurde die Tür geöffnet. Ein drahtiger, sportlich wirkender Mann kam herein, blieb abrupt stehen, starrte die Dreiergruppe im Raum an, machte erschrocken auf dem Absatz kehrt und rannte Hals über Kopf hinaus.

Bydlinski und Kluftinger sahen sich etwa zwei Sekunden lang an. Der Knall, den die Wohnungstür machte, als sie hinter dem Mann ins Schloss fiel, wirkte wie ein Startschuss auf die beiden. Sie fuhren auf und rannten hinterher. Fassungslose Blicke der Männer in den Zimmern, an denen sie eben noch gemütlich vorbeigeschlendert waren, begleiteten ihren Weg nach draußen. Bydlinski riss die Tür auf und sprang ins Treppenhaus. Als Kluftinger ihm folgte, lehnte sich sein

Kollege gerade weit über das Geländer und blickte erst nach oben, dann nach unten.

»Runter«, rief er schließlich und rannte die Treppe hinab. Kluftinger folgte ihm, wobei er mehrere Stufen auf einmal nahm, doch Bydlinski war um einiges gelenkiger und vergrößerte schnell den Abstand zwischen ihnen. Als sie nur noch ein Stockwerk vor sich hatten, hörten sie unter sich die empörte Stimme einer Frau, dann ein Scheppern und schließlich die sich schließende Haustüre. Bydlinski blickte sich kurz zum Kommissar um und nahm dann den halben Treppenabsatz auf einmal. Der Schwung, den er bei dem Sprung bekam, ließ ihn bei der Landung taumeln, er rutschte mit einem Bein weg, um schließlich der Länge nach hinzufallen. Als Kluftinger ihn erreichte, hatte er sich bereits wieder hochgerappelt. Er wischte sich fahrig übers Knie und keuchte dann: »Weiter!«

Sie sprinteten beide auf die Haustüre zu, rannten an einer Frau mit Kopftuch vorbei, die am Boden kauerte und Kartoffeln, die über den ganzen Boden verstreut waren, in eine Emailleschüssel legte. Kluftinger berührte sie versehentlich mit dem Fuß, was sie mit einer Schimpftirade quittierte, wobei sie ihm drohend ihre Faust entgegenreckte.

Dann standen sie endlich vor dem Haus und blickten hektisch nach links und rechts. Von dem Mann war nichts mehr zu sehen. Ihnen gegenüber befand sich eine Häuserzeile, die von einem engen Durchgang unterbrochen wurde.

Bydlinski rief heiser: »Ich geh nach links, du da durch.« Kluftinger nickte und trabte los.

Der Durchgang öffnete sich auf eine Wiese voller Wäschestangen. An der linken Seite führte ein Trampelpfad zur alten Baumwollspinnerei am Flussufer. Kluftinger blieb kurz stehen, kniff die Augen zusammen – und sah ihn. Der Mann rannte schnurstracks auf die Fabrik zu. Auch Kluftinger setzte sich wieder in Bewegung. Das Stechen in seinen Lungen ließ ihn kaum Luft bekommen. Als der Mann in einem Eingang der Fabrikhalle verschwand, tauchte von links Bydlinski auf. Kluftinger streckte den Finger aus und zeigte auf das Gebäude. Sein Kollege verstand und rannte ebenfalls auf den Eingang zu.

Sie erreichten die heruntergekommene Fabrik etwa gleichzeitig. Kluftinger stützte seine Arme auf seine Schenkel und keuchte. Bydlinski schien die Rennerei besser verkraftet zu haben. Schnaufend sagte er: »Auf drei.« Dann zog er eine Waffe aus seinem Schulterholster. Kluftinger tat es ihm gleich und fühlte sich sofort unbehaglich. Sein Puls beschleunigte sich erneut. Zögernd nickte er seinem Kollegen zu. Dann betraten sie mit vorgehaltener Pistole die Halle.

»Gendar … Polizei. Stehen bleiben und Hände hoch«, schrie Bydlinski sofort und seine Stimme hallte von den hohen Wänden wider. Nichts. Kein Geräusch verriet ihnen, wo der Flüchtende sich befand. Vom Fluss her drang das beständige Rauschen des Wehrs an Kluftingers Ohr. Die erste Hälfte der Halle war leer, Licht flutete durch die blinden, zum Teil zerbrochenen Fensterscheiben zu beiden Seiten. Nur einige gusseiserne Säulen unterbrachen die lange Raumflucht. Im hinteren Teil türmten sich riesige Spulen – Garnspulen, wie Kluftinger wusste. Hier war einst eine florierende Tuchfabrik gewesen.

Der Kommissar, endlich wieder etwas zu Atem gekommen, deutete mit dem Kopf in Richtung der Spulen. Der Mann konnte sich nur dort versteckt haben, denn der Rest der Halle bot keinerlei Sichtschutz. Bydlinski nickte zurück und legte den Zeigefinger an den Mund, um dem Kommissar zu bedeuten, sich möglichst lautlos zu bewegen. Was Kluftinger, der keuchte wie ein alter Dampfkessel, einigermaßen schwerfiel.

Als sie die Garnspulen erreicht hatten, fuchtelte Bydlinski mit der Hand in der Luft herum. Kluftinger deutete das als Zeichen dafür, dass sie sich trennen und die Garnspulen von verschiedenen Seiten umrunden sollten. Er wusste nicht, warum, später würde er es vielleicht Schicksal nennen, aber in diesem Augenblick hob er den Kopf. Für eine Sekunde dachte er, dass diese plötzliche Aufwärtsbewegung seines Kopfes zu viel für ihn gewesen sei, dass ihm schwindlig werde, er wahrscheinlich gleich umfallen werde. Doch dann merkte er, dass es nicht seine verzerrte Wahrnehmung war, die dem starren Turm über ihm Leben einhauchte. Nein, der bewegte sich tatsächlich, schwankte bedrohlich und gab dann mehrere der ganz oben liegenden Spulen lautlos frei. Einen Augenblick schienen sie in der Luft zu verharren, dann wurden sie mit einer atemberaubenden Geschwindigkeit größer, dunkler, bedrohlicher. Ohne darüber nachzudenken ging Kluftinger leicht in die Knie, stieß sich mit aller Kraft vom Boden ab, prallte gegen Bydlinski und riss ihn mit sich zu Boden.

»Bist deppert?«, war das Letzte, was Kluftinger hörte, dann wurde der heisere Aufschrei des Österreichers von einem ohrenbetäubenden Krachen verschluckt, als die Garnspulen auf dem Boden aufschlugen und zerbarsten.

Nachdem das Donnern verhallt war, rappelten sich die Männer keuchend hoch. Von der Halle war kaum noch etwas zu sehen: Der Staub, den die Spulen aufgewirbelt hatten, vernebelte ihnen die Sicht, legte sich als weiße Schicht auf ihre Kleidung, ihre Gesichter, ihre Haare.

Bydlinski glotzte Kluftinger mit einer Mischung aus Ungläubigkeit, Wut und Dankbarkeit an. Kluftinger nickte lediglich, sagte »Passt schon!« und begann, sich den Staub von der Kleidung zu klopfen. Ein Geräusch von der gegenüberliegenden Wand ließ ihn herumfahren. Sofort ruckte sein Kopf nach oben, doch diesmal bewegten sich die Spulen nicht. Stattdessen sah er gerade noch im Augenwinkel, wie jemand durch eine Tür weiter ins Innere der Halle schlüpfte.

»Schnell«, rief Kluftinger, doch seine Stimme war nur noch ein raues Kratzen. Dann setzte er sich in Bewegung. Sein ganzer Körper schmerzte, und er war sicher, sich einige Rippen bei seinem Sturz geprellt zu haben, denn jeder noch so flache Atemzug wurde von einem stechenden Schmerz in seinem Oberkörper begleitet. Er näherte sich der Tür mit einer Mischung aus Rennen und Hinken und schlüpfte ebenfalls hindurch. Wenige Sekunden später verriet ihm ein Keuchen, dass auch Bydlinski den Gang betreten hatte. Sie blieben stehen und kniffen die Augen zusammen: Es brauchte ein paar Sekunden, bis sie sich an das schummrige Licht gewöhnt hatten. Dann schlichen sie, die Waffe im Anschlag, den Korridor entlang. Kluftinger rieb sich die Augen, die von dem Schweiß-Dreck-Gemisch brannten, das ihm von der Stirn rann. Dann legte er seine Hand schnell wieder an die Waffe, denn er wollte nicht, dass Bydlinski sah, wie sie in seinen Fingern zitterte.

Am Bauch halten, am Bauch halten, wiederholte Kluftinger in Gedanken wie ein Mantra die Anweisung seines Schießtrainers. Der hatte ihm immer erklärt, dass die beste Methode, eine Waffe zu halten, die war, sie an den Bauch zu pressen. So könne man am schnellsten in Anschlag gehen und habe sie außerdem ganz ruhig in der Hand. Die üblichen Varianten, die man in Fernsehkrimis sah, seien dagegen zwar spektakulär, aber wenig praxistauglich. Ein Blick zu seinem Kollegen zeigte ihm, dass der Österreicher sich für eine der schickeren Cowboy-Versionen entschieden hatte.

Kluftinger verlangsamte jetzt seinen Schritt. Sie hatten das Ende des Flurs erreicht. Aus dem Raum vor ihnen fiel diffuses Licht. Von ihrer Position aus konnten sie lediglich erkennen, dass der Boden grau gefliest war. Bydlinski und Kluftinger sahen sich an. Die Halsschlagader des Kommissars pulsierte so stark, dass er sich sicher war, Bydlinski könne es sehen. Er wünschte sich einen seiner eigenen Kollegen hierher. Mit Strobl, Hefele oder sogar Maier hätte er sich bestimmt sicherer gefühlt. Die kannte er, zu denen hatte er Vertrauen …

Plötzlich drängte sich Bydlinski an ihm vorbei. Mit einem Satz sprang ihm der überraschte Kommissar nach und betrachtete den Raum. Sie standen in einem großen Duschsaal: Boden und Wände waren gekachelt, wenn auch ein beträchtlicher Anteil der Fliesen als Scherben am Boden lag. Aus den Wänden ragten verrostete Duschköpfe, ein kleines, schmales Fenster am oberen Rand verteilte ein fahles Licht im Raum, was ihm eine unwirkliche Atmosphäre verlieh.

Doch nicht deswegen fühlte sich Kluftinger so unbehaglich: Vier Durchgänge führten von hier aus in andere Räume. Durch welchen war der Flüchtige gegangen? Wartete er nur darauf, dass sie sich trennten und einzeln durch eines dieser schwarzen Löcher in der Wand kamen? »Wir bleiben zusammen«, zischte er Bydlinski zu, der aussah, als sei er froh über diese Entscheidung des Kommissars.

Gemeinsam schlichen sie, den Rücken eng gegen die Wand gepresst, zum ersten Durchgang. Etwa drei Meter, bevor sie ihn erreichten, ließ sie ein Zischen zusammenzucken. Sie sahen sich ratlos an, blickten sich dann um, um den Ursprung des Geräusches zu lokalisieren, der irgendwo im hinteren, dunkleren Bereich des Raumes liegen musste. Da begann es unmittelbar neben ihnen ebenfalls zu zischen.

Noch bevor Kluftinger feststellen konnte, was die Quelle dieses Geräusches war, spürte er die Feuchtigkeit. Einzelne Wassertropfen perlten auf sein Gesicht und seine Kleidung. Der Duschkopf über ihnen röchelte ein paar Sekunden lang wie ein asthmatisches Pferd, dann rauschte es, und genau in dem Moment, in dem sie erschrocken die Köpfe hoben, ergoss sich aus ihm ein Schwall stinkender, rostiger Brühe. Die Polizisten taumelten zurück, als auch der nächste Duschkopf anfing, Wasser zu speien, dann einer nach dem anderen, bis es schließlich von allen Seiten auf sie niederprasselte. Sie zogen die Köpfe ein und rannten gebeugt auf einen der Durchgänge zu. Doch das Wasser und der Dreck verwandelten die Fliesen in eine Rutschbahn, und so schlitterten sie mehr, als dass sie liefen, rutschten schließlich aus und landeten beide auf dem Boden im Duschraum der ehemaligen Spinnerei und Weberei – keuchend, nass und völlig verdreckt.

Erst als sie sich gegenseitig stützten, gelang es den Männern, sich aufzurappeln. Schließlich verließen sie den Duschraum mit vorsichtig tastenden Schritten. Es war für Kluftinger eine echte Befreiung, als er endlich wieder griffigen Belag unter seinen Sohlen spürte, und er lief erneut los. Sein Ziel war der Lichtschein am hinteren Ende des Flures. Über die Schulter schrie er Bydlinski zu: »Laufen Sie nach draußen, zu einer der Illerbrücken, falls er da rüber will.« Dann konzentrierte er sich auf seine Atmung, die einem Keuchen schon wieder beunruhigend nahe kam. Das Blut rauschte in seinen Ohren, als er den Ausgang erreichte und in die gleißende Helligkeit stolperte. Für einen Augenblick war er geblendet und sah überhaupt nichts mehr. Als die Welt für ihn langsam wieder Konturen annahm, erkannte er, dass er ganz allein vor dem Eingang stand.

Nervös blickte er nach rechts, wo sich ein langer, schmaler Grünstreifen zwischen der Fabrik und der steilen Uferböschung schlängelte. Links machte der Weg einen Knick und verschwand hinter der Halle. Kluftinger entschied sich intuitiv für diese Richtung und hastete los, verlangsamte sein Tempo aber, als er an der Ecke ankam.

Und da hörte er das Geräusch.

Es war ein leises Scharren, dann ein Schritt, dann wieder dieses Scharren. Das Herz des Kommissars pochte so wild, dass er fürchtete, er würde sich dadurch verraten. Er schluckte und wägte seine Alternativen ab: Bydlinski konnte er nicht rufen, dazu müsste er seine Deckung preisgeben. Und er hatte ihn in die andere Richtung geschickt, wofür er sich jetzt verfluchte. Auch sein Handy nutzte ihm nun nichts, telefonieren wäre zu laut. Schweißtropfen sammelten sich auf seiner Stirn, als ihm klar wurde, dass er den Mann allein würde stellen müssen.

Was also sollte er tun? Kluftinger sah auf seine Waffe. Das Scharren war nun unmittelbar hinter der Biegung. Mit einem gewaltigen Satz sprang der Kommissar um die Ecke, riss instinktiv die Waffe hoch und schrie. Der Schrei brach förmlich aus ihm heraus, noch bevor er irgendeinen klaren Gedanken fassen konnte. Erst ein, zwei Sekunden später, als sein Verstand sich durch das Dickicht der Angst an die Oberfläche kämpfte, sickerten seine eigenen Worte in sein Bewusstsein und er erstarrte. Doch es waren nicht nur seine Worte, die ihn erschreckten, auch der Anblick hinter der Ecke wirkte wie ein Schock. Das hatte er nicht erwartet: Das Scharren, das er gehört hatte, wurde von einem Gehwägelchen verursacht, hinter dem eine alte, faltige Frau gebeugt vor sich hin trottete. Sie blieb kurz stehen, fixierte den Kommissar ein paar Sekunden lang mit wässrigen, aber wachen Augen, schüttelte den Kopf und schlurfte in gemächlichem Tempo weiter.

Kluftinger war wie versteinert. Was war nur mit ihm los? Er nahm sich fest vor, das Schießtraining, vor dem er sich in der letzten Zeit so gut es ging gedrückt hatte, in Kürze freiwillig zu absolvieren. Und noch etwas nahm er sich vor: Er würde nie jemandem erzählen, dass er gerade »Geld oder Leben« gebrüllt hatte.

Innerlich von diesen Vorsätzen gestärkt, setzte er sich wieder in Bewegung. Ließ die Fabrik hinter sich, schlug sich durch die Böschung zu dem Fahrradweg durch, der hier entlang der Iller verlief. Und da sah er ihn wieder. Als wäre der Teufel hinter ihm her, preschte der Flüchtige auf die nahe gelegene Fußgängerbrücke zu. Und Kluftinger sah noch etwas: Auf der anderen Seite der Brücke rannte ebenfalls jemand, allerdings in die entgegengesetzte Richtung, genau auf den Mann zu: Valentin Bydlinski.

Kluftinger hatte keine Ahnung, wie er so schnell da rübergekommen war, und Bydlinskis körperliche Fitness nötigte ihm einigen Respekt ab. Doch er verschwendete keinen weiteren Gedanken daran, sondern lief nun ebenfalls auf die Brücke zu. Als er sie erreicht hatte, war sein Puls wieder an der Belastungsgrenze angelangt. Alles in ihm schien zu vibrieren, sein Herz trommelte in seiner Brust, Schweiß rann ihm übers Gesicht. Dennoch huschte ein Grinsen darüber: Jetzt hatten sie ihn, er saß in der Falle. In diesem Moment hielt der Flüchtende abrupt an: Er hatte Bydlinski gesehen, der am gegenüberliegenden Aufgang zur Brücke stehen geblieben war.

Von diesem Gefühl beflügelt, gab Kluftinger noch einmal alles, ignorierte das Seitenstechen, das sich in der linken Nierengegend breitmachte, umklammerte seine Waffe noch fester und begann zu schreien: »Bleiben Sie stehen. Polizei. Es hat keinen Sinn mehr!«

Der Mann sah sich fahrig nach allen Seiten um. Es gab keinen Ausweg für ihn, er musste aufgeben. Dann, wie in Zeitlupe, sah Kluftinger fassungslos, wie er einen Schritt aufs Geländer zu machte, noch einmal zu den beiden Polizisten sah, dann nach unten – und sich schließlich mit einem gewaltigen Satz über die Brüstung schwang.

Kluftinger blieb bestürzt stehen. Schon wieder ein Selbstmord, den die Polizei indirekt zu verantworten hatte? Es waren gut zwanzig Meter bis zur Wasseroberfläche. Und die Iller war hier nicht sehr tief, obwohl sie noch immer ein wenig Schmelzwasser aus den Allgäuer Hochalpen führte. Wenn es dumm lief … Er raste ebenfalls zum Geländer und sah gerade noch, wie der Mann mit einem gewaltigen Platschen in den grünen Fluten versank. Sofort riss ihn die gewaltige und tückische Strömung mit, die durch die vielen Wehre an den alten Industrieanlagen verursacht wurde.

Kluftinger rannte zum Geländer auf der anderen Seite, sah zunächst nur die tosenden Wassermassen, aus denen plötzlich ein prustender Kopf auftauchte. Der Teufelskerl hatte es tatsächlich geschafft. Offenbar war ein Sprung aus dieser Höhe doch nicht so gefährlich. Aber wie sollten sie ihn jetzt noch erreichen? Die Strömung trieb ihn rasend schnell von der Brücke weg. Immer wieder zog es ihn unter Wasser. Der Kommissar schaute sich nach Bydlinski um. Der hatte sich wieder in Bewegung gesetzt und rannte nun auf ihn zu. Und er schrie etwas. Zunächst verstand es der Kommissar nicht, doch dann realisierte er die Bedeutung der Worte: »Spring!«, schrie der Österreicher immer wieder. »Spring! Spring!«

Kluftinger schaute aufs Wasser. Sollte er wirklich … ? Konnte er … ? Ohne zu überlegen steckte er die Waffe ein, kletterte über das Geländer, tastete mit seinem Fuß nach dem schmalen Sims hinter der Absperrung, hielt sich mit den Händen am Geländer fest, hing schließlich, einer bizarren Galionsfigur gleich, schräg an der Brücke und starrte mit weit aufgerissenen Augen in die Tiefe.

In seinem Rücken hörte er Bydlinski schreien: »Jetzt spring halt! Spring, oder er is weg!«

Kluftinger nahm allen Mut zusammen, ging leicht in die Knie – und stieß sich halbherzig von der Brücke ab, ohne dabei die Hände vom Geländer zu nehmen. Dabei rutschte er mit einem Fuß weg und strauchelte, schwang sich panisch herum und hing nun, an die Brüstung geklammert, keuchend an der Brücke. Nein, er konnte nicht springen. Unter keinen Umständen. Dass er überhaupt über die Brüstung geklettert war, schien ihm völlig absurd.

Zurück. Wie ein Donnerschlag hallte dieser Gedanke in seinem Kopf wider. Ja, er musste zurück. Aber dieses Zurück kam ihm viel schwieriger vor, als das gedankenlose Herüberklettern. Er durfte nun auf keinen Fall abrutschen. Die Brücke erschien ihm mit einem Mal doppelt so hoch wie vorher. Schlagartig blieb ihm vor Beklemmung die Luft weg. Wie ferngesteuert schwang der Kommissar ein Bein übers Geländer. Es folgte das zweite Bein, dann sackte Kluftinger japsend auf dem Bürgersteig zusammen. Nach ein paar Sekunden drehte er sich um, steckte seinen Kopf zwischen die Gitterstäbe der Brüstung und sah den Flüchtigen etwa dreihundert Meter weiter auf das Ufer zuschwimmen. Er kniff die Augen zusammen, riss sie wieder auf … seine Waffe, wo war … Panisch griff er danach und spürte sie im Schulterholster. Wie gebannt starrte er auf die Wasseroberfläche. Seine Schläfen pochten … Schweiß brannte in seinen Augen … Und mit einer Wucht, die ihn selbst überraschte, wurde sein Kopf nach vorn gerissen, und er übergab sich würgend in den Fluss.

»So!« Bydlinski war inzwischen bei ihm angelangt. »Willst ihn jetzt vergiften, oder was?« Kluftinger wischte sich mit dem verdreckten Ärmel seiner Jacke über den Mund und lehnte sich mit dem Rücken ans Geländer.

»Warum bist du nicht gesprungen?«, wollte Bydlinski wissen.

»Spring doch selber«, gab Kluftinger krächzend zurück.

Der Österreicher reckte den Hals und sah aufs Wasser. Dann sagte er angewidert: »Ja pfui Teufel! Jetzt nimmer!«

Es war bereits gegen elf, als Kluftinger versuchte, möglichst unbemerkt in sein Büro zu schlüpfen. Dort hatte er immer eine Ersatzgarnitur Kleidung hängen. Er wollte unbedingt den neugierigen Fragen der Kollegen, warum er denn von oben bis unten nass und verdreckt sei, aus dem Weg gehen.

»Ja, sag mal, du bist ja von oben bis unten nass und verdreckt, was ist denn los, Klufti? Gehört das zu eurem Spezialauftrag? Ermittlungen im internationalen Schlammcatchermilieu?«, grinste ihm Hefele bereits entgegen, als er noch auf dem Treppenabsatz stand.

»Red doch nicht so saudumm daher«, blaffte Kluftinger zurück. »Habt ihr keine Arbeit, oder wie?« Dann ließ er Hefele stehen und ging durch die Glastür auf den Korridor, der zu seinem Büro führte.

Hefele stand betreten da.

»Jetzt Klufti«, rief er ihm nach, »sei halt nicht gleich eingeschnappt! War ja nicht so gemeint. Was war denn los?«

»Roland, ich hab euch gesagt, das ist eine geheime Aktion!« Dann schlüpfte der Kommissar in sein Büro.

»Geheime Aktion, verstehe!«, wiederholte Hefele, doch es klang ganz und gar nicht so, als habe er wirklich Verständnis dafür.

Kluftinger war erleichtert, sein Zimmer leer vorzufinden. Er zog sich um, putzte sich das erste Mal die Zähne mit der Zahnbürste, die ihm seine Frau mal mitgegeben hatte und von der sicher gewesen war, dass er sie nie brauchen würde, packte seine schmutzigen Klamotten in eine Plastiktüte, wusch sich den Staub aus dem Bart und wollte sich wieder auf den Weg nach draußen machen, als sich ohne vorheriges Klopfen die Tür öffnete.

Herein kam Strobl, der allerdings rückwärts lief und einen Plattenwagen hinter sich her zog, wie Kluftinger ihn aus der Registratur kannte. Darauf befanden sich einige offene Umzugskartons und ein paar Schreibtischutensilien. Als der Wagen die Tür gänzlich passiert hatte, rollte Hefele mit dem Fuß einen riesigen blauen Gymnastikball herein, an die Brust gepresst hielt er einen großen Blumentopf mit einer grün-weißen Lilie, von der bereits zahlreiche Ableger herunterhingen.

Kluftinger identifizierte sie unschwer als die in seinen Augen unansehnlichste Zimmerpflanze der gesamten Direktion, die Maier hinter seinem Schreitisch am Fenster stehen hatte und die er hütete wie seinen Augapfel. Vor seinem Urlaub stellte er stets einen Gießplan auf, den er, ausgedruckt auf leuchtgelbem Glanzpapier, am schwarzen Brett neben Sandy Henskes Schreibtisch aufhängte und den nie jemand befolgt hatte. Stattdessen gab man der Pflanze erst am Ende der zwei oder drei Wochen wieder Wasser, damit sie sich bis zum

Eintreffen ihres Inhabers wieder etwas erholen konnte. Maier schwor jedenfalls auf die Formaldehyd bindende Wirkung der Lilie, die angeblich nur dann voll ausgeprägt war, wenn die Pflanze regelmäßig »bepflegt« werde, wie er sagte.

Strobl und Hefele hatten Kluftinger noch nicht entdeckt, er stand so hinter der Tür, dass die ihn verdeckte. Hefele schob Kluftingers Schreibtischstuhl zur Seite, rollte den Ball unter den Tisch und stellte schließlich die Pflanze auf dem Tisch ab.

Strobl begann damit, Kluftingers Schreibtisch abzuräumen und die Dinge, die sich darauf befanden, in eine der Umzugskisten zu legen.

»Unser werter Herr Kluftinger, dass der so kindisch rum tut mit seinem tollen Geheimnis, lächerlich, oder?«, sagte er zu Hefele, der jetzt die Pflanze zum Fensterbrett brachte und nach einem geeigneten Platz suchte.

Scheint ja interessant zu werden, dachte sich Kluftinger.

»Ich weiß auch nicht so recht, was mit dem los ist. Schließlich sind wir ein Team, und jetzt auf einmal kann er nicht mehr mit uns reden. Aber eins sag ich dir ...« Strobl hielt inne, ging nah zu Hefele und blickte immer wieder verstohlen zur offenen Tür, weswegen sich Kluftinger ganz eng gegen die Wand presste. »... der Klufti ist mir hintenrum lieber als der Maier im Gesicht. Der meint jetzt, er ist der große Zampano. Der Klufti lässt einem wenigstens seine Ruh, auch wenn er manchmal ein bisschen komisch ist.«

»Ach so? Was ist denn so komisch, am ... Klufti?«, fragte der Kommissar mit einer Mischung aus gekränktem Stolz und Selbstironie.

Die beiden Angesprochenen zuckten zusammen.

»Bitte, meine Herren, nur zu, nehmt kein Blatt vor den Mund, sprecht euch aus!«

»Klufti, wir ... haben ...«

»Ihr habt grad über mich gelästert, schon klar.«

»Nein, wir haben dich nur nicht gesehen«, antwortete Strobl unsicher grinsend. Kluftinger wusste, dass er eine peinliche Situation gern mit Humor zu überspielen versuchte.

Hefele erging sich dagegen in Entschuldigungen: »Wir haben das ja nicht gegen dich ... nur gegen den Maier, im Vergleich. Und du musst zugeben, dass du mit deiner Geheimniskrämerei ein bisschen lächerlich wirkst.«

In diesem Augenblick betrat Richard Maier pfeifend den Raum, in der einen Hand sein Diktiergerät, in der anderen seinen Taschencomputer, der seit Neuestem sein Notizbuch ersetzte. Als er Kluftinger erblickte, sagte er: »Also Chef, dass du so wagemutig bist, Respekt. Und die Verfolgung ... ich bin sprachlos. Du hättest wirklich eine höhere Position verdient!«

»Ja, dass du hier das Kommando übernehmen kannst, das könnte dir so passen. Schon klar.«

»Nein, ich mein nur, du scheinst gute Arbeit zu machen in der Sondergruppe, was man hört. Interessantes Aufgabengebiet, echt.«

Hefele und Strobl sahen sich an, die Augenbrauen nach oben gezogen. Strobl war der Erste, der reagierte. »Aha, so ist das also. Der neue Herr Chef bekommt alles erzählt, nur das einfache Fußvolk ist der hochgeheimen Informationen nicht würdig. Schäbig ist das.«

Strobl schien tief gekränkt zu sein. Kluftinger verstand die Welt nicht mehr. Musste er sich nun von seinen eigenen Mitarbeitern anfeinden lassen, nur weil er sich an die Order hielt, die Yildrim ausgegeben hatte?

Maier fuhr fort: »Nur das mit der Speierei, das passt jetzt nicht so ganz zum Superbullen, oder? Hast du vielleicht was Schlechtes gegessen? Aber der Herr Bydlinski hat gemeint, es war von der Aufregung.«

Bydlinski! War ja klar, dass dieser Depp wieder alles ausgeplaudert hatte, dachte Kluftinger.

»Die Sandy Henske war ganz besorgt um deine Gesundheit«, schloss Maier seine Ansprache.

Wunderbar, auch die wusste also Bescheid.

»So, jetzt muss ich nur darum bitten, dass wir endlich mit unserer Abteilungskonferenz beginnen können«, sagte Maier nun dienstbeflissen, nachdem er auf seinem Gymnastikball Platz genommen hatte. Dabei nickte er Kluftinger auffordernd zu.

Strobl und Hefele blickten sich mit bitteren Mienen an.

Da Kluftinger nicht reagierte, schob Maier nach einer kurzen Pause nach: »Meine Auffassung der Personalführung hat viel mit Pünktlichkeit und klaren Regeln für die Untergebenen zu tun.« Er sah Hefele und Strobl musternd an.

Strobl presste unwillkürlich ein leises »Die Untergebenen. Jetzt bring ich ihn um!« hervor, während Maier weiter ausführte: »Bei den

Männern soll sich als Ritual unsere Konferenz um halb zwölf einbürgern, damit wir uns immer ein paar Fragen zum Durchdenken in den Mittag nehmen können.« Maier machte eine kurze Pause und schob dann mit einem Blick zu Kluftinger nach: »Und da sollten eben nur die anwesend sein, die es wirklich angeht, bei solch einem Ritual.« Er blickte den Kommissar lang an.

»Ja, soll ich jetzt gehen, oder wie?«, fragte Kluftinger schließlich ungläubig.

»Das wäre in dem Fall sicher angezeigt, ja.«

Noch einmal begann das Blut in Kluftingers Schläfen zu pulsieren. Er atmete tief durch und verließ kopfschüttelnd den Raum. Er hatte einfach nicht die Kraft, sich vor dem Essen noch einmal aufzuregen.

Kluftingers ruhige Mittagspause auf einer sonnigen Parkbank im Hofgarten hatte seine Akkus wieder aufgeladen. Als er den Tagungsraum der Task Force betrat, fühlte er sich frisch und ausgeruht und dank dreier Leberkässemmeln auch satt. Dennoch hatte er kein allzu gutes Gefühl dabei, Yildrim gegenüberzutreten. Die Fahndung nach dem Flüchtigen war bislang ohne Ergebnis geblieben.

Bydlinski saß bereits auf einem der Tische, während Willi Renn an seinem Laptop arbeitete. Marlene Lahm war nicht im Raum.

»Meine Herren«, begann Yildrim schließlich, während er den Raum betrat, »Sie haben nicht gerade das vorzuweisen, was man sich als Ermittlungsergebnis wünscht.«

Kluftinger ließ den Kopf hängen. Das ging ja gut los in der neuen Gruppe. Nichts war demotivierender und frustrierender, als eine neue Aufgabe gleich mit einem Misserfolg und der zugehörigen Rüge zu beginnen. Und wozu Yildrim da anhob, ließ sich wie eine handfeste Standpauke an. Kluftinger sah zu Bydlinski hinüber, der ungerührt vor sich hin starrte und auf einem Zahnstocher kaute.

»Der Mann ist flüchtig, und die Fahndung hat keinerlei Ergebnisse gebracht«, fuhr Yildrim fort. Auf einmal aber änderte sich sein Ton: »Aber Sie haben etwas angestoßen mit Ihrem Besuch beim Kulturverein. Und das ist besser als nichts. Der Umstand, dass der Mann vor uns geflohen ist, ist sozusagen ein Glücksfall. Zeigt er uns doch damit, dass er auf irgendeine Art und Weise Dreck am Stecken hat. Ich müsste mich sehr täuschen, wenn er nichts mit unserem Fall zu tun hat. Wie gesagt: Es muss nicht alles glattgehen bei unserer Arbeit. Wichtig ist, dass etwas vorangeht.«

Kluftingers Mundwinkel hoben sich wieder. Dieser Yildrim verstand es wirklich, seine Leute aufzubauen.

»Herr Kluftinger, vor allem Ihnen möchte ich ein großes Lob aussprechen. Sie haben bis zur körperlichen Erschöpfung alles getan, um den Mann zu stellen. Das ist der Einsatz, den ich mir wünsche. Weiter so, und nächstes Mal ist Ihre Anstrengung hoffentlich auch von Erfolg gekrönt.«

Kluftinger nickte und lächelte. Er freute sich immer mehr darüber, in die Gruppe berufen worden zu sein. Er würde hier viel lernen, da war er sich sicher, auch darüber, wie man anderswo zusammenarbeitete.

Bydlinski zeigte keinerlei Reaktion. Kluftinger war sich nicht einmal sicher, ob der Österreicher dem Leiter der Task Force überhaupt zugehört hatte.

»Kollegen, wir werden für die Fahndung ein Phantombild des Mannes anfertigen. Herr Renn wird es am Computer erstellen. Willi, bist du so weit?«, sagte Yildrim, und Kluftinger wunderte sich darüber, dass die beiden bereits nach so kurzer Zeit per du waren.

»Kein Problem, ich höre?«, rief Willi von seinem Tisch aus.

Die drei anderen begaben sich zu ihm. Renn sah Bydlinski und Kluftinger fragend an.

»Also ...«, begannen die gleichzeitig zu sprechen, was zur Folge hatte, dass eine kleine Pause entstand, weil jeder dem anderen den Vortritt lassen wollte.

»Ungefähre Körpergröße?«, fragte Renn etwas gereizt.

Bydlinski und Kluftinger sahen sich schulterzuckend an.

»Eins siebzig«, sagte Kluftinger vorsichtig.

»Nein, eher eins achtzig, vielleicht«, meinte Bydlinski.

Renn blickte zu Kluftinger, der nickte.

»Dunkle Haare, ovales Gesicht, dunkle Augen, sportliche Figur, fast ein Athlet würd ich sagen«, fuhr Bydlinski fort. »Umso verwunderlicher, dass er dem Herrn Kluftinger nicht früher entwischt ist.«

Kluftinger warf ihm einen bösen Seitenblick zu. Dann sprach der Österreicher weiter.

»Und eine Gesichtsfrisur hat er gehabt.«

Renn blickte fragend von seinem Bildschirm auf.

»Einen Bart halt«, erklärte Bydlinski. »Einen dunklen, buschigen Bart.«

Nach einigen Mausbewegungen und Klicks hatte Willi dem ovalen Kopfumriss auf dem Bildschirm einen Schnurrbart verpasst.

»Nein, keinen Moustache.«

»Was?«

»Keinen Moustache, keinen Schnäuzer, einen Vollbart, so wie er«, gab Bydlinski mit einem Blick auf Kluftinger zurück.

Innerhalb von Sekunden hatte das Gesicht einen dunklen Bart.

»Nase?«, bohrte Willi nach.

»Schon.«

Renn sah Bydlinski wutentbrannt an.

»Klufti, der Herr hier hat anscheinend in der Witzkiste übernachtet heute. Kannst du die Nase des Mannes beschreiben?«

»Hab eh nur ein Kasperl gefrühstückt, in der Witzkiste ist schon der Kara Ben Nemsi gelegen«, kam Bydlinski Kluftinger zuvor und erntete dafür Kopfschütteln aller Anwesenden.

»Eine markante Nase, eher so hakenförmig, vorne aber relativ breit.«

Allmählich entstand auf Willi Renns Computer ein Phantombild, das mehr und mehr dem Mann glich, der ihnen heute früh entwischt war.

Auf einmal fuhr Faruk Yildrim herum, ging zu seinem eigenen Computer und begann wild darauf herumzutippen.

Renn stellte das Phantombild fertig und druckte es in verschiedenen Versionen aus.

»Faruk, ich wär so weit«, rief Renn, »soll ich das Bild an die Fahndung ranhängen?«

»Einen Moment noch«, bat Yildrim.

Eine Minute später schaltete er mittels Fernbedienung den Beamer ein. An Kluftinger und Bydlinski gerichtet, der mittlerweile gelangweilt mit seinem Handy herumspielte, sagte er: »Ist er das?«

Mit einem Tastendruck erschien das Bild auf der Leinwand. Es handelte sich um ein erkennungsdienstliches Foto, das erkannte Kluftinger sofort. Und noch etwas erkannte er: Das war der Mann, der vor wenigen Stunden vor seinen Augen in die Iller gesprungen war.

»Meine Herren, das ist Alii Hamadoni. Sie erinnern sich: Ich habe Ihnen in unserer ersten Sitzung das Foto eines seiner Hintermänner gezeigt: Sergej Iljanov ist der Kopf des tadschikischen Waffenhandels, er hier ist einer der Arme. Ist Hamadoni der Mann, den wir suchen?«

»Treffer«, antwortete Kluftinger knapp, und Bydlinski ergänzte grinsend: »Versenkt.«

»Nun, Respekt, meine Herren, da haben Sie ins Schwarze getroffen. Ein Waffenschieber, nicht schlecht.«

»Mein lieber Schieber«, grinste Kluftinger stolz, und sie brachen in ein befreiendes Lachen aus. Dann fuhr Yildirim fort: »Tja, nur leider auch ein sehr gewitzter Waffenschieber. Wir konnten ihm bislang nichts nachweisen, obwohl wir ihn immer wieder vorläufig festgesetzt haben. Er bekommt die besten Anwälte bezahlt. Und dann taucht er immer wieder für lange Zeit unter ... Also, bildlich gesprochen. Jedenfalls bisher.« Yildrim grinste. »Dass er hier auf- und auch wieder abtaucht, ist einigermaßen überraschend. Ich weiß nicht, ob er mit der Terrorsache selbst wirklich was zu tun hat. Vielleicht war es nur Zufall, dass er gerade in diesem Kulturverein war. Allerdings ein sehr großer Zufall, finden Sie nicht?«

Kluftinger schluckte. Damit hatte er nicht gerechnet. In seiner Vorstellung war der Mann, der vor ihm weggelaufen war, nur ein unbedeutender Kleinkrimineller gewesen.

»Nun«, riss ihn Faruk Yildrim aus seinen Gedanken, »wir werden dem tadschikisch-islamischen Kulturverein jedenfalls einen Besuch abstatten, den sie so schnell nicht vergessen werden. Wenn Typen vom Kaliber Hamadonis dort ein- und ausgehen, spricht das Bände über diese Vereinigung. Ich möchte, dass wir möglichst massiv auftreten. Herr Kluftinger, können Sie dafür sorgen, dass unser Besuch von einigen Uniformierten unterstützt wird?«

»Wird gemacht, Herr Yildrim. Haben wir denn einen Durchsuchungsbefehl?«

»Den werden wir nicht brauchen. Zumindest vorerst nicht. Wir lassen uns das nachträglich absegnen. Unsere Operation läuft unter Terrorverdacht, da brauchen Sie sich um Formalitäten weit weniger Sorgen machen als sonst.«

Yildrim ließ bei seiner Ankunft in Kempten-Kottern keinen Zweifel an seiner Entschlossenheit aufkommen. Zwei Dutzend Polizeibeamte stürmten mit gezogenen Waffen die alte Treppe zum TIK hinauf. Auf dem Treppenabsatz angekommen, forderte Yildrim die Beamten zur Ruhe auf und drückte die Klingel. Die Nerven der Polizisten waren aufs Äußerste gespannt.

Die Tür ging auf, im Türspalt erschien Kudratov. Yildrim drehte sich für einen Augenblick um und auf sein nicht einmal allzu lautes »Zugriff« brach ein höllisches Geschrei los.

Wenige Sekunden später hatten sich die Polizisten in allen Räumen verteilt. Die Männer darin wussten nicht, wie ihnen geschah. Einigen konnte man die Angst vor der fremden Staatsmacht an den Augen ablesen, andere gewannen schon nach kurzer Zeit ihr Selbstbewusstsein wieder und empörten sich lautstark in ihrer Landessprache. Kluftinger hielt Kudratov in Schach, der das Treiben mit zusammengekniffenen Augen beobachtete.

Yildrim hatte derweil einen Rundgang durch die Räume gemacht und kam nun auf Kluftinger und Kudratov zu, die im Korridor standen. Allmählich steigerte sich das Stimmengewirr zu einem regelrechten Gebrüll. Kluftinger hatte Mühe, einen klaren Gedanken zu fassen.

Yildrim holte tief Luft und schrie dann aus voller Kehle einen türkisch oder arabisch klingenden Satz durch die Wohnung. Er hatte ein derart lautes Organ, dass sogar Kluftinger zusammenzuckte. Mit einem Mal waren alle Stimmen verstummt. Aus den Zimmern war kein Laut mehr zu hören. Einige der Männer versuchten einen Blick auf Yildrim zu erhaschen, indem sie sich auf ihren Stühlen vorbeugten. Alle sahen ihn mit großen Augen an.

»Respekt«, flüsterte Kluftinger, »was haben Sie denn gerade gesagt?«

»Nicht so wichtig jetzt. Erkläre ich Ihnen ein andermal.«

Yildrim nutzte die gespannte Stille für einen eindrucksvollen Auftritt – zu Kluftingers Beruhigung nun aber auf Deutsch. »Wir sind vom Bundeskriminalamt. Sie alle sind vorläufig festgenommen, bis wir Ihre Personalien überprüft und Sie befragt haben. Wer sich nicht ausweisen kann, den nehmen wir mit. Halten Sie auch Ihre Aufenthaltserlaubnis oder Ihre Duldung bereit, wenn Sie kein EU-Bürger sind. Sollten Sie nicht mit uns kooperieren oder irgendwelche

Schwierigkeiten machen, kann das Ihnen und Ihren Familien zu erheblichem Schaden gereichen. Meine Beamten sind gehalten, auf die geringste Bedrohung rigoros zu reagieren. Verhalten Sie sich also besonnen und warten Sie schweigend ab, bis man Sie bittet, sich zu identifizieren.«

Die Art, wie Yildrim auftrat, war so bestimmt und zeugte von einer so großen Autorität, dass die Männer, die sicher vieles gar nicht verstanden hatten, eingeschüchtert dreinblickten. Mit wenigen Sätzen hatte Yildrim ihnen den Schneid abgekauft. Kluftinger war so beeindruckt, dass er kurz selbst nach seinem Ausweis gegriffen hatte, der in seiner Hosentasche steckte.

»Und nun zu Ihnen. Anatol Kudratov, nehme ich an? Folgen Sie uns bitte zur Vernehmung.«

Kudratov starrte Yildrim wutentbrannt an. Doch der hielt seinem Blick stand. Schließlich war es Kudratov, der zu Boden sah und sich in Richtung seines »Büros« in Bewegung setzte.

Wenige Augenblicke später befanden sich Bydlinski, Kluftinger und Yildrim mit Kudratov im besagten Raum. Die Beamten standen in den Ecken des Zimmers, während sie Kudratov bedeutet hatten, auf einem der kleinen Hocker Platz zu nehmen, auf denen vor einigen Stunden noch Kluftinger und Bydlinski gesessen hatten. So schnell hatten sich die Vorzeichen geändert. Dennoch machte Kudratov einen selbstsicheren Eindruck.

»Erzählen Sie uns von Alii Hamadoni«, begann Yildrim das Verhör.

Kudratov überlegte einen Moment, um dann ruhig zu antworten: »Er ist noch nicht lange Mitglied unserer Gemeinschaft. Doch unsere Partnervereine in München und Frankfurt kündigten seinen Umzug ins Allgäu an. Und für uns war klar, dass wir unseren Bruder nach Kräften unterstützten, hier Fuß zu fassen. Er schlief am Anfang in diesen Räumen, weil er Probleme hatte, eine adäquate Wohnung zu finden.«

»Ist Ihnen klar, dass Hamadoni ein berüchtigter Waffenschieber ist?«, fragte Kluftinger, den Blick auf Yildrim gerichtet. Er wollte sichergehen, dass der seine Frage absegnete, was er mit einem Kopfnicken tat.

»Wissen Sie, die Lebensumstände führen oft dazu, dass man Dinge tun muss, die man vielleicht selbst nicht gutheißt. Wir sehen nicht darauf, was unsere Brüder beruflich tun. Im Islam ist jeder der Brüder gleich viel wert. Alii ist darüber hinaus stets großzügig gegen die Armen und Bedürftigen. Seine Barmherzigkeit ist vorbildlich.«

»Und deswegen ist er jetzt abgehauen, oder was?«, mischte sich nun auch Bydlinski ein.

»Ich kann mir seine Flucht nicht erklären. Wie gesagt, sein Verhalten hier im Verein war stets integer und von großer Religiosität geprägt. Über seine Hintergründe und seinen bisherigen Lebensweg kann ich Ihnen nichts sagen.«

»Fanden Sie es nicht seltsam, dass er sich zunächst keine Wohnung nahm, wo er doch hier Fuß fassen wollte, und wie Sie sagen, auch über Geld verfügte?«

»Es ist nicht an mir, über meinen Bruder zu richten oder Mutmaßungen anzustellen.«

Yildrim erwiderte gereizt: »Hören Sie zu, Kudratov, lassen Sie hier nicht den religiösen Ordensmann raushängen. Sie sollten sich schon Gedanken über den Mann machen und uns die auch mitteilen. Sonst werde ich nämlich versuchen, Sie ein bisschen zu richten, kapiert? Denn immerhin haben Sie als Hauptmieter ihn hier in Ihrer Wohnung beherbergt. Und damit hängen Sie mit drin.«

Unbeeindruckt versetzte Kudratov daraufhin: »Ich lasse mir von Ihnen nicht drohen. Wir leben in einem Rechtsstaat. Auch Sie sind an Gesetze gebunden.«

Yildrim sah zu Kluftinger, der dies als Aufforderung verstand, die nächste Frage zu stellen.

»Wo könnte sich Hamadoni aufhalten?«

»Ich weiß es nicht, mein Herr.« Seine Äußerung von eben und das kurze Innehalten Yildrims schienen Kudratov ungeheuren Auftrieb zu geben.

»Ich aber weiß«, versetzte Yildrim scharf, »dass wir Sie nach allen Regeln der Kunst überwachen werden. Und wenn sich Hamadoni irgendwie und irgendwann mit Ihnen in Verbindung setzt und Sie uns das nicht umgehend mitteilen, dann gnade Ihnen Gott, Kudratov.«

Der Vorsitzende des Vereins nickte ungerührt.

Willi Renn, der mit zwei Beamten aus seiner Abteilung ebenfalls mitgekommen war, betrat ohne Anklopfen den Raum und nahm mittels Pinsel und Puder Fingerabdrücke von Tastatur und Maus des Laptops. Dabei schaltete er ihn versehentlich ein.

»Nun zu Tobias Schumacher«, fuhr Kluftinger fort, der genau zu wissen meinte, worauf Yildrim hinauswollte, und das Gefühl hatte, sie seien ein eingespieltes Team. »Wir haben Sie heute früh schon nach ihm befragt, als uns die Flucht Hamadonis dazwischenkam. Um es klarzustellen: Schumacher lebt nicht mehr.«

Die drei Beamten sahen Kudratov an. Der verzog keine Miene, nicht einmal ein Zucken im Gesicht nahmen die Männer wahr.

Bydlinski ergänzte: »Der hat sich selbst den Kopf weggeschossen. Sich gerichtet, wie Sie sagen würden.«

Kudratov blieb noch immer regungslos.

Kluftinger wurde lauter: »Sie waren es doch, der ihn bei seiner … Konvertierung zum Islam unterstützt und begleitet hat. Oder soll ich sagen, der ihn dazu angestiftet hat?«

Jetzt sah Kudratov auf: »Mir gefällt Ihre aufbrausende Art nicht, meine Herren. Aber wie Sie wünschen. Ich werde mich äußern zum Tod Schumachers. Ich habe ihn im Kultus unterwiesen. Ihnen muss ich das wohl nicht erklären«, sagte Kudratov mit einem Blick auf Yildrim, um dann fortzufahren, »…oder vielleicht gerade Ihnen. Sie sind Türke, nicht wahr?«

Yildrim sah ihn ausdruckslos an.

»Nun, wie dem auch sei, Tobias hat seinen Weg gefunden, den Weg eines Streiters für seinen Gott. Ich kann die Hintergründe nicht begreifen, die zu seinem Tod geführt haben. Aber er war ein so zielstrebiger Mensch, dass er sicher die richtige Entscheidung getroffen hat. Er wird seinen Lohn von einer höheren Macht bekommen.«

»Ach ja? Welchen Lohn denn? Wofür? Warum hat er sich denn gleich eine Kugel ins Hirn gejagt?«, hakte Bydlinski nach.

»Ich habe Ihnen gesagt, was ich mir erklären kann und wie ich die Sache einschätze. Weiter kann ich Ihnen nicht helfen.«

Den drei Polizisten war klar, dass Kudratov von nun an auf stur schalten würde.

Es entstand eine kurze Stille, in die hinein Willi Renn rief: »Faruk, schau dir das mal an, bitte!«

Alle sahen zu Renn hinüber, der über den Laptop gebeugt am Tisch stand.

Yildrim besah sich den Bildschirm, drehte ihn dann herum, sodass Kluftinger und Bydlinski ihn sehen konnten.

Kluftinger gefror das Blut in den Adern: Der Computer zeigte eine Uhr, die rückwärts lief. Der Countdown stand bei 5 Tagen, 5 Stunden und 49 Minuten.

Sie hatten Kudratov und etliche Männer aus dem TIK mit in die Direktion genommen. Von einigen war zumindest klar, dass sie sich illegal in Deutschland aufhielten. Doch das spielte für Faruk Yildrim und seine Gruppe im Moment keine Rolle: Entscheidend war der Hinweis, den sie auf dem Laptop gefunden hatten, von dem Kudratov beharrlich behauptete, es sei der von Hamadoni. Marlene Lahm, laut Yildrim eine Verhörspezialistin, hatte sich Kudratov vorgenommen.

Willi Renn untersuchte derweil mit seinen Männern die beiden Computer aus dem TIK auf taktile Spuren. Danach würden sich Computerspezialisten um deren Innenleben kümmern. Kluftinger fühlte sich ein wenig deplatziert und blätterte im Raum der Task Force in einem Exposé über Tadschikistan, das ihnen Yildrim zur Lektüre gegeben hatte und dem er leicht errötend entnahm, dass Duschanbe die Hauptstadt des Ex-Sowjetstaates war.

Bydlinski schien das Studium dieser Unterlagen für überflüssig zu halten. Er unterhielt sich stattdessen lieber mit Sandy Henske, die man immer wieder leise kichern hörte.

Schließlich erhob sie sich, ging auf den Gang und ließ Bydlinski zurück, der ihr eine Kusshand zuwarf.

Kluftinger rang ein wenig mit sich, ob er sie nicht zur Rede stellen sollte. Allmählich ging ihr Verhalten doch zu weit, obwohl der Kommissar natürlich wusste, dass Bydlinski die größte Schuld daran traf. Aber ihr gegenüber war er weisungsbefugt und fühlte sich jetzt auch ein wenig verantwortlich für sie.

Als sie ins Zimmer kam, suchte er nach den passenden Worten und wollte gerade ansetzen, als sie an der Tür zum angrenzenden Vernehmungsraum klopfte. Er musste sich sehr konzentrieren, um sie verstehen zu können, schließlich hielt er kurz die Luft an.

»Wenn Sie ihn also für heute entbehren könnten, Herr Yildrim? Frau Kluftinger sagt, es sei wirklich dringend, und bei all dem, was er heute durchgemacht hat, braucht er ja auch seinen Feierabend, er is ja ooch nisch mehr der Jüngste. Aber er würde Sie eben selbst nie danach fragen.«

Kurz darauf erschien Faruk Yildrim im Türrahmen und sagte mit einem Lächeln zu Kluftinger: »Warum haben Sie denn nichts gesagt von Ihrem wichtigen familiären Termin, Herr Kluftinger? Das ist wirklich kein Problem.« Er machte eine kurze Pause und zwinkerte ihm dann zu. »Und das nächste Mal schicken Sie nicht die Frau Henske vor, sondern kommen selbst zu mir, ja?«

Bevor eine Erwiderung möglich war, hatte Yildrim die Tür bereits wieder zugezogen.

Sandy Henske sah schuldbewusst aus. Sie schien sagen zu wollen, dass sie das ja auch wieder nicht gewollt habe, brachte aber keinen Ton heraus.

»Nie wieder«, zischte Kluftinger, »nie wieder so ein Alleingang, verstanden?«

Sandy, die von ihrem Chef noch nie so scharf angesprochen wurde, sah zu Boden und presste aus bebenden Lippen ein leises »Tschuldigung, Chef« hervor.

Als Kluftinger die Tanzschule in der Kemptener Innenstadt betrat, erfüllte ihn ein Gefühl tiefer Resignation: War er denn nicht Manns genug, auch einmal Nein sagen zu können? Konnte er seiner Frau nicht ein einziges Mal Paroli bieten? Ihr einen einzigen kleinen Wunsch abschlagen? Im Endeffekt lag genau da der Hase im Pfeffer: Er konnte seine Frau einfach nicht enttäuschen. Und sie wäre enttäuscht gewesen, hätte er sich geweigert, mitzugehen. Bitter enttäuscht. Über Wochen. Sie war eine emotionale Erpresserin, und er hatte sämtliche Lösegeldforderungen bislang immer erfüllt.

Er beschloss, es in Zukunft nicht mehr so weit kommen zu lassen, auch wenn er bereits wusste, dass er es nicht durchhalten würde. Für die aktuelle – er umschrieb im Geiste seine missliche Lage neutral mit »Situation« – brachte ihm diese Erkenntnis allerdings gar nichts. Er war hier, und er würde Teil dieses Abends sein, ob er wollte oder nicht. Und er wollte nicht.

Schon der Geruch des Tanzsaals rief in ihm bittere Erinnerungen wach: an seine Jugendzeit, als sie auf katholischen Freizeiten auch Tanzunterricht bekommen hatten; daran, dass dort meist nur Jungen miteinander getanzt hatten, weil alles andere moralisch nicht vertretbar gewesen wäre; an die hübsche Lehrerin bei seinem ersten Tanzkurs, die ihn mehr interessiert hatte als alle gleichaltrigen Mädchen, und seine feuchten Hände, wenn sie ihm einen neuen Schritt beibrachte, sowie seine Verlegenheit deswegen, die in noch feuchteren Händen mündete. Dann die Erinnerungen an seinen letzten Tanzkurs kurz vor der Hochzeit, an die Leichtfüßigkeit, mit der er damals noch übers Parkett geschwebt war – eine Leichtfüßigkeit, die der Tanzlehrer seinerzeit als »elefantöses Getrampel« bezeichnet hatte … alles in allem keine guten Erinnerungen, wie er fand.

Auch der Tanzsaal sah genau so aus, wie er ihn vor seinem geistigen Auge noch vor sich sah: ein großer, rechteckiger Raum, ausgelegt mit dunklem, zerschrammtem Parkett, eine riesige Spiegelwand, die sein Unbehagen verdoppelte, ein paar plüschige Sitzgelegenheiten hinter einem Mäuerchen, am anderen Ende des Saals eine Bar. Eine riesige Discokugel hing in der Mitte des Raumes von der Decke. Das alles atmete die Atmosphäre längst vergangener Zeiten, sodass Kluftinger sich fühlte, als habe er nicht nur die Tür zu seelischer Pein, sondern auch gleich noch ein Zeitfenster aufgestoßen.

Nur die Musik, die aus den Lautsprechern dröhnte, verwies eindeutig auf die Gegenwart. Satte Bässe fuhren ihm in die Magengrube, er hörte Textfetzen wie »Yo, Man« und »Masafacka«, die er nicht verstand. Dazu zuckten auf der Tanzfläche junge Menschen wild mit ihren Gliedmaßen, ließen sich ab und zu auf den Boden fallen, um dort Handstände oder andere Akrobatik zu vollführen. Hin und wieder wogten sie mit den Hüften wie Naturvölker bei Fruchtbarkeitsriten. Kluftinger bekam große Augen: Das verstand man heute unter einem Tanzkurs? Er sah kein einziges Pärchen, nur erstaunlich gelenkige Solisten in Hosen, deren Bund unter dem Hintern hing und deren Boden in den Kniekehlen begann. Vor seinem geistigen Auge sah er sich bereits schwitzend am Boden liegen und unter den Anfeuerungsrufen von Erika und Dr. Langhammer einen Handstand probieren – nein, dachte er, das würde er nicht mitmachen, für alles gab es Grenzen, für alles …

»Erika«, setzte er an, wurde aber von einer Durchsage unterbrochen. »Danke, das war's!« Schlagartig war die Musik verstummt und eine Stimme verabschiedete über Lautsprecher den »Jugendkurs Hip Hop« – für Kluftinger hatte es eher ausgesehen wie »Hoppel Poppel«. Immerhin: dieses Zucken, dem der Mann am Mikrofon da eben einen Namen gegeben hatte, würde ihm wenigstens erspart bleiben, denn zum Jugendkurs waren er und die anderen angegrauten Herrschaften, die er vor der Türe gesehen hatte, eindeutig nicht eingeteilt.

Plötzlich befanden sich der Kommissar und seine Frau in einem Strom erhitzter, lachender junger Menschen, die fast alle große Baseballkappen zu ihren unglaublich schlecht sitzenden Hosen trugen, und er meinte von einem mit einem spöttischen Blick bedacht worden zu sein und das Wort »Rentnerkurs« aufgeschnappt zu haben.

Dann ertönte wieder Musik, und diesmal fühlte sich Kluftinger schon ein bisschen mehr zu Hause: »Marie, der letzte Tanz ist nur für dich« trällerte da unverkennbar der große Rex Gildo, von dem Kluftinger sogar seinen bürgerlichen Namen Ludwig Alexander Hirtreiter kannte, was ihm nun völlig zusammenhangslos einfiel, und er wurde ein bisschen melancholisch. Nicht nur, weil sich Rex Gildo, dessen Musik er immer gerne gehört hatte, vor einigen Jahren mit einem Sturz aus dem Fenster das Leben genommen hatte, sondern vor allem, weil er wusste, dass bis zu seinem für heute letzten Tanz noch viele schreckliche Minuten vergehen würden.

»Wir sind jetzt dran«, sagte Erika an seinen Arm geschmiegt. Auch sie schien wegen der Musik und der Atmosphäre des Tanzsaals in Erinnerungen zu schwelgen – allerdings in deutlich angenehmeren als er. Sie setzten sich auf eine der gepolsterten Bänke gegenüber dem Eingang.

Kluftinger holte gerade seine neuen Schuhe heraus, da betrat Dr. Langhammer den Saal. Was heißt betrat: Er erschien! »Der Colt steckt immer im Pyjama«, schmetterte Rex Gildo gerade und Kluftinger wünschte sich, er hätte seinen ebenfalls dabei – wahlweise um sich oder aber der Erscheinung vor ihm eine Kugel in den Kopf zu jagen: Langhammer trug eine dieser schwarzen Hosen mit seitlich aufgenähtem Glitzerband samt silbern glänzender Bauchbinde, wie sie der Kommissar aus amerikanischen Filmhochzeiten oder von Tanzturnie-

ren kannte, deren Fernsehübertragungen für ihn regelmäßig die Tief-
punkte langweiliger, verregneter Novembersonntage markierten.
Dazu trug er ein enges schwarzes Hemd und eine ebenfalls silbrig
glänzende Weste, die Kluftinger an die Discokugel an der Decke
erinnerte. Annegret folgte ihm in einem eleganten nachtblauen Kostüm und sah für den Kommissar darin erfrischend unauffällig aus.
Aber neben ihrem Mann hätte wahrscheinlich sogar ein Pfarrer in
brokatenem Messornat dezent gewirkt.

»Na, meine Lieben, ihr seid ja schon da«, begrüßte sie der Doktor
strahlend. »Erika, das ist wirklich ein so tolles Geschenk, das du uns da
gemacht hast, nicht wahr, meine Taube?« Annegret lächelte nur leicht.

Kluftinger erinnerte Langhammers Begrüßungsrede schmerzlich
daran, dass seine Frau mit ihrem vermaledeiten Weihnachtsgeschenk
die ganze Sache überhaupt erst ins Rollen gebracht hatte. Während
sich der Doktor darüber zu freuen schien wie eine Ballprinzessin über
ihr Krönchen, hatte Kluftinger dieses Geschenk, das sicher nicht gerade billig gewesen war, etwa so viel Begeisterung entlockt wie seiner
Frau das Präsent, das sie von ihm bekommen hatte: Er hatte sich von
einer Verkäuferin überrumpeln lassen und ihr zu einem Bademantel
auch noch bordeauxrote Dessous gekauft. Die waren inzwischen – er
war neulich zufällig darauf gestoßen – ganz unten im Wäscheschrank
gelandet, und sie hatten seither nie wieder darüber geredet. Immerhin: Den Bademantel hatte sie fast täglich an.

»Das ist noch aus meiner Zeit als Formationstänzer«, beantwortete
Langhammer Kluftingers verächtlichen Blick auf seine Aufmachung.

»Ja, wenn ich das gewusst hätt, dann hätt ich mir vorsichtshalber
eine Sonnenbrille mitgebracht«, knurrte der zurück und kniff die
Augen zusammen, als schaue er direkt in gleißendes Sonnenlicht.

Mit einem ähnlichen abfälligen Gesichtsausdruck musterte Langhammer die neuen Tanzschuhe des Kommissars. Er holte gerade Luft,
um sie zu kommentieren, da ertönte wieder die Stimme aus dem
Lautsprecher: »Hallohalli, meine hochverehrten Damen, geschätzte
Herren! Bitte alle Paare auf die Tanzfläche kommen, wir fangen
gleich mit der Aufwärmrunde an.«

Kluftinger sah sich im Raum um und entdeckte den Mann, zu dem
die Stimme gehörte: Es war ein in die Jahre gekommener, ein wenig
zu stark blondierter Berufsjugendlicher Mitte vierzig in schwarzen

Pluderhosen, dessen Hemd über der solariumgebräunten Brust weit offen stand. So würde wohl Rex Gildo aussehen, wenn er noch leben würde, dachte Kluftinger. Und er meinte das nicht als Kompliment.

Er trat mit Erika auf die Tanzfläche. Sein Blick glitt über die anderen Paare. Etwa fünfzehn, schätzte Kluftinger. Er versuchte sofort auszumachen, welche Männer freiwillig hier und welche von ihren Frauen gezwungen worden waren. Die meisten schienen sich jedoch tatsächlich auf die kommenden eineinhalb Stunden zu freuen, denn sie tuschelten aufgekratzt und lachend mit ihren Begleiterinnen. Es war ein bunt gemischter Haufen, rechts neben ihm stand Langhammer mit seiner Frau, weiter hinten sah Kluftinger eine unvorstellbar dicke Frau mit einem ebensolchen Partner, ganz am Ende des Saals hatte sich ein junges, sehr attraktives Pärchen aufgestellt. Als die blonde Frau Kluftingers Blick erwiderte, errötete er und schaute verlegen in eine andere Richtung.

»Na, Herr Kluftinger, geht doch nichts über ein bisschen Bewegung, was? Ich hab's Ihnen ja gleich gesagt!«

Die rauchige Stimme in seinem Rücken ging dem Kommissar durch Mark und Bein. Und als eine Wolke abgestandenen Zigarilloatems zu ihm herüberschwappte, war ihm klar, warum er so erschrocken war: Er drehte sich um und blickte in das ledrige, grinsende Gesicht von Friedel Marx.

»Die Welt ist doch klein, oder?«, fragte sie weiterhin grinsend und entblößte dabei ihre gelben Zähne.

»Allerdings«, antwortete Kluftinger. Er hatte die Kripo-Kollegin aus Füssen bei einem seiner letzten Fälle kennengelernt, der sich um dunkle Geheimnisse am Grund des Alatsees gedreht hatte. Ihre Zusammenarbeit war zu Beginn mehr eine Zwangsgemeinschaft gewesen, als dass sie von besonderer Herzlichkeit gekennzeichnet gewesen wäre. Gegen Ende des Falles war Kluftinger mit der burschikosen Kollegin jedoch ganz gut klargekommen. Seither hatte er sie aber weder gesehen noch gesprochen, auch wenn die Kollegen immer mal wieder gehässig behaupteten, sie habe sich sehnsüchtig nach ihm erkundigt. Und nun traf er sie ausgerechnet hier wieder mit … ja mit wem eigentlich?

»Freut mich, dass wir uns mal wieder sehen«, tönte es plötzlich neben dem Kommissar und eine Hand schob sich in sein Blickfeld.

Eigentlich war sein Personengedächtnis gut, aber jetzt musste Kluftinger doch etwas überlegen. Dieses Gedächtnis funktionierte eben vor allem dann, wenn er die Menschen nicht in völlig unerwarteten Zusammenhängen wieder traf. Und dass er ...

»Steinle. Günther Steinle«, sagte der andere.

... dass er also Steinle hier in Kempten in einer einigermaßen kompromittierenden Situation wiedertraf, anstatt ... jetzt fiel es ihm ein: anstatt in Füssen, wo er das Wasserwirtschaftsamt leitete und ebenfalls an den Ermittlungen dieses Falles beteiligt gewesen war, machte ihm das Erkennen schwerer.

Kluftinger erinnerte sich an ein Gespräch mit Steinle im abgelassenen Forggensee, wo ihm der Mann erzählt hatte, dass er und Friedel Marx vor langer Zeit ein Paar gewesen seien. Sollten sie etwa ...?

»Ja, wir zwei versuchen's noch mal miteinander«, sagte Steinle und legte grinsend eine Hand um die Schulter der Marx, die das mit einem kehligen Husten quittierte. »Und Sie sind nicht ganz unschuldig dran. Mit dem Fall und so weiter.«

Kluftinger hatte alle Mühe, sein Gesicht nicht zu verziehen, aber die Vorstellung dass er Friedel Marx, diesem kettenrauchenden Mannweib, zu einem Partner verholfen hatte, war ...

»Willst du mich nicht vorstellen?« Erika hatte sich zu ihnen gesellt.

»Oh, natürlich«, setzte Kluftinger nun an, »Herr Steinle, mei Frau. Friedel Marx, mei Frau.«

»Ach, Sie sind also die Frau Marx, die meinem Mann damals bei dem Fall so geholfen hat? Schön, dass wir uns mal kennenlernen«, freute sich Erika. »Ich war ja schon beinahe eifersüchtig, weil Sie immer so viel Zeit miteinander verbracht haben!«

Kluftingers Magen krampfte sich zusammen.

»Ja ja, das freut mich auch sehr«, erwiderte die Marx. »Und danke, dass Sie ihn mir damals so lange ausgeliehen haben.« Bei diesem Wort zwinkerte sie ihnen verschwörerisch zu, was Kluftingers Unbehagen noch verstärkte. Er war geradezu froh, dass sich nun wieder der Tanzlehrer zu Wort meldete.

»Hallohalli nochmal, schön, dass Sie alle da sind. Ich bin der Hansjürgen, und ich darf Sie ganz herzlich zu diesem Auffrischungskurs begrüßen.« Kluftinger verzog das Gesicht bei dieser Begrüßung. Er und Hansjürgen würden wohl kaum dicke Freunde werden.

Alle hatten sich nun dem Mann zugewandt, der jeden seiner Sätze launig betonte und mit einer schwungvollen Bewegung des Mikros begleitete. Er wirkte auf den Kommissar immer mehr wie ein abgehalfterter Schlagersänger. »Ich darf Ihnen gleich mal die Chefin vorstellen, unsere Meisterin, die diesen Tanzkurs leiten wird: Bitte einen herzlichen Applaus für Francesca!«

Bei diesen Worten deutete er auf einen Durchgang neben der Bar, aus dem nun die Tanzlehrerin erschien. Kluftinger fand es albern, sie wie einen Showstar auftreten zu lassen, musste aber zugeben, dass das eine gewisse Wirkung nicht verfehlte. Während die kleine, dunkelhaarige Frau in einem wallenden roten Gewand, das nur aus flatternden Tüchern zu bestehen schien, schwungvoll in den Raum schritt, drehte der Diskjockey die Musik lauter. In der Mitte des Tanzsaals wurde sie von Hansjürgen mit einem Handkuss begrüßt.

»Francesca ist die Chefin der Tanzschule, sie kommt aus Italien und heißt mit Mädchennamen Riguccio.« Hansjürgen sprach den Namen wie einen teuren italienischen Rotwein aus. Kluftinger konnte sich schon denken, warum er nur den Mädchennamen der Frau verraten hatte. Da sie die Chefin war, vermutete er, dass sie den Besitzer der Tanzschule geheiratet hatte – und Francesca Denkinger klang zweifellos nicht annähernd so musikalisch-heißblütig wie Riguccio.

»So, wenn Sie sich jetzt bitte alle Ihrer verehrten Partnerin zuwenden würden«, schmalzte Hansjürgen in sein Mikrofon. Francesca, die ein Mikrofon um den Hals hängen hatte, klatschte nur in die Hände, und es erklang Tanzmusik. Irgendwie wirkte diese stattliche Dame auf Kluftinger ein wenig Furcht einflößend, wie eine der unerbittlichen russischen Eislauftrainerinnen der Achtzigerjahre.

»Da das ein Auffrischungskurs ist«, fuhr der Tanzlehrer fort, »möchten wir erst einmal sehen, was Sie noch alles können. Zum Aufwärmen spielen wir daher ein Medley der schönsten Tanzmelodien, einen bunten Reigen fröhlicher Weisen, einen kleinen Blumenstrauß altbekannter Lieder …«

Kluftinger blickte auf die Uhr: Es waren erst fünf Minuten vergangen. Während er mit zusammengebissenen Zähnen versuchte, im Kopf die Sekunden auszurechnen, die er hier noch zubringen müsste, schloss Hansjürgen mit den Worten: »Tanzen Sie einfach dazu! Tanzen Sie, lassen Sie Ihren Gefühlen freien Lauf.«

Das wird wohl nicht möglich sein, dachte Kluftinger, denn dann wäre entweder er nicht mehr hier oder der Tanzlehrer hätte sein Mikrofon im Rachen stecken.

Erika sah ihn selig lächelnd an: »Darf ich bitten.« Er wusste, wie gern sie tanzte. Zu seiner großen Freude waren Tanzabende schon seit Jahrzehnten aus der Mode, und so waren es lediglich einigermaßen selten stattfindende Hochzeiten in der Verwandtschaft, auf denen er sich dieser leidigen Pflicht nicht entziehen konnte. Und selbst die konnten, terminlich absehbar und daher kalkulierbar, mit der entsprechenden Vorbereitung umgangen werden – etwa mit der liebevollen Heranzucht eines Hühnerauges oder dem akribisch eingeleiteten Vorgaukeln einer schlimmen Knöchelentzündung.

Doch selbst, wenn er nichts davon rechtzeitig vorgeschützt hatte, kam er auf solchen Feierlichkeiten höchstens auf zwei Tanzrunden, im Normalfall Walzer, den er leidlich beherrschte. Bei den einschlägigen Tanzspielen hielt er sich dann immer viel auf der Toilette auf. Deswegen entsprach allein diese Tanzstunde dem Gegenwert von etwa neun Hochzeiten, überschlug Kluftinger im Kopf, seufzte und antwortete: »Gerne.«

Schon bei den ersten Tanzschritten jedoch wurden seine schlimmsten Befürchtungen wahr: Er kannte zwar viele der Melodien, konnte als aktives Mitglied der Musikkapelle Altusried ihr Taktmaß angeben – aber welche Tanzschritte dazu gefordert wurden, erschloss sich ihm meist nicht. Nicht, dass es einen Unterschied gemacht hätte: Er hopste sowieso auf jedes Lied so gut es ging im Takt herum, schwankte dabei mit dem Oberkörper wie ein angeschossener Bär und nahm die geflüsterten Hinweise Erikas – »Cha-Cha«, »Rumba«, »Slowfox« – nickend, aber ohne sichtbare Änderung seiner Schrittfolge zur Kenntnis. Wie bei der Musikprobe war er froh, dass er den Rhythmus halten konnte.

»Schuldigung. Hore bitte auf!«

Kluftinger machte ungerührt einen Ausfallschritt zur Seite und schwang das andere Bein unmotiviert nach vorn.

»Bitte! Bitte, hore sofort auf jetze!«

Erst jetzt bemerkte er, dass der Ausruf ihm galt. Er drehte sich um und blickte in die durchdringenden schwarzen Augen der Tanzlehrerin.

»Wasse bitte isse das? I abe Sie beobaktet: Sie macke immer nur eine Sritt aufe alle Arte von Melodie! Wasse solle das sein, bitte? Sage Name.«

Kluftinger sah in ihr verkniffenes Gesicht. Er bemerkte, dass sie stark geschminkt war; ihre Augenbrauen waren vollständig gezupft und wurden von einem dicken schwarzen Strich ersetzt. Das verlieh ihr einen unnatürlich und unheimlich wirkenden Gesichtsausdruck.

»Sage Name! Wie eiße?«, wiederholte die Tanzlehrerin scharf.

Wie ferngesteuert öffnete der Kommissar seinen Mund und antwortete: »Kluftinger.«

Die Frau blickte ihn verständnislos an. »Abe noch in ganze Läbe nix gehört von Tanz solle heiße Kluftinger. Was solle bitte sein? Isse Volketanz von Bayern?« Francesca gab sich wenig Mühe, ihr Zwiegespräch vor den anderen zu verbergen. Einige der Paare begannen ob der lautstark vorgetragenen Kritik am Tanzstil des Kommissars zu kichern und schauten immer wieder verstohlen zu ihnen herüber.

Die erhitzten Wangen Kluftingers röteten sich noch ein bisschen mehr. »Nein, nein, nicht der Tanz, *ich* heiße ...«

Francesca wandte ihm bereits wieder den Rücken zu. Als sie merkte, dass er noch etwas sagen wollte, drehte sie sich noch einmal um und entgegnete: »Isse auch ganse egal. Was fehlt in Ihre Blut, isse Ritmmo, isse Temperamento. Schaue Sie Ihre Nachbar, der weiße genau wie musse macke!«

Wie von einer Schnur gezogen wandten sich ihre und die Köpfe der Tanzpaare neben ihnen den beiden zu, die Francesca gemeint hatte: Annegret und Martin Langhammer.

Ein paar Sekunden lang beobachtete Kluftinger das Schauspiel ungläubig: Die Italienerin fand tatsächlich, dass *das* besser war als sein – zugegebenermaßen nicht besonders eleganter, dafür aber zurückhaltender – Stil? Langhammer kam Kluftinger vor wie einer dieser Fluglotsen, die große Maschinen in ihre Parkposition einwinken, so ausladend ruderte er mit seinen Armen herum. Als der Doktor bemerkte, dass er beobachtet wurde, setzte er noch einen drauf, drehte sich in einer Art Pirouette schwindelerregend schnell um die eigene Achse und hätte beinahe dem Kommissar seine Hand ins Gesicht geklatscht. Dazu schob sich Langhammers Zunge immer aus dem der Drehung entgegengesetzten Mundwinkel heraus.

Priml, dachte sich Kluftinger. Wenn ich so aussehen will, brauch ich keinen Tanzkurs, dann reichen mir auch ein paar Maß auf der Festwoche, ein zünftiger Rinderwahn oder ein bisschen Tollwut.

»So, Di-Da-Dankeschön!« Hansjürgen meldete sich wieder zu Wort. »Wir haben uns jetzt ein Bild machen können und kommen zu unserem ersten Tanz, den wir heute auffrischen möchten. Bei allen … bei fast allen klappt das ja noch ziemlich gut, deswegen fangen wir gleich mit einem der schwersten, aber auch einem der schönsten Tänze an, jetzt, wo wir noch frisch sind …«

Kluftingers nahmen in der Reihe Aufstellung, Langhammers stellten sich gleich neben sie. »Na, mein Gutester«, sagte der Doktor, »da fühlt man sich doch gleich wieder wie ein Teenager, was? Das ist das pure, wilde Leben. Wenn einem der Rhythmus so in die Beine fährt …«

Oder ins Hirn, dachte der Kommissar. Dabei betrachtete er angewidert Langhammers Aufmachung: Sein Hemd, das er nun fast bis zum Bauchnabel aufgeknöpft hatte und damit seine haarige Brust entblößte, für die Hansjürgen wahrscheinlich gemordet hätte, war nahezu durchgeschwitzt, und der Schweiß rann ihm in Strömen übers Gesicht. Jetzt ein kalter Windzug, und wir sind ihn für eine Weile los, schoss es Kluftinger durch den Kopf.

»Alles fertigmachen zum …«, Hansjürgen machte eine bedeutungsschwere Pause, »Tango!«

Na klar, resignierte Kluftinger innerlich, was auch sonst. Lateinamerikanische Rhythmen und er gingen in etwa so zusammen wie Kässpatzen und Salsa-Soße.

Langhammer dagegen stieß ein begeistertes »Si, señor!« aus.

»Wir stellen uns alle mal in einer Reihe in Richtung Spiegel auf.« Hansjürgen drehte ihnen den Rücken zu. »Ich mache den Schritt vor, Sie machen ihn einfach nach. Also: Vor, vor, der Wie-ge-schritt und Rück-seit-schluss.« Wie ein Mantra wiederholte Hansjürgen diese Worte immer wieder, während die wogende Masse hinter ihm seinen Schritt imitierte.

Kluftinger nutzte die Gelegenheit, um sich etwas hinter die feindlichen Linien zurückzuziehen. Bei jedem Schritt machte er einen Hopser nach hinten. Erika gelang es nicht, mit ihm auf gleicher Höhe zu bleiben.

Doch seine Deckung hielt den durchdringenden Blicken der Tanzlehrerin Francesca nicht lange stand. »Wo isse Mann, der immer tanze Kluftingeretanz?«, dröhnte ihre Stimme aus dem Lautsprecher. »Sie musse schon mitmacke. Bitte auch gehe etwas vor, damit ick kanne Sie immer inne Spiegel observiere.«

Kluftingers Gesicht nahm nun die rote Färbung von Francescas Tuchkleid an. Er drängte sich durch die Linie nach vorn neben seine Frau, die ihm mit tadelndem Blick zuzischte: »Jetzt reiß dich halt mal ein bissle zamm! Wir wollen hier doch Tanzen lernen, nicht Versteck-Spielen. Versau mir bitte den Abend nicht.«

Kluftinger biss also die Zähne zusammen und machte mit, so gut es ihm eben gelang. Als Hansjürgen ihnen auftrug, die Schrittfolge laut mitzusprechen, grummelte er – so viel Opposition wenigstens musste sein – einen leicht abgewandelten Text vor sich hin: »Vor, vor, des regt mi auf, jetzt-isch-glei-Schluss!« Nach ein paar Minuten hatte sich der Text zu einem »Aus, aus, des wär so leicht, nur-ei-nen-Schuss!« gesteigert. Bevor sich der Kommissar in weiteren gewalttätigen Fantasien verlieren konnte, läutete Hansjürgen die nächste Runde ein.

Zu den Klängen von »Tanze mit mir in den Morgen« sollten sie das eben Erlernte im Paartanz üben. Richtige Tango-Atmosphäre wollte bei den Kluftingers allerdings nicht aufkommen, denn statt, wie von Hansjürgen und Francesca gefordert und demonstriert, die Körper möglichst dicht aneinanderzupressen, hielt der Kommissar den gebotenen Abstand, um mit gebeugtem Kopf nach unten sehen zu können und seine Schritte zu kontrollieren.

Ein Seitenblick auf den Doktor zeigte ihm, dass der schon wieder wilde Figuren fabrizierte. Gerade, als Kluftinger den Blick abwandte, vollführte Langhammer eine dieser zackigen Kopfbewegungen, wie man sie von professionellen Tangotänzern kennt. Dabei sah Kluftinger im Augenwinkel, wie sich eine Schweißsalve von der Stirn des Doktors löste und wie ein Geschoss auf ihn zuflog. Starr vor Entsetzen musste Kluftinger mit ansehen, wie dieser Schwall Schwitzwasser durch die Luft flog, immer näher kam und schließlich auf seinem Gesicht landete.

»Bah! Wäh! Das ist ja ekelhaft! Pfui Teufel!«, schrie er sofort und putzte sich mit seinem Hemdsärmel übers Gesicht.

»Ja, abe Reckt! Isse wirklich keine ästhetische Hochgenuss, wie Sie tanze, junge Mann«, stimmte ihm Francesca zu.

Erika sah ihn verständnislos an. Doch die Frage, die er in ihren Augen las, blieb unbeantwortet, denn die Tanzlehrerin kam resoluten Schrittes auf ihn zu, packte seine Hand und zerrte ihn in die Mitte des Saals. »Wasse Mann macke falsch, isse tipische Feller. Alle jess bitte schaue her, damit lerne und nie mehr falsch macke.« Mit diesen Worten stellte sie sich vor den Kommissar, klatschte in die Hände, worauf das Lied von Neuem begann, und gab ihm mit einem Kopfnicken zu verstehen, dass er nun allein zu tanzen beginnen solle. Der Kommissar war so überrumpelt, dass er nicht wirklich realisierte, was er da gerade tat.

Raus, raus, i will hier raus, und-zwar-so-fort, zählte Kluftinger im Kopf mit. Mit hängenden Schultern und eingezogenem Kopf wiederholte er immer wieder die Schrittfolge und wagte dabei nicht, in den Spiegel zu sehen und so möglicherweise das triumphierende Gesicht des Doktors oder den schockierten Blick Erikas zu sehen.

Plötzlich spürte er ein Kribbeln in seiner Kniekehle und wagte doch einen Blick zur Lehrerin – und glaubte nicht, was er sah: Francesca hatte einen leicht verbogenen Teleskopstab in der Hand, der ein bisschen wie die Antenne seines alten Küchenradios aussah, und klopfte damit auf seine Beine: »Musse locker macke inne Knie, junge Mann! Nix so steif wie bei Kluftingeretanz. Komme ssu mir!« Sie zog ihn so eng an sich, dass er ihre üppigen Formen unter dem Flattergewand spüren konnte. Dann legte sie mit ihm einen Tango aufs Parkett, dass ihm Hören und Sehen verging. Der schwindelerregende Tanz wurde nur ab und zu durch ihre Ermahnungen unterbrochen, etwa: »Nix wackele mit Oberekorper, simmer nix inne Bierzelt bei Schunkeln, oda?«

Als sie ihn wieder entließ, sah Kluftinger nicht viel anders aus als der Doktor: Seine Haare klebten nass an seinem Schädel, große Schweißflecken prangten auf seinem Hemd. Allerdings war es bei ihm weniger die körperliche Anstrengung. Die kam noch dazu. Er war gestresst. Gedemütigt. Er hatte genug. Er wollte weg. Er sah auf die Uhr: noch eine Stunde.

»Sodali, sodala«, trällerte Hansjürgen, als Kluftinger sich mit einem verkrampften Lächeln zu seiner Frau gesellte. »Abklatschrunde.« Das bedeutete zu Kluftingers Leidwesen allerdings nicht, dass man dem

Tanzlehrer ungestraft eine scheuern durfte. Tatsächlich sollte alle paar Minuten auf Hansjürgens Zeichen im Uhrzeigersinn der Partner gewechselt werden.

Mit der ersten Partnerin nach Erika kam er gut zurecht. Man tanzte Walzer. Den von den Hochzeiten. Sein Tanzstil hatte sich zwar nicht deutlich verändert, die Dame aber stellte sich darauf ein. Die Tanzlehrerin und Hansjürgen tanzten selbst und ließen ihn in Ruhe. Kluftinger entspannte sich innerlich ein bisschen.

Allerdings nur, bis er beim nächsten Klatschen vor einem Gebirge von Frau stand. Er war ja selbst nicht der Schlankste, aber das? Er hatte keine Ahnung, wie er da … seine Arme herumbringen sollte. Bevor die Musik von Neuem begann, lächelte sie ihn lasziv an. Unwillkürlich sah er sich um, als wolle er sich versichern, dass sie wirklich ihn gemeint hatte.

Als die Tanzrunde begann, versuchte er krampfhaft, nicht in den Wandspiegel zu schauen. Es war sicher kein schöner Anblick, den sie beide da abgaben: Er mit seinen verklebten, schütteren Haaren, den Kopf weit nach vorn gebeugt, weil ihm die ausladende Oberweite der Frau kein Näherkommen ermöglichte. Das Paradoxe daran war, dass er, obwohl er so weit von ihr entfernt tanzte, trotzdem einen so engen Körperkontakt hatte, wie er ihn nicht einmal mit seiner Frau beim Tanzen pflegte. Während er darüber nachdachte, rutschte er wegen seiner unorthodoxen Haltung und seiner Ledersohlen nach hinten weg. Um nicht umzufallen, krallte er sich in das weiche Fleisch der Frau.

Statt zu protestieren, zwinkerte sie ihm erneut zu und flüsterte: »Na, Sie sind mir ja vielleicht einer …!«

Nackte Panik ergriff den Kommissar, und er suchte fieberhaft nach einem Ausweg. Er blickte nun doch in den Spiegel, allerdings nur, um sich zu versichern, dass sie gerade nicht unter Aufsicht der Tanzlehrer standen, schob dann seine Arme noch ein bisschen weiter um den Fleischberg vor sich, was der Frau ein entzücktes Quieken entlockte, und wollte hinter ihrem Rücken in die Hände klatschen. Doch seine Arme waren zu kurz. Also löste er sich aus der Umarmung und klatschte schnell und laut.

Sofort lösten sich die Paarungen auf. Kluftinger seufzte erleichtert. Hansjürgen blickte irritiert in die Runde, unterband den vorzeitigen Wechsel jedoch nicht.

Bei der nächsten Partnerin war es Kluftinger, der sich wie ein unförmiger Fleischberg vorkam: Es war die hübsche Blondine, die seinen Blick vorher so ungeniert erwidert hatte. Nun hatte er Skrupel, dass sie ihre Arme um seinen verschwitzten, ausladenden Körper legen musste. Er hätte gern etwas mehr von dem Selbstvertrauen seiner letzten Partnerin gehabt, doch er fühlte sich in unmittelbarer Gegenwart dieser Schönheit alt und unattraktiv. Er konzentrierte sich krampfhaft auf die Schrittfolge, denn der jungen Frau gegenüber wollte er sich nicht als Tölpel erweisen. Doch dann passierte etwas, was er nicht erwartet hatte: Sie wurde rot. Ja, sie senkte ganz eindeutig verlegen den Kopf. Stand seine Hose offen? Angsterfüllt sah er an sich herab, doch alles war in bester Ordnung.

»Ich habe Sie schon die ganze Zeit beobachtet«, hauchte sie mit betörender Stimme und biss sich dabei auf die Lippen. Kluftinger war so perplex, dass er kurzzeitig stehen blieb. »Sie … Sie sind doch der berühmte Kommissar, oder?«, fuhr sie fort. »Ich kenne Sie aus dem Fernsehen. Ich war schon ganz nervös, dass ich gleich mit einem so bekannten Mann tanzen werde.«

Jetzt war er baff. *Sie* war nervös? Er war es doch gewesen, der sich in ihrer Gegenwart so unsicher gefühlt hatte. Sofort hoben sich seine leicht hängenden Schultern, er zog den Bauch etwas ein und richtete sich merklich auf. »So? Aus dem Fernsehen? Ach, das war doch gar nichts …«

»O doch, das war toll. Es ging da um irgendeinen See in Füssen. Mann, das war wie ein Krimi! Ich heiße übrigens Uta.«

Ein schöner Name, wie Kluftinger fand. Wobei das vor allem daran lag, dass er einmal eine Uta gekannt hatte, die er sehr gemocht hatte. Ob einem ein Name gefiel, hing maßgeblich davon ab, welche Erfahrungen man mit Personen gemacht hatte, die so hießen, dachte der Kommissar. Deswegen war »Martin« bei ihm auch für alle Zeiten unten durch. Kluftinger wollte Uta gerade etwas erwidern, da klatschte Hansjürgen in die Hände. Kluftinger hätte sie ihm am liebsten auf den Parkettboden genagelt, denn die Runde war sicher viel kürzer gewesen als die anderen, und er hätte gerne noch etwas länger …

»Mal wieder ein Duett, was?« Die Luft war auf einmal geschwängert von kaltem Rauch und die kratzige Stimme in seinem Rücken verriet ihm sofort, wer seine nächste Partnerin war. Seine Schultern senkten sich wieder.

»Sie haben sich ja prächtig unterhalten …«, sagte die Marx mit einem schiefen Grinsen und den Blick auf die Blondine gerichtet, die gerade in den fleischigen Armen des Gegenstücks zur dicken Frau verschwand.

»Wie?« Kluftinger sah ihr versonnen nach, dann räusperte er sich und antwortete: »Sie werden lachen, es ging sogar um unseren Fall. Sie hat mich … uns im Fernsehen gesehen.«

»Ja, das war schon eine dolle Sache, was?«, sagte sie grinsend und schob den Kommissar dabei wenig zimperlich übers Parkett. Sie führte noch immer gerne, daran hatte sich nichts geändert, dachte sich der Kommissar. »Tschuldigung«, raunzte sie, nachdem sie ihm heftig auf den Fuß getreten war. Auch hier übernahm sie also den Männer-Part. Kluftinger versuchte gerade den Gedanken abzuschütteln, wer denn in der Beziehung zu Günther Steinle wohl diese Rolle spielte, da wurde bereits wieder abgeklatscht. Er verabschiedete sich höflich von seiner Kollegin und wollte schon weitergehen, als sie ihm von hinten ins Gesäß kniff. Fassungslos drehte er sich um, doch sie war bereits bei ihrem neuen Partner angelangt.

Der Kommissar dachte noch einige Minuten über den Vorfall nach und nahm seine weiteren Partnerinnen gar nicht richtig wahr. Er war froh, als er endlich Annegret Langhammer erreichte; eine Station weiter wartete seine Frau, die jetzt mit dem Doktor tanzte. Die Ärmste, dachte sich Kluftinger. Doch es war ja nur noch eine kurze Runde.

»Der Martin bringt mich immer so außer Atem«, sagte Annegret, und Kluftinger musterte sie misstrauisch. Nach all dem schwitzenden Fleisch, den geröteten Wangen und den wogenden Brüsten vermutete er sofort eine sexuelle Konnotation in ihren Worten. Doch Annegret hatte tatsächlich nur das Tanzen gemeint.

Kluftinger nickte verständig. »Ja, ja, wie der die Frauen …«, durch die Gegend schleift, schoss es ihm durch den Kopf, »… fordert, das ist schon was.«

»Ich bin froh, wenn's bald vorbei ist. Wissen Sie, Herr Kluftinger, ich bin eigentlich nicht so fürs Tänzerische. Aber der Martin, na ja, er tut's halt so gern.«

Prüfend sah Kluftinger sie an. Meinte sie das ernst? Oder wollte sie ihn nur aufs Glatteis führen und nachher alles ihrem Mann petzen?

»Vielleicht können wir uns ja in die Ecke tanzen und dann einfach aufhören«, flüsterte sie verschwörerisch. Sie meinte es ernst. Ein patentes Mädle, dachte der Kommissar. Was für eine Verschwendung ...

Nachdem sie den Anfang gemacht hatten, hörten nach und nach alle anderen Paare ebenfalls zu tanzen auf. Nur Erika und der Doktor schienen nicht genug bekommen zu können. Schwungvoll wirbelten sie übers Parkett, bis alle um sie herumstanden und ihnen zusahen.

Auf einmal hatte Kluftinger wieder das penetrante Parfum von Frau Riguccio in der Nase, wenige Sekunden später rammte sie ihm den Ellenbogen in die Seite und deutete mit ihrem Zeigestab auf das Tanzpaar: »Da konne Sie sick Beispiel nemme an Paar, tanze wie frisch Verliebte anne erste Tag!«

Dann klatschte Hansjürgen, und auch das letzte Paar trennte sich – unter dem Applaus der Umstehenden.

Erika kam mit erhitztem Gesicht strahlend zu ihrem Mann, schwang übermütig ihre Arme um ihn und seufzte: »Ach, der Martin, das ist halt ein Mann.«

Kluftinger tat nicht laut kund, was er sich gerade dachte: Die Annegret, das ist halt eine Frau! Dann läutete Hansjürgen eine Pause ein, in der man aber ruhig weitertanzen dürfe, wie er betonte.

Da weder er noch Annegret dazu zu überreden waren, auch noch in der Pause das Tanzbein zu schwingen, begaben sich Erika und der Doktor erneut in die Mitte des Saales. Da sind sie wenigstens verräumt, dachte Kluftinger bei sich. Als sich mit einem Ächzen Friedel Marx neben ihn in die Plüsch-Sitzgruppe fallen ließ, sagte er: »Jetzt würd ich echt gern den Zigarillo rauchen, den Sie mir Weihnachten geschenkt haben.«

Seine Kollegin sah ihn überrascht an: »Wissen Sie was? Ich lass noch einen springen. Gehen wir raus?«

Sie erhoben sich und gingen nach draußen. Gierig zog Kluftinger an dem Zigarillo. Erika würde ihn nachher wieder schimpfen, weil er wie ein alter Aschenbecher stank, aber das war ihm jetzt egal.

»Na, wie geht's denn so im G'schäft?«

»Och, mei ...«, antwortete Kluftinger nichtssagend.

»Man hört ja so einiges ...«

»So?«

»Sicher nur Gerüchte.«

»Bestimmt!«

»Herrgott, Kluftinger, jetzt lassen Sie sich doch nicht so bitten. Stimmt das, dass Sie gerade eine Sondereinheit da haben? Dass ganz hohe Tiere vom BKA bei Ihnen hausen? Die blöde Lahm soll auch wieder dabei sein. Man munkelt auch was von Terrorismus …«

»Munkelt man, hm?«, blieb Kluftinger nebulös.

Die Marx sah ihn mit zusammengekniffenen Augen an. »Sie sind einfach ein verdruckter Hund. Aber wahrscheinlich habe ich deswegen so eine Schwäche für Sie.«

Für Kluftinger nahm das Gespräch nun erneut eine zu intime Wendung, und ihm fiel das Kneifen von vorhin wieder ein. Er warf also seinen Zigarillo weg, und sie gingen wieder nach drinnen. Dort tanzten zwei Paare gerade einen fetzigen Cha-Cha: das hübsche junge Paar und das andere, von dem lediglich die Frau, Erika, in Kluftingers Augen attraktiv war. Er hatte nie wirklich verstanden, warum sie sich damals für ihn entschieden hatte. Viele hatten um sie geworben, und die natürliche Anmut, die sie auch jetzt noch ausstrahlte, war einer der Gründe dafür gewesen. Doch plötzlich war dieser Liebreiz wie weggeblasen: Erika ruderte mit den Armen, Kluftinger hörte einen spitzen Schrei, und seine Frau knallte der Länge nach aufs Parkett. Erst während er schon auf sie zurannte, realisierte Kluftinger, dass das Kreischen nicht von Erika, sondern vom Doktor gekommen war.

»Der Absatz ist abgebrochen«, sagte Langhammer mit Blick in die Runde und hielt das Teil wie das entlastende Indiz eines Mordprozesses in die Höhe. Erst dann kümmerte er sich um Erikas Fuß, der leicht anschwoll und sich um den Knöchel herum bereits bläulich verfärbte.

»Eine kleine Verstauchung, wenn ich das richtig sehe. Möglicherweise auch eine Außenbanddehnung«, diagnostizierte er in seiner Arztstimme. »Am besten, du setzt dich ein bisschen und legst den Fuß hoch.« Mit diesen Worten legte er ihren Arm um seine Schulter und führte sie langsam zu einer der Sitzgruppen.

Kluftinger stand verloren auf der Tanzfläche herum. Er ließ unsicher seinen Blick schweifen, da sah er den Absatz. Geschäftig hob er ihn auf, hielt ihn ebenfalls kurz hoch und steckte ihn dann in die Hosentasche.

Als er zu den anderen kam, hatte Langhammer gerade Erikas Schuh ausgezogen und strich sanft über die Schwellung. Zu sanft und zu lange nach Kluftingers Geschmack.

»Vom Streicheln wird's auch nicht besser werden. Finger weg jetzt«, blaffte er den Doktor an.

Ein Blick ins Gesicht des Kommissars verriet dem, dass er nicht zum Spaßen aufgelegt war, und er ließ ihren Fuß schnell und etwas unsanft zu Boden gleiten.

»Sie muss ihren Fuß hochlegen. Mit Tanzen wird das nichts mehr heute.«

Kluftinger tadelte sich innerlich schon dafür, dass er sich über diese Nachricht freute, da schnellte Annegret hinter seinem Rücken hervor und sagte: »Ich kümmere mich schon drum.«

Sie? Aber das war doch seine Ausrede ... Aufgabe, dachte der Kommissar.

»Pi–pa–Päuschen ist u–hum«, sang Hansjürgen in diesem Moment ins Mikrofon.

Bevor Kluftinger reagieren konnte, winkte seine Frau ihm mit dem Handrücken: »Geh! Ja, geh schon. Nicht, dass du noch was versäumst.«

»Aber ... aber ich muss doch hier ... bei dir ... ich mein ...«

Bevor er weiterreden konnte, fasste sich Erika mit ihrer Hand an die Stirn und presste mit zarter Stimme hervor: »Nein, bitte, ich wünsche mir das. Sonst verpasst du vielleicht einen wichtigen Schritt. Die Annegret muss mich auch kurz zur Toilette begleiten, da kannst du eh nicht mit. Bitte, bitte, mach du weiter mit.«

Er starrte seine Frau an und wusste, dass er keine Möglichkeit hatte, ihr den Wunsch abzuschlagen, so zart und zerbrechlich, wie sie so vor ihm saß. Also trottete er missmutig zurück zur Tanzfläche.

»Ri–Ra–Rumba«, frohlockte Hansjürgen gerade und blickte aus erwartungsvoll leuchtenden Augen auf seine Eleven, ganz so, als müssten diese sein Entzücken über die Ankündigung teilen. Kluftinger starrte mürrisch zurück. *Rumba, rumba, rumba täterää,* schoss es ihm durch den Kopf, doch von ausgelassener Bierzeltstimmung war er meilenweit entfernt.

Gedankenverloren starrte er auf seine Füße und zählte die Schritte mit, die der Tanzlehrer ihnen vorbetete: »Seit, die Wiege, seit, die Wiege ...«

Dann vernahm er mit Erleichterung, dass Hansjürgen endlich sagte: »Das klappt ja schon mal ganz gut. Da nehmen wir doch gleich mal unsere Partner und üben das zu zweit.« Kluftinger drehte sich um und steuerte die Sitzgruppe an, als ihn die scheppernde Stimme Francescas über die Lautsprecher aufhielt: »Halt. Wo wolle Sie hin, bitte? Nix gehe jess, wir sinne da zun Tanze, nix zun Sitze.«

»Aber meine Frau ...«, protestierte Kluftinger.

»Nixe Frau, isse verletzte. Aber Manne auch gute Tänzere.«

Fragend sah der Kommissar die alternde Diva in ihrem wallenden Gewand an. Was hatte sie ihm mit dem Satz denn nun wieder sagen wollen? Er wollte nicht unhöflich wirken, doch ihr Deutsch spottete jeder Beschreibung. Also hakte er mit einem vorsichtigen »Hm?« nach.

»Mann! Da!« Mit diesen Worten entfaltete sie erneut den Zeigestab schwungvoll zu voller Größe und zeigte damit auf Langhammer.

Noch immer hatte Kluftinger nicht verstanden, was sie ihm eigentlich sagen wollte. Er wusste, dass der Doktor besser tanzen konnte als er – wenn auch auf eine Art und Weise, die er als nicht wirklich nachahmenswert empfand. Darauf brauchte sie ihn nicht extra hinzuweisen.

»So, also los, sseige Mann, wie echte Rumba gehe!«, forderte sie den Doktor auf.

Schon stand Langhammer vor ihm, hob seine Arme in Tanzhaltung, schürzte spitzbübisch die Lippen und sagte freudig: »Dann wollen wir zwei Hübschen mal die Tanzbeinchen schwingen, was?«

Kluftinger erstarrte zur Salzsäule. Nun wurde ihm die ganze Tragweite von Francescas Forderung bewusst, nun verstand er, was sie ihm so umständlich hatte sagen wollen. Sie wollte tatsächlich, dass er und der Doktor ... er stockte. Sogar in Gedanken war unaussprechlich, was sie sich für ihn ausgedacht hatte. Niemals würde er ... könnte er ...

»Mache ssu, abe nix ewige Sseit!«, schimpfte die Tanzlehrerin hinter ihm. Dabei fuchtelte sie ihm mit ihrem Zeigestab unter den Achseln herum, sodass er, gelähmt vor Entsetzen und Überraschung, ganz automatisch wie ein Roboter seine Arme hob, was Langhammer als stilles Einverständnis deutete, rasch auf ihn zutrat und ihn mit einer schwungvollen Bewegung an sich presste, dabei ein Bein zwischen seine Beine schiebend.

Kluftinger kam sich wieder vor wie eine Marionette, ferngelenkt und willenlos. Die Gedanken wirbelten durch seinen Kopf. War es wirklich Langhammer, der mit ihm übers Parkett wogte? Die Gesichter der anderen Paare verschwammen zu einer streifigen Masse, darunter das selig lachende Antlitz seiner Frau, die schmunzelnde Annegret, die wissend nickende Friedel Marx. Dem Kommissar wurde schwindelig, er hatte Angst, ohnmächtig zu werden, da katapultierte ihn ein Satz seines Tanzpartners wieder zurück in die Realität: »Sagen Sie mal: Haben Sie was in der Hose oder freuen Sie sich so darüber, mit mir zu tanzen?«

Schlagartig blieb der Kommissar stehen. Was wollte er damit andeuten? Was ... der Absatz! Jetzt fiel es Kluftinger ein: Er hatte Erikas Absatz vorher in die Tasche gesteckt. Mühsam hob er die Augen, ihm war elend zumute. Ein listig blinzendes Augenpaar hinter einer riesigen Brille blickte ihn an.

Jetzt, zum ersten Mal in seinem Leben, wünschte er sich eine gnädige, alles verschlingende Ohnmacht.

Kluftinger verfolgte die morgendliche Task-Force-Sitzung mit einem missmutigen Gesicht. Nicht nur, weil an seinem Parkplatz heute Morgen statt seiner Autonummer das Bild, das ihn im Kostüm zeigte, gehangen hatte. Die Konzentration auf die Inhalte der Sitzung fiel ihm auch deswegen schwer, weil ihm die peinlichen Situationen, die er gestern am laufenden Band wie in einem bizarren Taumel erlebt hatte, noch durch den Kopf gingen.

Nie wieder würde er dort hingehen. Um nichts in der Welt, nicht einmal seiner Frau zuliebe. Dass er Langhammer derzeit auch noch mehrmals die Woche bei den Freilichtspiel-Proben sehen würde, machte die Verarbeitung des Tanztraumas nicht eben leichter.

Kluftinger döste vor sich hin und bekam nur ganz am Rande mit, wie Willi Renn bekannt gab, dass sich auf dem sichergestellten Laptop die Fingerabdrücke vieler Personen befanden, nicht nur die des flüchtigen Mannes. Die von Kudratov jedoch, den man gestern Nacht noch auf freien Fuß gesetzt habe, seien nicht dabei gewesen. Man überwache das TIK seit der Freilassung Kudratovs rund um die Uhr, auch er stehe unter strenger Beobachtung.

Der Laptop enthalte darüber hinaus nichts wirklich Neues, man habe aber nachweisen können, dass mit ihm teilweise dieselben Internetseiten besucht worden waren wie mit dem von Tobias Schumacher. Die Kollegen seien gerade dabei, die Überprüfung der Daten fortzusetzen. Wem der Computer gehöre, sei leider noch völlig unklar.

»Ein Kollege nimmt sich gerade den PC vor, der sich als alte Kiste herausgestellt hat. Bis jetzt haben wir keinerlei verwertbare Spuren auf der Festplatte finden können. Außer zwei DOS-Raubkopien von Tetris und Pacman ist nichts Kompromittierendes oder Belastendes zu finden. Auf Rechner, Tastatur und Bildschirm haben wir übrigens nur Kudratovs Fingerabdrücke finden können. Wir schauen den Rest noch durch«, schloss Willi seinen Bericht.

Yildrim blickte in die Runde und nickte Marlene Lahm zu. Die stand auf, ging zum Laptop, der am Beamer angeschlossen war, und wenig später betrachteten die Beamten das Bild einer ausnehmend hübschen, brünetten Frau. Kluftinger schätzte sie auf Ende zwanzig.

»Das ist Franziska Riedle«, hob die Lahm an. Kluftinger fuhr hoch. Franziska – Francesca? Bei der Nennung des Namens wurde ihm ganz flau im Magen. Doch es riss ihn aus seiner Lethargie. Er musste sich jetzt zusammennehmen und sich auf seine Arbeit konzentrieren. Hier würde niemand von seinem gestrigen Erlebnis erfahren, soviel war sicher. Es sei denn …nein. Kluftinger verwarf den Gedanken sofort wieder. Friedel Marx würde sicher dichthalten, außerdem war sie nicht hier, sondern in Füssen.

»Herr Kluftinger, das übernehmen Sie.« Faruk Yildrim sah Kluftinger kurz an, der eifrig zu nicken begann. Dann beugte er sich zu seinem Sitznachbarn: »Willi!«, flüsterte Kluftinger, doch der reagierte nicht. Der Kommissar rempelte seinen Nebenmann an, der stieß einen erschrockenen Grunzlaut aus und lehnte sich schließlich zu Kluftinger hinüber.

»Hm?«

»Was soll ich machen, Willi?«

Renn musterte ihn entgeistert.

»Willi, was soll ich machen? Was ist mein Auftrag?«

Stirnrunzeln.

»Jetzt sag, ich hab grad nicht aufgepasst. Was hat der Yildrim mir aufgetragen?«

Renn nickte und wollte gerade Antwort geben, da bemerkte Kluftinger, wie ruhig es im Raum geworden war. Er sah auf und legte die Hand auf Willis Arm, sodass dieser stumm blieb: Alle anderen starrten auf sie.

»Ein wenig unkonzentriert heute, die Herren?«, lächelte Yildrim schließlich milde. »Sie fahren bitte mit Frau Lahm nach Leutkirch, zur Exfreundin von Tobias Schumacher.«

»Wie haben Sie eigentlich die Exfreundin ausfindig gemacht, Frau Lahm?«, fragte Kluftinger die Kollegin vom BKA, als sie Kempten in Richtung Leutkirch verließen. Er war ein wenig angespannt, denn er wusste nicht so recht, wie er Marlene Lahm einschätzen sollte.

»Streng genommen habe nicht ich es herausgefunden, sondern Ihr Kollege Maier, ein sehr kompetenter Mann, wie mir scheint.«

Kluftinger verzog vor Schreck ein wenig das Steuer, sodass der Passat leicht ins Schwanken geriet. Der Kommissar sah zum Beifahrersitz hinüber. Hatte er richtig verstanden? Der »kompetente« Maier hatte es herausgefunden?

»Das müssen Sie mir jetzt aber schon erklären, Frau Lahm, wie ausgerechnet der Maier darauf gekommen ist.«

»Nun«, setzte die Lahm an, »Ihr Kollege hat ein Foto der Frau auf Schumachers Laptop gefunden. Ich habe nicht nachgefragt, wie er dann zu der Adresse von ihr gekommen ist, er hat es aber geschafft. Ich denke, dieser Mann hätte uns in der Task Force nützlich sein können.«

»Leider unabkömmlich im Moment, er muss meine Abteilung kommissarisch führen.«

»Ja, leider. Faruk hat das auch bestätigt, als ich ihm vorgeschlagen habe, Herrn Maier mit ins Boot zu holen.«

»Tja, schade, schade, dass es nicht geklappt hat«, log Kluftinger, wenig bemüht, es überzeugend klingen zu lassen.

Als sie Krugzell in Richtung Altusried verließen, hatten sie bereits geraume Zeit nichts mehr miteinander gesprochen. Es war einer der unangenehmen stillen Momente entstanden, in denen man sich linkisch und ungelenk fühlte und in denen jeder fieberhaft nach einem Gesprächsthema suchte.

»Sie wohnen in Altusried, nicht wahr?« Marlene Lahm hatte als Erste einen Anknüpfungspunkt gefunden. Kluftinger trug ihr einen Pluspunkt auf ihrem Sympathiekonto ein. Ihre bisher erste Gutschrift.

»Ja, genau. Immer schon.«

»Dann spielen Sie bestimmt auch beim Laienspiel mit?«

»Freilichtspiel«, korrigierte Kluftinger und räusperte sich. »Ja, ich war schon als kleiner Junge der Tellbub. Und mein Sohn, der war das dann auch einmal.« Das Eis war gebrochen: Wer sich fürs Freilichtspiel interessierte, konnte unterm Strich kein ganz verkehrter Mensch sein.

Als sie den Ortseingang passiert hatten, nahm der Kommissar bewusst nicht die Umgehungsstraße, die man vor einigen Jahren gebaut hatte. Er wollte der Kollegin doch wenigstens einmal im Vorbeifahren die Kirche und den Marktplatz zeigen. Kluftinger holte gerade aus, um zu erzählen, dass beim Freilichttheater heuer so viele Einwohner wie noch nie beteiligt seien, als Frau Lahms Handy klingelte. Es befand sich in ihrer Handtasche auf der Rückbank.

»Das ist meins, bestimmt Faruk«, versetzte die Beamtin nervös, schnallte sich ab und beugte sich nach hinten, um nach dem Telefon zu kramen. Als sie es schließlich aus der Tasche gefischt hatte, drehte sie sich just in dem Moment wieder nach vorn, als Kluftinger wegen einer Katze abrupt bremsen musste. Die Lahm konnte sich zwar am Sitz festhalten, ihr Handy allerdings machte sich selbstständig und rutschte zwischen die Mittelkonsole und Kluftingers Sitz, wo es fröhlich weiter vor sich hin dudelte.

Kluftinger hielt am Straßenrand an, und Marlene Lahm fischte mit spitzen Fingern in die Spalte neben dem Fahrersitz, aus der sie zunächst mehrere Parkscheine, Tankbelege und verloren gegangene Bonbons hervorholte. Dabei versetzte sie dem Telefon einen Stoß, sodass es gänzlich unter den Sitz rutschte. Die Beamtin beugte sich tief über Kluftingers Schoß und streckte ihren Arm aus, um doch noch an das Gerät zu kommen.

»Geht schon«, lehnte sie ein Hilfsangebot Kluftingers ab.

Er hatte genau gegenüber von Langhammers Praxis angehalten, wie er erst jetzt bemerkte. Er sah zu den Fenstern im Hochparterre und bemerkte, wie sich der Vorhang in einem der Sprechzimmer bewegte. Nichts zu tun heut, der Herr Mediziner, schaut lieber zum Fenster raus, dachte er sich. Dass Langhammer gerade schamesrot den Vorhang wieder zurückgezogen hatte und mit bebenden Lippen versuchte, das Bild, das sich ihm eben geboten hatte, zu verarbeiten, sah er nicht.

»Hab's«, rief Marlene Lahm schließlich aus und hielt das Handy demonstrativ in die Höhe. Just in diesem Moment erstarb das Klingeln. »War eh nur meine Mutter«, sagte die Lahm achselzuckend. Kluftinger legte gähnend den Gang ein und fuhr los.

Hinter Muthmannshofen passierten sie die bayerische Landesgrenze. Erstaunt fragte Marlene Lahm: »Oh, wir sind ja jetzt in Baden-Württemberg. Ist das hier nicht mehr der Allgäu?«

»Das Allgäu«, murmelte Kluftinger.

»Wie, bitte?«

»Es heißt *das* Allgäu. Aber egal. Nun zu Ihrer Frage«, setzte Kluftinger an und seufzte ein wenig, »irgendwie schon Allgäu und irgendwie auch nicht, verstehen Sie? Allgäu in dem Sinn …«

»Aber es heißt doch Leutkirch im Allgäu, wo wir hinfahren.«

»Richtig, liegt aber in Baden-Württemberg. So gesehen württembergisches Allgäu. Fragt sich eben, wie man den Begriff definiert. Ist jetzt Mindelheim Allgäu, weil es im Landkreis Unterallgäu liegt? Fraglich, während Memmingen zweifelsohne Allgäu ist. Obwohl nördlicher Rand. Aber drin. Allerdings: kreisfrei, also eigentlich auch wieder nicht. Und das Westallgäu. Gibt's ja so als Landkreis gar nicht. Gehört zu Lindau. Aber ist Lindau Allgäu? Für die Lindauer nicht, für uns ja. Oder auch das Walsertal.« Kluftinger bemerkte, dass er eigentlich mehr mit sich selbst sprach, und schob ein »Verstehen Sie?« nach.

Lahms Gesichtsausdruck zeigte nicht nur Verwirrung, sondern etwas, das ein wenig wie Mitleid aussah. Kluftinger jedoch fuhr fort: »Jeder Allgäuer ist von der Mentalität her ja auch anders. Und die württembergischen Allgäuer, hm …«

Er machte eine Pause und dachte kurz nach.

»Das sind schon echte Allgäuer, aber man merkt ihnen ein bisschen auch die Schläue der Württemberger an. Aber sehr nette Leute so weit. Manche sagen, das bessere Allgäu. Ruhiger. Nicht dasselbe. Und sprachlich auch ganz was anderes, wobei wir vieles auch gemeinsam haben. Wie das, it'… oder …«

»Ah ja«, versetzte Marlene Lahm schnell, blickte Kluftinger, dessen Sprechtempo sich immer mehr gesteigert hatte, beinahe ängstlich an und fügte noch »interessant, ehrlich« hinzu, um dann eine Taste auf dem Handy zu drücken und es sich eilfertig ans Ohr zu halten.

Als sie es schließlich mit dem Kommentar »Anscheinend niemand da!« wieder wegpackte, hatten sie bereits Leutkirch erreicht, und Kluftinger stellte den Wagen vor einem Wohnblock ab, der sich passenderweise in der Allgäuer Straße befand.

Kluftinger zuckte fast ein wenig zusammen, als Franziska Riedle, die Exfreundin des Selbstmörders, die Wohnungstür öffnete. Die hatte auf dem Foto zwar attraktiv, aber nicht annähernd so schön ausgesehen wie die blonde junge Frau, die ihm da nun gegenüberstand. Der Kommissar schluckte und stellte sich vor.

Franziska Riedle war sehr überrascht, dass sie Besuch von der Polizei bekam. Erst als Marlene Lahm ihr erklärte, dass es um Tobias Schumacher ging, nickte sie seltsam wissend und bat die Beamten herein. Sie nahmen auf einem bequemen braunen Ledersofa Platz, das den Mittelpunkt der bescheiden eingerichteten Wohnung bildete.

»Wissen Sie«, setzte sie in leichtem württembergischen Dialekt an, den Kluftinger zu seiner eigenen Verwunderung an dieser attraktiven Frau außergewöhnlich anziehend fand, »dass es mit Tobi kein gutes Ende nehmen würde, das war mir klar.« Sie hielt inne, wartete ein wenig, verstand das Schweigen der beiden Beamten aber richtig als Aufforderung, von sich aus weiterzuerzählen.

»Wir waren ein ganz normales Paar. Unsere Freunde haben uns immer gesagt, wir seien besonders fröhlich. Bis Tobi immer mehr Kontakt zu diesen Leuten hatte. Ich weiß nicht einmal, wo er sie kennengelernt hat. Sie wissen bestimmt, er hat beide Eltern früh und auf einen Schlag verloren, bei einem Auslandseinsatz. Zunächst schien er alles gut weggesteckt zu haben. Aber ich merkte immer, dass er irgendetwas suchte … Halt. Oder Orientierung, das ist das bessere Wort.«

»Und die fand er beim Islam?«, fragte Kluftinger nach. Ihm kam das, was Franziska Riedle als Grund für Schumachers Hinwendung zum Islam angeführt hatte, sehr bekannt vor.

»Wenn Sie mich fragen: Er fand sie dort nicht, aber er suchte sie bei diesen … den Moslems. Meist waren das ältere Männer, die ihm Geschichten aus verschiedenen Kriegen erzählt haben. Geschichten von Blutvergießen, Schande, Ehre und vor allem von Rache und Vergeltung. Und Geschichten von einem Paradies, das nur denen offensteht, die gläubig sind und nach der Scharia leben.«

Kluftinger war beeindruckt, wie flüssig die junge Frau erzählte. Es schien, als habe sie nur darauf gewartet, sich endlich jemandem mitzuteilen.

»Wissen Sie, ich habe ein paar Semester Theologie hinter mir. Stellen Sie sich die Diskussionen zwischen uns beiden vor! Am Anfang fand ich es ja spannend, sozusagen aus erster Hand etwas über eine so fremde Religion zu erfahren. Aber schließlich bekam ich mit, wie viel mehr ihn die Geschichten und Versprechungen dieser Männer begeisterten als meine Auffassungen von Jenseits, Sünde und Vergebung. Ich wollte es zuerst nicht wahrhaben, aber er ist mir immer stärker entglitten und verschloss sich allmählich jedem vernünftigen Argument.«

»Haben Sie die Männer, mit denen sich Tobias umgab, denn auch kennengelernt?«, fragte Kluftinger. Franziska nickte.

»Näher?«, hakte der Kommissar nach. Sein Gegenüber senkte den Kopf und deutete ein Nicken an. Die Frage schien ihr unangenehm zu sein, und ohne dass Kluftinger weiterfragen musste, erfuhr er den Grund dafür: »Es ist mir im Nachhinein peinlich, dass es so weit gekommen ist. Und ich mache mir eigentlich auch ein wenig Vorwürfe jetzt. Ich will es Ihnen erklären: Ich habe Tobi nicht rechtzeitig … aufgehalten. Sein Verhalten, auch mir gegenüber, ist immer bizarrer geworden, eigentlich eine Zumutung und ganz und gar nicht akzeptabel. Vielleicht hätte ich ihm früher zeigen müssen, dass es so nicht weitergehen kann. Doch ich dachte, unsere Liebe würde siegen. Diese Leute wollten, dass er den Kontakt zu mir immer mehr einschränkt. Und er hat das auch gemacht! Erst wurden seine Besuche weniger. Dann wollte er nicht mehr, dass ich ihn so oft besuche. Irgendwelche fadenscheinigen Ausreden hat er dafür immer gehabt. Zunächst haben wir einfach mehr telefoniert, aber auch das hat nachgelassen.«

»Und Sie sind sich sicher, dass die tadschikischen Bekannten Schumachers damit etwas zu tun hatten?«, fragte Marlene Lahm. Kluftinger nahm zufrieden wahr, dass sie dieselben Fragen stellte, die auch ihm in den Sinn kamen.

»Ich habe mir auch gedacht, dass das vielleicht das normale Ende einer Beziehung sein könnte. Aber als sie dann gemeinsam hier aufgekreuzt sind – Tobi und immer ein anderer Aufpasser –, da war mir alles klar. Ich hätte da wirklich die Notbremse ziehen müssen. Am Ende durfte er nur noch am Tisch sitzen, wenn ich auf dem Sofa Platz genommen hatte. Können Sie sich vorstellen, wie bizarr das ist? Und dass man so etwas freiwillig tut?«

Kluftinger wollte gerade nachhaken, wie genau sie die Frage denn meine, als es an der Tür klingelte. Ohne zu zögern erhob sich Franziska Riedle.

»Erwarten Sie Besuch?«, fragte die Lahm nach. Frau Riedle schüttelte nur den Kopf, hob die Schultern und sagte: »Nein. Aber auch Sie habe ich ja nicht erwartet.«

Kluftinger und seine Kollegin hörten, wie der Schlüssel, der von innen steckte, im Schloss gedreht wurde, dann das Öffnen der Tür. Der Kommissar war gespannt, wer es sein könnte, er tippte innerlich auf den Staubsaugervertreter. Manchmal würzte er sein Leben mit spontanen Ratespielen. Da beendete ein erstickter Hilfeschrei abrupt sein mentales Quiz.

Sofort sprang er auf und rannte erschrocken in den Flur, die Lahm hinter ihm her.

Kluftinger erkannte den Mann, der Franziska Riedle da festhielt und ihr den Mund zudrückte, sofort. Für einen Augenblick schien der wie gelähmt, als er ihn erblickte, dann löste er sich aus seiner Erstarrung, ließ sein Opfer los und rannte durch die noch offen stehende Wohnungstür in den Hausgang.

Marlene Lahm lief los, und Kluftinger rannte hinter ihr und dem Mann her, den er gestern bereits verfolgt hatte und der nun wieder drauf und dran war, ihm zu entwischen: Alii Hamadoni.

Marlene Lahm war deutlich jünger als der Kommissar, und, was entscheidend war, sie war trainiert. So blieb er immer weiter zurück, während sie aufholte. Aber was, wenn sie ihn erwischen würde? Hamadoni würde sicher Kleinholz aus der zierlichen Frau machen. Kluftinger musste sich also ins Zeug legen, um ihr zu Hilfe kommen. Doch als er den letzten Treppenabsatz herunterkeuchte, sah er gerade noch, wie die Kollegin Hamadoni von hinten wie eine Raubkatze ansprang und ihn damit zu Fall brachte.

Der Kommissar zog seine Waffe, doch seine Hilfe war keineswegs vonnöten: Scheinbar ohne größere Anstrengungen bog die Frau, auf Hamadoni kniend, dessen Hand auf den Rücken und ließ trotz heftiger Gegenwehr nicht von ihm ab. Sie schaffte es sogar noch, einen Kabelbinder aus Plastik aus ihrer Hosentasche zu holen. Kluftinger hatte schon gehört, dass die Polizei einiger Bundesländer diese Einweghandschellen einsetzte, die man in Bayern bislang nur aus amerikanischen Filmen und Kluftinger als etwas kleinere Ausführung aus seinem Werkzeugkasten kannte.

Binnen höchstens einer Minute hatte die Frau das geschafft, woran er und Bydlinski am Vortag so kläglich gescheitert waren: Der Flüchtende lag fest verschnürt auf dem Bauch im Treppenhaus. Auch wenn es ihm nicht leichtfiel – er zog innerlich den Hut vor dieser Frau und war beinahe gewillt, ihren Fauxpas bei ihrem letzten Zusammentreffen im Winter zu vergessen.

Faruk Yildrim hatte nicht schlecht über das Überraschungspaket gestaunt, das er nun seit über einer Stunde in der Mangel hatte. Kluftinger und die Lahm, die auf zwei Stühlen an der Wand saßen, hatten bislang nur wenige Fragen gestellt. Das Verhör erinnerte den Kommissar auf unangenehme Weise an jenes, das sie mit Kudratov geführt hatten: Auf viele Fragen reagierte Hamadoni gar nicht, lächelte nur. Warum er vor der Polizei geflohen sei, was er bei Franziska Riedle gesucht habe, was er mit den Waffenlieferungen zu tun habe, wovon er im Moment lebe, wer seine Hintermänner seien … Mit allen Tricks, Fallen und Bluffs gelang es Yildrim nicht, ihn aus der Reserve zu locken. Doch der BKA-Mann ließ nicht locker und schien auch kaum beeindruckt, als der Tadschike in seinem erstaunlich guten Deutsch, dem man freilich einen Akzent anmerkte, Yildrim grinsend dazu aufforderte, ihn doch endlich gehen zu lassen, er müsse es wie bei den unzähligen anderen Malen eh tun, er sei ihm einfach nicht gewachsen. Yildrim blieb erstaunlich ruhig.

Kluftinger versuchte weiterhin angestrengt, dem Verhör zu folgen, doch bisweilen übermannte ihn der Sekundenschlaf und schließlich döste er kurz weg.

»Reißen Sie sich endlich zusammen, und konzentrieren Sie sich auf das Verhör, sonst kann ich für nichts mehr garantieren. Wenn mir einmal der Kragen platzt, dann richtig, haben Sie das verstanden?«

Kluftinger riss den Kopf hoch und starrte mit Panik in den Augen in Yildrims Richtung. Schon wieder. Anpfiff Nummer zwei heute wegen Unkonzentriertheit im Dienst. Wie hatte er nur einschlafen können, kein Wunder, dass Yildrim … Kluftinger stutzte. Der Task-Force-Leiter hatte ihn gar nicht gemeint. Es war Alii Hamadoni gewesen, den Yildrim gerade so angebrüllt hatte.

Beruhigt und für die nächste halbe Stunde hellwach, verfolgte der Kommissar weiter das Verhör. Schließlich ließ Faruk Yildrim den mutmaßlichen Waffenhändler Alii Hamadoni, der sich bislang jeder gerichtlichen Strafe entziehen konnte, in eine der Kurzzeitzellen bringen, bat aber Marlene Lahm und Kluftinger, für eine kurze Besprechung im Vernehmungszimmer zu bleiben.

Der Leiter der Task Force, der in seinen Entscheidungen in Kluftingers Augen doch so sicher war, fragte seine beiden Kollegen dann offen um Rat. Er wisse wirklich nicht mehr weiter, hätte gern gewusst, was sie bezüglich des weiteren Umgangs mit Hamadoni vorschlagen würden.

Beide überlegten, bevor die Lahm sagte: »Ich würde ihm weiter das Messer auf die Brust setzen. Irgendwann wird er auspacken. Wir müssen ihm Fallen stellen, falsche Fährten legen. Denn noch können wir ihm keine Straftat zur Last legen. Da diese Frau Riedle nicht einmal Anzeige erstatten will, können wir ihm da gar nichts. Und nur, weil er vor der Polizei davongelaufen ist, wird uns der Staatsanwalt nicht einmal einen Haftbefehl ausstellen. Gut, er ist nicht in Deutschland gemeldet, aber das Touristenvisum, das er hat, scheint nach allem Dafürhalten echt zu sein. Wir müssen ihn laufen lassen, wenn er nicht von sich aus auspackt.«

»Eben. Das wäre nicht das erste Mal«, merkte Yildrim resigniert an.

»Meiner Meinung nach könnte das auch ein Vorteil sein, wenn wir ihn freilassen«, schaltete sich Kluftinger ein. »Uns fehlen Anhaltspunkte, wer an diesen Aktionen beteiligt sein könnte, also wäre es doch sinnvoll, ihn rund um die Uhr zu beschatten.«

Marlene Lahm schien diesem Vorschlag gegenüber skeptisch: »Davon wird er aber natürlich ausgehen, wenn wir ihn auf freien Fuß setzten. Er wird den Teufel tun und uns zu seinen Komplizen, geschweige denn zu seinen Hintermännern führen.«

Kluftinger aber beharrte auf seiner Meinung. »Selbst wenn er es ahnt, dass wir ihn verfolgen, er muss weiter agieren. Und er fühlt sich sehr sicher. Das lässt ihn möglicherweise leichtsinnig werden. Wir haben nichts zu verlieren. Meine ich zumindest.«

Faruk Yildrim sah einen Moment versonnen vor sich hin und begann dann leicht zu nicken.

»Ich denke, Sie haben Recht. Wir gehen kein großes Risiko ein. Und vielleicht bringt uns dieser Schachzug weiter, als wir es uns im

Moment vorstellen können.« Dann wandte er sich zum Gehen, nicht jedoch ohne Kluftinger auf die Schulter zu klopfen. Sein »Guter Vorschlag, Kollege« machte den Kommissar auf dieselbe Weise stolz, wie es ihn immer mit Stolz erfüllt hatte und noch heute tat, wenn sein Vater ihn für etwas lobte.

Kluftinger beschloss, nach diesem für ihn so angenehmen Erlebnis, sich ebenfalls als gütiger und gerechter Chef zu zeigen. Er ging in seine Abteilung, um Maier für die geleistete Arbeit zu danken. Dass er das Foto der Exfreundin auf dem Computer gefunden hatte, war doch eine große Hilfe für sie alle gewesen. Außerdem interessierte den Kommissar, wie der Kollege es geschafft hatte, das Foto einer Person zuzuordnen. Ob er Franziska Riedle kannte? Schließlich stammte Maier auch aus Leutkirch, wenn Kluftinger sich nicht täuschte.

Der Kommissar ging also in sein Büro, traf Richard Maier dort aber nicht an. Er nahm an seinem Schreibtisch Platz, wobei er den Sitzball durch seinen Sessel ersetzte, und sah sich um. Je mehr er sah, desto größer wurde sein Erstaunen: Als er diesen Raum zwangsweise Maier überlassen hatte, hatte es hier wüst ausgesehen. Einige Umzugskartons hatte Kluftinger ja bereits gepackt, allerdings ohne ein erkennbares System. Das meiste hatte noch am Boden gelegen, auf Häufchen verteilt, deren tieferer Sinn nach kurzer Zeit nicht einmal mehr ihm ersichtlich war. Und nun: Der Fußboden war wie leergefegt, und das im wahrsten Sinne des Wortes: Maier schien nicht nur alles aufgeräumt, sondern auch noch geputzt zu haben. In einer Ecke stand ein geordneter Stapel aus Umzugsboxen. Wie mit der Wasserwaage ausgerichtet lagerten sie aufeinander, nirgends schaute etwas heraus.

Kluftinger erhob sich und nahm die Kartons in Augenschein. Alle waren nach einleuchtenden Sachgebieten und Themen geordnet und fein säuberlich mit Computerausdrucken beschriftet. Nur eine Kiste trug die Aufschrift »Diverses«. Bei Kluftinger wären es gut und gerne fünf gewesen. Das oberste Etikett konnte der Kommissar nicht lesen. Er öffnete den Karton und sah hinein. Neben einem Blatt mit der Aufschrift »Wegwerfen!« fanden sich darin jene Dinge von seinem

Schreibtisch, die sich mit den Jahren in der untersten Schublade ange-sammelt hatten: kaputte Werbekugelschreiber in Schlangen- oder Pommesform, Feuerzeuge, eine Schneekugel aus Zell am See, ein Kunststoff-Lorbeerkranz, den er zu seinem fünfzigsten Geburtstag von seiner Abteilung geschenkt bekommen hatte, eine Tasse in Form eines Kuheuters, bei der der Henkel fehlte, und schließlich ein Feuer-zeug, das aussah wie eine Spielzeugpistole.

Empört nahm Kluftinger seine Devotionalien aus der Kiste. Nur einen abgebrochenen, knapp fünf Zentimeter langen Bleistift und zwei leere Luftballons von der Allgäuer Festwoche beließ er im Müll-karton und besiegelte somit ihr Schicksal. Den Rest stopfte er in die »Diverses«-Kiste.

Er ging zu seinem Schreibtisch zurück und fühlte, wie sich die positive Stimmung Maier gegenüber allmählich wieder ein wenig abschwächte. Dessen penible Ordnung war Kluftinger zuwider. Fein säuberlich reihten sich die vorbildlich gespitzten Bleistifte aneinander. Lediglich Maiers heiß geliebtes Diktiergerät lag ein wenig schräg zur 90-Grad-Achse des Tisches.

Automatisch wischte er über das kleine Display, um es zu reinigen. Eine Verhaltensweise, die er sich bei seinem Handy angewöhnt hatte, das öfter Kontakt mit den Bonbonresten in seiner Jackentasche hatte. Allerdings schaltete er dabei versehentlich das Gerät an, denn aus dem Lautsprecher krähte Maiers oberschwäbischer Dialekt.

Was er da hörte, verschlug dem Kommissar den Atem. Er erfuhr, dass sein Büro organisatorisch in einem katastrophalen Zustand sei, er seine Abteilung ohnehin nur schlampig und nachlässig führe und sei-ne Archivierung mangelhaft sei. Kluftinger konnte es nicht fassen: Richard Maier erteilte seinem Chef tatsächlich Schulnoten. Maier war auch der Ansicht, dass der Kollege Hefele bei der Aufgabenver-teilung »unkooperativ bis renitent« sei, diesbezüglich müsse er, Maier, andere Saiten aufziehen. Darüber hinaus würde er all dies mit Loden-bacher besprechen. Dann verstummte das Gerät. Kluftinger knallte es auf den Tisch und wartete hinter seinem Schreibtisch auf die Ankunft Maiers, nicht jedoch ohne vorher noch die Luft aus dem albernen Sitzball zu lassen.

Als zehn Minuten später sein Kollege den Raum betrat, legte Kluf-tinger ohne ein Wort der Begrüßung los: »Was bildest du dir eigentlich ein? Du hast dich nicht in unseren Fall einzumischen. Kümmer dich besser mal um deinen Bagatellkram, verstanden? Die Task Force hat deine Unterstützung garantiert nicht nötig. Es war schon immer deine Spezialität, deine Nase in Dinge zu stecken, die dich nicht das Geringste angehen. So etwas kann auch ohne Weiteres disziplinarische Folgen haben.«

Maier hatte die ganze Zeit mit offenem Mund dagestanden. Nur bei dem Wort »disziplinarisch« war er kurz zusammengezuckt.

Kluftinger wandte sich zum Gehen. Auf eine Erwiderung legte er keinen Wert. Beim Hinausgehen bedachte er die Umzugskartons mit einem scheelen Blick und schimpfte, wie es hier überhaupt aussehe, man ziehe ja noch nicht morgen oder übermorgen um, und sein Büro sei kein Speditionslager.

Dann knallte er die Tür hinter sich zu. Als er an Sandy Henske vorbeirauschte, hielt die ihn kurz mit der Mitteilung auf, dass Dr. Langhammer den ganzen Nachmittag lang im Viertelstundenrhythmus angerufen und nach ihm gefragt habe.

»Den Deppen sehe ich heut Abend bei der Probe noch früh genug«, brummte der Kommissar und stapfte in den Feierabend.

Erika und ihr Mann nutzten den wieder einmal herrlichen Abend, um zur Probe ins Freilichtspielgelände am Ortsausgang zu laufen. Einige Mitspieler taten es ihnen gleich, sodass eine kleine Prozession aus dem Dorfkern auf die halbrunde Arena zuströmte. Erika hatte sich bei ihrem Mann untergehakt und war froh, dass er den gestrigen Abend so schnell verdaut hatte. Sie hinkte nur noch leicht, nachdem sie, wie geheißen, immer wieder Salbenverbände am Knöchel angelegt hatte. Kluftinger sog den Duft der erst kürzlich gemähten Wiesen ein und freute sich auf den geselligen Abend. Heute war er ganz in seinem Element.

Als sie die Spielfläche betraten, winkten ihnen schon Annegret und Martin Langhammer zu, die auf der Tribüne saßen und warteten, und Kluftinger fiel wieder ein, dass der Doktor ihn ja ganz dringend hatte sprechen wollen. »So, was gibt's denn?«, fragte er ihn nach einer kurzen Begrüßung. Doch Langhammer schüttelte nur den Kopf, den Rest seines schlaksigen Körpers stocksteif auf dem Sitz haltend.

»Ich mein ja bloß, weil Sie so oft angerufen haben bei mir …«

Erika wandte sich ihnen zu, und Langhammer machte ein Gesicht, als habe er gerade in eine Zitrone gebissen. Als Erika sich wieder in ihre Unterhaltung mit Annegret vertiefte, zuckte der Doktor immer wieder mit dem Kopf in Richtung von Kluftingers Frau und hob dabei bedeutungsvoll die Augenbrauen.

»Haben Sie was mit dem Hals?«, erkundigte sich Kluftinger, dem keine bessere Erklärung für die Verrenkungen des Doktors einfiel. Dann blickte er zu den beiden Frauen und sah, dass Annegret seiner Gattin sanft über den Oberarm strich, was sie mit den Worten begleitete: »… immer für dich da, das weißt du. Also, wenn's dir mal nicht so gut gehen sollte, du über was reden willst …«

Was war denn heute in die beiden gefahren?, fragte sich der Kommissar. Normalerweise redete der Doktor doch viel lieber über sich selbst.

»… jetzt trinken wir erst mal eine Tasse Kaffee, das wird dir guttun.«

Erika warf ihrem Mann einen ratlosen Blick zu und ging dann mit Annegret hinter die Bühne.

Langhammer folgte ihnen mit den Augen. Als er der Meinung war, sie seien außer Hörweite, begann er umständlich: »Hören Sie, mein Guter. Ich … wirklich, was Annegret gerade zu Ihrer Frau gesagt hat, das gilt natürlich auch für mich …«

Dass er einen Kaffee trinken sollte? Kluftinger verstand nur Bahnhof.

»Ich meine, dass wir für Sie da sind«, konkretisierte Langhammer.

»Wissen Sie, das mit Erikas Fuß, das ist nicht so schlimm. Wir sind sogar gerade hergelaufen«, beruhigte Kluftinger.

»Nein, im Ernst: Wir haben stets ein offenes Ohr. Für Sie beide.«

Kluftinger machte große Augen. »Ah so, ja ja, natürlich, mhm. Danke auch«, erwiderte er.

»Wissen Sie, es geht mich ja nichts an …« Langhammer machte eine Pause. Egal, was er jetzt noch sagen würde, dachte sich Kluftinger, mit dieser Einleitung würde er auf jeden Fall Recht behalten. »… aber, nun ja, ich bin Arzt, wie Sie wissen. Mir ist sozusagen nichts Menschliches fremd. Also, wenn's bei Ihnen beiden nicht mehr so klappt … ich meine, es gibt da Mittel, auch medikamentös, wie Sie sicher gehört haben, die das Feuer wieder entfachen. Und ebenso gibt es solche, die zu heiß loderndes Feuer … na, eben etwas dämpfen. Könnte ich sogar verschreiben, so etwas.«

Kluftinger hatte das Gefühl, dass der Doktor russisch mit ihm redete. Spielte er irgendwie auf den gestrigen Abend an? Auf Kluftingers Tanzstil? Der Kommissar legte die Stirn in Falten. Er fürchtete jedoch, dass eine Erklärung dieses kryptischen Gestammels in einen der berüchtigten Monologe des Doktors ausarten könnte. Deswegen tat er, was er für das Beste für sie beide hielt – er log: »Verstehe.«

Langhammer blickte ihn prüfend an. Er schien irgendwie zu erwarten, dass sein Gegenüber mehr dazu sagen würde als nur ein dürres Wort. Als das nicht passierte, setzte er erneut an. Doch der Regisseur kam ihm zuvor: »Alles auf Auftrittsposition bitte«, schallte es über die Anlage.

Kluftinger zuckte entschuldigend mit den Achseln und erhob sich. Er wollte nur schnell weg von hier. Den ganzen Weg über die Spielfläche meinte er, den Blick des Doktors in seinem Nacken zu spüren.

Als sich schließlich alle Männer auf der Spielfläche versammelt hatten, trat der Regisseur vor sie. »Also, Amici …« Wenn er etwas erklärte, benutzte Frank gerne diese italienische Form der Anrede, was ihn in Kluftingers Augen noch seltsamer machte, als er ohnehin schon war. »… ich habe es Ihnen ja bereits ein paar Mal gesagt«, begann Frank, wobei er vor ihnen hin und her lief, die Arme auf dem Rücken verschränkt, sein Textbuch unter die rechte Achsel geklemmt. »Das ist eine Schlüsselszene des ganzen Stücks, der Rütli-Schwur. Und wir müssen aufpassen, dass er uns nicht abfällt, nur, weil wir und die Zuschauer ihn so gut kennen. Es ist wichtig, dass wir ihn so frisch und spannend spielen, als ob wir das Ganze zum ersten Mal sehen beziehungsweise erleben. Mit all der Emotionalität, die dieser Moment für die Protagonisten gehabt haben muss.«

In den Augenwinkeln sah der Kommissar, dass Langhammer ihn noch immer von der Seite musterte. Was war das jetzt wieder für eine neue Marotte? Lag der Doktor etwa nachts wach und überlegte sich immer neue Sachen, mit denen er Kluftinger auf den Geist gehen konnte? Oder fiel ihm das ganz spontan ein? Sollte er …

»… Terroristen, verstehen Sie.«

Kluftinger zuckte zusammen. Hatte der Regisseur gerade wirklich von Terroristen gesprochen? Oder war er schon so in seinem aktuellen Fall gefangen, dass er Halluzinationen hatte? Er verfluchte sich dafür, dass er in Gedanken schon wieder abgeschweift war. Er nutzte die Kunstpause von Heinrich Frank, um einen seiner Mitspieler nach dessen letzten Satz zu fragen.

»Er hat gesagt, wir sind Terroristen«, flüsterte der ihm zu.

Der Kommissar runzelte die Stirn. »Wir sind … was?«

»Na, nicht wir. Die Rütli-Verschwörer halt. Die Bauern. Er hat gemeint, dass man die heute mit Terroristen vergleichen könnte, weil …«

»… wenn Sie natürlich selbst dazu etwas Wichtigeres beizutragen haben, dann können Sie das gerne tun«, blaffte Frank plötzlich dazwischen. Er war weniger kulant als Yildrim, was Störungen seines Vortrags anging. Kluftingers Nebenmann bedachte ihn mit einem ärgerlichen Blick und wandte sich ab.

»Nicht? Na gut, dann mache ich einfach mal ein bisschen weiter: Also, es sind quasi einzelne Zellen, die sich zu diesem Schwur hier zusammenrotten, Menschen, die bisher nie etwas miteinander zu tun hatten, die aber *ein* gemeinsames Ziel verfolgen: der herrschenden Ordnung einen Schlag zu versetzen.«

Kluftinger nickte, und der Regisseur sah ihn nun wieder wohlwollend an. Doch das Nicken hatte nicht dessen Ausführungen gegolten. Er war auf Franks Stichwort in Gedanken wieder zu seinem Fall gewandert und hatte die frappierende Parallelität zwischen dem Stück und dem Terrorismus ein weiteres Mal erstaunt zur Kenntnis genommen. Auch die Sprache, derer sich die Terroristen bedienten, erinnerte ihn frappierend an die Schiller'schen Verse, wenn die natürlich auch von höherer literarischer Qualität waren. *Eher den Tod, als in der Knechtschaft leben*, hieß es einmal im Rütli-Schwur. Das hätten sicher auch diejenigen unterschrieben, hinter denen er gerade her war.

»Vielleicht Sie, Herr Kluftinger?«

Wieder hatte der Kommissar nicht aufgepasst. Was war heute nur los?

»Ob Sie sich um die Fackeln kümmern können!« Langhammer flüsterte ihm von hinten ins Ohr.

»Wir proben zum ersten Mal mit Fackeln! Sie sind heute wirklich nicht bei der Sache«, ergänzte Frank misslaunig. »Wo Sie als Polizist

doch einen besonders verantwortungsvollen Umgang mit gefähr-
lichen Stoffen gewöhnt sind.«

Kluftinger nickte automatisch.

»Gut. Noch jemand? Ja? Würden Sie das übernehmen, Herr
Ludger? Sie haben doch bei den pyrotechnischen Dingen schon
öfter geholfen.« Frank blickte zu einem jungen Mann, den Kluftinger bereits mehrmals gesehen hatte, der ihm aber erst jetzt richtig
auffiel.

»Sehr gern«, antwortete der. Er stellte sich neben den Kommissar
und nickte ihm zu. Kluftinger fiel sofort auf, wie gut er roch – und er
versuchte sich sogleich, zutiefst erschrocken über diese ganz und gar
unmännliche Feststellung, auf ein anderes Detail zu konzentrieren.
Obwohl er ihn insgeheim zu gern gefragt hätte, was das denn für ein
Rasierwasser war. Ludger schien sportlich und ansonsten eher un-
scheinbar, was wohl der Grund dafür war, dass er dem Kommissar bisher nicht aufgefallen war. Er konnte noch nicht allzu lange in Altusried wohnen, sonst hätte er ihn sicher bereits getroffen, bei
irgendeinem Ereignis in der rührigen Dorfgemeinschaft. Der Kommissar fand es gut, dass sich der Neubürger schon im Freilichtspiel
engagierte. Viele der Zugezogenen betrachteten nämlich Altusried
lediglich als »Schlafzimmer« und fuhren zu jedem anderen Zweck
nach Kempten. Am dörflichen Leben nahmen sie nicht teil, was dieses
auf Dauer nicht gerade stärkte.

Der Regisseur zeigte ihnen die Fackeln, erklärte ihnen ihre Aufgabe, ermahnte sie ein wenig schulmeisterlich, verantwortungsvoll mit
ihrer neuen Aufgabe umzugehen, und entfernte sich dann wieder,
nachdem sie ihm mehrfach versichert hatten, alles genau wie besprochen durchzuführen.

Kluftingers Mutter, die auch bei jedem Freilichtspiel im Volk mit-
spielte, stand nur wenige Meter neben ihnen und musterte ihren Sohn
besorgt. Der versuchte einfach, sie zu ignorieren. Schließlich gab sie
ihrem Mann einen Stoß in die Seite und flüsterte laut genug, dass es
ihr Sohn auch hören konnte: »Komm, geh halt auch mit hin. Hilf halt
dem Jungen. Nicht, dass was passiert.«

Vater und Sohn verdrehten gleichzeitig die Augen; dennoch tat der
Senior, wie ihm geheißen. Als es schließlich so weit war, Kluftinger
die Fackeln in den Brennspiritus tauchte, damit sie schneller Feuer

fingen, und sie von Ludger mit einem brennenden Holzscheit anzünden ließ, beobachtete ihn sein Vater genau.

»Au weh«, murmelte er von Zeit zu Zeit, wahlweise entschwand seinen Lippen auch ein »Oh« oder »Jesses«.

Irgendwann platzte Kluftinger der Kragen: »Herrgott Vatter, wenn dir was nicht passt, dann sag's halt klar und deutlich oder lass es sein!« Dabei meinte Kluftinger für einen kurzen Moment, seinen Sohn Markus zu hören, der manchmal genau dasselbe zu ihm sagte, sogar im gleichen Wortlaut, und ein mulmiges Gefühl beschlich ihn. Er wollte nicht so werden wie sein Vater, das hatte er sich doch immer geschworen.

Als sie schließlich mit ihren Fackeln in der Abenddämmerung standen, um die Rütli-Szene zu proben, ging Kluftinger wieder einmal das Herz auf. In dieser Szene würde es bei den Vorstellungen bereits dunkel sein – ein spektakuläres Bild würde das abgeben, und er war stolz darauf, Teil eines so besonderen Projektes zu sein. Das Ganze garniert mit den unsterblichen Sätzen Schillers, der ... er konnte seine Schwärmerei nicht zu Ende führen, weil irgendetwas gegen seine Hüfte klopfte. Als er den Kopf senkte, sah er, dass es die Hand des Doktors war. Offensichtlich wollte er ihm damit das Versmaß anzeigen, damit er beim gemeinsam gesprochenen Schwur nicht aus dem Takt kam.

Vielleicht würde es diesmal doch nicht ganz so schön werden wie sonst, seufzte Kluftinger in Gedanken und dachte wehmütig an die Freilichtaufführungen ohne Langhammer. Hätte der ein bisschen weniger am Dorfleben teilgenommen, hätte es in Kluftingers Augen ganz und gar nicht geschadet. Der Doktor schien von Kluftingers Gedanken jedoch nichts zu bemerken und klopfte munter weiter gegen seine Hüfte. Da hellte sich die Miene des Kommissars auf, er kippte seine Fackeln ganz leicht zur Seite, sah, wie sich ein brennender Wachstropfen davon löste, begleitete dessen Flugbahn mit einem kleinen Stoßgebet und schickte sofort ein Dankgebet hinterher, als das Klopfen schlagartig aufhörte und der Doktor seine Hand mit einem schrillen »Aaaah!« zurückzog.

»Herr Martin, Sie müssen schon auch im Takt bleiben«, schaltete sich sofort der Regisseur ein.

»Aber, ich, er ...«, stammelte Langhammer, offenbar fassungslos darüber, dass er öffentlich gerügt wurde.

Doch Frank ließ gar keine Diskussion aufkommen: »Wir machen's noch einmal, bitte jetzt alle konzentrieren.«

Als Kluftinger rund eine halbe Stunde später die sogenannte Spielerhütte, ein massives, großes Holzhaus, das den Mitwirkenden als Kantine diente, betrat, musste er sich mühsam ein Grinsen verkneifen: Der Doktor rieb auf seiner Hand mit einem Eiswürfel herum. Da seine Frau bei Langhammers am Tisch saß, blickte er sich suchend um und entdeckte schließlich den jungen Mann, mit dem er von nun an für die Fackeln verantwortlich war. Er saß allein an einem Tisch und schien vor sich hin zu träumen. Da Kluftinger seinen Namen nicht mehr wusste, setzte er sich lautstark zu ihm auf die Bierbank und polterte: »So, schläfst du?«

Ludger blickte ihn mit zusammengekniffenen Augen an.

»Ich habe gedacht, mir müssen uns mal ein bisschen kennenlernen, wenn wir uns schon zusammen ums Gefahrgut kümmern«, fuhr Kluftinger fort. »Also, woher kommst du?«

»Aus Österreich.«

»Au weh, da hab ich grad auch einen ganz Speziellen bei mir im G'schäft. Und wie lange bist du schon da?«

»Seit einem halben Jahr.«

»Woher bist du denn?«

»Aus Imst. Tirol«

»So so, kimmst aus Imst?«, grinste Kluftinger, doch sein Gegenüber verzog keine Miene.

»Was machst du denn so beruflich?«

»Dies und das.«

Kluftinger runzelte die Stirn. »Hast du heute keine Bauernsprechstunde, hm?« Dann erhob er sich und klopfte dem jungen Mann auf die Schulter. »Wenn ich dir einen Tipp geben darf: Du musst schon noch ein bisschen aufwachen. So Schläfer finden bei uns im Allgäu nur schwer Anschluss.«

Kluftinger hatte sich noch keine drei Schritte von dem Tisch entfernt, da stand Langhammer bereits wieder hinter ihm. »Wir sollten noch mal reden«, flüsterte er und deutete auf den Ausgang.

Kluftinger folgte ihm und machte sich darauf gefasst, dass sich der Arzt nun über seine Fackel-Aktion beschweren würde, weswegen er sich schon einmal ein paar Ausreden überlegte. Doch er kam gar nicht dazu, sie zu benutzen: »Mein Lieber, wie gesagt, ich bin Tag und Nacht für Sie da.«

Kluftingers Magen krampfte sich zusammen. Jetzt wäre es ihm eigentlich sogar lieber gewesen, der Doktor hätte ihm Vorwürfe gemacht oder sich mit ihm geprügelt. Hilfe suchend blickte er sich um und entdeckte den Regisseur, der gerade an ihnen vorbeiging.

»Herr Frank, gut dass Sie da sind. Wir haben gerade über …«, fieberhaft dachte der Kommissar nach, »… über das Verhältnis unserer zwei Figuren gesprochen.«

Frank blieb stehen. Kluftinger wusste, dass er einem Gespräch über Rollendefinition nie abgeneigt war.

»Aha, das finde ich sehr lobenswert, meine Herren.« Langhammer, der eben noch etwas irritiert dreingeblickt hatte, schien unter der Schmeichelei des Regisseurs zu wachsen. Sofort legte er Frank seine Sichtweise der Charaktere dar. Kluftinger hörte etwa eine Minute lang zu, dann war er sich sicher, dass der Zeitpunkt gekommen war. Und tatsächlich bemerkten die beiden gar nicht, dass er sich dem Gespräch entzog und wieder in die Spielerhütte ging.

Als er an diesem lauen Abend mit seiner Frau nach Hause ging, legte er ihr voller Übermut den Arm um die Schulter und zog sie zu sich, was diese mit einem dankbaren, zärtlichen Blick quittierte. »Mir ham's schon schön hier, gell?«, sagte er schwärmerisch und sog die Abendluft in seine Lungen.

»Ja«, hauchte seine Frau. »So friedlich.«

»Friedlich. Das ist das richtige Wort. Man möchte gar nirgends sonst leben.«

Sie gingen schweigend nebeneinander her, schlenderten den Feldweg zum Dorf entlang und bogen in ihre Straße ein, als Kluftinger ruckartig stehen blieb.

»Was ist denn?«, fragte Erika.

Der Kommissar deutete auf ihre Hofeinfahrt. Erika schmiegte sich ängstlich an ihren Gatten. »Meinst du … ?«

Er hob die Hand und hielt den Zeigefinger an seine Lippen. In der Einfahrt stand ihr Auto, die Beifahrertür weit offen. Erst vor wenigen

Wochen waren im Ort einige Wagen aufgebrochen und die Radios entwendet worden. Kluftinger wurde nervös, auch wenn er sich nicht vorstellen konnte, dass es jemand auf seine alte Anlage abgesehen haben könnte, bei dem das Kassettendeck gar nicht mehr und die beiden Lautsprecher nur abwechselnd funktionierten. Wie auch immer, der oder die Täter waren bisher nicht ermittelt worden. Kluftinger gab Erika zu verstehen, dass sie auf ihn warten solle und pirschte sich an die Einfahrt heran. Als er direkt an der Ecke stand, sagte plötzlich eine kalte Stimme: »Bleiben Sie rechts.«

Kluftinger erstarrte. Man hatte ihn bemerkt. Verdammt, was sollte er jetzt tun?

Wieder sprach die Stimme: »Sie haben Ihr Ziel erreicht.« Kluftinger bekam eine Gänsehaut. In der Stimme lag keinerlei Menschlichkeit oder Wärme.

Er musste irgendwie reagieren, den anderen beruhigen, nicht, dass der noch Dummheiten machte oder den Kopf verlor.

»Hören Sie«, krächzte er nervös, »ich will Ihnen nichts tun. Meinetwegen nehmen Sie ... was auch immer Sie brauchen, und hauen ab. Ich ...«

»Bitte wenden!«

Hä? Der Kommissar hatte keine Ahnung, was die Stimme damit meinte. Sollte er sich umdrehen, sich ...

»Jetzt links abbiegen!«

Plötzlich keimte ein Verdacht im Kommissar auf. Er blickte um die Hecke und in diesem Moment kam Markus aus der Haustür und setzte sich ins Auto. Kluftinger richtete sich auf, lief auf den Passat zu und schimpfte: »Spinnst jetzt du, Markus? Du hast ... deiner Mutter einen Riesenschreck eingejagt.« In diesem Moment fiel ihm Erika ein, und er rannte zurück, um Entwarnung zu geben.

Als er mit ihr wieder in die Einfahrt trat, stand ein völlig entgeistert dreinblickender Markus vor ihnen.

»Vatter, was ...«

»Herrgott, wir ... deine Mutter hat schon gedacht ... was machst du da überhaupt?«

»Ich hab dir das Navi im Auto installiert.«

»Das hättest du doch auch sagen können, oder?«

»Ich wollt euch halt überraschen.«

Faruk Yildrim begann seine Morgenkonferenz mit der Feststellung, dass die Beschattung von Alii Hamadoni momentan oberste Priorität habe, man erhoffe sich neuen Aufschluss über die Hintergründe seiner Verwicklung in die Vorbereitung des Anschlags. Bisher aber sei bei der Verfolgung noch nichts Verwertbares herausgekommen, davon abgesehen, dass man nun wisse, dass er seit Kurzem eine recht luxuriöse kleine Wohnung im Kemptener Zentrum bewohne, wo er aber nicht amtlich gemeldet sei. Eigentümer sei ein italienischer Gastwirt, dem auch Verbindungen zur organisierten Kriminalität nachgesagt würden, was Kluftinger, als er den klingenden Namen hörte, mit einem Kopfnicken bestätigte.

»Heute Nacht haben Kollegen aus Kempten die Beschattung übernommen. Sie haben ihre Arbeit sehr gut gemacht. Ich möchte aber, dass von nun an immer jemand aus unserem Kreis dabei ist. Sicher ist sicher, möglicherweise gilt es, schnell einzugreifen«, erklärte Yildrim. »Wir müssen uns natürlich bewusst sein, dass er uns allesamt kennt. Auch daher ist die Unterstützung durch die Kripo vor Ort unumgänglich und sehr wichtig. Bitte gehen Sie also vorsichtig und zurückhaltend vor. Herr Kluftinger ...«

Yildrim sah zum Kommissar, bei dem heute von Konzentrationsproblemen nichts zu merken war. Er zog die Augenbrauen nach oben und blickte Yildrim fragend an.

»... wenn Sie sich bitte darum kümmern könnten, dass es erfahrene und gewissenhafte Leute sind, die sich der Sache annehmen. Sie oder auch Herr Renn wissen sicher am besten, wer sich für solch sensible Aufgaben am ehesten eignet.«

Kluftinger und Willi Renn nickten dienstbeflissen. Ja, sie wussten durchaus, wer das war, und Maier würde für Kluftinger in hundert Jahren nicht dazugehören.

»Herr Kluftinger, Herr Bydlinski, wenn Sie bitte, unterstützt von zwei lokalen Beamten, die Schicht ab Mittag übernehmen würden«, bat Yildrim.

»Ich werde zwei meiner Männer mitnehmen«, bestätigte Kluftinger.

»Wunderbar. Herr Kluftinger, wenn Sie möchten, können Sie ja das in Ihrer Abteilung gleich regeln. Bis Mittag können Sie sich gern um Ihre normalen Geschäfte kümmern, wenn Sie möchten.«

Kluftinger mochte zwar nicht unbedingt, machte sich aber dennoch auf den Weg in sein Büro.

»Na, Fräulein Henske, wie geht es Ihnen mit Ihrer neuen Aufgabe?«, wollte Kluftinger wissen und hoffte darauf, dass ihm seine Sekretärin einen Kaffee anbieten würde.

»Nu, isch muss sagen, ne Herausforderung isses, mal wieder was ganz Neues, nen neuen Chef, nichts gegen Sie natürlich. Aber viel Arbeit, wirklich. Noch dazu, wo der Herr Maier misch ooch mit Arbeit eindeckt, deutlich mehr, als Sie das machen. Und dabei hat der Herr Yildrim eigentlich versprochen, dass isch von der normalen Arbeit freigestellt bin.«

Kluftinger verbiss sich eine Bemerkung darüber, dass sie sich viel Zeit sparen könnte, würde sie nicht auch noch Bydlinskis Aufgaben übernehmen. Stattdessen kündigte er an, er würde das mit Maier unverzüglich regeln, woraufhin Sandy dankbar nickte.

Ihr »Kaffee, Chef?«, beantwortete auch er mit einem Kopfnicken und öffnete zwei Minuten später sein Büro, in dem er Maier diesmal antraf. Besser gesagt, er traf alle Mitarbeiter seiner Abteilung auf einmal an. Richard Maier versuchte sich wohl gerade in einer Konferenz. Kluftinger war schon gespannt darauf, wie der Kollege sich bei ihm zu entschuldigen gedachte. Und schon einen Augenblick später, wusste er es: gar nicht. Stattdessen bat er seinen Vorgesetzten schroff, doch noch draußen ein wenig zu warten – sie hätten gerade eine vertrauliche Konferenz.

Noch bevor das Adrenalin sich bis in Kluftingers Hirn vorarbeiten und dort irgendwelche Synapsen in Gang setzen konnte, gab er Maier gelassen zu verstehen, dass das *sein* Büro sei, er hier auf *seinem* Sofa warte, bis Maier sich mit *seinen* Mitarbeitern an *seinem* Schreibtisch fertig besprochen habe.

Maier bedachte ihn mit einem bösen Blick, hielt sich aber mit einem weiteren Kommentar zurück. Gut für ihn, dachte der Kommissar und lauschte der Besprechung, in der es um einen Toten ging, den man am Illerwehr gefunden hatte. Ein unspektakulärer Fall, hatte man doch einen Abschiedsbrief des hoch verschuldeten Mannes in dessen Wohnung gefunden.

Als sich Hefele und Strobl zu Kluftinger umdrehten und ihm einen viel sagenden Blick zuwarfen, wurden sie sofort mit den Worten »Aufpassen, meine Herren! Nicht ablenken lassen, hier spielt die Musik!«, von ihrem Aushilfschef zur Ordnung gerufen.

Als kurz darauf Strobl versonnen zum Fenster hinaussah, bedachte ihn Maier mit einem strengen Blick und herrschte ihn, noch bevor er reagieren konnte, schulmeisterlich an: »Wiederhole bitte sofort meine Frage, Eugen!«

Strobl runzelte die Stirn, sah verstohlen zu Kluftinger und setzte zu einer Antwort an. Maier kam ihm jedoch mit seinem »ich höre ...« zuvor.

Leise sagte Strobl: »Du hast gefragt, ob ich etwas über die Lebensumstände dieses Mannes erfahren hab.«

»Und?«, klang Maier ungeduldig.

»Habe ich. Er ist, nun, wie soll ich da anfangen ... Von der Kleidung her, ...«

Strobl suchte nach den passenden Worten, um seinen Bericht auszuschmücken. Er wusste, dass Kluftinger gern auch Details hörte, damit er sich ein Bild von der jeweiligen Situation machen konnte. So wollte er beispielsweise bei Selbstmördern oder Kriminalitätsopfern stets wissen, welche Autos die Leute fuhren, welche Socken sie trugen oder welche Nahrungsmittel sich in ihrem Kühlschrank befanden. Eine Eigenheit, die Maier allem Anschein nach nicht teilte: »Eugen: kurz und prägnant bitte, du weißt, dass ich dieses ewige Geschwätz nicht mag.«

Kluftinger missfiel, dass sich Strobl daraufhin nicht etwa aufregte, sondern sich schuldbewusst räusperte und nunmehr einen knappen und zugegebenermaßen präzisen Bericht ablieferte.

Hefele wollte gerade etwas anmerken, wurde aber von Maier unterbrochen: »Stopp. Roland, du hast nicht gezeigt. Wer sich nicht meldet und nicht aufgerufen wird, hat nicht das Wort. Das haben wir zusammen so vereinbart gestern. Das wisst ihr nur zu genau. Also, Roland, bitte Handzeichen.«

»So ein Schmarrn jetzt«, fand Hefele, aber Maier ließ nicht locker: »Melden oder schweigen.«

Hefele hob also die rechte Hand. Mit generöser Geste ließ Maier ein »Bitte, Roland« vernehmen.

»Also ich denke, wir können die Leiche zur Beerdigung freigeben«, sagte Hefele nun leise.

»Sehr schön«, sagte Maier und klang dabei ein wenig wie Kluftinger nach dem ersten Geigenvorspielabend seines Sohnes, nachdem ihn der sechsjährige Markus gefragt hatte, wie er denn seine Solointerpretation von »Der Mond ist aufgegangen« gefunden habe.

Kluftinger, der das Ganze nicht mehr mit ansehen wollte, meldete sich zu Wort: »So, Männer, ich bräuchte für heute Nachmittag einen oder zwei von euch, für eine Beschattung, Sonderauftrag, eine heikle Sache.«

Kluftinger hatte das Wort »Freiwillige« noch nicht zu Ende gesprochen, schon waren die Hände von Hefele und Strobl nach oben geschnellt.

»Ich mach's super, versprochen. Ich kann doch so toll beschatten, bitte, Klufti«, ereiferte sich Strobl. Hefele rief: »Nein, bitte, nimm mich. Bitte, bitte. Ich bin doch total unauffällig, weißt du?«

Kluftinger wusste nicht, wie ihm geschah. Mit so viel Diensteifer hatte er nun wirklich nicht gerechnet.

Nun mischte sich Maier ein: »Also tut mir wirklich leid«, sagte er in Kluftingers Richtung, »aber meine beiden hier sind im Moment unabkömmlich. Keine Chance, ich kann dir auf keinen Fall jemanden abordnen. Aber wenn du willst, ich könnte mich vielleicht schon freimachen, wenn es unbedingt sein müsste. Ich denke, ich wäre doch der prädestinierte Mann dafür, als Dienstältester …«

Nun platzte Kluftinger der Kragen: »Jetzt mach mal halblang, Richie. Bloß weil ich hier gerade nicht da bin, brauchst du dich nicht aufzuführen wie der Innenminister. Du machst dich ja völlig lächerlich. Dich kann ich bei der Observation eh nicht brauchen, mit deiner Wichtigtuerei. Die beiden werden mich ab dreizehn Uhr unterstützen. Diesen Pillepallefall wirst du wohl mal allein abschließen können. Und lass mir ja die Sandy in Ruhe, die ist für dich nicht zuständig.«

Maier schnappte nach Luft, stand auf und verließ mit bebenden Lippen und sich mit Tränen füllenden Augen das Büro.

Eine Weile herrschte angespannte Stille. Kluftinger hatte wieder auf dem Sofa Platz genommen und spielte nervös an dem kleinen Kugelschreiber, der zu seinem Terminkalender gehörte. »Sagt mal«, fragte er Hefele und Strobl schließlich, »was war das denn jetzt? Seit wann seid ihr denn so übereifrig? Das kenn ich ja gar nicht, dass ihr euch einem förmlich aufdrängt, wenn man euch braucht.«

Hefele begann nach einer kurzen Pause die Erklärung: »Ganz ehrlich, ich würd lieber oben am Berliner Platz den Verkehr regeln und sechs Ampeln auf einmal ersetzen, als unter diesem Despoten hier zu arbeiten. Der tickt ja nicht mehr ganz richtig. Und alles will er umkrempeln. Zeit, dass du wiederkommst, Klufti, da geht zwar nicht so viel vorwärts, ich mein … schon, aber …«

Kluftinger zog die Brauen nach oben. Was wollte ihm Hefele genau sagen?

Strobl half seinem Kollegen aus der Patsche. »Bei dir macht man die Arbeit halt gern und es geht menschlich zu, will der Roland sagen.«

Hefele nickte und Strobl fuhr fort: »Jedenfalls, der Richie, der hat's wirklich nicht mehr ganz recht im Kopf.«

»Also, jetzt komm, ihr habt ihm doch gehorcht wie die Schulbuben. Das war ja lächerlich anzusehen, wie ihr euch von dem anschnauzen lasst. Der ist auch nicht mehr als ihr!«

»Der nicht«, brummte Hefele leise.

Kluftinger bezog dies auf sich und wollte wissen: »Was soll denn das jetzt wieder heißen?«

»Der Roland meint den Lodenbacher«, erklärte Strobl.

»Lodenbacher?«, fragte der Kommissar erstaunt.

»Schau, der Lodenbacher war heute früh schon da und hat uns nach allen Regeln der Kunst zusammengeschissen, dass uns Hören und Sehen vergangen ist. So, und weißt du warum?«

Hefele war zornig. So oft wie in den letzten Tagen hatte Kluftinger das bei dem rundlichen, kleinen und doch normalerweise so gemütlich durchs Leben gehenden Mann noch nie erlebt. Erst die Sache mit Sandy und Bydlinski und jetzt die Wut auf Maier.

»Der Richard war bei ihm und hat sich beschwert, dass wir seine Autorität nicht anerkennen und wir ihm gegenüber zu wenig Respekt aufbringen würden. Du kennst doch den Lodenbacher. Wie ein Schachtelteufel ist der hier rein, hat einen roten Kopf gekriegt und ist nervös rumgelaufen. Wenn das ab jetzt nicht klappt, und er fragt den Maier jeden Tag, hat er gesagt, dann bekämen wir Strafaufgaben wie Archivierungen und technischen Dienst. Stell dir das mal vor. Ich hab keine Lust, den Hof zu kehren, weißt du?«

»Schon klar. Ich hätte nie gedacht, dass sich der Richard so aufspielen würde.« Kluftinger war ernsthaft betroffen. »Tut mir echt leid für euch. Aber keine Sorge, ich zahl ihm das alles heim, wenn ich wieder hier bin, versprochen. Um eins unten im Hof, ja, Jungs?«, grinste Kluftinger ihnen dann verschwörerisch zu, und die beiden nickten zufrieden.

»Was genau ist denn das, was Sie da permanent in sich reinstopfen?« Kluftinger war genervt. Yildrim hatte darauf bestanden, dass er und Bydlinski in einem Auto die Beschattung durchführten und Hefele und Strobl in einem anderen. Nun saß er mit dem Österreicher in seinem Passat vor der Wohnung von Alii Hamadoni im Kemptener Westen. Den Wagen durchzog ein Geruch nach ranzigem Öl, in den sich manchmal Essigschwaden mischten. Bydlinski hielt in der linken Hand eine Dose, in der rechten eine Plastikgabel. Auf dem Schoß hatte er eine Tüte ausgebreitet, darauf thronte ein Ciabattabrot.

»Ist gesund, weil reich an Omega-3-Fettsäuren. Wollen Sie ein Gustostückerl?«

»Schönen Dank. Ölsardinen habe ich bei der Bundeswehr im Übermaß genossen.«

»Keine Sardinen«, presste der Österreicher mit vollem Mund hervor. »Makrelen in Sherryessig und Öl.«

Durch das Öffnen des Fensters gelang es Kluftinger, den Brechreiz niederzukämpfen, den Bydlinskis offenbar nicht mehr ganz frische

Fischdose ausgelöst hatte. Auch die Temperatur im Wagen machte dem Kommissar zu schaffen, das Auto stand halb in der Sonne, und draußen hatte es gut und gerne dreiundzwanzig Grad.

Geradezu erfreut nahm Kluftinger deshalb wahr, dass die Zielperson aus dem Haus trat und zu ihrem Wagen ging. Hinter seinem schwarzen Audi fuhren in gebührendem Abstand Kluftingers Passat und Hefele und Strobl in einem alten Astra.

Die kleine Kolonne fuhr in Richtung Stadtzentrum, dann bog der Audi in die große Parkgarage des Einkaufszentrums ein, das man hier vor einigen Jahren aus dem Boden gestampft hatte und mit dessen Existenz die ansässigen Geschäftsleute ihre liebe Not hatten. Auch Kluftinger war dem »Forum« gegenüber zunächst skeptisch gewesen. Mittlerweile aber genoss er zwei Vorteile daran: einerseits die Tatsache, dass man auch bei Regen trockenen Fußes einkaufen konnte, und zum anderen, dass all die Läden, in die ihn Erika bei samstäglichen Einkaufsbummeln schleifte, immerhin auf engem Raum beisammen waren. Allerdings war er noch nie im Parkhaus gewesen, sondern hatte immer einen kostenlosen Platz in der Umgebung gesucht. Fürs Parken dort Geld zu bezahlen, wo man hinfuhr, um Geld auszugeben, das ging Kluftinger gegen den Strich.

Als sie das Einkaufszentrum betraten, besuchte Hamadoni zunächst einen Tabakladen und kaufte sich dann bei einem chinesischen Schnellimbiss gebratene Nudeln, die Kluftinger beinahe auch bestellt hätte, um den schrecklichen Fischgestank im Auto zu übertünchen.

Nach einem gemeinsamen Besuch der Rasiererabteilung eines großen Drogeriemarktes, wobei Hefele und Strobl hier vor der Tür warteten und sich ein Eis genehmigten, begab sich der Beschattete noch in einen Jeansladen, um in aller Ruhe einen Gürtel auszusuchen. Er fühlte sich sehr sicher, und falls er sie gesehen hatte, wollte Hamadoni ihnen das auch zeigen. Kluftinger und Bydlinski setzten sich derweil in ein Café auf dem Vorplatz mit Blick in den Laden; zehn Minuten später ließ sich auch Hamadoni dort an einem nicht weit entfernten Tisch nieder. Nach kurzer Zeit kamen zwei weitere Männer, allem Anschein nach süd- oder osteuropäischer Herkunft, und setzten sich an den Tisch. Einige Minuten unterhielten sich die drei angeregt. Zu verstehen war freilich nichts.

Schließlich stand einer der Männer auf und verabschiedete sich. Hamadoni winkte der Kellnerin.

Der Kommissar wurde nervös. Nun ging es darum, dass jeder sich an einen der Männer dranhängte. Kluftinger und Bydlinski verständigten sich mit einem Blick, und Kluftinger folgte dem Unbekannten. Der Mann stand bereits an einer Fußgängerampel am Rande des Platzes. Der Kommissar schloss zu ihm auf und sah, wie der Unbekannte nach rechts in eine kleine Seitenstraße einbog und in einem Hauseingang verschwand. Internetcafé stand in leuchtorangefarbenen Buchstaben über der Tür.

Der Kommissar ließ sich ein wenig Zeit, dann ging auch er hinein. Er wusste nicht recht, was ihn hier erwartete, denn Kluftinger war noch nie in einem solchen Etablissement gewesen. Im Café, das von innen viel größer wirkte, als er erwartet hatte, gab es nach Kluftingers erster Schätzung zwanzig Computerplätze, etwa ein Drittel davon belegt. Die Zielperson nahm in der Mitte des Raumes Platz. Der Kommissar ging zu einem Tresen, auf dem eine Kasse stand. Dahinter saß rauchend ein vielleicht dreißigjähriger, blonder Mann, der Kluftinger fragend ansah.

»Ja, bitte?«, fragte der Mann gelangweilt.

»Ich …«, setzte Kluftinger zögerlich an, »ich bekäme dann einmal Internet.«

»Volume oder Time?«

»Nein, nur Internet.«

Sein Gegenüber sah Kluftinger verständnislos an. Nach einer Pause hakte er nach: »Ja, schon klar, aber soll es denn ein Volume-Package sein oder einfach Timesurf?«

Der Kommissar hatte nicht die geringste Ahnung, was der Blonde von ihm wollte. Er tat so, als überlege er, und sagte dann entschieden: »Einfach Timesurf.«

Als der andere ihm einen abschätzigen Blick zuwarf, korrigierte er schnell: »Ach nein, das andere, bitte.«

»Ja was denn jetzt, in Gottes Namen?«, fragte der Mann genervt.

»Wissen Sie was? Einen Kaffee hätt ich gern, und das mit dem Internet, das machen Sie, wie Sie meinen. Sie sind schließlich der Experte hier«, sagte Kluftinger und ging zu einem Platz schräg hinter dem Beschatteten. Er wollte das Gespräch nicht eskalieren lassen, nicht dass noch der Verfolgte auf ihn aufmerksam würde.

An seinem Platz angekommen, warf der Kommissar zunächst einen Kontrollblick auf den Bildschirm des anderen. Der las gerade E-Mails, die aber von Kluftingers Platz aus nicht zu entziffern waren. Lustlos spielte Kluftinger mit der Maus herum. Der Bildschirmschoner verschwand. Von Markus wusste er, dass man mit dem Explorer ins Internet kam. Er öffnete also das Programm und sah vor sich auf dem Bildschirm lauter kleine gelbe Kästchen, die ein wenig wie Karteikärtchen wirkten. Ein seltsames Internet hatten die hier. Er kannte es von Markus und den Kollegen ganz anders. Eines der gelben Kästchen hieß »Systemsteuerung«, was Kluftinger als interessanten Namen einstufte. Vielleicht etwas Politisches, dachte er. Er öffnete den Ordner, gelangte schnell zu »Hardwareprofile«. Verschämt blickte er sich um, ob ihn niemand beobachtet hatte. Schließlich hatte er schon viel über Hardwareseiten im Internet gelesen. Mit Pornografie in Verbindung gebracht zu werden, wäre ihm doch sehr peinlich gewesen. Nachdem er weitere drei Ordner geöffnet hatte, außer ein paar kleinen Zeichnungen von Druckern aber nichts gefunden hatte, fragte er sich aufrichtig, was die Leute nur immer mit diesem Internet hatten. So interessant war das nun wirklich nicht.

»Sagen Sie mal, was machen jetzt Sie eigentlich in der Systemsteuerung?«, hörte er hinter sich die Piepsstimme des Mannes vom Eingang. Nachdem Kluftinger bezahlt hatte, stellte er ihm den Kaffee hin, nahm ihm die Maus aus der Hand und brummte: »So, hier ist der Internet Explorer. Dafür haben Sie gezahlt, und jetzt surfen Sie. Und lassen mein System in Frieden, sonst gibt es Ärger, ja?«

Auf seinem Bildschirm sah der Kommissar nun die Seite einer Suchmaschine, die sogar er kannte. Er wusste zuerst nicht recht, wonach er denn eigentlich suchen sollte, und gab schließlich einfach das erstbeste Wort ein, das ihm in den Sinn kam.

»Erika« stand nun dort, und Kluftinger drückte gespannt auf die Entertaste, die bei ihm seit eh und je »Retour« hieß. Sofort erschien ein neues Fenster mit der Meldung: »Ergebnisse 1 – 10 von ungefähr 32.500.000 für Erika. (0,03 Sekunden)«

»Oh, das ist ja doch … mal eine ganze Menge«, murmelte er in seinen Bart. Er klickte auf den ersten Eintrag und wurde auf eine Art Lexikon weitergeleitet, das den seltsamen Namen »Wikipedia« trug. Dort erfuhr er, dass Erika unter anderem ein weiblicher Vorname, eine

Blume, ein im Jahre 1999 gesunkener Tanker, ein deutsches Marschlied sowie ein ehemaliges Polizeihaftlager der Nazis in den Niederlanden war. Das hatte er alles nicht gewusst – bis auf die Blume und den Vornamen natürlich. Und genau auf den klickte er, denn ihm war erst jetzt aufgefallen, dass er keine Ahnung hatte, was der Name der Frau, mit der er seit neunundzwanzig Jahren verheiratet war, eigentlich bedeutete. Als er es las, zog er die Brauen nach oben: Er kam aus dem Germanischen und hieß so viel wie »Die nach dem Gesetz und Recht Herrschende« oder »Die allein Mächtige«. »Nomen est omen«, brummte er. Dann fiel ihm noch etwas anderes ein, was ihm um einiges peinlicher war: Er hatte auch keine Ahnung, was seine eigenen Vornamen eigentlich bedeuteten. Also tippte er seinen Rufnamen ein, um zu seiner Enttäuschung zu erfahren, dass er keine wörtliche Entsprechung hatte. Seine Eltern hatten damals nach dem Krieg wirklich an allem gespart. Aber immerhin, er hatte ja noch einen. Er probierte es mit dem zweiten, und ein Grinsen machte sich auf seinem Gesicht breit. »Passt schon wieder«, murmelte er. Auf dem Bildschirm stand: »Der Feurige«.

Plötzlich fiel ihm siedend heiß ein, weswegen er ja eigentlich hier war. Die Informationen über ihre Namen hatten ihn so in Bann gezogen, dass er ganz vergessen hatte, auf seinen Vordermann zu achten. Erleichtert stellte er fest, dass der noch immer brav an seinem Platz saß und auf die Tastatur einhackte. Leider konnte der Kommissar nicht erkennen, was er schrieb. Er wandte sich wieder seinem eigenen Bildschirm zu. Was könnte er jetzt noch tun? Den Namen seines Sohnes brauchte er nicht einzugeben: Markus hieß »Dem Mars geweiht«, sein zweiter Vorname Alexander dagegen »Der Männer Abwehrende«. Das hatte er sich gemerkt, immerhin hatten er und seine Frau lange um diese beiden Namen gerungen. Während er sich von »Ottmar« hatte verabschieden müssen – eine Tatsache, die seinem Sohn noch immer Tränen des Dankes für die Durchsetzungsfähigkeit seiner Mutter entlockte –, hatte er ihr im Gegenzug den Verzicht auf »Bertram« abgenötigt. Ein Namensvorschlag, der auf nicht wesentlich mehr Gegenliebe bei seinem Sohn stieß und ihn schon einmal zu der Frage verleitet hatte, ob seine Eltern in den Siebzigern nicht vielleicht doch psychedelischen Drogen zugesprochen hatten.

Da ihm nichts weiter einfiel, gab er einen Begriff, der im Zusammenhang mit dem Fall immer wieder aufgetaucht war, in den

Computer ein: Dschihad. Er wusste, dass es sich dabei um den »Heiligen Krieg« handelte. Ein Krieg, den der Islam gegen »die Ungläubigen« führte. Kluftinger fragte sich nur, wer die Ungläubigen waren, von denen in dem Artikel die Rede war: die Christen? Alle anderen? Immerhin glaubten sie ja auch an etwas, in vielen Dingen sogar an etwas Ähnliches, soweit er das sagen konnte. Gespannt las er weiter. Doch es ging beim Dschihad nicht nur um Gewalt. Im Gegenteil: Er schließe das Mittel der Gewalt zwar ein, beziehe sich aber auch viel allgemeiner auf den Kampf gegen die menschlichen Schwächen. Kluftinger verstand nicht alles, aber eines wurde ihm klar: Es ging im Islam nicht primär um Gewalt, wie zurzeit oft suggeriert wurde. Es ging um die Suche nach Gott, den Kampf mit sich selbst, den man ausfechten musste, um Zugang zum Heil zu finden. Aber für einige war diese Lehre ein willkommenes Mittel, Kriegshetze und letzten Endes einen Kulturkampf zu betreiben.

Kluftinger schaute kurz auf den Bildschirm seines Vordermannes, der sich gerade auf einer Gebrauchtwagen-Börse herumtrieb. Der Kommissar meinte, das giftgrüne Modell eines Renault »R4« zu erkennen. Sie hatten selbst einmal ein solches Auto gehabt, und Kluftinger erinnerte sich gern an diese Zeit, als er und Erika noch frisch verheiratet waren. Ein Lächeln huschte über sein Gesicht, als er an die einfachen Stahlrohrstühle mit Stoffbespannung dachte, die darin als Sitze montiert gewesen waren und die sich nicht einmal richtig hatten verstellen lassen.

Dann widmete er sich wieder seinen »Studien«. Offenbar gab es zwei Koransuren, die als Legitimation zu kriegerischem Handeln, also auch zum Terrorismus herangezogen wurden. In der mit 9:5 angegebenen Stelle stand: »Und wenn nun die heiligen Monate abgelaufen sind, dann tötet die Heiden, wo immer ihr sie findet, greift sie, umzingelt sie und lauert ihnen überall auf! Wenn sie sich aber bekehren, das Gebet verrichten und die Almosensteuer geben, dann lasst sie ihres Weges ziehen!« Das machte tatsächlich einen recht martialischen Eindruck auf den Kommissar. Ebenso wie die Stelle 9:29, wo es hieß: »Kämpft gegen diejenigen, die nicht an Gott und den Jüngsten Tag glauben und nicht verbieten, was Gott und sein Gesandter verboten haben, und nicht der wahren Religion angehören – von denen, die die Schrift erhalten haben, bis sie kleinlaut aus der Hand Tribut entrichten!«

Kluftinger las die Zeilen ein paar Mal durch. Eindeutig Aufrufe zur Gewalt, dachte er. Aber war das in der Bibel anders? Das Wort »töten« musste man auch dort nicht lange suchen. Er hielt inne. Was war nur der Grund dafür, dass Religion scheinbar immer Hand in Hand mit Gewalt ging? Die Geschichte war voll von Beispielen, die dies belegten. Allerdings war das wohl weniger auf die Religion als vielmehr auf den Menschen zurückzuführen. Vielleicht würde er einmal Gelegenheit haben, darüber mit Yildrim zu sprechen.

Die Neugierde trieb Kluftinger weiter bei seiner Recherche, und er gab schließlich das Wort »Tadschikistan« ein. Er wusste bereits, dass über neunzig Prozent der Bevölkerung dort dem Islam angehörten. Neu war ihm jedoch, dass es eine deutschstämmige Minderheit in dem kleinen Land gab, die allerdings zahlenmäßig nicht ins Gewicht fiel: Nur rund eintausendfünfhundert Menschen zählten dazu.

Er klickte sich weiter durch die angegeben Links, als plötzlich zahlreiche Fenster aufsprangen. Kluftinger klickte wild auf dem Bildschirm herum, hatte aber den Überblick verloren und verstrickte sich immer tiefer in den fremdländischen Netzwelten. Unvermittelt ging ein weiteres Fenster auf, das offenbar tadschikische Mädchen in Militäruniformen und schwerer Bewaffnung zeigte. Die Mädchen begannen, ohne dass er irgendetwas dazu getan hätte, ihre Uniformen abzulegen und sich gegenseitig mit den Waffen zu streicheln. Kluftinger lief knallrot an und versuchte, die Seite wieder wegzuklicken. Da er aber weit über ein Dutzend geöffneter Fenster auf dem Bildschirm hatte, gelang ihm das nicht. Mit einem Mal setzte auch der Ton ein: ein wildes Gestöhne durchsetzt mit russisch klingenden Wortfetzen. Der Kommissar schluckte, seine Adern pulsierten, und er konnte sein Herz bis in seinen Kopf hämmern hören.

Ihm fiel nichts Besseres ein: Er schaltete einfach den Bildschirm aus. Sollte sich später eben jemand anders darum kümmern – mit geräuschvollen Sexseiten würde er dem obersten Gebot bei Beschattungen – Bleib unbemerkt! – jedenfalls kaum Genüge tun.

Tief durchatmend lehnte er sich in seinem Stuhl zurück und wischte sich ein paar Schweißperlen von der Stirn – als er bemerkte, dass der Ton mit Ausschalten des Bildschirms keineswegs verstummt war. Er kam nicht, wie bei ihnen im Büro, aus den Lautsprechern des Bildschirms, sondern direkt aus dem PC. Er schluckte. In diesem Moment schloss sein Vordermann das Programm und erhob sich. Kluftinger nutzte dies als willkommenen Anlass, ebenfalls aufzustehen, das Gestöhne Gestöhne sein zu lassen und dem Mann zu folgen. Als er am Tresen des Cafés vorbeikam, raunzte ihm der Besitzer zu: »Wie wär's, wenn du deinen Schweinkram ausmachen würdest? Immer das Gleiche mit euch Kanaken.«

Kluftinger wurde wieder rot, allerdings war es diesmal Zornesröte, die ihm ins Gesicht stieg. Sein pechschwarzer Bart und sein von den vielen Freilichtspielproben gebräuntes Gesicht verliehen ihm ein südländisches Aussehen, das hatte auch Erika ihm gegenüber schon erwähnt. Allerdings abends zu Hause und mit einem verheißungsvollen, heiseren Gurren in der Stimme. Ihm machte das auch nichts aus – aber Diffamierungen aufgrund des Aussehens waren neu für ihn. Am liebsten hätte er den Mann für seine Aussage ins Gebet genommen, doch er hatte Wichtigeres zu tun. Er lief auf die Straße, orientierte sich kurz und sah das Objekt seiner Beschattung gerade noch um eine Ecke verschwinden.

Er spurtete hinterher und verlangsamte an der Ecke sein Tempo wieder. Er hatte ein wenig aufgeholt und konnte ihm nun bequem weiter folgen. Nach etwa zehn Minuten erreichten sie den »Wohnpark Salina«, eine große Anlage, bestehend aus Läden und zahlreichen verwinkelt angelegten Wohnungen. Man hatte ihn anstelle alter Gebäude mitten in der Stadt hochgezogen; nun stand er seit zehn Jahren gut zur Hälfte leer. Der Mann kramte in seinen Taschen, fischte einen Schlüssel heraus, ging erst zum Briefkasten und verschwand dann im Hauseingang.

Kluftinger wartete ein wenig, ging dann ebenfalls zum Eingang, schrieb sich den Namen »Latif Morodov« von dem Briefkasten ab, den der Mann eben geöffnet hatte, und notierte sich die Adresse dazu. Dann griff er zu seinem Handy und rief Bydlinski an, den er bat, ihn nach seiner Ablösung in wenigen Minuten hier zu treffen. Den genauen Hergang seiner Beschattung behielt er dabei für sich.

Kluftinger hatte ein seltsames Gefühl. Yildrim hatte sie unerwartet früh heimgeschickt. Erst morgen sollten sie wiederkommen, wenn sie die spärlichen Spuren des heutigen Tages sortiert und ausgewertet hätten. Die beiden Freigelassenen wurden weiter rund um die Uhr beschattet, hatten sich bislang aber völlig unauffällig verhalten. Von den Männern, mit denen sie sich getroffen hatten, hatte man die Personalien: allesamt bislang mit völlig untadeligem Leumund. Es gebe effektiv nichts zu tun, hatte er gesagt, und er sei bestürzt darüber. Zwar gingen sie im Moment jeder kleinen Spur nach, aber letztendlich waren sie zur Untätigkeit verdammt. Und das alles vor dem Hintergrund einer immer lauter tickenden Uhr. Yildrim hatte den ganzen Vormittag lang seltsam abwesend und bedrückt gewirkt, als wisse er etwas, was er ihnen bislang verschwiegen hatte. Vielleicht war es aber auch nur so ein Gefühl, redete sich Kluftinger ein.

So war der Kommissar also nach Hause gefahren und stand nun mit seinem Vater im Garten. Heute war der Vorabend des Geburtstages von Kluftinger senior, und da aßen sie traditionell zusammen. Auch Yumiko, Markus' Freundin, die aus Japan stammte und wie er in Erlangen studierte, hatte auf der Fahrt zu einem Seminar für einen Abend in Altusried Zwischenstation gemacht.

Heute stand die Eröffnung der Grillsaison auf dem Programm. Kluftinger liebte es, am Feuer zu stehen, hier war er der Küchenchef, während sich seine Kochkünste im Haus auf Leberkäs mit Spiegelei und Tiefkühlpizza beschränkten. Einmal hatte er sich auch an Kässpatzen versucht. Ohne nennenswerten Erfolg.

Aber für seine Steaks war er geradezu berühmt und eine Einladung zu Kluftingers Grillabenden war im Bekanntenkreis sehr begehrt. Letztes Jahr aber war im September von seinem Dreibein-Holzkohle-Rundgrill ein Bein durch Rost so instabil geworden, dass das Gerät samt Grillgut in sich zusammengefallen war, was zur Folge hatte, dass man sich Pizza hatte holen müssen.

Auf dieses Malheur hatten Kluftinger und sein Vater auf völlig unterschiedliche Weisen reagiert: Während sich der Kommissar am nächsten Tag von einem Musikkollegen, der einen Sanitär- und Spenglerbetrieb hatte, den Fuß hatte wieder anschweißen lassen, hatte Kluftinger senior beim Shoppingsender seines Vertrauens in einem Restpostenverkauf gleich zwei Lavasteingrills mit Turbo-Gasbrenner für weit über zweihundert Euro geordert. Zwei zum Preis für einen, betonte er jedoch bei jeder sich bietenden Gelegenheit mit stolzgeschwellter Brust. Einen hatte er seinem Sohn zu Weihnachten geschenkt und sich damit gleichzeitig eine Generaleinladung zu allen Grillpartys ausgestellt. Den Vorschlag des Vaters, das neue Gerät doch an Silvester einmal auszuprobieren, hatte man zum Glück durch Mehrheitsbeschluss des Familienrats mit einer Gegenstimme abwenden können.

Nun standen zwei Generationen von Kluftinger-Männern im Garten und versuchten, die Neuerwerbung zusammenzubauen. Die Frauen waren in der Küche noch mit dem Putzen des Grünzeugs aus dem eigenen Garten und der Herstellung von Erikas legendärem Nudelsalat beschäftigt. Eigentlich hatte Erika wegen der zweifelhaften Witterung vorgeschlagen, vorsichtshalber auf dem Balkon zu grillen, schließlich hatte man doch jetzt das saubere, geruchsarme Gasgerät. Kluftinger jedoch hatte sich durchgesetzt. Man grille im Garten, weil das viel sicherer sei, weil das Wetter halte und sich die paar Gewitterwolken schnell wieder verziehen würden und, das war in seinen Augen das wichtigste Argument, weil man das schließlich schon immer so gemacht habe.

In einem furiosen Kraftakt riss Kluftinger die Verpackung des Grills auf, sehr zum Missfallen seines Vaters, der betonte, man müsse sie immer aufbewahren, falls es einmal eine Reklamation gebe und etwas zurückzuschicken sei. Tatsächlich hatte Kluftinger zu seinem Erschrecken unlängst den Vorratskeller seiner Eltern bis unter die Decke voll mit leeren Verpackungen vorgefunden und inständig gehofft, selbst im Alter von derart wunderlichen Eigenheiten verschont zu bleiben.

»Du, legen wir doch am besten alles erst mal so hin wie auf diesem Bild da«, sagte Kluftinger senior zu seinem Sohn. Er hatte sich die Gebrauchsanweisung geschnappt und wedelte nun aufgeregt mit ihr herum. »Ich hab eine alte Wolldecke im Auto, die hol ich und dann legen wir das alles schön aus. Alles der Reihe nach.«

Kluftinger sah kurz auf und widmete sich dann wieder schweigend den Einzelteilen, die mittlerweile über die komplette Terrasse verstreut lagen. Einen läppischen Grill würde er noch ohne Anleitung zusammenbauen können, nicht umsonst hatte er sich selbst schon vor Jahren gedanklich den Titel »Meister des Feuers« verliehen. Er brauchte keine Anleitung, keine Zeichnung und schon gar keine Reihenfolge. Er war ein Mann, und als solcher machte er so etwas im

Schlaf. Als sein Vater mit seiner Autodecke zurückkam, musste der einsehen, dass es für einen geregelten Aufbau bereits zu spät war. Er legte die Decke seufzend ab, nahm die Anleitung und beschloss, seinen Sohn nun mit klaren Anweisungen zu unterstützen.

»Schau, Bub, das Dings da, das kommt an den Flansch da drüben hin, mit der Schraube fünf. Mit Flügelmutter.«

»Mhm, Vatter, schon klar«, erwiderte der Kommissar. Er hatte überhaupt nicht zugehört.

»Nein, das ist doch jetzt nicht die Schraube fünf.«

Kluftinger sah auf. »Was?«

»Was du in der Hand hältst, ist Schraube sechs. Du brauchst die Fünfer.«

»Welche Fünfer, Vatter?«

»Die, auf die die Flügelmutter passt. Die muss da nei.«

»Wo nei?«

»Da!«

»Wo ist da?«

»Gibt doch nur die eine Möglichkeit.«

»Das sagt sich leicht, mit der Gebrauchsanweisung in der Hand.«

»Du willst sie ja nicht.«

»Will ich auch nicht.«

»Also, dann musst du ja wissen, wo sie reingehört. Und welche.«

Kluftinger schnaubte. Er hatte das Gefühl, dieses Gespräch schon unzählige Male geführt zu haben. Vielleicht nicht genau in diesem Wortlaut, aber doch sehr ähnlich. Er hatte mit seinem Vater selten gestritten, was ganz einfach daran lag, dass beide ihre Emotionen im Zaum hielten. Wenn es aber darum ging, handwerklich tätig zu werden, endete das regelmäßig in einem Eklat. Kluftinger senior bescheinigte Kluftinger junior dann zwei linke Hände und ließ diesen mit dem Gefühl zurück, dass er eben ein Kopfarbeiter war, was dieser jedoch so nicht hinnehmen wollte. Dass der Kommissar praktisch die komplette Renovierung seines Hauses selbst bewerkstelligt hatte, hatte seinen Vater nicht umstimmen können.

Kluftinger hielt eine Edelstahlschraube hoch. Sein Vater schüttelte den Kopf.

»Himmelherrgottsakrament, kannst du jetzt mal hergehen und mir die Scheißschraube zeigen?«

»In dem Ton zeig ich dir gar nix. Dann kannst du gleich allein weitermachen.«

Kluftinger wusste, dass das nur leere Versprechungen seines Vaters waren. »Nein, bitte nicht«, erwiderte der Kommissar in ironischem Tonfall. »Jetzt, wo du mir gerade so eine Hilfe bist!«

»Bitte. Dann geh ich halt was trinken, und du machst allein weiter«, sagte sein Vater trotzig, dachte aber gar nicht daran, sich auch nur einen Meter wegzubewegen. Stattdessen verfolgte er den Fortgang der Arbeiten von nun an wortlos und mit Argusaugen. Er beugte sich immer wieder vor, um alles genau sehen zu können. Hin und wieder schaute er auf den Plan, runzelte die Stirn und schüttelte dann den Kopf.

Auch als sein Sohn sich sichtlich schwertat dabei, mit einer Hand etwas zu halten, mit den Zähnen eine Schraube an die vorgesehene Öffnung zu führen und mit der anderen Hand die Mutter in Position zu bringen, kamen nur Seufz- und Zischlaute von Kluftinger senior. Der Kommissar wusste, dass sein Vater jetzt um Hilfe angebettelt werden wollte. Aber da konnte er lange warten. Selbst, wenn er das Ding mit den Füßen zusammenschrauben müsste.

Nach zwanzig Minuten verbissenen Schweigens beider Seiten ächzte der Kommissar schließlich stolz: »Fertig!« Er stand auf, wischte sich mit dem Handrücken über das schweißnasse Gesicht, besah sich sein Werk und fügte hinzu: »Nicht schlecht, oder, Vatter?«

Kluftinger senior ging mehrmals um den Grill herum und schaute dabei wie der TÜV-Prüfer, wenn er alle zwei Jahre mit seinem alten Passat vorfuhr. Doch der Kommissar war sehr gelassen, denn der Grill sah toll aus: Chromblitzend stand das Ungetüm auf der Terrasse, auf massiven Beinen und mit einem riesigen jungfräulichen Rost.

Sein Vater nickte sogar hin und wieder anerkennend. Na also, da musste er doch einmal eingestehen, dass sein Sohn auch etwas zuwege brachte, auch wenn er es anders anging. Schließlich beendete der seinen Rundgang, blieb vor dem Karton-Berg stehen, stocherte mit einem Fuß in den Verpackungsresten herum, bückte sich und zog schließlich ein Metallteil daraus hervor. Kluftinger schluckte.

»Wenn du das jetzt auch noch einbaust, dann können wir grillen. So ein Brenner, der ist bei einem Gasgrill schon nicht ganz unwichtig«, sagte sein Vater, und auch, wenn er bemüht gewesen sein mochte, dabei völlig ausdruckslos dreinzublicken, konnte Kluftinger den Triumph in seinen Augen blitzen sehen.

Dann reichte der Vater dem Sohn die Gebrauchsanweisung mit den Worten: »Wenn ich das recht sehe, dann musst du dazu alles noch einmal auseinanderschrauben … bis zu Schritt vier. Aber die achtzehn anderen Schritte kennst du ja jetzt schon. Ich glaub, ich geh mal rein und hol mir ein Bier.« Mit diesen Worten ließ er seinen fassungslosen Sohn zurück, ohne sich noch einmal zu ihm umzudrehen.

Nach einer halben Stunde kam er zurück. Der Kommissar hatte gerade mit hochrotem Kopf die letzte Schraube am Grill befestigt. Kluftinger senior klopfte ihm versöhnlich auf die Schulter und nahm einen Schluck aus seinem Glas. Dann stellte er es ab und sagte: »So, ich hol jetzt mal die Gasflasche aus dem Auto.«

»Du hast die Gasflasche im Auto? Wenn da die Sonne drauf scheint …« Doch sein Vater winkte ab und kam eine Minute später mit einer roten Flasche wieder auf die Terrasse.

»Vatter, pass bitte auf, das ist Gefahrgut, keine Mineralwasserflasche!«, rief Kluftinger. Er konnte mit dem Leichtsinn seines Vaters nur schwer umgehen. Egal ob beim Bergsteigen, beim Schneiden der Bäume oder dem Zurechtbiegen der Dachantenne. Es war ein Wunder, dass er seine akrobatischen Einlagen bisher alle überlebt hatte – und es machte die Argumentation seines Sohnes, doch besser aufzupassen, sehr schwer. Hier konnte allerdings er selbst Opfer eines durch solche Unbedarftheit ausgelösten Unglücksfalls werden, und da hatte der Spaß ein Ende, wie er fand. Wenn es um Gas oder elektrischen Strom ging, wurde Kluftinger schnell panisch.

»Ganz ruhig, Bub, ich hab das schon im Griff«, wiegelte sein Vater ab. »Nur nicht zu viel Angst um das bisschen Leben!« Dann stellte er die Flasche extra schwungvoll krachend auf dem Boden ab.

Fluchend nahm sie Kluftinger an sich, nicht, ohne vorher noch zu lauschen, ob sich schon irgendein Leck gebildet hatte. Nachdem er fünf Minuten vergeblich versucht hatte, die Gasflasche am Anschlussschlauch zu befestigen, meinte sein Vater, dass Gasflaschen immer mit Linksgewinde versehen seien. Kluftinger bezweifelte dies vehement, tat es als »Schmarrn« ab, drehte die Mutter dann aber missmutig in die andere Richtung und sah, wie der Schlauch geschmeidig über die Öffnung glitt.

Sofort drehte sein Vater an der Flasche und drückte auf den elektrischen Zündknopf, worauf der Kommissar einen Satz nach hinten machte und rief: »Vatter! Kannst du vielleicht warten, bis ich aus … der Gefahrenzone bin?«

»Oho! Hat der große Meister des Feuers etwa Angst vor den Flammen?«

Kluftinger lief rot an. Woher kannte sein Vater diesen Namen? Doch er fragte ihn nicht danach, denn das Lob von Kluftinger senior traf ihn unvorbereitet und lenkte ihn ab: »Schau mal, es funktioniert. Toll, das hast du gut gemacht, Bub. Auch auf Umwegen kommt man eben ans Ziel.«

Kluftinger überhörte den letzten Teil einfach und freute sich: Der Grill funktionierte, blaue Flämmchen züngelten aus dem mit so viel Mühe eingebauten Brenner. Kluftinger senior drehte das Gas wieder ab, winkte seinen Sohn zu sich her und forderte ihn auf, es doch nun einmal selbst zu versuchen.

»Also bitte, das mach ich nachher, wenn wir auch wirklich grillen.«

»Probier's lieber gleich. Dann weißt du, wie es geht.«

»Meinst du, ich hab noch nie einen Gasherd angemacht? Ich mach doch jetzt nicht das Kasperle!«

Nachdem sich Kluftinger fünf weitere Minuten erfolgreich geweigert hatte, den Grill unter Aufsicht des Vaters anzuzünden, hatte der sich kopfschüttelnd ins Innere zurückgezogen. Jetzt war der Zeitpunkt für Kluftinger gekommen, selbst den Grill anzuzünden. Problemlos glückte ihm die Aktion und zu seiner Zufriedenheit hatte sein Vater auch nichts davon mitbekommen.

Kluftinger löschte die Flammen und ging in die Küche, um die Steaks zu holen, die er mit seiner Hausmarinade, einer Mischung aus Cayennepfeffer, Maggi und Senf bestrichen und dann noch eine Weile in Öl eingelegt hatte.

Dort aber hielten ihn »seine beiden Frauen«, wie er öfters sagte, so mit verschiedenen Aufträgen wie der Getränkeauswahl und -beschaffung, dem Decken des Tisches und dem Öffnen einiger Konservengläser auf Trab, dass er erst eine Dreiviertelstunde später mit Erikas großer Tupperschüssel, einer grasgrünen »Hier-kocht-der-Chef-Schürze«, einer großen, umfunktionierten OP-Pinzette vom Flohmarkt und sage und schreibe zwölf Steaks wieder vor seinem neuen Grill stand.

Kluftinger drehte am Stellrad der Gasflasche und drückte auf den Knopf mit der Aufschrift »Piezo-Zündung«. Obwohl Kluftinger nicht genau wusste, was das bedeuten sollte, wusste er ja nun, dass man den Grill dort startete. Tatsächlich züngelten nach einem Knacksen blaue Gasflammen aus dem Brenner – allerdings größere, als er es erwartet hatte. Doch nach weniger als zwei Sekunden waren sie wieder erloschen. Auch nach mehrmaligem Betätigen des Zündknopfes tat sich nichts. Er kontrollierte die Flasche und schüttelte den Kopf. Sie war zu. Er musste sie soeben abgedreht haben. Er öffnete stirnrunzelnd das Stellrad, drückte die Zündung – nichts. Hatte er sie denn nicht … Kluftinger wurde es heiß und das ganz ohne Flamme: Er hatte vorher vergessen, die Flasche wieder zu verschließen. Jetzt hatte er einen Grill, der mit Gas betrieben wurde, eine völlig leere Gasflasche und einen Vater, der auf jede Frage eine Antwort wusste. Und in diesem Fall auch noch Recht gehabt hatte. Aber diese Genugtuung wollte er ihm nicht gönnen. Nicht heute.

Nach kurzem Nachdenken steuerte Kluftinger den Keller an, den er zwei Minuten später mit einem großen papiernen Sack wieder verließ. Aus diesem schüttete er Holzkohle auf die Lavabrocken im Grill, mischte alles mit einem alten Schürhaken, ging in die Garage, holte Spiritus und goss praktisch die ganze Flasche über das Kohle-Stein-Gemisch.

Gerade in dem Moment, als der Kommissar ein Streichholz aus der Packung fingerte und anstrich, kamen seine Eltern, seine Frau und Markus mit Yumiko auf die Terrasse.

»Nein, wir müssen wirklich nicht die Feuerwehr rufen. Und er muss auch nicht zum Arzt. Er hat sich doch nur Wimpern und Brauen versengt. Und seinen Vollbart. Aber um den ist es eh nicht schade«, versuchte Erika zwei Minuten darauf ihre Schwiegermutter zu beruhigen. Sie hatten sich alle wegen der starken Rauchentwicklung des nach wie vor in Flammen stehenden Grills und des heranziehenden Gewitters, das sich mit ersten Tropfen ankündigte, ins Haus zurückgezogen.

»Jetzt hilf dem Buben doch, bevor noch was Schlimmeres passiert«, schimpfte Hedwig Kluftinger mit ihrem Mann.

»Hab ich jetzt den Grill abgefackelt oder er?«, hielt Kluftinger senior dagegen.

»Könntet ihr bitte nicht in der dritten Person von mir reden? Ich bin ja noch da!«, mischte sich der Kommissar ein.

Markus betrachtete den Disput amüsiert und versuchte seine verschreckte Freundin davon zu überzeugen, dass derartige Explosionen im Hause Kluftinger durchaus nicht ungewöhnlich seien.

Kluftinger verzog sich derweil wieder auf die Terrasse und wartete dort, bis das Feuer erloschen war. Jetzt fing aber auch die Verpackung daneben durch einen Funken Feuer und begann schwarz zu qualmen. Glücklicherweise hatte er vorsorglich den kleinen Autofeuerlöscher bereitgestellt. Binnen Sekunden hatte er damit den kokelnden Pappkarton gelöscht. Das war ja noch einmal gut gegangen. Kluftinger raffte die Überbleibsel zusammen, packte sie in die Mülltonne und scharrte mit dem Fuß die Pulverreste beiseite. Dann machte er sich auf den Weg in die Garage, um den alten Holzkohlegrill mit dem geschweißten Fuß zu holen. Als sein Vater wieder nach draußen trat, hatte er bereits alle Spuren beseitigt.

»Hast du da etwa Kohle zu den Lavasteinen getan?«, fragte der misstrauisch.

»Ich ... äh ... muss mir das erst noch mal genau anschauen. Die Gasflasche war ja leider leer.«

»Leer?«

»Ja, aber das ist ja nicht schlimm. Trotzdem danke fürs Vorbeibringen«, entgegnete Kluftinger schnell und wandte sich wieder dem alten Grill zu.

Den fragenden Blick seines Vaters auf das weiße Pulver im Garten beantwortete er lediglich mit einem »Die scheiß Katzen allweil!«.

»Jetzt komm halt rein«, forderte Erika ihren Gatten auf. Doch Kluftinger, der wegen des heftigen Regens mittlerweile unter dem alten Sonnenschirm vor seinem Grill stand, dachte gar nicht daran. Einem echten Grillmeister konnte ein wenig Regen nichts anhaben und außerdem hatte er heute schon genug Unbill deswegen ertragen müssen. Und wie sich seine Frau das immer vorstellte. Man konnte das

Grillgut nicht einfach sich selbst überlassen. Es brauchte Pflege und Überwachung. Und es brauchte Bier, mit dem man es übergoss, und Kräuter, die man im Garten abrupfte und in die Glut warf, sodass es qualmte und gut roch.

»Wo ist eigentlich der Fisch für Miki?«, rief ihm Markus durch die offene Schiebetür zu, nachdem er eine riesige Fleischplatte in Empfang genommen hatte.

»Gleich fertig«, gab der Kommissar zurück und verschwand für die nächsten fünf Minuten im Keller. Das mit dem Fisch hatte er völlig vergessen. Aber wofür hatten sie eine Tiefkühltruhe? Da würde sich doch sicher etwas finden.

Zwanzig Minuten später brachte er schließlich ein paar verkohlte Fischstäbchen ins Esszimmer.

Markus tadelnden und Yumikos enttäuschten Blick nahm er kaum wahr, denn was er auf dem Tisch sah, ließ auch seine Mundwinkel nach unten wandern: Das Fleisch war weg, vom Salat war nur noch ein kümmerlicher Rest geblieben. Als er sich setzte und sich zwei Fischstäbchen auf seinen Teller schaufelte, sah er wehmütig zum dampfenden und zischenden Grill, auf den der Regen jetzt trotz Schirm in großen Tropfen fiel. Das nächste Mal würde er gleich während des Grillens wieder heimlich ein oder zwei Steaks essen, wie er es sonst immer machte. Als Grillmeister hatte man sonst einfach das Nachsehen.

Noch 2 Tage, 13 Stunden, 13 Minuten, 24 Sekunden

Kluftinger war sich sicher, dass es nur Einbildung war, aber es nützte nichts: Er hatte das Gefühl, ein großes Loch in seinem Magen zu haben. Das war immer so, wenn er am Vorabend nicht genügend gegessen hatte. Da half dann auch ein ausgiebiges Frühstück nichts mehr. Aus seiner Sicht verhielt es sich mit Nahrung wie mit Schlaf: Ein einmal erlittenes Defizit war so schnell nicht mehr aufzuholen. Man schleppte es immer ein Weilchen mit sich herum. Und die paar verkohlten Fischstäbchen und die welken Blättchen Salat, die ihm beim Grillen gestern geblieben waren, hatten seinen Nährstoffhaushalt eindeutig ins Minus getrieben.

Wie immer war die Mehrheit der Task Force bereits bei der Arbeit. In seiner Abteilung war er oft der Erste, der morgens das Büro betrat – eigentlich die beste Zeit des Tages, denn da konnte er ohne Störung seinen Bürokram erledigen. Doch hier war das anders: Er war nur ein Rädchen in dieser Maschinerie, die jetzt bereits auf vollen Touren lief. Als er sich auf seinen Platz setzte, nickte ihm Yildrim nur flüchtig zu und bat dann auch die anderen, sich zu setzen. Nur Bydlinski fehlte noch, aber auch das hatte sich inzwischen so eingebürgert.

Als alle saßen, kam Yildrim ohne Umschweife zur Sache. »Wir haben eine Spur«, sagte er. Die Erleichterung darüber, dass es nun wieder etwas gab, dem sie nachgehen konnten, war ihm bei jeder Silbe anzumerken. »Es ist keine besonders gute oder heiße Fährte«, schränkte er jedoch sofort ein. »Aber besser als nichts. Sie haben alle die entsprechenden Aufzeichnungen bereits auf Ihrem Tisch.«

Kluftinger nötigte diese perfekte Organisation einen gewissen Respekt ab. Wenn er da an die Besprechungen mit seinen Kollegen dachte, die liefen doch weitaus weniger koordiniert und vorbereitet ab. Dennoch hatten sie bislang fast alle Fälle gelöst, beruhigte er sich selbst ein wenig.

»Also, gestern, spätabends, kam noch ein Anruf von einem Mann hier in der Dienststelle rein. Er ist Besitzer eines Internetcafés.«

Beim letzten Wort horchte Kluftinger auf. Der Besitzer eines Internetcafés? Konnte das ein Zufall sein? Immerhin war er ja gestern auch in einem solchen Lokal gewesen. Es war ihm ein wenig unangenehm, dass er bei dieser straffen Organisation noch keinen Bericht über seine gestrige Beschattung verfasst hatte. Gespannt lauschte er weiter den Worten des Task-Force-Leiters.

»Dieser Mann, ein Herr …«, Yildrim blickte suchend auf die Papiere vor ihm, »… ein gewisser Herr Nagler, meint, etwas Verdächtiges beobachtet zu haben. Ein orientalisch aussehender Mann sei bei ihm im Café gewesen. Die übliche Beschreibung: dunkler Vollbart, finstere Augen und so weiter.« Yildrim seufzte.

Kluftinger dachte nach: Die Beschreibung passte auf den Mann, den er gestern im Visier gehabt hatte. Der Name war ihm im Moment entfallen, aber er hatte ihn sich ja aufgeschrieben. Sollte er gestern etwas übersehen haben?

»Also, der Mann habe sich wohl irgendwie komisch verhalten, hat dieser Nagler gesagt.«

Kluftinger nickte, was ihm einen fragenden Blick von Yildrim einbrachte.

»Angeblich war er auf irgendwelchen Terrorseiten unterwegs.«

Wieder nickte Kluftinger. Das würde passen. Er hatte zwar nicht genau sehen können, was der andere vor ihm da so alles getrieben hatte, aber es schien nur logisch, dass auch solche Seiten dabei waren. Ein nervöses Kribbeln machte sich im Magen des Kommissars breit. Er konnte gut verstehen, dass Yildrim so voller Tatendrang war. Noch immer aber hatte er leichtes Magengrimmen, dass der Task-Force-Leiter das noch nicht von ihm erfahren hatte. Er hatte ja den Namen weitergegeben, ihn über den genauen Hergang der Beschattung zu informieren hatte er für nicht so dringend gehalten.

»Sie müssen wissen«, sagte der nun und legte die Papiere zur Seite, »dass Terroristen sehr wohl das System zu nutzen wissen, das sie bekämpfen. Die Anonymität des Internets ist eine ihrer schärfsten Waffen. Eine Waffe, die wir ihnen, im übertragenen Sinne natürlich, in die Hand gegeben haben. Die Attentäter von Madrid beispielsweise haben sich aus dem Internet ihre Bombenbauanweisung heruntergeladen. Das ist notwendig für sie, denn viele ihrer Dschihad-Trainings-lager sind seit dem Irak-Krieg trockengelegt. Außerdem kommunizieren sie miteinander über das Netz. Wie wir ja selbst auch wissen. Die Attentäter vom 11. September haben sich die entsprechenden Flugverbindungen natürlich aus dem Web geholt. Wie Tausende anderer Informationen. Wie man später herausgefunden hat, waren sie dabei vor allem in Internetcafés zugange, denn dort hinterlassen sie nicht einmal eine IP-Adresse. Jedenfalls keine, die Rückschlüsse auf ihre Identität zulassen würde.«

»Aber wie kann es denn dann sein, dass der Besitzer wusste, welche Seiten der Mann angeschaut hat?«, wollte Marlene Lahm wissen. »Normalerweise wird doch die History der besuchten Seiten bei Verlassen gelöscht. Oder sie würden sie selbst löschen.«

Kluftinger verstand nur die Hälfte, aber er bekam zumindest mit, dass der Mann mehr Spuren als üblich hinterlassen hatte.

»Und der Betreiber eines Internet-Pools wird sich ja wohl kaum die Mühe machen, alle Seiten von allen Kunden zu kontrollieren, selbst wenn er das könnte«, fuhr die BKA-Beamtin fort.

»Sehr richtig, aber er hat sich beim Verlassen nicht ausgeloggt.«

Kluftinger konnte einigermaßen folgen. Er hatte verstanden, dass der Mann einen Fehler gemacht hatte. Das Jagdfieber steckte nun auch ihn an.

»Allerdings gibt es etwas, was mich ein bisschen stutzig macht«, sagte Yildrim nachdenklich. »Der Mann scheint nicht in unser Täterprofil zu passen.« Lahm sah ihn fragend an.

»Es ist so: Diese potenziellen Attentäter sind in der Regel strenggläubige Menschen. Jedenfalls nach ihren Maßstäben. Promiskuität und ausschweifende sexuelle Aktivitäten gehören nicht zu ihren Gewohnheiten. Auch explizite sexuelle Darstellungen sind verpönt. Und da wundert es mich schon, dass er ausgerechnet Pornoseiten aufgerufen haben soll. Recht spezielle noch dazu: Army-Porns.«

Kluftinger dachte gerade noch über die Bedeutung des Fremdwortes »Promiskuität« nach, das er schon irgendwo einmal gehört hatte. Deswegen dauerte es ein paar Sekunden, bis das Wort »Pornoseiten« in sein Bewusstsein drang. Er setzte sich stocksteif hin. Er spürte, wie ihm das Blut in die Äderchen seiner Wangen schoss. Natürlich: der Bart, der nicht abgeschaltete PC, die Sexseiten – der Mann, von dem hier die Rede war, war er selbst. Er spielte für einen Augenblick mit dem Gedanken, den Irrtum aufzuklären. Aber wie hätte er dann dagestanden? Wie hätte er das mit den Pornos erklären sollen?

»Ich … äh … das sieht ja so aus, als ob das für uns gar nicht relevant wäre«, schaltete er sich deswegen ein. Alle blickten ihn an. Yildrim runzelte die Stirn und wirkte irritiert.

»Na, ich mein halt … wegen der Sache da. Mit dem … Sex und so. Das weiß doch jeder, dass die das nicht machen.«

Die anderen schwiegen. Schließlich ergriff Yildrim das Wort: »Sie wollen sagen, wir sollen dieser Spur überhaupt nicht nachgehen?«

Kluftinger schluckte. Das konnte er jetzt natürlich nicht vorschlagen, dann wäre er ja wie ein kompletter Anfänger dagestanden. Andererseits konnte er nun auch nicht mehr zugeben, dass er es war, denn mit seinem Einwand hatte er sich diese Chance bereits verbaut. Jetzt würde erst recht jeder denken, er habe privat diese Schmuddelseiten besucht.

»Nein, ich … also, so ist das ja …«, stammelte der Kommissar. Angestrengt überlegte er, dann platzte er heraus: »Wissen Sie was? Ich kümmere mich darum. Das ist hier ja sozusagen mein Revier, da kenn ich mich aus, und wenn was dran ist, dann hab ich das gleich raus.«

Yildrim blickte ihn noch immer etwas irritiert an, begann dann aber langsam zu nicken. »Gut, freut mich, dass Sie sich so engagieren.«

»Ich hätte da noch was«, fügte Kluftinger an, der das leidige Thema schnell beenden wollte. »Heute beim Frühstück hab ich was Interessantes in der Zeitung gelesen. Da stand nämlich, dass die in Bregenz während der Europameisterschaft so ein Pappling-Fiffing machen wollen.« Alle schauten ihn mit großen Augen an. »Sie wissen schon, wie bei der WM, wo man zusammen auf so einer großen Leinwand das Spiel gucken kann. Das soll auf der Seebühne stattfinden. Jetzt mal im Ernst: See, Berge und so weiter … das passt doch perfekt zu dem, was in den E-Mails drinstand.«

Yildrim legte die Papiere in seiner Hand zur Seite. Gott sei Dank, dachte Kluftinger.

»Herr Kluftinger, ich muss schon sagen: alle Achtung.« Der große dunkelhaarige Mann deutete eine Verbeugung an. »Ich muss gestehen, das ist mir durchgerutscht. Aber Sie haben natürlich völlig Recht. So ein Public-Viewing wäre eine perfekte Zielscheibe. Sehr viele Menschen, sehr geringe Sicherheitsvorkehrungen.« Nachdenklich blickte er zur Decke.

Dem Kommissar war nicht entgangen, dass er das Wort aus der Zeitung ganz anders ausgesprochen hatte als er, und wieder schoss das Blut in seine Wangen. Er vermied es im Folgenden, den Begriff noch einmal zu gebrauchen.

»Ja, eben. Und bei diesem … Mitnand-Fernsehschauen, da ist doch immer was los, das hat man doch vor zwei Jahren gesehen.«

Die Tür ging auf, und Bydlinski kam herein. Yildrim sah ihn gar nicht erst an. Er hatte es aufgegeben, ihn mit strafenden Blicken zur Einsicht bringen zu wollen.

»Was, tun wir jetzt fernsehschauen? Was kommt denn? Am Dam Des?«, fragte der Österreicher mit einem provozierenden Grinsen. Als niemand antwortete, setzte er sich auf den freien Platz neben dem Kommissar und las die Papiere durch, die dort lagen. Die anderen sprachen weiter darüber, wie in der Sache Bregenz zu verfahren sei, als Bydlinski plötzlich so laut zu Kluftinger sagte, dass es alle hörten: »Des hast mir gar nicht gesagt, dass du auf den Sexseiten unterwegs warst. Musst mir mal die Adressen geben.«

Die anderen sahen ihn fragend an. Da sie seinen Einwurf nicht zu deuten wussten, wandten sie sich schnell wieder ihrem Thema zu. Doch Bydlinski ließ nicht locker. Er beugte sich zu Kluftinger hinüber und flüsterte: »Wie ist denn des Gefühl, wenn man jemanden beschattet und dabei selbst beschattet wird?«

»Herr Bydlinski, es wäre sehr freundlich, wenn Sie uns hier unterstützen würden«, blaffte ihn Yildrim an. »Wenn Sie was zu sagen haben, dann sagen Sie es laut, ansonsten halten Sie uns bitte nicht auf.«

Der österreichische Kollege setzte sich auf, schüttelte den Kopf und brummte dann: »Is doch wahr. Der sieht mit seinem Bart doch wirklich aus wie ein Islami. Und im Café war er eh.«

Jetzt platzte Yildrim der Kragen. »Verdammt noch mal, jetzt reißen Sie sich zusammen. Das ist genau die Einstellung, die wir nicht brauchen. Menschen wegen ihres Aussehens zu denunzieren! Sind wir schon wieder so weit?« Dann zwinkerte er Kluftinger zu, der irritiert zwischen ihm und Bydlinski hin und her blickte.

»So, und jetzt teilen wir die Schichten ein.« Der Task-Force-Leiter nahm die Einteilung vor, in die mittlerweile auch zahlreiche andere

Beamte der Polizeidirektion einbezogen wurden. Schließlich blieben Kluftinger, Yildrim und Bydlinski allein im Raum zurück.

»So, meine Herren, wir drei machen heute Vormittag einen kleinen Ausflug nach Bregenz.«

Bydlinski und Kluftinger sahen sich überrascht an.

»Wir werden dort die Kollegen vor Ort ins Gebet nehmen. Ich bin mir sicher, dass die ihr Sicherheitskonzept nach der aktuellen Sachlage modifizieren müssen. Herr Bydlinski, Sie kommen mit. Sind ja Ihre Landsleute, das kann nicht schaden.«

Bydlinski zog es vor, einfach zu nicken.

»Gut«, fuhr Yildrim fort, »ich setze mich gleich mit den zuständigen Stellen in Verbindung. Kollege Kluftinger, falls Sie noch was in Ihrer Abteilung zu erledigen haben, wäre das jetzt ein guter Zeitpunkt. Ich melde mich dann, wenn wir fahren können.«

»Wo sind denn die anderen, Sandy?«, wollte der Kommissar wissen.

»Alle ausgeflogen. Nur misch haben se zurückgelassen. Die Herren besichtigen unsere neuen Diensträume in der Innenstadt.«

»Da ist doch alles leer, was wollen die denn da besichtigen?«

»Der Herr Lodenbacher hat sie raufgeschickt, weil die neuen Möbel oben schon da sind. Und da wollten sie die Zimmer verteilen.«

Kluftinger schwante Böses. Die Raumaufteilung. Wenn Maier die vornehmen würde, wäre sie sicher weder brauchbar noch mehrheitsfähig.

»Ich bin mal kurz weg«, rief er seiner Sekretärin im Hinausgehen über die Schulter zu.

Kluftinger beschlich ein bisher unbekanntes Gefühl, als er durch die Kemptener Innenstadt zum zukünftigen Gebäude der Kriminalpolizei fuhr. Irgendwie kam er sich ausgegrenzt vor. Schließlich hatten sie ihn nicht einmal gefragt, ob er die neuen Büros auch ansehen wolle. Als ob er schon gar nicht mehr dazugehörte. Sogar der Umstand, dass er seine Sachen nicht selbst eingepackt hatte, was ihm vor kurzer Zeit noch so angenehm erschienen war, stimmte ihn jetzt ein wenig melancholisch. Schließlich war ein solcher Umzug ja ein gemeinsames Erlebnis mit den Kollegen, etwas, das einen verband. Schon jetzt dachte Kluftinger mit Wehmut an den Moment in gut zehn Jahren, da er in Pension gehen müsste. Müsste. Noch vor fünf Jahren wäre bei diesem Gedanken die reine Freude aufgekommen. Nun hatte er einen Vorgeschmack darauf bekommen. Und der fühlte sich nicht so freudig an.

Trotzdem war er dankbar, in der Task Force mitarbeiten zu dürfen. Er hätte bei einer solchen Bedrohung mit einem weit größeren Stab gerechnet, hatte er Yildrim unlängst gestanden. Der hatte nur gelächelt und auf die Hundertschaft verwiesen, die in Wiesbaden, Berlin und München darauf wartete, für ihn tätig zu werden, zu ermitteln, Informationen zu beschaffen. Kluftinger hatte verstanden. Ermittlungen sahen heute, in einer vernetzten Welt, anders aus, als er es gelernt hatte, und eigentlich auch anders, als sie sie hier in der Provinz tagtäglich betrieben.

Noch ganz in Gedanken grüßte Kluftinger den weinroten Golf, der ihm mit drei Mann besetzt vor dem Kornhaus entgegenkam. Erst als der Wagen bereits nicht mehr zu sehen war, realisierte der Kommissar, dass das soeben seine Kollegen gewesen waren. Nicht einmal auf ihn gewartet hatten sie also, dachte er, und als ihm klar wurde, wie weinerlich das klang, erinnerte er sich daran, dass sie ja nicht gewusst hatten, dass er noch kommen würde.

Das würde also bald sein täglicher Weg zur Arbeit sein. Mitten durch die Stadt. Für ihn bedeutete das gute zehn Minuten mehr. Zehn Minuten früher losfahren. Oder aber zehn Minuten später im Büro sein. Auch diesen Luxus würde er sich in Zukunft leichter leisten können: Lodenbacher, der sich größte und laut gut unterrichteter Kreise begründete Hoffnungen darauf machte, Polizeipräsident zu werden, würde nicht mit umziehen. Kluftinger gönnte ihm die Beförderung aus diesem Grund von Herzen. Dafür nahm er sogar die fehlenden Parkplätze am ehemaligen Milchwirtschaftshaus in Kauf. Dort oben waren sie für sich.

Andererseits würde die Umstrukturierung auch eine Ausweitung seines Zuständigkeitsbereichs bedeuten: Das Unterallgäu, bis fast nach Landsberg, würde dann zu seinem Revier gehören ebenso wie das bayerische Bodenseeufer. Die »Allgäuer Polizei« würde dann ihren Namen zu Recht tragen. Und noch etwas würde die Reform mit sich bringen: Den KDD, den Kriminaldauerdienst. Eine ständig besetzte Dienststelle. Auch für ihn würde das einige Nachtschichten und Bereitschaftsdienste mehr bedeuten. Hin- und hergerissen zwischen Vorfreude und bösen Ahnungen, erreichte er das neue Dienstgebäude.

»Das könnte dem so passen«, sagte Kluftinger in den wirklich schön renovierten Räumen, die er bald mit seiner Abteilung beziehen würde, knüllte den von Maier unterzeichneten Raumplan zusammen, den er auf dem Schreibtisch gefunden hatte, und nahm die Haftnotizen von den Schreibtischen, auf denen Maier die Namen der Kollegen vermerkt hatte. In Ermangelung eines Papierkorbs legte er sie auf dem Fensterbrett ab und verteilte die kleinen Schildchen völlig neu.

Maier hatte sich zunächst ein Einzelbüro gegeben, nach Kluftingers Neueinteilung saß er nun zusammen mit dem Praktikanten. Das hatte noch einen weiteren Vorteil: Kluftingers Büro lag nun so weit von Maiers entfernt, wie es die Räumlichkeiten eben zuließen. Sowohl die Toilette als auch die neue Kaffeeküche und ein Vernehmungsraum befanden sich dazwischen. Strobl und Hefele teilten sich nun ein schönes Zimmer mit Blick auf das große Multiplexkino. Ein Zimmer blieb leer. Kluftinger bezeichnete es im Geiste als »Maiers Beinahebüro«, im offiziellen Sprachgebrauch würde es als »kleines Besprechungszimmer« firmieren.

Zufrieden ging er in sein zukünftiges Büro zurück und öffnete ein Fenster. Er hatte die Dinge wieder gerade gerückt und freute sich schon auf den Alltag, der bald hier einkehren würde. Er streckte sich und genoss die frische Luft, die durchs Fenster hereinkam. Das also würde sein täglicher Ausblick werden. Das neue Kemptener Kino. Von hier aus sah es eigentlich recht gelungen aus. Im Augenwinkel nahm er eine Bewegung wahr, die vom Nebenhaus des Kinos kam. Sein Lächeln gefror: Von gegenüber winkte ihm freundlich eine üppige Wasserstoffblondine zu, nur mit einer roten Korsage bekleidet, die die Brüste aussparte.

»Was …«, stieß Kluftinger hervor.

»Hallo, ich bin die Uschi!«, schallte es ihm entgegen. »Auf gute Nachbarschaft, Herr Inspektor!«

Kluftinger winkte fahrig zurück und schloss peinlich berührt das Fenster. Dass sich das neue Dienstgebäude gegenüber eines ihnen wohlbekannten »Etablissements« befand, wie sie zu sagen pflegten, hatte er schon wieder vergessen. An den Gedanken, dass das nun auch zu seiner täglichen Aussicht gehören würde, musste er sich erst noch gewöhnen. Mit einem flauen Gefühl im Magen eilte er zu seinem Auto, das er direkt vor dem »Haus Nummer 69« abgestellt hatte, wie ihm erst jetzt auffiel.

»Kannst ruhig bei uns stehen, wenn Not am Mann ist, Herr Inspektor. Kostet nix für dich. Vormittags haben wir's eher ruhig hier!«, rief die Frau, die sich ihm als Uschi vorgestellt hatte, auf den Parkplatz hinunter.

Kluftinger sah hoch. Mittlerweile hatte sie sich ein Negligé übergezogen.

»Ich … äh … sehr nett, wirklich … Fräulein Uschi!«

»Ja, aber verrat es den Kollegen nicht, dass du hier Sonderkonditionen hast. Gilt nur für dich, weil unsere Zimmer ja gegenüberliegen!«

»Ich … werde schweigen«, rief der Kommissar und stieg schnell in den Wagen. Er hatte es so eilig, von hier wegzukommen, dass er den silbergrauen Mercedes gar nicht bemerkte, der etwas entfernt parkte. Dessen Fahrer hatte gerade das Schild »Arzt im Dienst« in die Windschutzscheibe gestellt und sah Kluftingers altem Passat mit offenem Mund hinterher.

Als Bydlinski und Yildrim in Kluftingers alten Passat einstiegen, wobei sich der Österreicher freiwillig auf die Rückbank verzog, fragte sich der Kommissar, wann er das letzte Mal in Bregenz gewesen war. Es war schon seltsam: Obwohl die Hauptstadt des Landes Vorarlberg nicht wesentlich weiter entfernt war als Lindau, ein Ausflugsziel, das er und vor allem seine Frau Erika durchaus schätzten, fuhr er meist nicht bis nach Österreich. Vielleicht lag das auch daran, dass die Grenzkontrollen und die unterschiedliche Währung erst vor einigen Jahren weggefallen waren und ein Grenzübertritt inklusive Währungsumtausch aus einem Ausflug – rein gefühlsmäßig – doch immer eine größere Reise machte. Anders konnte er sich jedenfalls nicht erklären, dass er bestimmt seit zehn Jahren nicht mehr dort gewesen war.

Sie hatten kaum die Türen geschlossen und das Gelände der Polizeidirektion verlassen, da vernahmen sie von der Rückbank ein zufriedenes Schnarchen.

Kluftinger lenkte seinen Wagen in Richtung Autobahn und fühlte ein leichtes Unbehagen dabei, quasi allein mit Yildrim im Auto zu sitzen. Die Geschichte mit dem Internetcafé lag ihm immer noch im Magen, und er hoffte, dass der BKA-Mann ihn nicht darauf ansprechen würde. Deswegen war er froh gewesen, dass Bydlinski mitfuhr, auch wenn er sonst keinen gesteigerten Wert auf dessen Anwesenheit legte. Doch ein Blick in den Rückspiegel verriet Kluftinger, dass der wohl bis zu ihrer Ankunft nicht mehr aufwachen würde: Sein Schnarchen war einem regelmäßigen Brummen gewichen, den Kopf hatte er an die Scheibe gelehnt und aus seinem Mund rann ein dünner Speichelfaden auf seinen Unterarm, auf den er in Ermangelung eines Kissens seinen Kopf gestützt hatte. Kluftinger beneidete den Österreicher ein bisschen um seine offensichtliche Fähigkeit, so schnell einzuschlafen.

Ein paar Minuten fuhren sie schweigend auf der Autobahn. Dann sagte Yildrim völlig unvermittelt: »Das mit den Sexseiten war doch ein Versehen, oder?«

Kluftinger machte vor Schreck eine heftige Lenkbewegung nach links, was sein Hintermann mit einem Hupkonzert quittierte. Dann blickte er verlegen zu seinem Beifahrer. Der sah ihn erst streng an, dann entspannten sich seine Züge, und er zwinkerte ihm mit einem Auge zu, genau so, wie er es vorher im Büro getan hatte.

Der Kommissar lächelte erleichtert: »Ja, ich … also, Computer sind jetzt nicht meine …«

»Schon gut, das war mir gleich klar, dass Sie nicht auf Kosten des Steuerzahlers Ihre Libido anheizen«, unterbrach ihn Yildrim.

Kluftinger lief rot an. »Gott bewahre«, presste er hervor. Als er die Worte ausgesprochen hatte, horchte er ihnen nach. Er hatte »Gott« gesagt, was hier eine ganz normale Redensart war. Aber er wusste ja gar nicht, wie sein Mitfahrer zur Religion stand. Weil ihm nichts

Besseres einfiel, wie er dieses Thema anschneiden sollte, fragte er schließlich ganz direkt: »Welcher Religion gehören Sie eigentlich an?«

Yildrim musterte ihn von der Seite. »Aha, die Gretchenfrage. Ich habe mich ehrlich gesagt schon gewundert, dass Sie mir die noch nicht gestellt haben.«

Kluftinger schwieg. War es so offensichtlich gewesen, dass er sich in der Gegenwart des fremdländisch wirkenden Mannes etwas unsicher fühlte?

»Ich bin Agnostiker.«

Kluftinger schluckte. Er hatte auf einen Moslem getippt, was Namen und Aussehen nahegelegt hätten. Dass er nun aber einen waschechten Agnostiker neben sich sitzen hatte, das überraschte ihn schon. Ja, er war geradezu beeindruckt, denn er kannte sonst niemanden, der dieser Religion angehörte, hatte eigentlich auch noch nie wirklich von ihr gehört. Bemüht, nicht allzu neugierig und vor allem möglichst tolerant und weltoffen zu klingen, fragte er mit ehrlichem Interesse: »Aha. Haben Sie da auch spezielle ... Kirchen? Oder ... oder Moscheen oder so was?«

Die dunklen Augenbrauen des Mannes zogen sich zusammen. Kluftinger biss sich auf die Unterlippe. Hatte er etwas Falsches gesagt? Schnell schob er nach: »Ich meine, wozu ... ähm ... bekennen Sie sich denn da? So ganz allgemein ...«

Jetzt grinste sein Nebenmann wieder. »Als Agnostiker habe ich nichts zu bekennen, Herr Kluftinger. Sie sind wohl noch nie einem begegnet, oder?«

»Och, ich, also ...« Der Kommissar schüttelte den Kopf.

»Kein Problem. Ist ja auch kein Wunder. Sie sind doch aus ... Altusried, oder?«

»Ich ... äh, ja.«

»Und Sie sind katholisch?«

»Ja. Woher wissen Sie das?«

»Ich habe einfach die Wahrscheinlichkeitsrechnung bemüht. Im Oberallgäu, wozu Ihre Heimatgemeinde ja gehört, gibt es laut der letzten Volkszählung fast achtzig Prozent Katholiken. Die Chancen standen also gut, dass Sie einer sind. Wenn man dann noch die fast fünfzehn Prozent Protestanten dazu zählt und die Moslems, ist man nahezu bei einhundert Prozent. Kein Wunder, dass Sie noch keinen Agnostiker getroffen haben.«

Das klang für den Kommissar recht einleuchtend. Allerdings wusste er immer noch nicht, was denn nun ein Agnostiker genau glaubte.

»Entschuldigen Sie, ich habe Ihre Frage noch nicht beantwortet«, kehrte Yildrim wieder zum Thema zurück. »Als Agnostiker weiß ich nicht, ob es Gott gibt. Sie könnten sagen, es steht unentschieden. Es gibt ebenso viele Gründe dafür wie dagegen. Niemand hat bisher die Existenz Gottes zweifelsfrei oder auch nur annähernd wissenschaftlich bewiesen.«

»Verstehe«, sagte Kluftinger. »Sie sind also ein Atheist.«

»Nein, ganz und gar nicht. Atheisten lehnen die Existenz einer transzendenten Macht von vornherein ab. Ich sage lediglich: Ich weiß es nicht.«

Das Thema interessierte Kluftinger. Er hatte noch nie »so einen« kennengelernt. »Waren Ihre Eltern auch … also, das was Sie sind?«

»Nein. Ich habe einen islamischen Familienhintergrund. Und ich habe auch heute noch große Sympathie für diese Religion. Meine Eltern haben mir ein vorbildliches, frommes, aber nicht frömmelndes Beispiel vorgelebt. Ich bin hier geboren. Mein Vater kam mit den ersten Gastarbeitern aus der Türkei in den frühen Sechzigerjahren nach Deutschland. Sie haben sich hier gut integriert, aber trotzdem ihren Glauben gelebt. Ich finde, das muss kein Widerspruch sein, auch wenn das heute von manchen Politikern behauptet wird. Meine Geschwister sind auch alle dem Islam treu geblieben. Aber ich respektiere die Riten und Traditionen, nach denen sie leben. Nur verbinde ich mit ihnen nichts Kultisches, eher etwas Kulturelles. Ich bin sozusagen das schwarze Schaf der Familie.« Bei diesen Worten grinste er und fuhr sich mit einer Hand durch sein pechschwarzes Haar.

»Waren Ihre Eltern nicht schockiert, als Sie … heißt das auch austreten bei Ihnen?«

»Na, einen Luftsprung haben sie nicht gerade gemacht. Wie würde Ihr Vater das finden, wenn Sie aus der Kirche austreten?«

Kluftinger schnitt eine Grimasse. Daran wollte er nicht einmal denken.

»Sehen Sie. Aber meiner hat es akzeptiert. Niemand hätte etwas davon, wenn Riten nur aus schlechtem Gewissen vollführt würden.

Das sah auch mein Vater ein. Er ist sehr tolerant, müssen Sie wissen. Trotz seiner Religiosität.«

»Da ist er aber die Ausnahme, oder?«

»Sie meinen, im Islam?«

Kluftinger nickte.

»Oh, glauben Sie das bloß nicht. Der Islam ist keineswegs extremer oder gewalttätiger als andere Religionen. Ich glaube, viele wissen einfach zu wenig darüber. Da werden oft Politik und Religion verwechselt. Wenn es darum geht, wie sehr in der Geschichte die Religionen Toleranz gegenüber Andersgläubigen haben walten lassen, dann ist – ich sage jetzt einfach mal ›unsere‹, auch wenn ich selbst nicht mehr Teil davon bin – dann steht unsere jedenfalls eindeutig besser da als die christliche Welt.

Was in der muslimischen Welt fehlt, ist so etwas wie im Westen die Aufklärung. Aber die kann man jetzt nicht einfach schnell einfordern, das ist ja ein Prozess. Und Provokationen sind da völlig fehl am Platz. Ganz nüchtern betrachtet, fällt die Bilanz der christlichen Religionen ja nicht gerade friedfertig aus: Denken Sie nur an die Kreuzzüge, die Inquisition. Ich weiß, das sind immer wieder gebrauchte Argumente, aber sie sind dadurch doch nicht weniger richtig. Ich will hier nicht als Anwalt des Islam sprechen, ich habe mich ja nicht umsonst distanziert. Aber ist es wirklich die Religion, die die Gewalt, das Töten auslöst?«

Da Yildrim nicht weitersprach, nahm Kluftinger an, dass es sich um keine rhetorische Frage handelte. »Was denn sonst? Es geht doch im Islam immer um den rechten Glauben, das Streben zu Gott und die Ungläubigen.« Er erinnerte sich noch sehr genau an das, was er gestern im Internet gelesen hatte.

»Und was ist mit Nordirland?«

Kluftinger dachte einen Moment nach. »Sie haben Recht. Da gibt es eigentlich keinen grundlegenden Unterschied.«

»Noch mal die Frage: Meinen Sie, ohne Religion gäbe es solche Dinge wie Nordirland oder den 11. September nicht?«

»Wahrscheinlich nicht, oder?«

»Dieser Ansicht bin ich eben gerade nicht. Es sind die Menschen, die sich bestehlen, rächen, bekriegen, umbringen. Sie würden immer einen Grund finden. Pessimisten würden sagen, es liegt in der menschlichen

Natur oder zumindest in der Natur von Gesellschaften. In Nordirland haben sie als Unterscheidungsmerkmal eben nur noch die Religion. Die sehen gleich aus, heißen gleich, verhalten sich gleich. Und natürlich ist nicht jeder Muslim automatisch auch ein Gotteskrieger.«

»Das seh ich schon ein, aber sind nicht die, hinter denen wir her sind, genau das: Extremisten aus religiösen Gründen? Von christlichen Gotteskriegern ist mir nichts bekannt.«

»Na ja, haben Sie schon mal über den amerikanischen Präsidenten nachgedacht?«

Kluftinger verstummte. Er hatte das Gefühl, Yildrim argumentativ nicht gewachsen zu sein. Anderseits ging er nicht davon aus, dass es dem nur um eine Fingerübung im Diskutieren ging. Das Thema zog ihn immer mehr in seinen Bann. »Sie haben vorher gefragt, ob es anders wäre, wenn es die Religionen nicht geben würde.«

Yildrim nickte. »Ja. Und ich glaube, es wäre genau so. Abgesehen davon, dass die Menschen dann wahrscheinlich alle wahnsinnig werden würden. Denn sehen Sie: Der Mensch ist das einzige Lebewesen auf diesem Planeten, das weiß, dass es sterben wird. Wie soll man mit diesem Wissen leben? Die Lösung: Man erfindet sich eine Nachwelt, ein Jenseits, eine transzendente Macht. Dann ergibt alles wieder einen Sinn. Das haben praktisch alle Völker dieser Erde so gemacht, in allen Zeitaltern. ›Hinterwelt‹ hat Nietzsche das genannt.«

Bei dem Wort Nietzsche klingelte bei Kluftinger plötzlich etwas. Er erinnerte sich an einen Satz des Philosophen. Zwar wusste er nicht, in welchem Zusammenhang der eigentlich stand. Genau genommen war es der einzige Satz von Nietzsche, den er kannte. Außer vielleicht den, dass man die Peitsche nicht vergessen sollte, wen man zum Weibe geht. Einen Rat, den der Kommissar bisher nicht beherzigt hatte. Jedenfalls wollte er das Risiko eingehen und auch etwas Intelligentes in die Diskussion einbringen. Also sagte er: »Hat Nietzsche nicht gesagt, dass Gott tot ist?«

Seine Frage ließ Yildrim einen Moment innehalten.

»Ja, Sie haben völlig Recht, mein Freund.«

Kluftinger sah ihn an. Er hatte ihn zum ersten Mal so genannt. Der Kommissar empfand das als Auszeichnung.

Yildrim fuhr fort: »Aber das sagt ja nichts über den tatsächlichen Atheismus von Nietzsche aus. Er meinte, dass die christliche Moral sich sozusagen selbst überlebt hat. Und andererseits graute ihm vor einer Welt ohne Gott. Denn wohin würde die führen?«

Darauf wusste Kluftinger nun nichts mehr zu sagen. Er war dennoch sehr zufrieden mit sich.

»Das Problem ist nur«, sagte Yildrim, der nun seinen Gedanken von vorhin wieder aufnahm, »dass die Religionen auf eine bisweilen unangenehme Art und Weise funktionieren. Es gibt da einen Vorkämpfer der Atheismus-Bewegung, der ich, das möchte ich noch einmal betonen, nicht angehöre. Aber die formiert sich langsam zu einer starken Gruppe, da darf man gespannt sein, was passiert.« Er lächelte in sich hinein. »Jedenfalls hat dieser Franzose, Onfray heißt er, glaube ich, in einem *Spiegel*-Interview gesagt, dass uns die Religionen dazu einladen, uns mit dieser Welt zu überwerfen. Verstehen Sie: Es geht nur noch ums Jenseits. Das Hier und Heute wird total vernachlässigt. Dabei haben wir doch nur dieses eine Leben. Und genau diese Einstellung macht Selbstmordattentäter erst möglich. Denn zu dieser Orientierung auf das Leben nach dem Tod kommt ein Alleinvertretungsanspruch. Jede Religion meint, dass sie die einzig unsterblich machende ist. Und jede hat klare Feindbilder. Bei Ihnen ist das der Teufel. Wie der sich manifestiert, das haben Kirchenfürsten nach Gutdünken festgelegt. Sei es in Form von Hexen, Ketzern oder Zöllnern. Und hier kommt wieder die Politik ins Spiel, wie Sie sehen.«

In Yildrims Worten lag eine bezwingende Logik. Kluftinger schwirrte inzwischen schon der Kopf. Er würde das alles noch einmal in Ruhe durchdenken müssen.

»Lieber Herr Kollege, ich will Sie nicht kirre machen mit meinem Gerede. Und Ihnen vor allem Ihren Glauben nicht ausreden.«

»Nein, nein, so hab ich das auch nicht verstanden. Es ist nur … sehr interessant und wirklich wert, sich das mal durch den Kopf gehen zu lassen.«

»Kennen Sie Martin Walser?«

»Den Schriftsteller?«

»Genau.«

»Klar. Der wohnt doch gleich hier in der Nähe.« Kluftinger blickte auf das Autobahnschild, an dem sie gerade vorbeifuhren. Sie waren inzwischen auf die A96 gewechselt und passierten eben die Ausfahrt Wangen. »Irgendwo am Bodensee.«

»Das wusste ich nicht. Das passt ja umso besser. Jedenfalls hat der einen sehr schönen Satz geschrieben: ›Ich bin an den Sonntag gebunden, wie an eine Melodie, ich habe keine andere gefunden, ich glaube nichts und ich knie.‹ Das gibt einem zu denken, oder?«

»Hm.« Kluftinger war sich nicht sicher, was damit gemeint war. Aber sich gleichzeitig aufs Fahren zu konzentrieren, über die Weltreligionen zu diskutieren und dann auch noch Gedichte zu analysieren, das war wirklich etwas viel verlangt.

»Wie auch immer: Extremismus ist keine Erfindung des Islam«, schloss Yildrim.

»Sie wollen also sagen«, fasste auch Kluftinger für sich zusammen, »dass es ebenso buddhistische Terroristen geben könnte?«

Sein Beifahrer sah ihn an und brach dann in schallendes Gelächter aus. Auch, wenn er nicht genau wusste, warum, entschloss sich Kluftinger, einfach mitzulachen.

In diesem Moment ging das sonore Brummen hinter ihnen in ein gutturales Grunzen über. Keine zwei Sekunden später war Bydlinski erwacht und sagte ohne Umschweife: »Anhalten. Ich muss ludln.«

Mit hochgezogenen Augenbrauen blickte Yildrim zum Kommissar, doch der zuckte nur die Achseln.

»Hä?«

»Bitte, heißt des. Und ich muss boaln.«

Als keine Reaktion erfolgte, setzte Bydlinski nach: »Herrgott, wie nennt's ihr denn das? Soachen, lenzn, schiffen, Himmelherrgott.«

Yildrim mischte sich ein: »Ich glaube, der Herr Kollege möchte uns in seiner schlichten Art und Weise mitteilen, dass er ein gewisses körperliches Bedürfnis verspürt und er Ihnen deswegen nahelegt, doch eine Pause zu machen.«

Jetzt war es Bydlinski, der die Augenbrauen hochzog. »Piefke«, sagte er lediglich und schüttelte den Kopf.

Kluftinger fuhr beim nächsten Rastplatz kurz vor der Ausfahrt Lindau raus und hielt. »Oh, kein Klo hier«, sagte er.

»Passt schon«, gab Bydlinski zurück, stieg aus und schlug sich in die Büsche.

Yildrim sah ihm gedankenverloren nach. »Das ist schon eine Marke, unser Kollege, was? Aber er hat auch seine Vorzüge.«

Kluftinger nickte, auch wenn er sich nicht sicher war, welche das sein sollten. Aber Yildrim hatte Menschenkenntnis. Er würde schon wissen, warum er ihn weiter in der Task Force behielt. Dann fiel ihm etwas ein. »Haben Sie eigentlich die Adresse von der Polizeistation in Bregenz?«

»Ja, natürlich. Warten Sie.« Yildrim kramte einen Zettel aus seiner Hosentasche. »Bahnhofstraße einundfünfzig. Warum, kennen Sie sich da aus?«

»Nein, aber jemand, den ich kenne.« Kluftinger öffnete das Handschuhfach und holte stolz das Navigationsgerät heraus.

»Na, Sie arbeiten hier ja mit den neuesten technischen Errungenschaften, Respekt.«

»Nein, nein, das ist mein eigenes. Mein Sohn hat es mir neulich gezeigt. Ich muss nur die Straße eingeben.« Er steckte es in die Halterung, die Markus ihm vor zwei Tagen eingebaut hatte. Nach ein paar Fehlversuchen schaffte er es tatsächlich, mit dem winzigen Plastikstift die Adresse einzugeben und drückte nun auf »Route berechnen«.

Inzwischen war auch Bydlinski wieder im Auto, und sie fuhren weiter.

»Das hab ich mir vor Kurzem gegönnt«, sagte der Kommissar in Richtung Rückbank mit Blick auf den kleinen Bildschirm an seinem Armaturenbrett. »Ich bin zwar auch immer ganz gut angekommen, aber man darf sich der neuesten Technik eben nicht verschließen.«

»Sauber, Kollege«, raunte Bydlinski, »so eine Weltoffenheit hätt ich dir gar nicht zugetraut.«

Als sie bei der Ausfahrt Lindau angelangt waren, begann das Gerät zum ersten Mal zu sprechen. »Dreizehnheure.«

Kluftinger schluckte. Was sollte das denn bedeuten? Gerade hatte er noch große Töne gespuckt von wegen neuer Technik und nun kam so eine kryptische Aussage aus dem Gerät.

»Dreizehnheure«, tönte die blecherne weibliche Stimme noch einmal. Kluftinger schielte nach rechts, ohne den Kopf zu bewegen, doch Yildrim schien das Navi gar nicht zu beachten. Auch Bydlinski schaute gedankenverloren aus dem Fenster.

Was Kluftinger verstanden hatte, klang wie »Dreizehn Euro«. Aber was sollte das für eine Richtungsangabe sein? Er hatte mit konkreten Anweisungen à la »rechts«, »links«, »geradeaus« gerechnet. Allerdings hatte er auch noch nie ein Navigationsgerät besessen, geschweige denn in Aktion erlebt. Wahrscheinich war auch die Sprachausgabe bei laufendem Motor etwas schwer zu verstehen. Deswegen versuchte er, das Gehörte zu deuten. Immerhin: Er wusste, dass er die Ausfahrt Lindau nehmen musste, um am See entlang nach Bregenz zu fahren. Denn das kurze Stück auf der österreichischen Autobahn erforderte bereits eine Vignette. Möglicherweise war das bei einer Dienstfahrt aber auch ... Moment. Vignette, natürlich. Das war es. Das Navigationsgerät hatte ihm zu verstehen geben wollen, dass er für das Stück Autobahn, das nun folgte, bezahlen musste. Sicher. Dreizehn Euro. Aber kostete das Pickerl nicht irgendwas um die sieben Euro? Vielleicht meinte das Gerät auch die Strafe, falls er sich keins kaufte. Er war einigermaßen beeindruckt, mit welchen Informationen so ein kleiner Kasten doch aufwarten konnte.

Er nahm also die Abfahrt, was dem Willen des Geräts offensichtlich entsprach, denn es protestierte nicht. Sie passierten das Ortschild Lindau, als sich kurz darauf die Stimme wieder meldete: »Dreizehnvenstre.«

Kluftinger runzelte die Stirn. Was sollte das den nun wieder bedeuten? Es klang wie ... wie »dreizehn Fenster«. Wieder sehr vernuschelt. Was hatte die Frau da drin denn nur mit der Dreizehn? Der Doktor hatte ihnen wohl einen ziemlichen Schrott angedreht. Das hätte er sich ja auch gleich denken können. Vor Erika den Großherzigen spielen und sich tatsächlich doch nur seinen Elektronikschrott versilbern lassen wollen. Angestrengt blickte er nach draußen. Was konnte die Stimme gemeint haben? An der nächsten Kreuzung stand ein einzelnes Haus auf der linken Seite. Ob es das war? Er versuchte, schnell die Fenster daran zu zählen, doch das Unterfangen war von vornherein zum Scheitern verurteilt. Erstens hatte er nicht genug Zeit, zweitens sah er ja nur die Vorderseite mit ihren ... vier Fenstern. Es konnte also durchaus hinkommen, dass sie ... das Schild. Tatsächlich, es ging links Richtung Bregenz. Er setzte den Blinker und bog ab.

»Respekt. Sie sind ja richtig polyglott«, sagte Yildrim plötzlich. An dem Tonfall merkte Kluftinger, dass es ein Kompliment gewesen war. Aber was es bedeutete, wusste er nicht. Besonders flott vielleicht? Er blickte auf den Tacho. Gerade passierten sie die ehemalige Grenzstation. Wie war noch mal die Geschwindigkeitsbegrenzung für Österreich?

Sie fuhren eine Weile am See entlang, dessen wunderschönen Anblick Kluftinger aufgrund seiner Anspannung gar nicht richtig würdigen konnte. Er kam sich vor wie bei einer Schnitzeljagd. Was würde sich das Gerät als Nächstes für ihn ausdenken? Dreizehn Löwenzahnblüten? Litfaßsäulen?

»Kannschnobissleweiterfahrn.« Kluftinger war platt. Sprach das Ding im Dialekt? Gab es das? Aber es hatte sich eindeutig so angehört.

»Wo haben Sie denn das gelernt?«, fragte Yildrim.

»Hm?« Kluftinger wusste nicht, was er meinte.

»Die Sprache.«

Der Kommissar verstand kein Wort. Redeten jetzt alle in Rätseln?

»Dänisch, meine ich.«

Hätte er gerade eine Unterhaltung mit den ersten auf der Erde gelandeten Außerirdischen geführt, er hätte nicht ratloser sein können. Wie kam Yildrim auf die abwegige Idee, dass er Dänisch konnte?

»Aber das finde ich wirklich eine gute Idee. Das Navi auf Dänisch einzustellen. Muss ich auch mal machen, da bleibe ich in der Übung.«

Schlagartig wurde Kluftinger alles klar. Vor seinem geistigen Auge sah er seinen Sohn vor sich, wie er sich mit einem diabolischen Grinsen ins Auto beugte und an dem Gerät herumfummelte. »Markus!«, zischte er zwischen den zusammengepressten Zähnen hervor.

Als sie das Ortschild Bregenz passiert hatten, tat er etwas, was er früher für absolut undenkbar gehalten hätte: Er schaltete das Gerät aus, fuhr, von den fragenden Blicken seiner Mitfahrer begleitet, an den Straßenrand, kurbelte das Fenster herunter und fragte den erstbesten Passanten nach dem Weg. Besondere Situationen erforderten besondere Maßnahmen.

Eine Stunde später standen sie im Zuschauerbereich der Seebühne. Yildrim hatte den zuständigen Kollegen die Lage erläutert und in immer längere Gesichter geblickt. Am Schluss hatte betretenes Schweigen geherrscht. Kluftinger konnte die österreichischen Polizisten gut verstehen. Noch vor ein paar Tagen war das Wort »Terror« auch für ihn nur eine Vokabel aus den Nachrichten gewesen.

Als sie mit einer kleinen Delegation die Seebühne betreten hatten, hatte dieser Gedanke jedoch für eine Weile an Gewicht verloren. Fassungslos starrte er auf den Bühnenkomplex, der dort im Bodensee errichtet worden war. Noch nie hatte er etwas Derartiges gesehen. In der Zeitung hatte er immer wieder Bilder von den Aufbauten für die Bregenzer Festspiele gesehen: ein Skelett so hoch wie ein mehrstöckiges Haus, ein Buch in der Größe eines Fußballplatzes, eine Bistro-Einrichtung mit Tischen so groß wie Hubschrauber-Landeplätze.

Doch was er nun sah, wirkte nicht nur gewaltig, sondern auch ein bisschen furchteinflößend. Ein riesiges Auge starrte sie vom See aus an. Es verstärkte das mulmige Gefühl in seinem Magen, das er seit fast zwei Wochen mit sich herumtrug. Das Gefühl, dass irgendwo irgendjemand Dinge tat, die sie nicht beeinflussen konnten. Dass sie diejenigen waren, die beobachtet wurden, nicht umgekehrt. Er konnte den Blick nicht von diesem Auge wenden, das etwa so groß war wie ein halbes Dutzend übereinander gestapelter Reisebusse.

»Tosca«, flüsterte eine Stimme hinter dem Kommissar. Das brach den Bann, und Kluftinger drehte sich um.

»Die Oper. Tosca«, sagte Bydlinski und zeigte auf das Auge. »Ich hab mir alles angeschaut, was die letzten Jahre hier lief. Tosca auch. Das war sensationell. Hab auch für heuer wieder Karten. Ist wirklich eine Reise wert.«

Kluftinger war baff. Bydlinski mochte Opern? Er hätte ihm bestenfalls eine Sammlung der größten Hits von DJ Ötzi zugetraut. Anscheinend steckte doch mehr in dem Kollegen als vermutet – wie Yildrim es angedeutet hatte.

Ein ehrfürchtiges Nicken war die Antwort des Kommissars auf Bydlinskis Information. Dann sahen sie beide zu Yildrim und den Kollegen aus Österreich hinüber, die in der Tribüne Platz genommen hatten. Der BKA-Mann gestikulierte wild in alle Richtungen, während seine Gesprächspartner immer mehr in sich zusammensackten. Auf sie kam eine Menge Arbeit zu. Als sich die kleine Gruppe von den Sitzen erhob und zu ihnen kam, blickte er in versteinerte Gesichter. Yildrim tauschte Visitenkarten mit den Männern aus und sicherte ihnen jede Hilfe zu, die sie benötigten.

Als sie außer Hörweite waren, sagte er: »Wie ich's mir gedacht habe. Völlig unzureichende Sicherheitsvorkehrungen. Da werden sie noch einiges zu tun haben.« Kluftinger und Bydlinski nickten bedeutungsvoll. »Wir natürlich auch«, fügte Yildrim hinzu.

Ein paar Sekunden hing jeder seinen Gedanken nach, dann klatschte Yildrim plötzlich in die Hände: »So, ich hab einen Riesenhunger. Wie wär's, wenn wir vor der Rückfahrt noch ein österreichisches Mahl zu uns nehmen? Vielleicht eine Mehlspeis?«

»Also, wenn's euch nix ausmacht, tät ich lieber so lange ins Kunsthaus gehen. Super Ausstellung grad. Oder wollt's ihr mit?« Auch Yildrim überraschte Bydlinskis Frage, das sah Kluftinger. Als der Task-Force-Leiter nicht sofort antwortete, verabschiedete sich der Österreicher für eine Stunde. Allerdings nicht, ohne ihnen vorher noch ein Lokal mit dem besten Kaiserschmarrn in Vorarlberg zu empfehlen.

Sie hatten sich eine Viertelstunde lang wortlos ihrem Essen gewidmet – Yildrim hatte Kluftinger ebenfalls zu Kaiserschmarrn überredet, obwohl ihm eher nach etwas Deftigem gewesen war –, als der Kommissar in seinem Kopf eine Frage formulierte, die er schon eine ganze Weile mit sich herumtrug. Er wusste nicht genau, wie er sie stellen sollte, denn sie war noch nicht wirklich ausgereift, eher ein Schemen, ein ungutes Gefühl in der Magengrube, das sich mit der Dauer seines Spezialeinsatzes verstärkte. Yildrim schien dieses Unbehagen zu spüren. »Das Ganze setzt Ihnen zu, nicht wahr, Herr Kluftinger?«

»Ja. Ich meine: Es ist natürlich mein Beruf, aber …«

»… aber Sie haben es eben eher mit normalen Fällen zu tun. Klaren Strukturen. Täter und Opfer. Und vor allem mit vollendeten Tatsachen. Nicht mit einer diffusen Bedrohung.«

»Ja, genau.« Kluftinger war erleichtert.

»Sehen Sie, mein Freund …« Zum zweiten Mal an diesem Tag gebrauchte Yildrim diese Wendung. »Ich bin auch nicht in die Terrorbekämpfung hineingeboren worden. Es gibt ja keinen Ausbildungsplatz dafür. Sie fangen beim BKA nicht mit einem Praktikum ›Bombenanschläge‹ an, um sich dann zu ›Globaler Terrorismus‹ hochzuarbeiten. Ich kann also Ihre momentane Lage sehr gut verstehen. Aber Sie müssen auch mich verstehen. Wo eine Terrorbedrohung entsteht, müssen wir mit den Behörden vor Ort zusammenarbeiten.

Wir bringen das Know-how mit, die Kollegen kennen sich in den Strukturen aus. Wir würden Sie gerne verschonen, aber unterm Strich würde es ja gar nichts ändern.«

Yildrim schob mit der Gabel die goldgelben Teigfetzen auf seinem Teller hin und her. Dann legte er das Besteck weg, lehnte sich zurück und blickte auf den See. Sie saßen auf der Terrasse eines Lokals an der Uferpromenade und genossen die warmen Sonnenstrahlen und den fantastischen Ausblick.

»Die Gefahr ist existent. Das ist Fakt. Sie ist da, ob Sie sie bekämpfen oder nicht. Ich finde, Ihre Situation ist sogar noch privilegiert: Sie wissen mehr als die Ahnungslosen um Sie herum.« Er machte eine Handbewegung in Richtung der Spaziergänger am Seeufer. »Sie haben die Möglichkeit, etwas zu tun, müssen nicht wie Schlachtvieh auf irgendeine Katastrophe warten.«

»Nun ja, das Vieh weiß nicht, dass es bald zur Schlachtbank muss. Auch ein Privileg in gewisser Weise. Aber Sie haben schon Recht, Herr Yildrim. Das ist es auch nicht. Natürlich macht mir das Ganze zu schaffen, aber das haben andere Fälle auch schon. Es ist nur: So was … Großes, hier bei uns … das passt einfach nicht.«

Yildrim sah ihm lange in die Augen. Kluftinger hielt seinem Blick stand. Dann nickte der Task-Force-Leiter und seine pechschwarzen Locken wippten dabei im Takt. »Ich weiß, was Sie meinen. Das hat mich auch geschockt. So weit sind wir noch nie in … na, in die Provinz eben, vorgedrungen. Ist jetzt nicht abwertend gemeint. Das gibt allem noch einmal eine neue Dimension. Auch wenn sich die Terroristen hier nur verstecken, hier sozusagen ihren Planungsstab aufstellen, um dann doch wieder woanders zuzuschlagen: Es nimmt der Region hier ein wenig von ihrer Unschuld.«

Das war es. Genau das hatte Kluftinger gemeint. Genau das hatte er gefühlt, als zum ersten Mal eine nennenswerte Drogenkriminalität im Allgäu in Erscheinung trat. Als sich die Mafia hier breitgemacht hatte. Solche Dinge hatten hier nichts zu suchen. Und doch waren sie Teil der Welt, in der sie lebten. Sie konnten sich dem nicht entziehen. Nicht mehr. Er seufzte.

»Machen Sie sich keine Sorgen. Sie sind allem Anschein nach nicht direkt die Zielscheibe, das ist doch schon was. Für die meisten Menschen, nämlich die, die in den Metropolen leben, gilt das nicht. Ich weiß, das ist ein schwacher Trost, denn die Ausläufer bekommen Sie genauso zu spüren. Aber glauben Sie mir, ich weiß, wovon ich spreche: Das ist immer noch die bessere Variante.«

Langsam nickte Kluftinger. Wahrscheinlich hatte sein Gegenüber Recht. Es fiel ihm einfach nur schwer, der aktuellen Situation etwas Positives abzugewinnen.

In diesem Moment klingelte Yildrims Handy.

Kluftinger nutzte die Zeit, um auch sein Telefon wieder einzuschalten. Er hatte es kurz nach dem Passieren der Grenze und der damit verbundenen SMS, dass er ganz herzlich im ausländischen Netz begrüßt werde, ausgemacht. Er wusste, dass er bei jedem Anruf mitzahlte, also wollte er erst gar keine empfangen. Nachdem sich das Gerät ins Netz eingewählt hatte, begann es wie wild zu piepsen. Als es sich wieder beruhigt hatte, schaute er ungläubig aufs Display: neunzehn unbeantwortete Anrufe. Eine schreckliche Ahnung überkam ihn. Daheim würde doch nichts … Er bestätigte mit OK und seufzte erleichtert auf. Die Anrufe waren von Dr. Langhammer.

Seine Erleichterung wurde nach wenigen Sekunden von Irritation abgelöst: Weshalb hatte der Arzt so oft versucht, ihn zu erreichen? War vielleicht doch etwas passiert? Am Ende mit Erika? Oder Markus? Seinen Eltern? In diesem Moment erschien auf dem Display der Text »Eine neue Nachricht«. Sie war ebenfalls von Langhammer, doch Kluftinger verstand sie nicht. »Habe Sie heute gesehen. Sollten uns wirklich unterhalten. Bevor alles rauskommt und Ihre Frau leidet. Bitte rufen Sie mich an. LG Dr. Langhammer.«

Mehrere Dinge an dieser SMS gaben Kluftinger Rätsel auf. Zum einen die Buchstabenkombination am Ende. Was sollte »LG« bedeuten? Langhammers Geheimsprache? Lauter Geschwätz? Langsamer Gehirnschwund? Labernder Gesundbeter? Auch die Tatsache, dass der Arzt sogar seine Kurzmitteilungen mit seinem Titel unterschrieb, ließ den Kommissar seufzen. Doch das waren nur Nebenschauplätze. Er hatte ihn gesehen, stand in der Nachricht. Wobei? Und warum sollte seine Frau leiden?

Er überlegte sich gerade ernsthaft, ob er den Doktor zurückrufen sollte, da wurde er von Yildrim abgelenkt, der aufgeregt in sein Handy sprach: »Das ist nicht wahr … sicher? … und es gibt keinen … gut!« Yildrim packte das Handy weg, sah für einen Moment aufs Wasser, wandte sich dann Kluftinger zu und sagte tonlos: »Wir müssen. Schnell. Es geht weiter. Ich erkläre Ihnen alles im Auto.«

Als sie in Kempten ankamen – zu zweit, denn sie hatten Bydlinski auf dem Handy nicht erreicht und ihm lediglich auf die Mailbox sprechen können, dass er mit dem Zug zurückfahren müsse –, war Kluftinger bereits bestens im Bilde über das, was sie im Büro erwarten würde. Yildrim hatte unterwegs einige hektische Telefonate geführt, und allein das Mithören hatte schon ein relativ klares Bild der Lage gezeichnet; den Rest hatte Yildrim mit ein paar knappen Worten erklärt: Eine weitere E-Mail war eingegangen, die einen klaren Mordauftrag enthielt. Ein Mord, dessen Opfer, auch wenn keine Namen genannt wurden, nur Alii Hamadoni sein konnte.

»Es muss noch vor dem neuen Tag geschehen. Der, der nur dem Mammon frönt, muss sterben. Nicht dem Heilsweg dient sein Streben. Er verkauft den Tod. Nun wird er mit seinen eigenen Waffen geschlagen werden. Opfere ihn. Gott wird es dir im Himmel siebenmal vergelten. Möge die Kraft des rechten Glaubens dich stützen. Inshallah.«

Kluftinger las sich immer wieder den Ausdruck der E-Mail durch, die heute Nachmittag eingegangen war. Yildrim war sich, das hatte er den Mitgliedern der Task Force gerade mitgeteilt, mit all seinen Kollegen in München und Wiesbaden einig: Die Verfasser der Mail hatten vor, Hamadoni, den Waffenhändler, zu eliminieren. Die Zellenmitglieder, allesamt Überzeugungstäter, konnten sich keine Schwachstelle leisten. Nur Fanatiker waren auch sichere Geheimnisträger.

»Schutzhaft« war der Begriff, der Kluftinger sofort in den Sinn gekommen war.

Doch Yildrim zerstreute diesen Gedanken schnell. Er sah den bevorstehenden Anschlag als optimale Chance, in ihrer Sache weiterzukommen. »Ich kann Sie verstehen, Kollege Kluftinger. Sie denken absolut logisch. Aber geht es uns darum, Hamadoni zu schützen? Können wir das Wohl eines mutmaßlichen Berufsverbrechers in den Vordergrund stellen, wo es um so viel mehr geht?«

Kluftinger wusste, worauf Yildrim hinauswollte. Es ging um mehr als nur um ein Menschenleben. Irgendwie erinnerte ihn das an Wilhelm Tell: Was war schon ein Einzelschicksal, wenn es um die große Sache ging. Manchmal brauchte es ein Bauernopfer. Kluftinger schluckte. Was er gerade gedacht hatte, kam ihm auf schreckliche Weise bekannt vor: Es stand so auch in der Mail, die vor ihm lag.

Yildrim sprach diesen Gedanken ebenfalls aus: »Nun müssen die Ratten aus ihren Verstecken kriechen. Wer auch immer auf ihn anlegt, er kann uns im Fall weiterbringen. Und ich sage Ihnen eines ganz klar: Wenn Hamadoni dabei draufgeht, dann nehme ich das in Kauf.« Yildrims dunkle Augen funkelten. Der Mann schien zu allem entschlossen. Wie ein ausgehungerter Wolf schien er darauf zu warten, endlich Beute zu machen, in dem Fall weiterzukommen, der gestern noch alle so gelähmt hatte.

»Damit eines klar ist«, fuhr Faruk Yildrim fort, »es geht mir nicht darum, Hamadoni hinrichten zu lassen. Wir werden alles tun, um einen Anschlag auf ihn zu verhindern. Auch das ist unsere Pflicht. Aber wir haben es mit Leuten zu tun, die zu allem entschlossen sind. Mit anderen Worten: Hamadoni ist unser Lockvogel, und Lockvögel tragen das Risiko, abgeschossen zu werden.«

Kluftinger schluckte. Im Folgenden klärte Yildrim die anderen darüber auf, dass die Beschattung Hamadonis bereits massiv ausgeweitet worden war. Wenn er sich bewegte, zog er mittlerweile ein Dutzend Beamte hinter sich her.

»Personenschutz ist nicht gerade einfach, wenn der Beschützte nichts von seinem Glück weiß«, brummte Kluftinger. Die anderen nickten zustimmend.

»Herr Kluftinger, Sie steigen hier mit mir ein, bitte!«, sagte Yildrim, als sie mit Marlene Lahm auf einen langen geschlossenen Kastenwagen mit dem Werbeaufdruck einer Schreinerei zugingen, der vor der Kemptener Polizei geparkt hatte. Kluftinger verstand zunächst nicht. Erst als Yildrim die Schiebetür öffnete und einen Vorhang bei-seiteschob, wurde ihm klar, was da vor ihm stand: Die mobile Kom-mandozentrale des Krisenstabes der bayerischen Polizei. Man hatte das Auto in einer der letzten Ausgaben der Mitarbeiterzeitung vorge-stellt, nur von innen, versteht sich. Dieser Wagen verfügte über zahl-lose Abhöreinrichtungen, Peilgeräte, Wärmebildkameras und war darüber hinaus ein rollender Rundfunksender. Von ihm aus ließen sich bis zu hundert Beamte leiten, kameragestützt und kabellos. Kluf-tinger, der sich für moderne Technik nicht allzu sehr interessierte, nötigte der Wagen dennoch Respekt ab. Vor allem, da er gelesen hat-te, dass der den ungefähren Wert von zwei Einfamilienhäusern hatte.

»Frisch aus München angekommen«, erklärte Yildrim. »Mit dem Baby werden wir uns heute auf die Lauer legen.«

Kluftinger staunte nicht schlecht, als er das Auto betrat: Das Innere wirkte wie aus einem James-Bond-Film. Der Wagen war vollgestopft mit Monitoren und Rechnern, vier bequeme Drehsessel waren vor Konsolen angebracht, die auf Kluftinger wie Flugzeugcockpits wirk-ten. Die Tür zur Fahrerkabine ging auf, und ein Mann in einer viel zu weiten roten Strickjacke kam herein.

»So, herzlich willkommen an Bord, meine Herrschaften«, begrüßte er Yildrim, Kluftinger und Marlene Lahm, die gerade die Schiebetür geschlossen hatte. Durch deren Fenster konnte man wie durch einen venezianischen Spiegel nach draußen sehen, ohne selbst bemerkt zu werden. »Mein Name ist Max, ich darf Sie technisch ein wenig unter-stützen und Ihnen die wichtigsten Details des Fahrzeugs kurz erklären.«

Das also war so etwas wie der bayerische »Q«, dachte Kluftinger. Fehlte ja nur noch Miss Moneypenny.

»Nicht nötig, wir haben in Wiesbaden dasselbe Modell. Wir sind auch etwas in Eile«, gab Yildrim freundlich zurück.

»Ach so, BKA, wusste ich nicht, entschuldigen Sie«, sagte Max und wandte sich bereits wieder Richtung Fahrerkabine, wurde aber von Kluftinger gebeten, zu bleiben. Schließlich wusste der noch nicht ein-mal, wo der Einschaltknopf für diese ganze Technik war.

Eine gute halbe Stunde später hatte Kluftinger bereits einiges über die rollende Kommandozentrale erfahren, die mittlerweile gegenüber einer Kneipe in der Kemptener Innenstadt stand. Hamadonis Auto stand davor, der Bus etwa hundert Meter davon entfernt in Sichtweite.

Auf den Bildschirmen sah man Hamadoni in der verrauchten Kneipe mit einigen Männern am Tisch sitzen und Karten spielen. Auch der Ton wurde von den beiden mit Kameras und Mikrofonen ausgestatteten Beamten, die kurz nach der Zielperson das Lokal betreten hatten, störungsfrei übertragen.

»So, jetzt brauchen wir auch nur noch ein Bierchen und Spielkarten«, grinste Kluftinger, und Yildrim nickte ihm lächelnd zu. Tatsächlich klang es in dem Fahrzeug wie in einer Kneipe.

Eine Stunde später riss es Kluftinger auf einmal auf seinem Drehsessel, der nun, da er seit geraumer Zeit daraufsaß, nicht annähernd die Bequemlichkeit bot, die er auf den ersten Blick versprochen hatte. Der Kommissar war dennoch für eine Sekunde eingenickt. Beschattungen waren einfach nicht seine Sache. Schnell wurde ihm dann langweilig, und es fiel ihm schon nach kurzer Zeit schwer, sich wach zu halten. Sicher würde ein wenig Sauerstoff seine Akkus wieder aufladen, dachte er. Noch dazu verspürte er einen starken Druck auf der Blase. Er könne ruhig hinausgehen, schließlich verpasse er gerade nichts, sagte Yildrim.

»Nehmen Sie aber ein Funkgerät mit. Das behalten Sie bei sich, falls etwas ist, während Sie draußen sind!« Yildrim streckte ihm ein winziges Kästchen entgegen, eines der neuen Geräte, die man einfach am Ohr trug. Kluftinger steckte sich das Ding an und kletterte durch die Kabine nach draußen, wo er den Fahrer bei einem kleinen Nickerchen störte. Nachdem er hinter einem nahe gelegenen Baum wieder hervorgekommen war und sich gerade noch die Hose zuknöpfte, beschloss Kluftinger, kurz bei Strobls Wagen vorbeizuschauen, den er schräg vor sich sah. Er blickte sich um. Alles schien ruhig zu sein. Wie an jedem Abend in dieser beschaulichen Stadt. Doch hinter den Bäumen und in der Hälfte der Autos befanden sich Polizisten. Und noch heute würde etwas geschehen, was die Ruhe stören würde, davon war Kluftinger überzeugt.

Der Kommissar öffnete die Hintertür von Strobls Wagen und stieg ein. Hefele, der auf dem Beifahrersitz saß, zuckte zusammen.

»So, meine Herren, seid ihr auch schön wachsam hier? Scheint mir eher, als wärt ihr schon halb eingeschlafen, oder, Roland?«

Hefele lächelte verlegen.

»Sag mal, Klufti«, begann Strobl, »mittlerweile wissen wir ja immerhin, wen wir verfolgen. Könntest du oder einer deiner hoch dekorierten Kollegen uns aber auch einmal sagen, warum? Das würde vielleicht unsere Arbeitsmoral steigern.«

»Nein, ihr wisst genau, dass ich das nicht kann. Ihr werdet es aber bald erfahren.«

»Schon klar, an Weihnachten wahrscheinlich, oder?«, brummte Strobl.

»Froh und dankbar könnt ihr sein, dass ihr hier bei dieser großen Sache mitmachen dürft. Denkt an den Richie Maier, der muss im Büro schmoren.«

»Ja, von wegen!«, protestierte Hefele jetzt, »der hockt jetzt sauber daheim und schaut fern.«

»Dafür hab ich euch ein schöneres Büro zugewiesen als der Richie. Der logiert nun im neuen Gebäude in einer Abstellkammer. Mit Praktikantenplatz. Hochmut kommt halt vor dem Fall.«

»Klufti, wir lieben dich«, sagte Strobl daraufhin lachend.

»So, mir ist es bei euch hier zu langweilig. Wir haben nämlich O-Ton-Verbindung zur Zielperson. Inklusive Livebild, nicht nur ein paar Funksprüche.«

»Aha, hörst du, Eugen? Die feinen Leute haben nicht nur ordinären Polizeifunk wie wir!«

»Jedem das Seine«, gab Kluftinger zurück, als sein Headset, das mittlerweile auf der Schulter gelandet war, leise Töne von sich gab. Kluftinger fischte es sich aus dem Kragen, befestigte es wieder im Ohr und sprach hinein.

»Kluftinger hier. War etwas? … Ende.«

Faruk Yildrim erklärte ihm, dass er möglichst schnell zurück zum Bus kommen solle, denn Hamadoni zahle gerade. Augenblicke danach hörte er dieselbe Information über das Funkgerät des Wagens. Kluftinger verabschiedete sich hastig und stieg aus.

Als er die Beifahrertür des Einsatzwagens öffnete und hineinkletterte, sah er noch einmal zurück. Irgendetwas war ihm gerade auf den wenigen Metern hierher aufgefallen. Irgendetwas hatte seine Aufmerksamkeit für die Dauer eines Wimpernschlags erregt. Und war dann sofort von einem anderen Gedanken verdrängt worden. Wenn der Kommissar die Zeit dazu gehabt hätte, wäre er denselben Weg noch einmal gegangen. Er runzelte die Stirn und zog die Tür zu.

Yildrim nickte ihm von hinten im Wagen zu. Auf den Monitoren sah man aus zwei Perspektiven gerade, wie Hamadoni seinen Geldbeutel wegsteckte, seine Zigarette ausdrückte und sich zum Gehen wandte.

Kluftinger zermarterte sich das Hirn. Es ging ihm nicht mehr aus dem Kopf. Er hatte es gesehen, und er wusste, dass es wichtig gewesen war. Nur was? Der Kommissar starrte auf den Bildschirm. Er versuchte, alles andere auszublenden, sich nur auf den flüchtigen Gedanken zu konzentrieren.

Mittlerweile hatte die Zielperson das Lokal verlassen. Beinahe nahtlos schalteten sich andere Kameras ein, die ihn von nun an im Visier hatten. Der Mann ging auf seinen Wagen zu.

Kluftinger verbarg sein Gesicht in den Händen. Was hatte ihn so irritiert?

Hamadoni schloss seine Wagentür auf. Der Mann stieg ein. Ein schönes Auto, das er da hatte, dachte Kluftinger. Auto! Natürlich. Er hatte ein Auto gesehen, das …

Kluftinger starrte auf den Bildschirm: Hamadoni schaltete gerade das Licht ein. Und in diesem Moment geschah etwas: Ein kleiner ferngesteuerter Spielzeuglaster mit Anhänger fuhr durchs Bild. Das Spielzeugauto passierte gerade einen alten Renault und hielt auf Hamadonis Audi zu.

Der Renault! Das war es. Er hatte den giftgrünen Wagen schon einmal gesehen, neulich auf der Internetseite, bei der Beschattung im Internetcafé. Der Mann war also höchstwahrscheinlich hier. War er es, der Hamadoni umbringen sollte?

»Der Renault ist da!«, schrie Kluftinger, doch noch bevor irgendjemand nachfragen konnte, was er damit denn meine, sahen sie den kleinen Spielzeuglaster unter Hamadonis Auto verschwinden. Dann durchbrach ein Knall die Stille, der beinahe ihre Trommelfelle platzen ließ. Alle duckten sich unwillkürlich. Ein Lichtblitz zuckte durch die abgedunkelten Fenster, und auf dem einzigen Monitor, der noch ein Bild zeigte, sah man von Hamadonis Wagen nur mehr einen Feuerball.

Einen Moment war es totenstill. Dann sprang Yildrim hoch und riss mit einem gebrüllten »Scheiße!« die Wagentür auf. Die anderen lösten sich von ihren Sitzen und folgten ihm. Binnen Sekunden hatte sich eine Traube von Menschen um das brennende Fahrzeug gebildet, besser gesagt um das, was davon übrig war. Ihnen bot sich ein Bild der Verwüstung: Überall lagen Fahrzeugteile herum, die Hauswände warfen fahl das flackernde Licht zurück. Keiner sprach. Allmählich öffneten sich ringsherum Fenster und Türen, Menschen kamen aus den Häusern auf die Straße gelaufen. Wie gelähmt starrten die meisten Beamten auf das brennende Fahrzeug.

Im Augenwinkel sah Kluftinger, dass Yildrim etwas abseits stand. Er sah nicht in die Flammen, sondern blickte nach oben. Kluftinger folgte der Richtung, in die er sah. Er schien auf das Dach eines Appartementhauses gegenüber zu starren. Für einen kurzen Moment konnte Kluftinger noch den Umriss eines Mannes erkennen.

»Da ist er!«, rief Yildrim und drehte sich um. Nur Kluftinger erwiderte seinen Blick und rannte mit ihm los. Die übrigen Beamten waren auf den Brand fixiert oder versuchten, die Schaulustigen, deren Zahl sekündlich größer wurde, vom Explosionsort fernzuhalten.

Die beiden Beamten waren etwa auf halbem Weg zu dem Appartementhaus, als Strobl und Marlene Lahm zu ihnen aufschlossen. Yildrim beantwortete ihren fragenden Blick: »Der Täter hat vom Flachdach dieses Hauses gezündet, ich glaube, er hatte die Fernsteuerung noch in der Hand. Er muss im Gebäude sein!«

Am Eingang hatte Yildrim bereits bei allen Klingeln Sturm geläutet. Nichts rührte sich. Strobl und Yildrim rüttelten an der massiven Haustür, doch die wackelte nicht einmal.

»Aus dem Weg!«, schrie Kluftinger plötzlich von hinten und rannte auf den Eingang zu. Unter Aufbietung seines vollen, nicht geringen Körpergewichts warf er sich dagegen. Gespannt sahen die anderen auf die Tür, die sich jedoch keinen Millimeter bewegte. Dann kippte der Kommissar langsam nach hinten.

Dreißig Sekunden später hatte der schlimmste Schmerz nachgelassen, und in Kluftinger keimte die Hoffnung auf, sich die Rippen nur geprellt und nicht gebrochen zu haben. In diesem Moment ertönte aus der Gegensprechanlage eine verschlafene Frauenstimme: »Was wellet Sie?«

Die Stimme schien einer älteren Frau zu gehören.

»Bundeskriminalamt, öffnen Sie sofort die Tür!«

Nach einer kurzen Stille war nur noch ein Knacken zu hören. Die Frau hatte ihren Hörer offenbar wieder aufgehängt. Noch einmal fuhr Yildrim mit dem Finger über alle Klingelknöpfe.

Kurz darauf hörten sie wieder die Frauenstimme: »Lasset Sie mich jetzt schlafen, Sie Aff!«

»Gute Frau, machen Sie auf, Kripo Kempten! Sie behindern unsere Ermittlungen!«, schrie Kluftinger nun von hinten in die Sprechanlage.

»Ach so? Ich hab denkt Kriminalamt?«

»Machen Sie die Tür auf, verdammt!«

»Gehet Sie unter dem Vordach raus und hebet Sie den Ausweis hoch! Ich komm ans Fenster.«

Die Beamten sahen sich kopfschüttelnd an. Schließlich seufzte Strobl, zog seine Kennkarte heraus und machte einen Schritt zurück. Während Kluftinger bereits erwog, die Tür mit massivem Beschuss kleinzubekommen, fragte Yildrim ihn, was er denn vorher gemeint habe, mit dem Renault.

Kluftinger klärte ihn auf, woraufhin Yildrim anordnete, man müsse sofort zu Latif Morodovs Wohnung fahren und diese auf den Kopf stellen.

»Haben Sie ihn gesehen? Meinen Sie, das war Morodov, auf dem Dach?«

Kluftinger zuckte die Achseln. »Schwer zu sagen, es war …« In diesem Moment rief die Frau im Kommandoton aus dem Fenster: »Umdrehen!«

Strobl vollführte daraufhin eine Neunzig-Grad-Drehung.

»Nicht Sie, den Ausweis!«

Obwohl die alte Frau sicher nicht das Geringste auf dem Dokument hatte sehen können, ertönte wenige Augenblicke später ein Summen, und die Haustür sprang auf. Kluftinger lief als Erster ins Haus und sah gerade noch eine dunkle Gestalt von der Kellertreppe nach oben rennen und durch die Hintertür verschwinden. Sofort setzten die Beamten ihr nach. Als diese durch die Tür nach draußen rannten, erwartete sie ein Dickicht, mit dem sie bei diesem gepflegten Haus nie gerechnet hätten: Hohe Stauden und Ranken überwucherten den Garten. An einer Ecke sahen sie gerade noch, wie sich der Flüchtige über den Zaun schwang. Sie hatten nicht einmal mehr Zeit zu schießen.

»Das ist nie und nimmer Morodov, der ist viel dicker«, rief Kluftinger, als er sich durch den verwilderten Garten kämpfte. Und schob ein »Zefix, alles voller Kletten!« hinterher

Die Jagd führte die atemlosen Polizisten durch zwei weitere Gärten, doch es gelang ihnen nicht, den Abstand zu verringern. Dann aber rannte der Flüchtige auf eine hell erleuchtete, breite Hauptstraße.

»Schnell«, schrie Yildrim, der mit beachtlichem Tempo inzwischen die Führung übernommen hatte. »Gleich haben wir ihn.«

Als sie um die Ecke bogen, sahen sie gerade noch, wie sich die Tür der großen Disko schloss. Hektisch blickten sie sich um: Nein, es gab effektiv keine andere Möglichkeit; der Mann musste dort hineingegangen sein. Sie erreichten die Tür. Yildrim fasste den Griff, nickte ihnen zu und zog sie auf.

Sofort schlug ihnen ein Schwall feuchtheißer, verbrauchter Luft entgegen. Yildrim brauchte nur ein, zwei Sekunden, um die Situation im Eingangsbereich abzuschätzen. Ohne zu zögern ging er zu der jungen Frau, die dort hinter einem kleinen Tresen saß und gelangweilt auf ihrem Kaugummi kaute.

»Ist hier gerade ein Mann reingekommen?«, fragte Yildrim.

Sie sah ihn mit müden Augen an. »Einer? Hier kommen ständig Leute rein!«

»Ich meine gerade eben.«

»Klar. Viele Männer. Und Frauen natürlich auch.«

Yildrim zückte seinen Ausweis und hielt ihn ihr unter die Nase. »Denken Sie nach«, sagte er scharf.

Unbeeindruckt machte die junge Frau mit den strubbligen schwarzen Haaren eine Kaugummiblase. »Und was soll das sein?«

»Das weist mich als Mitarbeiter des Bundeskriminalamtes aus. Und Sie täten gut daran, mir zu sagen, wie der Mann aussah, der gerade hier hereingekommen ist.«

»Ja, meinen Sie, ich hab Zeit, mir zu merken, wer hier alles reinkommt?«

Genervt drehte sich Yildrim zu seinen Kollegen um.

»Gibt es einen Hinterausgang?«

Mit glasigen Augen schaute die Frau ihn an. »Mhm.«

»Und wo ist der?«

»Na, hinten.«

Yildrim stieg die Zornesröte ins Gesicht. Er bellte ihr das schärfste »Wo?« entgegen, das Kluftinger je gehört hatte. Das zeigte Wirkung, denn der Blick der Frau wirkte nun zumindest etwas wacher als zuvor, und sie erklärte ihnen rasch den Weg. »Marlene!«

Marlene Lahm verstand und machte sich sofort auf den Weg.

»Und Sie, Herr …«

»Strobl.«

»Sie bleiben hier am Eingang. Keiner kommt ohne Kontrolle raus, keiner kommt mehr rein.« Dann forderte Yildrim Verstärkung an. Unmissverständlich machte er dabei klar, dass alle Kräfte mobilisiert werden mussten, die gerade zur Verfügung standen. Auch von Hunden sprach er. Kluftinger verstand nicht. Was hatte Yildrim vor?

»Haben Sie ihn gesehen?«, riss der den Kommissar aus seinen Gedanken.

»Nein, nicht richtig.«

»Verdammt.«

»Tut mir leid.«

»Ist ja nicht Ihre Schuld. Soviel ich mitbekommen habe, hatte er Jeans und Turnschuhe an. Na, das wird uns hier ja eine große Hilfe sein«, sagte er bitter. »Hören Sie: Bis die anderen da sind, werden wir uns mal nach ihm umsehen. Vielleicht wird er nervös und versucht zu fliehen. Wir durchstreifen die Disko im Abstand von drei, vier Metern und werden dabei immer Blickkontakt halten. Wenn wir was Verdächtiges bemerken: Zugriff.« Bei diesen Worten legte Yildrim seine Hand auf seine Sakkotasche. Kluftinger wusste, dass sich darunter sein Pistolenholster befand. Er bekam weiche Knie. Wenn hier in der Disko geschossen werden würde, wären die Folgen nicht auszudenken. Den Attentäter zu finden wäre dann ihr kleinstes Problem.

»Also dann, los.«

Sie öffneten eine weitere Tür und gelangten in einen Vorraum mit einer Bar und einigen Sitzecken, auf denen sich nur wenige junge Menschen, meist Pärchen, bei schummriger Beleuchtung herumdrückten. Die eigentliche Disko begann hinter der nächsten Tür, durch deren bullaugenförmiges Fenster Kluftinger bunte Lichtblitze zucken sah. Auch die Musik musste dort unerträglich laut sein, denn bereits durch die massive Tür wummerten die Bässe so kräftig, dass er sie im Magen spüren konnte.

Zusammen mit Yildrim ließ er seinen Blick über die Gäste im Vorraum wandern. Dann sahen sie sich an und schüttelten synchron den Kopf. Das bisschen, was sie von dem Mann gesehen hatten, schien auf keinen der hier Anwesenden zu passen. Yildrim zeigte mit dem Kopf in Richtung Tür, und Kluftinger folgte ihm.

Als er sie geöffnet hatte, blieb der Kommissar für einen Augenblick stehen. Es waren zu viele Eindrücke, die hier gleichzeitig auf ihn einprasselten. Er musste sie erst verarbeiten, bevor er weitergehen konnte. Am meisten machte ihm der Lärm zu schaffen, dieses Gemisch aus dröhnenden Bässen, schrillem Pfeifen und futuristisch wirkendem Geblubber. Das sollte Musik sein? Offenbar, denn auf der Tanzfläche drängten sich dicht an dicht die Menschen. Dazwischen blitzten Lichter, ab und zu schaltete sich eine Stroboskop-Lampe ein, Kunstnebel waberte durch den Raum. Kluftinger schluckte: Wie sollten sie in diesem Chaos irgendjemanden finden?

Auch Yildrim schien sich erst orientieren zu müssen. Kluftinger sah, wie sein Blick nach links über die lange Bar glitt, weiter über die Tanzfläche zu den Sitzgruppen am hinteren Ende, über das DJ-Pult gegenüber und schließlich nach oben.

Auch Kluftinger hob nun den Kopf: Es war schon verrückt, er hätte nicht gedacht, dass er noch einmal herkommen würde. Er kannte das Gebäude sehr gut. Früher war hier das Kino gewesen, und er erinnerte sich noch an die ersten Filme, die er gesehen hatte: Winnetou, Emil und die Detektive. Auch daran, dass er mit Erika hier einen seiner ersten Abende verbracht hatte. Was ihn am meisten überraschte: Einige Accessoires des Kinosaals waren erhalten geblieben, etwa die Lampen oder die weinrote Plüschbespannung der Wände. Es wirkte gar nicht so kalt und technisch, wie er sich Diskos immer vorgestellt hatte. Sogar den Namen hatten sie beibehalten: Parktheater hatte schon das alte Kino geheißen.

Die Galerie, zu der Yildrim jetzt blickte, hatte es damals allerdings noch nicht gegeben, dort war früher die Leinwand gewesen. Nun drängten sich darauf junge Menschen am Geländer, lachten, tanzten, prosteten sich zu. Kluftingers Blick blieb an einem Mädchen hängen, das auf einer Box über den Köpfen der anderen tanzte. Sie trug nicht mehr als knapp sitzende Shorts und ein Bikini-Oberteil. Dabei machte sie anzügliche Bewegungen mit ihrem Becken. Darunter standen ein paar Halbwüchsige und gafften sie mit offenen Mündern an.

So verbrachten junge Menschen heute also ihre Abende? Was ist nur aus den Tanzabenden mit Kapelle geworden, seufzte der Kommissar innerlich.

Im Augenwinkel sah er, wie Yildrim zu seinem Funkgerät griff und es sich ans Ohr presste, wobei er sich das andere Ohr mit der Hand zuhielt. Er ging zu ihm und wartete, bis er fertig war. Kluftinger brauchte nicht nach dem Inhalt des Gespräches zu fragen, denn Yildrim schrie: »Die Kollegen sind bei der Wohnung von diesem Latif Morodov gewesen. Er ist nicht da.« Er machte ein enttäuschtes Gesicht. »Und Sie sind absolut sicher, dass das nicht der Mann ist, den wir hier suchen?«

Kluftinger nickte. Dann ging er wie besprochen parallel zu Yildrim in einem Abstand von etwa drei Metern durch die Disko. Die Gesichter hatten sie sich zugewandt und musterten die Menschen zwischen ihnen. Es war, als hätten sie zwischen sich ein unsichtbares Netz ausgeworfen, mit dessen Hilfe sie die Person aussieben wollten, hinter der sie her waren.

Der Kommissar fühlte sich wie bei einer riesigen Fleischbeschau. Letztlich ging es den jungen Menschen heute aber um das Gleiche wie ihnen damals: jemanden kennenzulernen. Wie sie das bei diesem Lärm, dieser Beleuchtung und – wenn er das bei den meisten richtig sah – diesem Alkoholpegel allerdings schaffen wollten, war ihm ein Rätsel. Ein Mädchen mit Zigarette in der einen und einem Cocktail in der anderen Hand zeigte gerade auf ihn und sagte lachend etwas zu ihren Freundinnen, da erstarrte Kluftinger. Eine Hand hatte sich auf seine Schulter gelegt. Panische Angst kroch ihm kribbelnd bis in die Haarspitzen. Er suchte Yildrims Blick. Der verstand sofort und ließ eine Hand unter dem Sakko verschwinden. Kluftinger wurde übel, doch er nahm alle Kraft zusammen, schaffte es, sich umzudrehen – und blickte in das grinsende Gesicht seines Sohnes.

Blitzschnell wirbelte er herum und schüttelte den Kopf, worauf Yildrim seine Hand wieder zurückzog. Kluftinger schnaufte, seine Halsschlagader pulsierte.

»So sieht das also aus, wenn du länger arbeiten musst, Vatter«, feixte Markus.

»Herrgott, hör auf. Ich bin dienstlich hier«, gab Kluftinger gereizt zurück.

Misstrauisch musterte ihn sein Sohn. »Dienstlich?« Markus schien nicht überzeugt. »Hör mal, Vatter, ich hab heut einen Anruf gekriegt vom Langhammer. Der hat so komische Andeutungen gemacht. Ich hab ihm gesagt, dass nix ist und er sich nicht in deine Angelegenheiten mischen soll. Aber jetzt … ich meine: du hier …«

»Himmelherrgott, ich bin dienstlich hier, wenn ich's dir doch sage. Keine Ahnung, was der Langhammer grad für Probleme hat! Wir verfolgen jemanden. Hast du irgendjemand reinkommen sehen? Groß, sportlich, gehetzt, wahrscheinlich verschwitzt …«

»Das passt ja auf so ziemlich jeden Zweiten hier drin.«

»Danke, das hilft mir weiter.« Kluftinger wischte sich selbst den Schweiß von seiner Stirn. In diesem Glutofen war Schwitzen wirklich kein geeignetes Unterscheidungsmerkmal.

In diesem Moment sprang Yildrim zu ihnen: »Die Kollegen sind da«, sagte er kurz und verschwand dann in Richtung Ausgang.

»Es geht los«, sagte Kluftinger zu seinem Sohn. Er wollte Yildrim gerade folgen, da drehte er sich noch einmal um: »Vielleicht ist es besser, wenn du mitkommst.«

Sie hatten gerade die Eingangstür erreicht, da sprang diese auf und eine Kaskade schwer bewaffneter Polizisten ergoss sich in den Innenraum. Den Anfang machte eine Spezialeinheit in schwarzen, dick gepolsterten Kampfanzügen, jeweils ein Gewehr im Anschlag. Dann folgten mindestens ein Dutzend uniformierter Beamter und schließlich noch einige Kollegen in Zivil. Durch die halb geöffnete Tür konnte Kluftinger draußen Polizeiwagen mit eingeschaltetem Blaulicht sehen. Auch mehrere Krankenwagen standen vor der Disko. Sie mussten die Straße komplett abgeriegelt haben.

»Zwei sofort zum Hinterausgang zur Kollegin Lahm, außen herum«, wies Yildrim an, worauf zwei Polizisten im Laufschritt durch die Tür verschwanden. Dann wandte er sich an die Kassiererin, die inzwischen aufgehört hatte, Kaugummi zu kauen. Fassungslos starrte sie auf die bis an die Zähne bewaffnete Menge, die sich da in ihrem Vorraum versammelt hatte. »Wir brauchen sofort den Besitzer«, zischte Yildrim. Die Frau nickte, griff zum Telefon und wählte mit zittrigen Fingern eine Nummer.

»Ja? Steffi hier. Du musst schnell runterkommen. Polizei ... Nein, keine Ruhestörung. Das ist ...«, sie ließ den Blick über die erwartungsvoll starrenden Gesichter schweifen, »... ernst, echt!«

Es dauerte keine Minute, dann ging die Tür auf und drei junge Männer betraten den Vorraum. Als sie die Polizisten sahen, erstarrten sie. Ein junger, schlaksiger Bursche, den Kluftinger auf höchstens dreißig Jahre schätzte, fing sich als Erster: »Um Gottes willen, was ist denn hier los?«

Yildrim ging auf ihn zu. »Sind Sie der Besitzer?«

»Ja.«

»Faruk Yildrim, guten Tag.« Er schob seine Hand vor, die der andere mechanisch ergriff. Kluftinger war beeindruckt, wie ruhig der Leiter der Task Force blieb. Und dass er sich die Zeit nahm, sich vorzustellen, auch wenn das sicher nichts mit bloßer Höflichkeit zu tun hatte: Er wollte, dass der Disko-Besitzer mit ihnen kooperierte, und dazu brauchte er sein Vertrauen.

»Philip Sanders«, sagte der, ohne Yildrim dabei anzusehen. Stattdessen starrte er nach wie vor auf die Truppe, die da in seinem Foyer wartete.

Yildrim erklärte ihm so behutsam wie möglich die Situation, doch mit jedem seiner Worte wurde der junge Mann bleicher. Der BKA-Mann schloss mit den Worten: »Wir müssen die Musik abschalten und das Licht anmachen. Und wir brauchen ein Mikro. Das muss sehr schnell gehen, nicht, dass Panik ausbricht, verstehen Sie?«

Sanders nickte roboterhaft. »Natürlich, Sie bekommen alles, was Sie brauchen.« In diesem Moment öffnete sich die Tür und zwei Männer mit Schäferhunden drängten sich in den völlig überfüllten Raum. Als Yildrim sie sah, nickte er und sagte: »Jetzt kann's losgehen.«

Markus blickte seinen Vater mit großen Augen an.

»Und, glaubst du mir jetzt, dass ich dienstlich da bin?«, wollte der wissen.

Markus nickte lediglich.

Yildrim kam zu ihnen, sah Markus irritiert an, worauf Kluftinger ihn vorstellte. Der Task-Force-Leiter nickte ihm zu, nahm dann den Kommissar beiseite und legte ihm einen Arm um die Schulter: »Hören Sie, ich habe da eine Idee. Und dazu brauche ich Ihre Hilfe.« Als ihm der dunkle Hüne seinen Plan erläuterte, nickte Kluftinger ein paar Mal. Jetzt verstand er, wozu Yildrim die Hunde brauchte.

»Wir müssen die Leute sofort beruhigen, wenn das Licht angeht, Herr Kluftinger. Ihnen die Situation erklären. Sonst strömen die zum Ausgang, kommen nicht raus und dann ...« Yildrim verdrehte die Augen. »Ich finde, Sie sollten das machen.«

»Was?«

»Na, mit denen sprechen. Das sind ja sozusagen Ihre ... Landsleute, mit denen können Sie besser reden als ich.«

Kluftinger sah ihn ungläubig an. Er sollte eine Rede halten? Vor all diesen Menschen? Was genau sollte er ihnen denn erklären? »Hören Sie, Herr Yildrim, ich ...«

»Das war keine Bitte.«

Kluftinger schluckte. Dann folgte er ihm in den Saal. Sanders stand schon bereit. »Auf Ihr Zeichen«, sagte er und hielt ihnen zitternd ein Mikrofon hin. Kluftinger nahm es zögernd und hielt sich bereit. Yildrim nickte dem Besitzer zu, der hob den Kopf und gab einem Mitarbeiter ein Zeichen. Zwei Sekunden später verstummte die Musik, und die Neonröhren an der Decke gingen an. Plötzlich war es mucksmäuschenstill. Wie eingefroren wirkten die Gestalten auf der Tanzfläche. Ein paar sahen sich irritiert um, hielten sich ob der plötzlichen Helligkeit die Hand vors Gesicht oder kniffen die Augen zusammen.

Die Stille dauerte nur wenige Sekunden. Mit einem Murren machte sich der Unmut der Partygäste über die Unterbrechung Luft, schnell wurde ein ärgerliches Grollen daraus, dann kamen die ersten Pfiffe, Protestrufe, und bald erfüllte ein chaotisches Stimmen-Durcheinander den Saal.

Kluftinger war auf Yildrims Geheiß ein paar Stufen zur Galerie hinaufgestiegen. Er sah auf die Tanzfläche. Es war ein Respekt einflößender Anblick, der sich ihm bot: die vielen, teils zornigen, teils verwirrten Menschen, die wild gestikulierend miteinander sprachen. Yildrim nickte ihm zu. Kluftinger führte unsicher das Mikro an seinen

Mund und räusperte sich. Das Gerät war so empfindlich eingestellt, dass sein Räuspern wie eine kleine Explosion durch die Halle schallte. Er hielt es etwas weiter vom Mund weg und sprach diesmal hinein: »Test ... Test ... eins, zwei, drei ... Test ... einszwo.«

Einige der Gäste hatten ihn inzwischen als Quelle der Lautsprecherübertragung ausgemacht und zeigten mit dem Finger auf ihn. Innerhalb weniger Sekunden hatten sich alle auf der Tanzfläche ihm zugewandt und starrten ihn erwartungsvoll an.

»Herrgott, jetzt fangen Sie endlich an«, zischte ihm Yildrim von unten zu.

Kluftinger nickte eifrig und begann seine improvisierte Rede. »Ich, äh ... wir entschuldigen uns für diese Unterbrechung. Wir sind von der Polizei und ... müssen leider für eine Weile um eure Geduld bitten.« Kluftinger hatte sich bewusst fürs »Du« entschieden, er hielt das für ein psychologisch einfühlsames Vorgehen. Dennoch hatte das Wort »Polizei« wieder ein Murmeln in der Menschenmenge in Gang gesetzt, das schnell an Lautstärke gewann.

»Ich muss euch bitten, mir für einen Augenblick zuzuhören«, fuhr der Kommissar deswegen um einiges lauter fort und hatte Erfolg mit seiner Ermahnung: Die Menschen verstummten.

»Wir bitten um eure Mithilfe. Wenn ihr kooperiert, dann habt ihr das hier schnell hinter euch. Also, Folgendes wird nun passieren. Ihr werdet euch von hier aus durch den hinteren Gang dort ...«, Kluftinger streckte den Finger aus und zeigte auf die gegenüberliegende Seite der Disko, »... in den Vorraum begeben. Dort werden eure Personalien aufgenommen, und dann kommt ihr wieder hier herein. Bis dahin kann keiner von euch die Disko verlassen.«

Wieder schwoll der Lärmpegel in der Halle an, doch diesmal konnte sich Kluftinger nicht mehr gegen ihn durchsetzen. In diesem Moment öffneten sich auf allen Seiten die Türen, und Polizisten sowie die Angehörigen der Spezialeinheit betraten den Tanzsaal. Schlagartig war es wieder still. Dieser Auftritt, der nichts anderes als eine Demonstration von Stärke und Entschlossenheit war, verfehlte seine Wirkung nicht. Ein paar Mädchen begannen zu weinen.

»Also bitte«, fuhr Kluftinger nun fort, »stellt euch jetzt auf und geht, einer nach dem anderen, wie von mir beschrieben, in den Gang. Danke.«

Er blieb noch eine Weile auf der Treppe stehen und war erstaunt, dass die Masse vor ihm tatsächlich in Bewegung geriet, sich, einem unsichtbaren Muster folgend, formierte und so etwas wie eine riesige Warteschlange bildete. Ungläubig verfolgte er diesen Prozess, der sich zu seinen Füßen vollzog. Er ging an der Schlange vorbei durch den Raum und nickte den beiden Beamten zu, die die vordere Tür zum Vorraum bewachten. Einer hielt sie ihm auf, und er ging hindurch. Dort herrschte ebenfalls angespannte Stille. Yildrim hatte eine regelrechte Schleuse installiert: Die Gäste kamen durch den Hintereingang herein, wurden von zwei Polizisten in Empfang genommen und an den zwei Hunden vorbeigeführt, die sich gegenüberstanden. Es waren Sprengstoff-Hunde von der Kemptener Hundestaffel, das hatte Yildrim ihm vorher gesagt. Es bestand durchaus die Möglichkeit, dass der Mann, den sie suchten, einen Explosivstoff verwendet hatte, auf den die Hunde ansprachen. Und falls dem so war, hatte er sicherlich noch etwas an seiner Kleidung oder an den Fingern.

Hatten die Gäste die Schleuse passiert, nahmen zwei weitere Beamte ihre Personalien auf. Konnte sich jemand nicht ausweisen, wurde er nach draußen gebracht, wo sich Kollegen um eine Identitätsprüfung kümmerten. In jeder Ecke des Raumes standen die schwarz gekleideten Männer der Spezialeinheit, die mit ihren Helmen und den Gewehren sogar auf Kluftinger Furcht einflößend wirkten. Yildrim stand vor einer der Sitzgruppen, die sich auf einem erhöhten Podest befanden, und beobachtete die Szene mit verschränkten Armen.

Der Kommissar ging auf ihn zu. Gerade, als er die Schleuse passierte, schlug einer der Hunde an. Er fletschte die Zähne und gab ein beängstigendes Knurren von sich. »Herrgott, könnt ihr nicht auf eure Kläffer aufpassen«, rief Kluftinger erschrocken. Jetzt begann auch der zweite Hund gefährlich zu knurren.

»Tja, die merken eben, wenn man sie nicht leiden kann«, sagte einer der Hundeführer trocken und brachte die Tiere mit einem einzigen gezischten Befehl zur Ruhe.

Tatsächlich war Kluftinger kein Hundeliebhaber. Eigentlich hatte er nichts gegen die haarigen Vierbeiner, aber im Laufe seines Lebens hatten sich die unangenehmen Begegnungen gehäuft.

»Gut, dass Sie keiner der Verdächtigen sind«, feixte Yildrim, als Kluftinger ihn erreicht hatte.

»Wie läuft's?«

»Oh, sehr ruhig. Ihre Ansage war wohl klar genug. Bis jetzt hat sich keiner in irgendeiner Weise danebenbenommen.«

Yildrim reckte den Kopf. Irgendetwas tat sich da unten. Ein junger Mann in einem roten T-Shirt stand schweißgebadet vor der Schleuse. Bevor einer der Beamten etwas sagen konnte, fingerte er nervös etwas aus seiner Tasche. Sofort brachten die Polizisten ihre Gewehre in Anschlag. Doch es war nur ein kleines Tütchen, das er hervorzog. »Hö ... hören Sie, es tut mir leid«, stotterte er. »Sie können's haben, ich ... es ...« Er legte das Päckchen hin, seine Augen schimmerten feucht.

»Drogen«, zischte Yildrim. »Führt ihn durch die Schleuse und wenn sonst nichts ist, schmeißt ihn raus«, rief er den Kollegen zu. »Sollen sich die anderen um ihn kümmern, wir haben Wichtigeres zu tun.« Dann verschränkte er wieder die Arme und beobachtete konzentriert die Arbeit der Polizisten.

So verging etwa eine Stunde, ohne dass etwas Außergewöhnliches geschah. Lediglich ein Mädchen wurde ohnmächtig. Bei der Überprüfung der Personalien stellte sich heraus, dass sie noch minderjährig war.

Kluftinger sorgte dafür, dass die Gäste, die wieder in die Halle durften, Getränke bekamen. Als er in den Vorraum zurückkam, sah er Markus bei Strobl stehen – mit einer Zigarette im Mund.

»Ja, sag mal, seit wann rauchst denn du?«, fragte er ungläubig.

»Ich ... also ...« Markus schien sich die Antwort genau zu überlegen. »Seit ich studiere?« Seine Entgegnung klang wie eine Frage, als wollte er sagen: Geht das in Ordnung?

»Was?« Kluftinger wollte nicht glauben, was er da hörte. »So lang schon? Wir haben gar nichts gemerkt.«

»Tja, dafür hab ich schon gesorgt.«

»Also, du weißt schon, dass ...«

»Spar dir deine Predigt, Vatter. Von jemand, der selbst mal gequalmt hat wie ein Schlot, muss ich mir das nicht sagen lassen.«

Kluftinger verzog den Mund. »Schon gut.« Er wandte sich ab, wurde aber von Markus zurückgerufen.

»Aber bitte«, sagte dieser mit einem fast flehenden Blick, »sag nichts der Mama.«

Ein Grinsen schlich sich auf das Gesicht des Kommissars.

»Wie viele noch?«, fragte er, als er sich wieder zu Yildrim gesellt hatte.

Yildrim deutete lediglich nach vorn. Kluftinger sah über das Häuflein, das sich vor der Schleuse befand. Es war vielleicht noch ein Dutzend, sie waren inzwischen alle im Vorraum. Etwa die Hälfte davon waren Männer, praktisch alle hätten von Statur und Kleidung der Mann sein können, den sie suchten. Wenn Yildrims Plan funktionieren würde, müssten sie den Attentäter in Kürze haben. Wenn nicht ... Kluftinger wagte gar nicht, daran zu denken. Sicher, sie hatten die Personalien. Aber die alle im Nachhinein zu kontrollieren, das würde ihre zeitlichen Möglichkeiten weit überschreiten. Schließlich lief der Countdown unaufhaltsam weiter. Und viel Zeit blieb ihnen nicht mehr.

Er schluckte. Bis vor Kurzem hatte es für ihn keinen Zweifel gegeben, dass sie es schaffen würden. Doch jetzt war er sich da nicht mehr so sicher. Er wollte gerade ein Gespräch mit Yildrim beginnen, um von ihm ein paar zuversichtliche Worte zu hören, da brach in dem kleinen Raum so unvermittelt ein Höllenlärm los, dass er mit einem Satz herumfuhr.

Die Hunde schlugen an. Beide zur gleichen Zeit. Sofort stürmten die Beamten aus allen Seiten des Raumes zur Mitte. Kluftinger konnte nicht einmal mehr einen richtigen Blick auf den jungen Mann erhaschen, so schnell waren die Kollegen bei ihm, warfen ihn zu Boden, brüllten in das Hundegebell hinein Befehle, knieten sich auf den Rücken des Mannes, banden ihm die Hände zusammen. Es dauerte fast eine ganze Minute, bis sich das Knäuel aus Menschen, das sich um ihn gebildet hatte, wieder löste. Der junge Mann am Boden war kreidebleich. Der Kommissar schüttelte den Kopf. Er hatte doch ahnen müssen, was passieren würde.

»Ich hab nichts getan!« Der Schrei, der aus der Kehle des Mannes drang, war schrill, hatte kaum etwas Menschliches an sich. Kluftingers Nackenhaare stellten sich auf. Die Hunde bellten immer noch wie verrückt. Fletschten die Zähne und rissen an der Jacke des Mannes. Herrgott, konnte die Viecher nicht endlich jemand zum Schweigen bringen? Das Kreischen des Mannes, der immer wieder »Ich hab nichts getan!« und »Nehmt die Hunde weg, bitte, die Hunde!« schrie, schien die Vierbeiner geradezu anzustacheln.

Endlich brüllte auch einer der Führer dazwischen, worauf die Tiere sich zwar in der Lautstärke etwas zurückhielten, aber nach wie vor mit gebleckten Zähnen an der Jacke des Mannes zerrten. Der Beamte zischte ein scharfes »Aus!«, worauf die Schäferhunde sofort abließen und sich unsicher über die Schnauze leckend setzten. Den Mann ließen sie dabei keinen Moment aus den Augen. Sie beobachteten genau, wie sich der Polizist zu dem am Boden Liegenden, der nun nur noch ein leises Wimmern von sich gab, hinunterbeugte, in seine Taschen fasste und aus einer ein kleines, mit braunem Paketband umwickeltes Päckchen daraus hervorzog. Der Mann am Boden verdrehte den Hals und presste mit Tränen erstickter Stimme hervor: »Das gehört nicht mir!«

Irgendetwas stimmte hier nicht. Das mulmige Gefühl einer Vorahnung breitete sich in Kluftingers Magen aus. Er blickte zu Yildrim. Der stand völlig regungslos mit verschränkten Armen an seinem Platz und beobachtete die Szene. Aus seinem Gesicht war keine Gefühlsregung herauszulesen. Ob er auch diese dumpfe Ahnung hatte? Kluftinger senkte den Kopf. Dabei glitt sein Blick über Yildrims Hosenbeine. Er schluckte. Mein Gott, war es so einfach? Mit pochendem Herzen schaute er an sich selbst herab. Tatsächlich. Wie hatte er, wie hatten sie alle das nur übersehen können? Er war plötzlich ganz ruhig und setzte sich langsam in Bewegung. Ging vorbei an der Gruppe mit dem zu Boden geworfenen Mann, auf die zu, die vor der Schleuse warteten. Ein paar von ihnen schienen wie gelähmt.

Es dauerte keine zehn Sekunden, dann wusste es der Kommissar: »Der da!« Er streckte seinen Finger aus und zeigte auf einen Mann mit dunkler Jeans und braunen Haaren, der scheinbar unbeteiligt an der Wand neben der Tür lehnte. »Der ist es.«

Die anderen Beamten schienen nicht zu verstehen. Sie sahen ihn ratlos an. In diesem Moment schrie Yildrim von oben: »Schnappt ihn euch.«

Doch es war zu spät, der Mann war bereits durch die Tür in den Innenraum verschwunden. Als Kluftinger sich ebenfalls in Bewegung setzte, sah er nur noch die Schwingtüre wippen. Hinter sich hörte er Yildrim mit einem gewaltigen Satz von dem Podest zu ihm springen. Während sie auf die Tür zurannten, keuchte Kluftinger: »Haben Sie's also auch gesehen?«

»Was?«

»Die Kletten. An seinem Hosenbein. Wie an unseren.«

»Ich habe nichts gesehen. Ich hab mich einfach auf Sie verlassen.«

Leider hatte der Kommissar keine Zeit, sich geschmeichelt zu füh-len, denn sie waren durch die Tür in den Hauptraum gelangt. Es war nicht schwer zu erkennen, wo ihr Mann hingelaufen war, denn bei seinem Weg durch die Menge hatte sich eine Gasse gebildet. Kluftin-ger brauchte ein paar Sekunden, um zu erkennen, warum die Men-schen vor dem Mann zurückwichen: In seiner Hand hielt er eine Pis-tole. Dem Kommissar wurde übel. Seine schlimmsten Befürchtungen schienen wahr zu werden.

In diesem Moment krachte der erste Schuss. Er kam so überra-schend und mit einem so gewaltigen Getöse, dass Kluftinger nicht hätte sagen können, wer ihn abgegeben hatte. Doch da fiel schon der zweite. Der Mann hatte seine Waffe erhoben und feuerte in die Luft. Ein drittes und ein viertes Mal. Dann brach in der Disko die Hölle los.

Der Schreck, der sich wie ein Bleigewicht über die Masse gelegt hatte, machte blankem Entsetzen Platz. Die Nerven der Menschen waren wegen der Prozedur von vorhin sowieso schon aufs Äußerste gespannt, jetzt war es zu viel. Ein Geschrei hob an, das Kluftinger lau-ter vorkam als die vorangegangenen Schüsse. Dann wurde aus der homogen agierenden Masse ein chaotischer Haufen panisch durch-einanderrennender Individuen. Alles stob auseinander, rannte in ver-schiedene Richtungen, versuchte irgendeinen Ausgang zu erreichen. Doch nach wie vor waren die Türen abgeriegelt. Einige schlugen wild um sich, drängten die anderen zur Seite, wurden selbst gestoßen, viele stolperten und fielen zu Boden. Kluftinger wurde von dem Strom gepackt und mitgerissen. Nur unter Aufbietung all seiner Kraft konnte er sich befreien und stand keuchend und um Orientierung ringend am Rand der Bar.

In diesem Moment sah er am anderen Ende mehrere Männer über die DJ-Pulte steigen. Einer musste dabei auf irgendeinen Schalter getreten sein und die Lichtshow in Gang gesetzt haben. Die Neon-lampen erloschen und wieder zuckten bunte Blitze über die Köpfe der Menschen. Fast sah es so aus wie bei ihrer Ankunft, nur die Musik fehlte. Die Gesichter der Menschen waren in rasender Angst verzerrt.

Da sah Kluftinger, wie ihr Mann die Treppe zur oberen Ebene erklomm. Wo war Yildrim? Der Kommissar konnte ihn nicht entdecken, es war zu dunkel und das Chaos zu groß. Er schrie den Namen des Beamten, doch gegen das schrille Kreischen kam er nicht an.

Jetzt hatte der Mann die obere Ebene erreicht. Sein Ziel war die Treppe auf der anderen Seite, doch er stoppte mitten im Lauf, als wäre er gegen eine Wand gerannt. Aus der Tür, die zum Treppenhaus führte, kamen drei Beamte gestürmt. Der Mann sah sich kurz um, kletterte dann über das Geländer, was ihm nicht leichtfiel, denn in einer Hand hielt er nach wie vor die Waffe.

Wo war nur Yildrim abgeblieben? Der Mann stand nun mit dem Rücken zum Geländer und Kluftinger fühlte sich für einen Moment an das Ende seiner Verfolgungsjagd über die Iller erinnert. Doch das hier war anders, hier standen Menschenleben auf dem Spiel. Der Mann hob nun die Waffe. Was hatte er vor? Wollte er springen? Schießen? Kluftinger zog seine Waffe und legte auf ihn an. Doch er schaffte es nicht, sie ruhig zu halten, dauernd wurde er angerempelt. So konnte er unmöglich schießen, die Gefahr, einen Unschuldigen zu treffen, war in diesem Tumult zu groß.

Wieder krachte ein Schuss. Kluftinger konnte sich nicht rühren, so hatte ihn das Geräusch geschockt. Er hatte nichts gesehen. Die meisten der panischen Menschen um ihn herum hielten für einen Moment inne. Alle Blicke richteten sich auf den Mann am Geländer. Er hatte die Augen weit aufgerissen.

Verdammt, wer hatte geschossen? Die Frage hallte in Kluftingers Kopf wider. Und dann bekam er die Antwort. Der Mann taumelte, ließ schließlich die Waffe fallen. Jemand anderes hatte ihn erwischt. Jemand … Yildrim! Kluftinger sah ihn. Die Menge hatte um ihn einen Kreis gebildet. Er stand da, beide Arme mit der Waffe noch immer ausgestreckt, ein Auge zugekniffen. Langsam ließ er die Pistole sinken. Parallel zu seiner Bewegung sank auch der Mann am Geländer in sich zusammen, verlor den Halt und stürzte unter dem erschreckten Aufschrei der Masse nach unten. Mit einem dumpfen Schlag, dessen Klang Kluftinger lange nicht vergessen würde, landete er auf der Bar und blieb regungslos liegen.

Noch 1 Tag, 14 Stunden, 44 Minuten, 12 Sekunden

Nachdem Kluftinger an diesem Morgen mechanisch auf seinen Radiowecker geschlagen hatte, drehte er sich erst einmal wieder um. Auf keinen Fall hätte er jetzt schon aufstehen können. Nicht nach alldem, was in der letzten Nacht passiert war. Immer wieder war er im Schlaf verschwitzt aufgeschreckt, immer wieder lief vor seinem inneren Auge die Explosion wie ein Film ab, hörte er den dumpfen Aufprall des Körpers auf dem Tresen.

Beim Gedanken daran, was heute bei der Arbeit los sein würde, zog er die Decke noch ein wenig höher. Und das an einem Samstag, an dem er eigentlich grillen, den Rasen mähen, einkaufen oder sonst etwas Nützliches und vor allem Häusliches tun sollte. Ereignisse, wie sie bis gestern Nachmittag geschehen waren, hatten sich aus den Medien heraushalten lassen. Aber die Sprengung eines Autos und kurz darauf ein tödlicher Schusswechsel vor Hunderten von Diskobesuchern, das war mindestens von nationalem Interesse. Wie sollten sie bei all dem zu erwartenden Trubel überhaupt noch zum Ermitteln kommen? Schließlich war es nur noch ein Tag bis …

Kluftinger schreckte aus seinem Dämmerschlaf hoch. Erika zupfte ihn am Ärmel seines alten blauen Frotteeschlafanzugs.

»Du musst aufstehen. Du hast doch gesagt, du musst heute arbeiten. Komm, es ist schon sieben durch.«

Erika klang besorgt. Gott sei Dank hatte er diesen festen Halt, diesen sicheren Hafen zu Hause, in dem alles seine Ordnung hatte, auch wenn in der Arbeit das Chaos losbrach. Dass er aus diesem Hafen sein ganzes Beamtenleben lang noch nie zu spät in Richtung Arbeit ausgelaufen war, war Verdienst seiner Frau. Und sie würde dafür sorgen, dass das auch so blieb.

Kluftinger brummte, wälzte sich aus dem Bett und nahm die Kleidung, die Erika ihm herausgelegt hatte. Einige Minuten später saß er bei einer Tasse Kaffee in der Küche und blickte in die erwartungsvollen Augen seiner Frau. Sie hatte ihm, während er im Bad gewesen war, im Morgenmantel Frühstück gemacht und Kaffee gekocht. Die Zeitung fehlte heute aus unerfindlichen Gründen, stattdessen hatte Erika das Radio eingeschaltet.

»Hast du was mit dieser Drogensache zu tun?«

»Hm?«, brummte Kluftinger. Er wusste, was nun folgen würde.

»In Bayern 5 haben sie gerade gesagt, dass gestern Abend in Kempten eine Autobombe explodiert ist und dass es dabei um Kämpfe im Drogenmilieu ging. Ein Mann sei ums Leben gekommen. Die Täter habt ihr schon ermittelt und den letzten dann in einem Lokal dingfest gemacht, wobei auch der gestorben ist. Jetzt sag halt, warst du dabei?«

»Ach, was die immer berichten.« Er konnte nicht umhin, Yildrims blitzschnelle Strategie die Presse betreffend zu bewundern.

In diesem Moment kam Markus verschlafen herein. »Was macht ihr denn für einen Lärm? Es ist Samstag, da würden manche Leute gerne ausschlafen.«

Kluftinger entging nicht, dass sein Sohn noch das T-Shirt vom gestrigen Abend trug. »Hast du so geschlafen? In deiner Diskokluft?«, fragte er und biss sich im selben Moment erschrocken auf die Unterlippe.

»Wart ihr etwa auch in der Disko?«, fragte Erika wie aus der Pistole geschossen. »Bei der Schießerei?«

Die Männer sahen sich in die Augen. Kluftinger hätte ihr gerne alles erzählt. Er ging mit ihr immer durch, was ihn belastete, und nach so einem Gespräch war es in aller Regel schon längst nicht mehr so schlimm. Aber diesmal musste er sich an Yildrims Vorgabe des absoluten Stillschweigens halten.

»Sag mal, hast du den Jungen da mit reingezogen? In diese Drogensache?« Erika ließ nicht locker.

Kluftinger schaute seine Frau verdutzt an.

»Da sind Leute ums Leben gekommen gestern. Und du benutzt den Jungen da als … Lockvogel oder was weiß ich.«

Kluftinger schüttelte ungläubig den Kopf und sah dann Hilfe suchend zu Markus.

Der fing auf einmal an zu schluchzen, ging auf seine Mutter zu und fiel ihr um den Hals. »Mama, er hat mich abhängig gemacht und dann hat er mich das Zeug kaufen lassen. Gestern früh schon wieder.«

Erika verstand die Welt nicht mehr. Sie sah abwechselnd ihren Mann und Markus an. Kluftinger stand ausdruckslos da und sah, wie Erikas Mundwinkel kaum merklich zu zucken begannen.

»Ich halt's nicht mehr aus ohne das Zeug. Jeden Tag muss ich es besorgen, übrigens auch für ihn: Zwei Salamisemmeln und einen halben Liter Kakao. Wie soll ich jemals von dem ekligen Stoff runterkommen, Mama?«

Erika brauchte einen Augenblick, dann stieß sie ihren mittlerweile breit grinsenden Sohn von sich weg.

»Also das ist doch die Höhe! Ihr macht ja nur noch gemeinsame Sache, ihr zwei. Und ständig macht ihr euch lustig über mich. Warum hättest nicht wenigstens du was Gescheites lernen können?«

Erika knallte ihre Kaffeetasse auf den Küchentisch und verschwand in Richtung Bad.

»Au weh, Vatter, die ist stinksauer. Das haben wir ja sauber hingebracht. Da wird eine Entschuldigung fällig.«

Kluftinger brummte etwas Unverständliches und folgte seiner Frau.

»Und, ist sie noch stinkig, die Mama?«, fragte Markus, als er mit Kluftinger im Auto saß. Er hatte sich, nachdem er eh schon wach war, nicht davon abhalten lassen, mit in die Direktion zu kommen. Wenn da schon mal etwas los sei, wolle er auch dabei sein, hatte er gesagt. Sein Vater hatte nur abgewinkt. Auf derartigen Nervenkitzel hätte er gerne verzichtet.

Den Rest der Fahrt verbrachten sie schweigend. Erst kurz vor der Polizeidirektion sagte Markus: »Weißt du was, Vatter? Du bist manchmal schon ein wilder Hund. Hab ich mir gestern gedacht. Ganz ehrlich: In mancher Hinsicht bist du mein Vorbild.«

Kluftinger warf seinem Sohn einen prüfenden Blick zu, doch er fand keinerlei Anzeichen von Ironie in seinen Zügen.

Markus, der das Misstrauen seines Vaters bemerkte, schob nach: »Ich hab das schon ernst gemeint.«

Kluftinger hatte Mühe damit, Markus nicht zu zeigen, wie sehr er sich über diesen Satz freute. Wieder einmal ertappte er sich bei einer charakterlichen Eigenheit, die ihm sein Sohn und auch Erika so oft vorwarfen: Er tat sich einfach schwer damit, anderen zu sagen und manchmal auch zu zeigen, wie gern er sie mochte und wie nahe ihm manche Dinge gingen.

»Und was findest du am tollsten an mir?«, fragte Kluftinger, um die Situation zu entschärfen, bekam als Reaktion aber nur ein Kopfschütteln.

Markus seufzte: »Vergiss es. Einmal muss reichen, Vatter!«

Als Kluftinger wenig später den War Room betrat, fiel ihm in dem ganzen Gewimmel aus Kollegen, von denen er nur die Hälfte kannte, sofort Willi Renn auf. Er saß an einem Schreibtisch im hinteren Teil des Raumes, der mit Plastiktüten voller Beweismaterialien bedeckt war. Der Spurensicherer schien die ganze Nacht durchgearbeitet zu haben: Sein Gesicht war blass und grau, seine Augen waren rot unterlaufen. Die Haare klebten strähnig am Kopf, einzelne Büschel standen in alle Richtungen ab. Mit müdem Blick sah er kurz über seine Hornbrille hinweg zu Kluftinger und dann in Zeitlupentempo wieder auf den Tisch. Er schien kaum mehr die Lider offen halten zu können.

Faruk Yildrim hingegen wirkte, abgesehen von einem dunklen Bartschatten, frisch und fit. Dennoch vermutete der Kommissar, dass auch er nicht geschlafen hatte. Vor allem wegen der Kleidung, die er gestern schon getragen hatte.

»Guten Morgen, Kollege«, wurde der Kommissar von Yildrim begrüßt.

»Guten Morgen, Chef«, antwortete Kluftinger und stutzte sofort über die Anrede, die er gewählt hatte. Yildrim lächelte.

»Und? Irgendwelche Ergebnisse?«, wollte der Kommissar wissen.

»Wir haben gleich eine große Konferenz, da gibt es alles im Detail. Vorab nur so viel: Wir haben beinahe eine Hundertschaft zur Unterstützung angefordert. Zahlreiche Beamte der Allgäuer Polizei werden wir heute noch in den Fall einweihen. Die Zeit läuft uns davon, und wir haben einen Punkt erreicht, an dem wir nicht mehr anders können. Im Laufe des Tages werden weitere Kollegen aus Wiesbaden, München und Berlin dazukommen. Zum Glück ist das Allgäu über Memmingen mittlerweile problemlos mit dem Flugzeug erreichbar.

Wir haben nach wie vor keine Spur von dem Mann, den Sie damals im Internetcafé beschattet haben, diesen Latif Morodov. Aber wir wissen, dass auf ihn vorgestern ein Auto zugelassen wurde. Sie brauchen gar nicht erst zu raten, welche Marke. Den Wagen untersuchen die Kollegen gerade. Es ist von unschätzbarem Wert, dass Sie ausschließen können, dass der Mann, der gestern in der Disko ... gestorben ist, Morodov ist. Wir hätten sonst nicht weiter nach einem anderen gesucht.«

Kluftinger nickte: »Es gibt keinen Zweifel. Morodov ist deutlich dicker. Und er hinkt ein wenig. Den hätten wir nach zweihundert Metern gestellt. Aber wissen wir denn schon, wen wir da gestern ...«

Yildrim ließ Kluftinger nicht ausreden, er antwortete hastig. Kluftinger hatte das Gefühl, als ob er das Wort »erschossen« gar nicht erst hören wollte. »Leider nicht. Aber die erste Obduktion in der Gerichtsmedizin Memmingen hat ergeben, dass er nicht an der Schussverletzung, sondern am Sturz von der Brüstung gestorben sein muss.«

»Gott sei Dank«, flüsterte Kluftinger. Yildrim nickte. Auch wenn es am Ergebnis nicht das Geringste änderte.

»Wie dem auch sei: Unser vorrangiges Ziel ist die Ermittlung seiner Identität. Ich sehe dort den Schlüssel zum weiteren Vorgehen. Und wenn wir wissen, welcher Sprengstoff benutzt wurde, können wir auch in diese Richtung weiter vorangehen.«

»Und das ferngesteuerte Auto? Ich denke, auch da sollten wir schauen, wer so etwas hier in der Gegend vertreibt. Vielleicht haben wir ja Glück.«

»Gut mitgedacht, Herr Kluftinger.«

»Danke«, sagte Kluftinger und fühlte sich heute zum zweiten Mal ein wenig geschmeichelt.

»Die Wohnung von Morodov wird übrigens noch immer gefilzt. Wäre doch gelacht, wenn uns das nicht weiterbrächte.«

Yildrim schien jegliche Lethargie und Resignation, die ihn und seine Gruppe noch vor Kurzem so gelähmt hatten, abgelegt zu haben. Er war allem Anschein nach fest davon überzeugt, den Wettlauf gegen die unerbittlich rückwärts laufende Uhr zu gewinnen. Kluftinger tat dieser Optimismus gut.

»Und die Presse?«, wollte der Kommissar wissen.

»Fragt unentwegt nach und frisst alles, womit wir sie füttern.«

»Haben das nur die lokalen Medien mitbekommen oder zieht das schon nationale Kreise?«

»Ich denke, mittlerweile dürfte es eine nationale Meldung sein, dass gestern in Kempten ein internationaler Drogenring aufgeflogen ist. Dank des Großeinsatzes von Beamten und einer vorherigen mehrmonatigen Beteiligung des BKA ...« Yildrim unterbrach seinen Satz und erklärte: »... das rechtfertigt unser Auftreten hier in deren Augen ... dank uns also konnte man alle wichtigen Mitglieder dingfest machen.«

Kluftinger war mehr als erstaunt: »Und das haben die Ihnen abgekauft?«

»Hören Sie sich doch selbst mal die Nachrichten an.«

Eine halbe Stunde später saßen etwa fünfzig Beamte im großen Saal der Polizeidirektion Kempten. Yildrim hatte Kluftinger gebeten, die Begrüßung zu übernehmen und ein paar einleitende Worte zu sagen. Schließlich hatte der Deutschtürke mittlerweile mitbekommen, dass die Allgäuer Neuem gegenüber nicht immer allzu aufgeschlossen waren, zumal, wenn es nördlich von der Donau kam. Und so konnte es nicht schaden, wenn einer von ihnen erst einmal für Vertrauen sorgte. Kluftinger hatte sich dazu bereit erklärt.

»So, meine Herren und Damen«, begann er und erntete dafür ein Grummeln der anwesenden Frauen, »ich möchte Ihnen einen Mann vorstellen, dem Sie möglicherweise in den letzten Tagen schon auf dem Gang begegnet sind. Er ist seit einer Weile hier bei uns und leitet eine Spezialgruppe: Faruk Yildrim vom BKA.«

Wieder wurde Gemurmel laut, diesmal von Angehörigen beider Geschlechter. Kluftinger hatte geahnt, dass die Reaktion auf die Nennung der Bundesbehörde so ausfallen würde. Schließlich wäre das bei ihm noch vor einigen Wochen nicht anders gewesen.

»Ich möchte aber gleich betonen, dass wir trotzdem schon eine Weile sehr vertrauensvoll und gut zusammenarbeiten.«

Yildrim runzelte die Stirn.

»Also, dass Sie mich richtig verstehen: Herr Yildrim verdient auch Ihr Vertrauen und ist wirklich ein ganz ...«

»Komm zum Punkt, Klufti!«, rief ein älterer Kollege dazwischen.

»Genau. Sie werden also jetzt von Herrn Yildrim erfahren, warum wir heute hier sind. Vielen Dank.«

Kluftinger setzte sich und war froh, dass er es hinter sich hatte. Er war einfach kein Redner. Vor Menschenansammlungen von über zehn Personen fühlte er sich unbehaglich.

Während Yildrim begann, die Kollegen zu unterrichten, wurde Kluftinger von Maier gefragt: »Sag mal, Klufti, seit wann ermittelst du in Drogenangelegenheiten?«

Kluftinger schüttelte nur den Kopf. Sein Respekt vor Yildrim wuchs immer mehr. Sogar die Kollegen glaubten jetzt schon an die Zeitungsente.

»Ich erinnere Sie jetzt noch einmal, nachdem ich Sie über die bisherigen Ereignisse und die Aufgabe der Task Force informiert habe, eindringlich an Ihre Verschwiegenheitspflicht.«

Fünfzehn Minuten hatte Yildrim gebraucht, um die Eckdaten der bisherigen Ereignisse und Ermittlungen zu skizzieren. Keiner hatte auch nur gewagt zu flüstern. Einige saßen mit offenem Mund da und schienen schockiert.

»Von Ihrem Stillschweigen, und das gilt sowohl gegenüber anderen Kollegen als auch Ihren Familien, könnten Menschenleben abhängen. Nicht wenige, wie ich befürchten muss. Also halten Sie dicht. Wir wissen, dass es ein Risiko ist, so viele von Ihnen mit ins Boot zu nehmen, aber Kollege Kluftinger und ich sind davon überzeugt, dass Sie Ihre Sache exzellent machen werden. Beweisen Sie uns, dass das zutrifft. Unsere Ermittlungen müssen zwangsläufig in verschiedenste Richtungen gehen. Gehen Sie der kleinsten Spur, der absurdesten Idee so nach, als hinge Ihr eigenes Leben davon ab. Wir werden es schaffen, auch wenn uns nicht mehr viel Zeit bleibt. Wenn jeder von Ihnen sein Bestes gibt.«

Kluftinger hatte gespannt zugehört und beschlossen, sich zu einer der nächsten Fortbildungen in Personalführung anzumelden. Wie Yildrim motivieren konnte, fand er sensationell. So etwas konnte man ja vielleicht auch lernen.

»Kolleginnen und Kollegen, an die Arbeit. Wir haben Sie bereits eingeteilt. Sie können dieser Liste entnehmen, wo Ihr Tätigkeitsbereich liegt, Einzelheiten werden Ihnen dann bekannt gegeben. Fragen?«

Keiner der Anwesenden bewegte sich. Beim Wort »Terrorismus« war es mit einem Schlag mucksmäuschenstill geworden. Dieses Schweigen führte Kluftinger eindringlich vor Augen, was sich in den letzten Tagen hier verändert hatte. Nicht nur in seiner Arbeit, nein, hier, in seiner Heimat. Wohnen, wo andere Urlaub machen, hatte er immer gesagt. Und nun? Sein Allgäu träumte zurzeit einen Albtraum, aus dem es jedoch sehr bald erwachen würde. Wie dieses Erwachen aussehen würde, daran wagte er noch nicht zu denken. Niemand der Anwesenden verzog eine Miene. Kluftinger konnte gut verstehen, dass sie jetzt noch keine Frage formulieren konnten. Auch er hatte gebraucht, das alles zu verarbeiten. Und nun konnte er die Fragen nicht mehr zählen, die er sich stellte.

»Gut, dann los«, forderte Yildrim sie auf. Erst nach einer Weile aber kam Bewegung in die Zuhörerschaft, die sich schließlich schleppend auflöste. Yildrim ließ ihnen die Zeit. Kaum jemand war dazu aufgelegt, Gespräche zu führen, viele sahen sich mit sorgenvollen Blicken an.

Zu seiner Linken vernahm der Kommissar auf einmal zwei Stimmen, die er auch ohne hinzusehen erkannte: Lodenbacher und Maier unterhielten sich lautstark. Maier hatte einen leidenden Ton angeschlagen. »Sie finden es also nicht ungerecht, Herr Lodenbacher, dass mir alle Leute entzogen werden? Sie unterstehen schließlich meinem Kommando im Moment. Ich möchte da wenigstens gefragt …«

»Herr Maier, wissen S' wos«, unterbrach ihn Lodenbacher zu Kluftingers Verwunderung recht harsch, »mandln S' Eahna ned so auf. Da Chef is oiwei no da Kluftinger oda i, Sie ned. Und jetzt gemma zum Herrn Yildrim und song eahm, doss Sie unabkömmlich san, ned?«

Kluftinger spitzte die Ohren.

»Nein, ich mein ja nur, dass ich …«, wand sich Maier, wurde aber von einem niederbayerischen Wortschwall unterbrochen. Er solle ruhig allein seine Bagatelldelikte verfolgen, schließlich müsse das auch jemand machen.

Kluftinger lachte in sich hinein und fühlte zum ersten Mal etwas wie Solidarität mit Lodenbacher. Von Maiers Gegenrede, zu der dieser eilfertig ansetzte, bekam der Kommissar nur die ersten drei Worte mit, denn Sepp Wegner, ein Kollege aus dem Innendienst, mit dem Kluftinger schon die Schulbank gedrückt hatte, mit dem er aber von Jahr zu Jahr weniger anfangen konnte, raunte ihm zu: »So Klufti, bist jetzt auch unter die Islamisten gegangen, mit deinem Bart, hm? Pass bloß auf, dass sie dich nicht noch einbuchten!«

Kluftinger verzog missmutig das Gesicht. Zum Glück wusste Wegner nicht, wie nah er damit der Wahrheit gekommen war.

Maier ging mit hängenden Schultern an Kluftinger vorbei.

»Richie?«, rief Kluftinger ihn zu sich.

»Hm?«, entgegnete Maier kraftlos.

»Geht's dir nicht gut?« Kluftinger hatte Mühe, ein Lächeln niederzukämpfen.

»Ich kann mich weiter um meine Furzdelikte kümmern, während hier eine richtig große Sache läuft. Erpressung und Körperverletzung unter Jugendlichen. Wie interessant. Adieu, weltweiter Terrorismus. Viel Spaß in eurer Task Force dann.«

Maier klang so traurig, dass Kluftinger einen Anflug von Mitleid verspürte. Doch in diesem Moment kehrte der Gedanke an Maiers Diktiergerät zurück. »Danke, Richie. Viel Spaß mit den … Furzdelikten. Kannst halt grad nur dich selber leiten. Ist aber auch nicht schlecht, da widerspricht dir keiner, gell?«

Kluftinger hämmerte seit geschlagenen zwanzig Minuten mit einem Bleistift auf seinem Tisch herum, zog den kleinen Radiergummi aus seiner Metallhalterung, um ihn kurz darauf wieder hineinzustecken. Eine Frage kreiste seit dem Ende der Konferenz vor zwei Stunden in seinem Kopf: Wie konnten sie hinter die Identität des Toten kommen? Weder sein Foto, noch seine Fingerabdrücke, noch seine DNA fanden sich in irgendeiner nationalen oder internationalen Datenbank. Ein unbeschriebenes Blatt. Ohne Papiere, ohne Schlüssel, ohne Handy, ohne jeden persönlichen Gegenstand. Kluftinger hätte in einem normalen Fall jetzt das Foto an die Presse gegeben. Doch Yildrim hatte diesem Vorschlag sofort vehement widersprochen. Bei so etwas musste man Hunderten von Spuren nachgehen, um die Stecknadel im Heuhaufen zu finden. Die meisten Leute täuschten sich in den Fotos oder machten sich nur wichtig. Die Zeit, sich damit auseinanderzusetzen, hatten sie nicht mehr.

Yildrim riss den Kommissar mit einem Räuspern aus seinen Gedanken. »Wir haben die Fingerabdrücke des Toten im R4. So oft, dass wir davon ausgehen können, dass der Mann Morodovs Auto zumindest vor sehr kurzer Zeit noch gefahren hat. Oder damit zum Tatort gekommen ist.«

»Als die Kollegen das Auto untersucht haben, steckten da die Schlüssel?«, fragte Kluftinger unvermittelt und ohne auf das Gesagte einzugehen.

»Bitte?«

»Ich meine: Haben die Autoschlüssel gesteckt?«

»Ich denke nicht«, versetzte Yildrim.

»Ich … würde gern einer Spur nachgehen, die aber vielleicht nur ein Hirngespinst ist. Geben Sie mir zwei Stunden Zeit?«

Yildrim sah ihn nachdenklich an. »Gehen Sie, Kluftinger. Sie haben viel Gespür, das haben Sie bewiesen. Den Versuch ist es allemal wert. Sie müssen mir auch nichts erklären, wenn es nicht klappen sollte.«

Kluftinger schnaufte schwer, als er aus der Tür trat. Er eilte zum Rand des Daches, seine Schritte knirschten auf dem groben Kies. Auf den ersten Blick war nichts zu sehen. An der Kante angekommen, bückte sich Kluftinger. Hockend arbeitete er sich entlang, vorsichtig in der Dachrinne tastend, um nicht das Gleichgewicht zu verlieren. Er konnte nicht in die Rinne sehen, umso gespannter suchte er sie mit den Händen ab. Doch außer einem Vogelnest und einigen Kieselsteinen fand er nichts.

Enttäuscht trat Kluftinger den Rückweg an. Er zog die Tür zum Dach wieder hinter sich zu, die der Getötete gestern mit einem Brecheisen aufgehebelt haben musste, und sah sie sich noch einmal genau an: Das Schließblech war aus der Wand gerissen worden, das Türblatt an einigen Stellen aufgehebelt. Er musste eine lange Stange verwendet haben, wenn er diese Hebelkraft hatte aufbringen können. Auch sie war nirgends zu sehen.

Auf einmal fluchte Kluftinger innerlich. Sicher hatte man bereits alles abgesucht. Natürlich. Die anderen waren bestimmt schon hier gewesen. Hätte er Yildrim doch gefragt, dann hätte er sich den Weg sparen können.

»Auch schon wurscht«, murmelte er bitter vor sich hin. Fest stand jetzt: Gefunden hatte man nichts, weder er noch sonst jemand hier oben auf dem Dach und im Treppenhaus. Und woanders konnte …

Mit einem Ruck fuhr Kluftinger herum und nahm die Treppen im Laufschritt. Im Keller des Mietshauses angekommen, stand er vor drei gleich aussehenden, dunkelgrau gestrichenen Feuerschutztüren. Die linke war verschlossen, Kluftinger versuchte es mit der mittleren – und hatte Glück. Er betrat einen Gang, der von Kellerabteilen gesäumt war. Vor einem dieser Abteile stand ein Rucksack. Ein Rucksack mit einer langen, bronzefarbenen Brechstange.

Mit zitternden Händen zog Kluftinger mit einem Taschentuch den Seilzug des Rucksacks auf, um keine Fingerabdrücke zu verwischen. Neben der Brechstange befand sich darin eine Wasserflasche, die Kluftinger besonders vorsichtig abstellte, schließlich konnte wer weiß was für ein Gemisch darin sein. Außer einer großen amerikanischen Taschenlampe und einem Päckchen Batterien war jedoch nichts im großen Fach.

Doch beim Hochheben des Sackes hörte es der Kommissar: In einer Außentasche klapperte ein Schlüssel. Kluftinger zog ihn hastig heraus: Neben einem Renaultschlüssel, den er am Firmenemblem erkannte, befand sich ein Hausschlüssel am Ring. Kluftinger nickte, öffnete ein weiteres Außenfach … und zog ein eingeschaltetes Handy heraus.

Ein Lächeln huschte über die Lippen des Kommissars. »Na also, Klufti, geht ja doch noch!«, murmelte er.

»Bingo, Kollege! Alle Achtung!« Faruk Yildrim klopfte Kluftinger anerkennend auf die Schulter. »Ich wusste nicht genau, wo Sie suchen würden, aber als Sie nach dem Autoschlüssel gefragt hatten, war mir fast klar, dass Sie noch einmal dorthin fahren würden. Aber dass die Kollegen nicht im Keller nachgesehen haben …«

»Nun ja, war doch eher ein Zufallsfund«, wandte Kluftinger ein.

»Stellen Sie mal Ihr Licht nicht unter den Scheffel. Wie gesagt, da waren Intuition und Kombinationsgabe am Werk, mein Lieber!«

Kluftinger winkte ab. »Haben wir denn schon die Adresse vom Inhaber der Handykarte?«

»Mein Gott, natürlich, das meinte ich gerade mit ›Bingo‹. Eine Adresse in Kempten: Sein Name ist Leonid Bishkek. Er wohnt im Raupolzer Weg.«

»Lassen Sie mich kurz hinfahren? Ich würde zu gern selbst versuchen, ob sich der Schlüssel im Schloss dreht.«

Yildrim legte ihm erneut die Hand auf die Schulter und sagte lächelnd: »Aber wir nehmen meinen Wagen, Kluftinger, einverstanden?«

Noch 1 Tag, 5 Stunden, 1 Minute, 8 Sekunden

In der Wohnung von Bishkek hatten sie nichts gefunden, was ihnen auf die Schnelle hätte weiterhelfen können. Sie hatten Willi Renn und ein paar Kollegen gebeten, alle Unterlagen ins Präsidium mitzunehmen.

Es war gegen sechzehn Uhr, als Yildrim die Order ausgab, dass sich alle Mitglieder der Task Force in den War Room zurückziehen sollten. Zahlreiche weitere Mitarbeiter seien zur Mithilfe abgestellt worden. Auch vom LKA und vom BKA war noch weitere Unterstützung gekommen. Der Raum hatte eine andere Atmosphäre als in den letzten Tagen: Kluftinger kam es so vor, als würden nun noch mehr Computer und Telefone darin herumstehen, was aber auch daran liegen konnte, dass diese nun ohne Unterlass klingelten. Alles, was ihren Fall betraf, wurde direkt zu ihnen durchgestellt, selbst wenn es noch so unwichtig schien. Alles wurde notiert, gewichtet, beraten. Hatte schließlich eine Information diese mehrfache Prüfung durchlaufen und wurde für nützlich befunden, wurde sie in Kurzform an die riesige Pinnwand geheftet, die Yildrim schon an seinem ersten Tag hatte aufstellen lassen.

Lange Zeit hatten nur spärlich Informationen ihren Weg an diese Wand gefunden, sie war weitgehend leer geblieben. Statt ihnen zu helfen, Zusammenhänge aufzudecken, hatte sie eher als Mahnmal dafür fungiert, wie schleppend sie vorankamen.

Nun aber bot sich dem Kommissar ein anderes Bild: Zahlreiche Fotos waren mit Magnetpinns an der Wand befestigt worden, Tatortfotos, aber auch ein paar Porträts, dazu Ausschnitte aus Landkarten, handgeschriebene Zettel und Computerausdrucke, dazwischen waren mit dicken Filzschreibern Linien gezogen worden, Pfeile verwiesen auf Querverbindungen, einige Informationen waren eingekreist.

Yildrim stand mit verschränkten Armen vor der Tafel und beobachtete, wie sie sich weiter füllte. Kluftinger wusste, dass er versuchte, den Fall anhand dieses Materials »zu lesen«, wie er es einmal formuliert hatte. Für den Kommissar war es jedoch auf den ersten Blick nicht mehr als ein verwirrendes Durcheinander aus vielen Einzelkomponenten. Dennoch bekam er das Gefühl, dass sich da vor seinen Augen aus einzelnen Puzzleteilen allmählich ein Bild zusammenfügte.

Die Tür öffnete sich, und Willi Renn kam herein. Er schien ebenfalls ein paar Sekunden zu brauchen, um die veränderte Atmosphäre zu verarbeiten, dann ging er schnurstracks auf Yildrim zu. »Ich weiß, was sie für die Bombe benutzt haben.« Einen Augenblick war es still, alle schauten auf.

Yildrim grinste den Erkennungsdienstler an: »Na, dann raus damit.« Er setzte sich, und der enge Kreis der Task-Force-Mitglieder tat es ihm gleich. Die Sitzordnung war inzwischen aufgehoben worden, allein schon wegen der zahlreichen Kollegen, die aus und ein gingen, sodass sie sich einfach irgendwelche Stühle schnappten und sie um Willi Renn herum gruppierten. Der nahm vor der Pinnwand Aufstellung und sagte lediglich: »Satans Mutter.« Er ließ die Worte wirken und blickte seine Kollegen durch die dicken Gläser seiner Hornbrille einen nach dem anderen an. Nur Yildrim nickte, die anderen warteten gespannt darauf, wie es weitergehen würde.

»So nennt man das Gemisch aus Chemikalien, das die sich da zusammengebraut haben. Das hat auch seine Gründe, denn die Wirkung dessen, was dabei rauskommt, ist verheerend, aber das brauche ich euch ja nicht zu sagen.«

Jetzt nickten alle in der Runde.

»Gut, dann mal etwas genauer: Es handelt sich um die Verbindung TATP oder auch Triacetontriperoxid. Und dieses Teufelszeug nennt man eben ›Satans Mutter‹. Der Stoff ist nicht nur hochexplosiv, das Problem ist, dass der Sprengstoff zu Selbstentzündung neigt, wenn man ihn Erschütterung oder hohen Temperaturschwankungen aussetzt. Mit anderen Worten: Er ist sehr instabil.«

Das wunderte Kluftinger. »Warum hat er dann ausgerechnet den genommen, um ihn auf einem ferngesteuerten Auto unter den Wagen zu bringen? Entweder er war ziemlich dumm oder er hatte ein sehr großes Gottvertrauen.«

Willi lächelte milde: »Tja, eine berechtigte Frage. Aber ich hab euch bisher ja nur die Nachteile erzählt. Jetzt kommt das Gute am

Ganzen: Man kann sich den Sprengstoff problemlos selber anrühren.«

Renns Mitstreiter blickten sich fragend an. »Wie jetzt: selber anrühren?«, fragte schließlich Bydlinski. »Mit'm Kochlöffel oder was?«

»So ähnlich«, erwiderte Renn mit spitzbübischem Grinsen.

»Und wo kriegt man die ... Zutaten her?«, wollte Kluftinger wissen. »Wohl kaum aus dem Chemiebaukasten, oder?«

»Fast«, sagt Renn. »Das ist ja das Teuflische: Die Komponenten sind für jedermann frei verfügbar. Und man setzt sich noch nicht einmal einem besonderen Verdacht aus, wenn man sich die beschafft: TATP besteht aus einem Gemisch aus Aceton, Wasserstoffperoxyd und Schwefelsäure.«

Eine Weile sagte keiner etwas, dann räusperte sich Bydlinski: »Dann ist ja jede Friseuse oder Nagelpflege-Tussi schon eine potenzielle Attentäterin.«

Renn nickte: »Zumindest, wenn sie über die Maßen blond ist, ja. Ich wusste ja nicht, dass Sie sich in Chemie auskennen. Beziehungsweise im Friseurhandwerk.«

Bydlinski winkte ab, dann meldete sich Kluftinger zu Wort: »Würdet ihr das mal so erklären, dass auch die modisch Minderbemittelten das verstehen?«

»Wollen Sie, Herr Kollege?«, fragte Renn in Bydlinskis Richtung.

»Nein, bitte, Sie können das eh besser, Herr Renn.«

Der Kommissar verdrehte die Augen. Vielleicht würden die beiden Turteltauben ja irgendwann mal zum Punkt kommen.

»Also, es ist so«, begann Renn schließlich, und Kluftinger seufzte demonstrativ, »Aceton, auch bekannt als Propanon oder auch Dimethylketon, ist das einfachste Keton. Es ist eine farblose Flüssigkeit, die vor allem als Lösungsmittel verwendet wird. Auch in der Kosmetik. Am bekanntesten dürfte es unter der Bezeichnung Nagellackentferner sein.«

»Nagellackentferner?«, wiederholte Kluftinger.

»Genau. Das hat wahrscheinlich auch deine Erika im Spiegelschrank stehen.« Kluftinger lächelte verlegen, und Renn fuhr fort: »Und jetzt zum zweiten Bestandteil: Wasserstoffperoxyd. H-zwo-O-zwo. Ebenfalls farblos, eine flüssige Verbindung aus Wasserstoff- und Sauerstoffatomen. Das wiederum wird als Bleichmittel verwendet.

Vor allem für die Haare. Das Zeug findet sich in jedem Friseursalon in rauen Mengen.«

Kluftinger war baff. Und diese unspektakulären Komponenten sollten zusammen eine Bombe ergeben?

»Fehlt nur noch die Schwefelsäure. Die aggressivste unserer drei Komponenten. Die findet Anwendung in vielen industriellen Bereichen, ist im Privaten aber eher nicht zu finden. Trotzdem ist sie eine der am häufigsten produzierten Chemikalien. Tja, und das alles zusammengemixt …« Willi Renn machte eine kurze Pause, ballte die linke Hand zur Faust und spreizte dann schlagartig alle Finger ab: »Bumm!«

Sie sahen ihn geschockt an. Dann sagte Kluftinger: »Und woher wissen die, wie man das genau mischen muss?«

»Das kannst du dir alles aus dem Netz runterladen. Naja, du vielleicht nicht, aber jemand, der sich damit ein klein wenig auskennt.«

Kluftinger grinste gequält. Offenbar konnte man sich inzwischen alles aus dem Netz laden. Nur die fertigen Bomben, die musste man sich noch selbst bauen. Wahrscheinlich würde sich auch das bald ändern.

In das Schweigen hinein klatschte Yildrim in die Hände: »Willi, das war hervorragende Arbeit. Ganz ehrlich. Wenn das alles hier vorbei ist, sollten wir uns noch einmal unterhalten. Jemanden wie dich könnte ich in meinem Team gebrauchen. Auch in Wiesbaden haben wir sehr schöne Wohnungen.«

Prüfend blickte Willi Renn den BKA-Beamten an. Er war sich nicht sicher, ob das nur eine Höflichkeitsfloskel gewesen war oder ob er es wirklich ernst gemeint hatte. Doch Yildrim nickte zur Bestätigung, und Renn lächelte geschmeichelt. Kluftinger wiederum beobachtete Renn genau. Er würde doch nicht im Ernst erneut mit dem Gedanken spielen, von hier wegzugehen? Da würde er mit Yildrim noch mal ein Wörtchen reden müssen. Er hatte großen Respekt vor den Fähigkeiten des dunklen Hünen, aber wenn der nun anfing, einen der besten Leute hier abspenstig zu machen …

Yildrim stand auf und wies Renn seinen Platz zu. »Aus den Ergebnissen des Kollegen ergibt sich für uns natürlich unmittelbar Arbeit. Wo gibt es die Komponenten für diese Bombe zu kaufen? Noch dazu in großen Mengen. Es geht zunächst darum, zu ermitteln, wo man hier im Umkreis Aceton und Wasserstoffperoxyd kaufen kann.

Friseurbedarf, Kosmetikgroßhandlungen, und so weiter. Ich würde sagen, im Umkreis von ...«, er dachte kurz nach, »... fünfzig Kilometern. Die müssen wir abklappern. Wahrscheinlich ist, dass sie ihre Einkäufe auf mehrere Läden verteilt haben, um nicht aufzufallen.

Es besteht also durchaus die Chance, einen Treffer zu landen. Vielleicht haben wir ja Glück und bekommen eine Liefer- oder Rechnungsadresse oder etwas in der Richtung. Gleiches gilt für die Schwefelsäure: Die dürfte ja nicht gerade täglich in großen Mengen an privat über den Ladentisch gehen. Auf jeden Fall sollten wir bei Apotheken ansetzen. Unser Ziel muss sein: Möglichst viele, im Idealfall alle an der Planung beteiligten Personen ausfindig zu machen. Wir müssen jeder noch so kleinen Spur nachgehen. Und zwar flott.«

Bydlinski verzog das Gesicht.

Yildrim reagierte sofort. »Haben Sie etwas dazu zu sagen?«

»Fünfzig Kilometer ... ich mein, haben Sie eine Vorstellung davon, wie viele Geschäfte das sein müssen?«

»Eine vage Vorstellung von der Anzahl habe ich durchaus, ja. Es ist, wie gerade erklärt, eine Spur, der wir nachgehen werden. Wussten Sie, dass die Attentäter von London ebenfalls in zahlreichen Elektromärkten ihre Bombenbausteine zusammengekauft haben? Ich schlage vor, Sie kümmern sich darum, Herr Bydlinski. Sie können so viele Leute haben, wie Sie wollen. Daran soll es nicht scheitern. In diesem Sinne: an die Arbeit!«

Als sie aufstanden und sich wieder an die Telefone setzten, zischte Bydlinski: »Ich müsst einfach öfter mein Maul halten.« Kluftinger verkniff es sich, ihm zuzustimmen.

Etwa eine Stunde und zahllose Telefonate später, die immerhin ein paar kleine Notizen auf die Pinnwand nach sich zogen, fühlte sich Kluftinger bereits wie durch den Fleischwolf gedreht. Er verordnete sich daher eine kurze Pause und ging zur Toilette. Als er sich am Waschbecken kaltes Wasser ins Gesicht klatschte und anschließend in den Spiegel blickte, erschrak er ein wenig: Seine Haut wirkte im Kontrast zu seinem dunklen Bart papieren und blass. Mit Grausen dachte der Kommissar daran, wie er wohl nach dieser sicher noch langen Nacht aussehen würde. Die letzten Tage waren doch ein bisschen viel gewesen.

Als er in den War Room zurückkehrte, dessen Bezeichnung er geistig nun für sich bereits übernommen hatte, wartete ein ihm unbekannter, aufgeregter Beamter mit militärischem Stoppelhaarschnitt auf ihn. Vielleicht war es einer von Yildrims Leuten; Kluftinger fragte nicht danach. Sie setzten sich, und der Beamte legte ihm ein paar Computerausdrucke vor. Kluftinger überflog sie, sah eine Menge Zahlen, wusste aber nicht, was er damit anfangen sollte. Er blickte den Kollegen Hilfe suchend an.

»Das sind Kontoauszüge. Von Leonid Bishkek, dem ... na ja, Sprengmeister des gestrigen Anschlags. Wie Sie sehen, gibt es da einige interessante Fakten herauszulesen.«

Kluftinger sah nichts, nickte aber. »Und auf welche heben Sie speziell ab?«, fragte er.

»Zum Beispiel hier: Das Konto wies relativ hohe Beträge auf. Von Anfang an. Weitere sehr hohe Beträge wurden nach einem Besuch in Tadschikistan eingezahlt. Hier, sehen Sie: Das Reisedatum steht bei der Überweisung dabei. Vor wenigen Tagen aber, am ... warten Sie ...«, er suchte mit dem Finger auf dem Papier herum, »... ja genau, da: vor zwei Tagen wurde das Konto leergeräumt. Bis auf einen Euro vierundvierzig. Stellen Sie sich das vor: Alles auf andere Konten überwiesen, zum großen Teil im Ausland. Welches Land, brauche ich Ihnen wohl nicht extra zu sagen.«

Der Kommissar nickte.

Die Tür ging auf, und einige Polizisten kamen mit Kisten beladen herein. »Wohin damit?«, fragte einer in den Raum.

»Stellen Sie's dort hin«, antwortete Yildrim und zeigte auf jenen großen Tisch, auf dem Willi Renns Computer stand.

Fragend blickte Kluftinger zu Yildrim.

»Das sind die Sachen aus der Wohnung von Latif Morodov«, beantwortete der BKA-Mann Kluftingers Blick und fuhr dann, an zwei andere Kollegen gewandt, fort: »Macht euch gleich mal drüber, vielleicht finden wir was. Aber stimmt bitte vorher mit Herrn Renn ab, ob der noch Spuren braucht.«

Die zwei Kollegen zogen sich in den hinteren Bereich des Raumes zurück. Kluftinger sah ihnen nach – und hatte plötzlich eine Idee. Er bedankte sich bei dem Beamten mit den Stoppelhaaren und bat um Kopien der Kontoauszüge. Dann stand er auf und ging zu den beiden anderen. »Sind da auch Kontoauszüge drin?«, wollte er wissen.

Die Beamten sahen auf eine Liste, die auf den Kartons klebte, und schüttelten den Kopf. »Tut uns leid.«

»Kruzifix!«, schimpfte Kluftinger und setzte sich wieder an seinen Platz. Dabei war der Gedanke so naheliegend gewesen. Etwa fünf Minuten lang haderte er mit seinem Schicksal, dann kam einer der beiden, die die Kisten durchforsteten, plötzlich zu ihm. »Sie haben doch gerade wegen der Auszüge gefragt«, sagte er.

»Ja?«

»Naja, es sind eben keine drin, aber ...«, er machte eine kurze Pause, bevor er fortfuhr, »... ich habe das hier gefunden.« Er reichte Kluftinger ein Papierstück.

Der Kommissar begutachtete es und gab es dann dem Mann zurück. »Das ist eine Bankmitteilung über die Einrichtung eines Online-Kontos.«

Der Mann verzog das Gesicht zu einem triumphierenden Grinsen: »Und die PIN-Nummer ist auch dabei.«

Jetzt grinste auch Kluftinger. »Könnten Sie mir mal ...«

»Tut mir leid, Herr Yildrim hat uns ausdrücklich gesagt, wir sollen mit den Kisten weitermachen.« Mit diesen Worten drehte sich der Mann um und gesellte sich wieder zu seinem Kollegen.

Kluftinger überlegte kurz. Er brauchte irgendeinen Computerfachmann, aber vielleicht nicht gerade jemanden aus der Task Force. Schließlich musste er seine Defizite im EDV-Bereich ja nicht mehr als nötig seinen Kollegen vor Augen führen. Da erinnerte er sich wieder an Yildrims Aussage, dass sie jeden, den sie benötigten, für sich einspannen könnten, weil ihre Aufgabe absolute Priorität genieße.

Fünf Minuten später saß der Kommissar mit einem mageren, farblosen Mann mit grauem Sakko, der ihn ein bisschen an Maier erinnerte, am Rechner. Yildrim hatte ihn empfohlen, nachdem er mitbekommen hatte, dass Kluftinger einen EDV-Experten suchte. Er schrieb in seiner Freizeit sogar Programme für Schachcomputer, hatte Yildrim erzählt, eine absolute Koryphäe auf seinem Gebiet. So sah er auch aus, dachte Kluftinger bei sich. Der Experte war laut Yildrim auch vom BKA und heute Vormittag hier eingetroffen. Der Task-Force-Leiter hatte wirklich an alles gedacht.

»Wissen Sie, das kann nun wirklich jeder, dazu brauchen Sie mich doch nicht«, meckerte der Mann, als ihm Kluftinger sein Anliegen geschildert hatte. Dennoch tat er, wie der Kommissar ihn geheißen hatte, denn Yildrim hatte ihm unmissverständlich zu verstehen gegeben, den Anordnungen Folge zu leisten. Einige Mausklicks später hatten sie die Kontodaten von Latif Morodov auf dem Bildschirm.

»Leer«, sagte der Beamte. »Bis auf zwei Euro siebenunddreißig.«

»Hm«, erwiderte Kluftinger gedankenverloren. »Können Sie mir auch die Kontobewegungen der letzten Monate zeigen?«

Nach einem verwunderten Blick drehte sich der Mann wieder zum Bildschirm. »Nichts leichter als das«, murmelte er dabei. Kluftinger schaute sich die Daten genau an. Sie wiesen auffallende Parallelen mit den Zahlen von Bishkek auf. Ein Datum hinter dem Eingang eines größeren Betrags fiel ihm besonders ins Auge.

»War das eine Einzahlung?«, fragte er.

»Nein, eine Überweisung. Aber aus dem Ausland. Tadschikistan.«

»Können Sie rausfinden, von wem?«

»Schwierig ... Italien, Frankreich, das wäre kein Problem. Aber Tadschikistan ...«

»Können Sie?«

Der Mann neben dem Kommissar grinste. »Ich werd's versuchen. Ist wenigstens mal eine kleine Herausforderung.«

Kluftinger erhob sich. »Danke. Sie sagen mir Bescheid, falls Sie was finden? Ich muss mal was nachschauen.«

Als die Tür hinter Kluftinger ins Schloss fiel, atmete er tief durch. Es war wie in der Vorweihnachtszeit, wenn er aus einem viel zu heißen, überfüllten Kaufhaus zurück in die kalte, klare Winterluft trat: Es tat ihm gut. Die Ruhe auf dem Gang wirkte ein paar Sekunden lang befremdlich, dann stellte sich schnell ein vertrautes, heimeliges Gefühl ein. Der Raum hinter ihm schien nicht hierher zu gehören. Auch wenn er ihn schon Jahre kannte: Seit die Task Force dort Quartier bezogen hatte, wirkte er fremd. Besonders heute. Hier auf dem Gang war alles wie immer, so wie er es gewohnt war. Diese Vertrautheit gab ihm Stabilität und Kraft, die er nun dringend brauchte. Er ging in sein Büro. Ein wenig des vertrauten Gefühls verflog, als er die Tür öffnete und Maier an dem Schreibtisch sitzen sah, der eigentlich ihm gehörte. Der hagere Mann zuckte erschrocken zusammen, als er eintrat. Doch schnell wurde der unsichere Ausdruck in seinem Gesicht von einem Lächeln verdrängt.

»Braucht's ihr mich?«, fragte er erwartungsfroh.

»Nein, ich müsst nur wissen, wo ihr die Sachen von dem Schumacher hingetan habt.«

Maiers Mundwinkel sanken wieder nach unten. »Ach so. Die sind schon katalogisiert. Aber auf Wunsch von diesem … Yildrim«, Kluftingers Kollege versah den Namen mit einem abschätzigen Klang, wie er es sonst nur bei Verbrechern tat, »haben wir alles noch in dem kleinen Besprechungsraum im ersten Stock stehen lassen.« Maier stand auf. »Ich zeig's dir.«

»Bleib sitzen, Richard. So lange bin ich auch noch nicht weg. Den find ich schon noch.«

»Natürlich«, grummelte Maier kleinlaut und begleitete Kluftingers Weg nach draußen mit einem enttäuschten Blick. Fast tat er dem Kommissar leid.

Als er wenige Minuten später einen Stock tiefer den Besprechungsraum betrat, ließ er sich seufzend in einen der Stühle fallen. Diese Ruhe war einfach himmlisch. Balsam für seine gestressten Nerven. Doch er zwang sich dazu, seinem Erholungsbedürfnis noch nicht nachzugeben. Es hätte sowieso nicht funktioniert: Auch er hörte inzwischen überall die Uhr mit dem Countdown ticken.

Er ging also zu den Kisten, die dort herumstanden, las ihre Aufschriften, nahm eine vom Stapel und trug sie zu einem kleinen Tischchen. Er musste nicht lange suchen, dann hielt er das in Händen, was er gesucht hatte: Schumachers Pass.

Er blätterte darin herum, verharrte plötzlich in der Bewegung und sagte: »Na also.« Ein Visumstempel prangte auf einer der Seiten. Ziel: Tadschikistan. Der Zeitpunkt stimmte mit dem Reisedatum in den Kontoauszügen von Bishkek überein. Kluftinger war ein klein wenig stolz auf sich, dass ihm diese Koinzidenz aufgefallen war. Allerdings nur ein bisschen, denn wäre es ein normales Datum gewesen, hätte er vielleicht nichts bemerkt. Doch bei diesem handelte es sich um seinen Hochzeitstag. Den hatte er nur einmal vergessen – und nachdem

Erika daraufhin eine Woche lang die Kommunikation eingestellt hatte, nie wieder.

Als er in die Parallelwelt des War Rooms zurückkehrte, ging er sofort auf den schmächtigen Kollegen zu, mit dem er vorher am Rechner gesessen hatte. »Schauen Sie doch mal bei dem Schumacher nach, ob der auch höhere Beträge auf dem Konto hat und ob die Daten übereinstimmen.«

»Schumacher?«

Kluftinger erklärte ihm kurz, wen er meinte. »Der war nämlich zur gleichen Zeit in Tadschikistan. Und dann prüfen Sie bitte noch bei den anderen zwei, dem Latif Morodov und dem Hamadoni, ob die ebenfalls verreist waren. Und bitte geben Sie mir gleich Bescheid, wenn Sie was wissen. Vielleicht waren die als Gruppe unterwegs, und wir können die anderen Mitglieder ausfindig machen. Das wäre ja wirklich …« Kluftinger war aufgeregt, wagte aber nicht, den Gedanken laut auszusprechen.

Er sah auf die Uhr: Es war kurz vor sieben. So schnell würde er hier nicht rauskommen, das war ihm nun absolut klar. Und mittlerweile wollte er das auch gar nicht mehr. Er hatte das Gefühl, dass sie ganz nah dran waren – auch wenn er nicht genau wusste, woran. Er würde wohl die ganze Nacht in der Dienststelle verbringen. Er hatte das bisher nur ein einziges Mal gemacht, das war viele Jahre her, bei einem Familiendrama mit Geiselnahme. Obwohl er gestresst war, fühlte er sich bei der Erinnerung an diesen Fall ein bisschen verjüngt. Doch das Gefühl, an einem Abenteuer teilzuhaben, schwand sofort, als er an die möglichen Folgen dachte, sollten sie versagen. Noch einmal sah er auf die Uhr. Er musste zu Hause anrufen, sonst würde sich seine Frau Sorgen machen. Und seinem Sohn sagen, dass er heute ohne ihn heimfahren könne. Er setzte sich an einen Tisch mit einem freien Telefon.

Das polizeiinterne Telefonat mit seinem Sohn erledigte er zuerst. Markus versprach ihm, nach dem abendlichen Weggehen noch einmal im Büro vorbeizukommen. Vielleicht könne er dann mit nach Hause fahren.

Dann wählte Kluftinger seine eigene Nummer. Erika hob nach dem ersten Klingeln ab. Offenbar hatte sie schon auf seinen Anruf gewartet.

»Ist was passiert?«, fragte sie. Das war immer ihre erste Frage, wenn etwas vom alltäglichen Gang abwich. Diesmal konnte er sie nicht einmal gänzlich verneinen: »Noch nicht. Deswegen kann ich heut auch nicht heimkommen. Wir haben sehr viel zu tun. Also dann, gell …« Kluftinger wollte das Gespräch so schnell wie möglich beenden. Es war ihm unangenehm, in der ganzen Hektik hier Privatgespräche zu führen.

»O Gott, aber nicht wieder was mit einer Bombe oder einer Schießerei?« Seine Frau klang sehr besorgt.

»Nein, nix dergleichen. Wir sind im Büro. Aber ich weiß nicht, ob ich heut überhaupt heimkomme. Also …«

»Heut ist doch Generalprobe.«

»Herrgott, Erika, wir haben zu tun. Ich hab halt mal keinen stinknormalen Beruf.«

»Ja, leider.«

Er wusste, dass sie das nicht ernst meinte.

»Hast du denn was dabei?«

»Wie meinst du das? Was dabei?« Er versuchte, möglichst leise zu sprechen.

»Ja, was zum Essen halt. Und einen Schlafanzug. Und eine Zahnbürste?«

»Erika, das ist hier kein Zeltlager. Ich glaub nicht, dass ich meinen Schlafanzug brauche.«

»Was? Kannst du nicht lauter reden? Ich versteh dich so schlecht.«

»Ich glaub nicht, dass wir hier zum Schlafen kommen.«

»Was?«

»Ich brauch keinen SCHLAF-AN-ZUG!« Für einen Moment verstummten die Gespräche im Raum. Spöttisch grinsend sahen die Kollegen zu ihm herüber. Mit einer wegwerfenden Handbewegung gab er ihnen zu verstehen, sich wieder um ihre eigenen Sachen zu kümmern. »Und zum Essen werden wir schon was auftreiben.«

»Aber wirklich. Sonst bring ich dir noch was vorbei.«

»Bitte nicht.«

»Ja, weißt du, nicht, dass du nur Kaffee in dich rein schüttest. Es ist wichtig, dass du was isst und viel trinkst.«

»Versprochen.«

»Ehrlich?« Erika klang nicht überzeugt.

»Ehrlich. Du, ich muss wieder, gell. Bis dann.«

Er legte auf. Der größte Brocken war geschafft. Das heißt: Ein unangenehmes Telefonat stand noch aus. Er wählte die Handynummer des Bürgermeisters.

»Hösch?«

»Ja, ich bin's, der …«

»Klufti, endlich. Herrgottnochmal, du weißt schon, dass jetzt gleich Generalprobe ist? Der Frank wollte was von dir. Wegen der Fackeln. Aber er erwischt dich nirgends.«

»Ich komm heute nicht. Du musst spielen.«

Am anderen Ende der Leitung blieb es still. Erst nach ein paar Sekunden fragte Hösch: »Willst du mich verkohlen?«

»Nein, ich komm nicht. Es geht auf gar keinen Fall, du musst …«

»Ich glaub, bei dir piept's! Ne, ne, weißt du eigentlich, was eine Generalprobe ist? Morgen ist Premiere, und da musst du …«

»Da kann ich wahrscheinlich auch nicht.«

Kluftingers Gesprächspartner schnappte nach Luft. »Das … also … du weißt genau, dass das abgemacht war. Ich muss mich bei der Premiere um die Prominenz kümmern. Da geht gar nichts, ich …«

Der Kommissar würgte ihn ab: »Weißt du was? Beschwer dich beim Innenminister. Servus.« Er legte auf. Im gleichen Moment bereute er schon, dass er so schroff gewesen war. Aber wenn einer für hoheitliche Tätigkeiten Verständnis haben sollte, dann doch wohl der Bürgermeister. Kluftingers Überlegungen, ob er noch einmal anrufen sollte, wurden von dem Computerfachmann gestört, der sich mit einem Stapel Papiere neben ihn setzte.

»Schauen Sie mal, ich habe jetzt die Transaktionsdaten auf dem Konto von diesem Latif Morodov ermittelt.«

Kluftinger wollte ihn schon dafür loben, doch der andere redete einfach weiter. »Also, die Eckdaten – Kontobewegungen, Daten – stimmen mit den Zahlungen auf den Konten der anderen überein. Offenbar haben sie auch alle zur gleichen Zeit diese Reise nach Tadschikistan unternommen. Interessant ist auch: Morodov hat offenbar die Mietzahlungen für alle ihre Wohnungen übernommen. Übrigens auch für dieses TIK. Hier. Was ich nicht verstehe: Diese Mietzahlungen sind mit einem Codewort versehen. Keine Ahnung, was das bedeutet: Darheinlandsa.«

Kluftinger ließ sich die entsprechende Stelle zeigen. Auch er hatte keinen blassen Schimmer, was es damit auf sich haben könnte. »Wir gehen damit zu Yildrim«, sagte er bestimmt.

»Und keine falsche Zurückhaltung, wenn er sich weigert, freiwillig mitzugehen!«, rief Yildrim den beiden uniformierten Beamten hinterher, die von ihm eben den Auftrag erhalten hatten, Anatol Kudratov, den Vorsitzenden und ideologischen Kopf des tadschikisch-islamischen Kulturvereins Kempten, ins Präsidium zu bringen. In der Befragung sollte es vor allem um ein Thema gehen: Warum waren alle im Moment nachweislich an der Vorbereitung des Terroraktes beteiligten Personen, plus Anatol Kudratov, vor einem halben Jahr mit ein und derselben Maschine nach Tadschikistan geflogen? Aus den Kontodaten und den Reisedokumenten, die sie hatten, ging dies eindeutig hervor. So kurz vor dem Ablauf des Countdowns sollte der Überraschungsbesuch außerdem verhindern, dass er sich doch noch seinen Beschattern entziehen und untertauchen könnte, zumindest bis alles vorbei war.

Während man also auf das Eintreffen Kudratovs wartete, sah Kluftinger vor der Tür Richard Maier stehen und irgendetwas in sein Handy tippen. Kluftinger entging nicht, dass er immer wieder aus den Augenwinkeln in den Task-Force-Raum lugte. Der Kommissar wollte schon weitergehen, doch dann besann er sich, hielt inne und ging zu seinem Kollegen. »Richie, gibt's noch irgendwas? Es ist schon sechs Uhr durch, geh doch heim! Du musst dich ja um nichts kümmern. Du hast weiterhin deine überschaubaren Fälle ... Mei, hast du's gut!«

Kluftinger grinste in sich hinein. Er ahnte schon, was nun von Maier kommen würde.

»Du, wenn ihr mich braucht, ich hab noch Zeit. Hab nichts anderes vor heut. Dann seid ihr ein bisschen entlastet.«

»Richie, du hast doch als Interimsleiter meiner Abteilung wirklich genug zu tun. Ich weiß nur zu gut, wie anstrengend das ist. Geh du ruhig heim.«

»Ja, ich geh schon. Also, außer ihr braucht mich. Echt, wär gar kein Thema.«

»Richie, danke, nein.«

»Sicher?«

»Sicher.«

»Du würdest sagen, wenn …«

»Würd ich, Richie.«

»Dann geh ich jetzt.«

»Genau. Dann gehst du jetzt.«

»Heim?«

»Heim.«

Kluftinger sah Maier nach, der seine Unterlippe beleidigt nach vorn geschoben hatte. So hatte Markus als Kind immer geschaut, wenn man ihm die Gummibärchentüte weggenommen hatte. »Schläpple ziehen« hatten Erika und er das genannt. Der Kommissar war überrascht, wie gut dieser Ausdruck auch auf Maier passte.

Wenig später befanden sich Yildrim, Marlene Lahm, Bydlinski und Kluftinger in einem Vernehmungsraum der Polizeidirektion Kempten. Yildrim und seine Kollegin standen hinter einem Tisch, an dem ihnen gegenüber ein für seine Lage recht entspannt wirkender Kudratov saß. Der Tisch, an dem Bydlinski und der Kommissar Platz genommen hatten, stand etwas entfernt im Neunzig-Grad-Winkel davon. Die beiden BKA-Beamten nahmen den Mann gerade ins Kreuzverhör. Wie eine drohende Gewitterwand hatten sie sich vor ihm aufgebaut, was bislang jedoch denkbar wenig Wirkung gezeigt hatte. Kluftinger hingegen hatte, wie auch der Österreicher, noch keine einzige Frage gestellt.

»Wir fragen Sie erneut«, hob die Lahm wieder mit scharfer Stimme an, »zu welchem Zweck sind Sie und die anderen Personen, die wir Ihnen genannt haben und die allesamt mit Ihnen in Kontakt stehen, im letzten Herbst nach Duschanbe geflogen?«

»Gute Frau, ich habe Ihnen schon erklärt, es gibt mehr Zufälle im Leben, als wir glauben. Es war eine nette Überraschung, dass weitere Kemptener zu diesem Zeitpunkt dorthin geflogen sind, mehr nicht. Die müssen Sie schon selbst nach ihrem Aufenthalt befragen. Ich habe meine Familie besucht und eine kleine Studienreise angehängt.«

»Eine Studienreise in ein Ausbildungscamp für Terroristen, geben Sie es doch endlich zu!«, blaffte Yildrim ihn an.

»Herr Yildrim, Sie scheinen nicht ganz im Bilde über mein Heimatland zu sein. Ihre ›Terroristencamps‹, das sind doch Erfindungen der Amerikaner und ihrer imperialistischen Verbündeten. Eine weitere Propagandalüge im Kampf gegen angebliche Schurkenstaaten. Dass ein Mann Ihres Kalibers und Ihrer Herkunft darauf hereinfällt, ist ein Armutszeugnis für die deutschen Ermittlungsbehörden. Und dass ein bloßer Heimaturlaub meinerseits behandelt wird wie ein Staatsverbrechen, ebenfalls.«

Yildrim ging gar nicht auf die Provokation des Tadschiken ein, stattdessen schaltete sich Bydlinski ein: »Herr Kudratov, Ihre Beteiligung an den Vorbereitungen zu dem geplanten Terrorakt liegt eh so eindeutig auf der Hand, dass Sie auch gleich auspacken können.« Der Österreicher erntete dafür von Kudratov ein müdes Lächeln, von den anderen aber einen tadelnden Blick. Dieser Satz stellte ihre Machtlosigkeit und Verzweiflung im laufenden Fall erst richtig zur Schau.

»Ihr Konto und das des Vereins weisen riesige Geldbewegungen aus dem Ausland auf«, fuhr Yildrim fort.

»Sehen Sie, unser Verein ist gemeinnützig, wie Sie wissen. Wir sind auf Spenden unserer Mitglieder angewiesen. Die werden zu verschiedenen Zwecken verwendet: Unterstützung bedürftiger Landsleute, Kulturprojekte, religiöse Unterweisung und eben auch Studienreisen. Wir sind sehr froh über unsere großzügigen Mäzene.«

»Nun sprechen Sie selbst die Studienreisen an. Sie wussten also doch von den anderen Mitgliedern?«

»Nein, ich habe allgemein gesprochen.«

»Wer verwaltet die Gelder der ›Mäzene‹, wie Sie sie nennen?«

»Vieles geht über unseren Verein, aber nicht alles. Oft wenden sich die Mitglieder direkt an die Unterstützerfamilien in unserem Heimatland.«

»An Familien wie den Iljanov-Clan?«

»Beispielsweise.«

»Die international bekannten Waffenschieber?«

»Wie gesagt: Wir sind sehr dankbar dafür und fragen nicht nach.«

»Das sollten Sie aber tun, Kudratov. Sie zeichnen als Vorsitzender verantwortlich dafür, wenn Sie Gelder aus Drogen- und Waffenhandel waschen. Kudratov, ich garantiere Ihnen: Wenn Sie nicht mit uns kooperieren, dann lasse ich Sie hopsnehmen.«

Yildrims Augen hatten sich zu Schlitzen verengt. Er ging ganz nah zu Kudratov, senkte seine Stimme und drohte: »Wir haben einen Angehörigen des Clans unter Beobachtung. Es wäre uns ein Leichtes, ihn aufgrund einer Zeugenaussage hochzunehmen. Natürlich könnte es wegen einer kleinen Indiskretion dazu kommen, dass die Iljanovs erfahren, wer dieser Zeuge war, der ihren Sprössling verpfiffen hat. Und in diesem Moment lassen wir Sie wieder frei. Und dann viel Spaß in Ihren letzten paar Lebensminuten.«

»Sie wollen mich erpressen?«, fragte Kudratov ruhig.

»Erpressen? Nein, wie gesagt, ich möchte, dass Sie kooperieren. Und ich möchte Ihnen das so schmackhaft wie möglich machen. Wenn nicht, müssen Sie eben büßen.«

»Sie bringen mich zu keiner Aussage mehr. Ich habe Ihnen gesagt, was ich weiß. Und Sie können mich maximal vierundzwanzig Stunden festhalten. Danach schicken Sie mir wieder diese ach so unauffälligen Pappnasen hinterher, wie? Meinen Sie eigentlich, die sind diskret?«

Keiner reagierte auf die neuerliche Provokation. Stattdessen übernahm nun Marlene Lahm das Wort. »Kudratov, das ist doch Unsinn. Sie können uns helfen, ein schreckliches Verbrechen zu verhindern, das doch auch Sie nicht gutheißen können, oder?«

»Ich weiß nicht, wovon Sie reden.«

»Sie redet von einem mörderischen Anschlag, der einzig und allein einen Grund hat: religiösen Fanatismus einiger Irrer.« Yildrim geriet allmählich in Rage. Kluftinger überlegte, ob dies nur Teil einer Strategie war oder ob der Ermittler tatsächlich seinen Emotionen nachgab. »Was wollen Sie denn überhaupt erreichen damit? Sich wichtig machen, damit Ihr erbärmliches Land in die Schlagzeilen kommt? Meinen Sie, Ihrem Gott gefällt diese grenzenlose Dummheit, mit der Sie und Ihre verblödeten Mitstreiter durchs Leben gehen? Und warum Deutschland? Hat Ihnen der deutsche Staat etwas getan? Der Staat, der Ihnen und zig anderen Ihrer Landsleute Gastfreundschaft entgegenbringt?«

Zum ersten Mal verlor Kudratov ein wenig seiner Überheblichkeit. In seinem Gesicht konnte Kluftinger ablesen, dass einige der verbalen Hiebe getroffen hatten. Doch Kudratov schwieg. Marlene Lahm berührte Yildrim an der Hand und bat ihn, sich nicht so aufzuregen. Ob das auch Teil einer Strategie war? Kluftinger war sich nicht ganz sicher.

»Herr Kudratov«, sagte Marlene Lahm kühl, »wir werden Sie die ganze Nacht vernehmen. Ihnen immer wieder dieselben Fragen stellen, bis Sie antworten. Wir können uns dabei abwechseln. Sie nicht.«

»Ich garantiere Ihnen«, fiel Yildrim ihr ins Wort, »Sie werden mürbe werden. Sie werden aufgeben. Und wie gesagt: Notfalls eliminieren Sie die Iljanovs. Damit ist die Ordnung wieder hergestellt.«

Marlene Lahm fügte kühl an: »Wir nehmen Sie in Beugehaft.«

»Ach ja? Für vierundzwanzig Stunden?«, gab sich Kudratov wieder selbstsicher.

Erneut mischte sich Yildrim ein: »Unter Terrorverdacht können wir Sie so gut wie unbegrenzt festhalten. Oder wollen Sie sich darüber etwa beschweren? Viel Spaß dabei! Hier sind vier ranghohe Beamte, die immer das Gegenteil von dem aussagen werden, was Sie behaupten.«

»Ich ...«

»Halten Sie den Mund, Kudratov. Ich schicke ein paar andere Kollegen, danach wieder andere und wieder andere. Und dann komme ich zurück und pflücke Sie wie eine faule Frucht. Aber zunächst werden wir Ihnen ein wenig die Daumenschrauben anlegen. Frau Lahm, bitte schicken Sie unsere Kollegen Winkler und Grotz! Sie werden den Herrn hier sicher für drei Stunden zu beschäftigen wissen.«

Mit diesen Worten gab Yildrim den anderen ein Zeichen, dass sie gehen sollten, und klingelte nach zwei Uniformierten, die draußen vor dem Raum Wache schoben. Eine Maßnahme, die Yildrim eher angeordnet hatte, um Kudratov einzuschüchtern, als aus echten Sicherheitsbedenken. Ohne den Tadschiken eines weiteren Blickes zu würdigen, verließen sie das Vernehmungszimmer.

»Wusste ich nicht, dass Ihr noch Daumenschrauben verwendet in Deutschland!«, sagte Bydlinski auf dem Weg zurück in den Raum der Task Force, und in Kluftingers Ohren klang es ernst. Als niemand darauf reagierte, fuhr der Österreicher fort: »Aber ist schon gut, das mit der Folter.«

Yildrim und Kluftinger sahen ihn fassungslos an. Hatte er das mit den Daumenschrauben etwa wörtlich genommen?

»Ich hätte noch einen Vorschlag. Hab ich auch schon einmal gemacht, ist bei uns aber illegal: Eine Stroboskoplampe. Direkt in die Augen und dazu ein bisschen schrilles Pfeifen aus Lautsprechern oder Heavy Metal bis zum Anschlag aufgedreht. Nach zwei Stunden ist der fertig. Rein körperlich schon.«

»Das ist jetzt nicht Ihr Ernst, oder?«, brummte Kluftinger.

»Schon eigentlich. Ich hab grad das Buch über Guantanamo gelesen, von diesem Dings, na, ihr wisst schon, dem Kurnaz. Die gehen da richtig gut zur Sache. Und bekommen jede Aussage, die sie wollen.«

»Aber Herr Bydlinski, das spricht nicht gerade für die Verlässlichkeit dieser Aussagen, wenn man sie unter Gewaltanwendung von den Leuten erpresst, oder?«, gab die Lahm zu bedenken.

Yildrim hörte zwar aufmerksam zu, hatte sich aber bislang nicht zu dem heiklen Thema geäußert.

»Wenn diese Schweine nicht reden, dann muss man das halt machen. Sonst halten die eh alle das Maul, und du kommst ihnen nicht bei.«

»Schluss jetzt mit diesem Unsinn«, platzte Yildrim der Kragen, »ich muss doch sehr bitten! Halten Sie sich mit Ihrem unqualifizierten Gewäsch zurück!«

»Ist doch wichtig, dass der Kudratov jetzt redet. Davon hängen möglicherweise Tausende Menschenleben ab.«

Diesen Aspekt galt es durchaus zu bedenken, fand auch Kluftinger, doch Yildrim machte der Diskussion mit seiner nächsten Aussage schnell ein Ende: »Genug jetzt. Wir sind Staatsdiener. Und damit den Prinzipien verpflichtet, auf die sich unser Staat wie alle west- und mitteleuropäischen Länder in seinem Selbstverständnis überhaupt erst gründet. Wie, bitte, sollen wir Menschenrechte, Demokratie und Humanität verteidigen, wenn wir nicht nach diesen Grundsätzen handeln? Wir müssen die Rechtsstaatlichkeit stets im Blick behalten.«

Bydlinski jedoch hakte nach. »Haben Sie ihm nicht gerade gedroht, dass Sie ihn über die Klinge springen lassen wollen?«

»Ich bitte Sie, das war reiner Bluff«, wiegelte Yildrim ab.

Kluftinger merkte, dass sich ein heftiges Wortgefecht zwischen den beiden anbahnte, und hielt sich selbst zurück.

»Und finden Sie das denn nicht seelische Folter? Dazu noch Marathonverhöre? Ist das nicht schon Psychoterror?«

Yildrims Antwort überraschte den Kommissar: »Wissen Sie, Herr Bydlinski, ich muss Ihnen da wohl zustimmen.« Der türkischstämmige Mann senkte den Kopf und dachte noch einmal nach, bevor er dem Österreicher die Hand reichte.

»Ich muss Ihnen Recht geben und mich auch bei Ihnen entschuldigen. Was ich hiermit tun möchte. Mit mir ist eben der Gaul durchgegangen. Tatsächlich bewegen auch wir uns ethisch schon in einem Grenzgebiet. Und es ist Definitionsfrage, wie man Folter von korrekten Verhörmethoden abgrenzt. Aber wir müssen uns immer wieder neu hinterfragen. Dazu haben Sie soeben beigetragen. Dafür muss ich Ihnen wahrscheinlich danken.«

»Gern geschehen, Chef, passt eh«, grinste Bydlinski. »Aber wissen Sie, was viel schlimmer ist als das Definitionsproblem der Folter?«

Yildrim schüttelte besorgt den Kopf. Bydlinski klärte ihn auf: »Seit gut einer Stunde«, der Österreicher sah kurz auf die Uhr, »um genau zu sein: Seit fast zwei Stunden hab ich einen mordsmäßigen Maderer.«

»Sie haben was?«, fragte Yildrim nach.

»An Dürren, einen Kohli. Hunger halt!«

»Ach so, warum sagen Sie das nicht gleich. Ich muss sagen, eine kleine Stärkung könnte ich jetzt auch vertragen.«

»Ich hätte noch eine angebrochene Packung Schokowaffeln in meinem Büro. Wenn jemand welche will …«, bot Kluftinger an, stieß damit aber auf wenig Begeisterung.

»Hm«, brummte Yildrim zögerlich, »das wäre ein Anfang, aber … vielleicht sollten wir doch etwas Richtiges essen. Das wird hier wieder eine lange Nacht werden.«

Kluftinger nickte. Er verstand, wie Yildrim zumute sein musste: Es war bereits dessen zweite schlaflose Nacht in Folge. Nur am Nachmittag hatte er sich einmal kurz zurückgezogen. Zudem hatte er sich heute bislang nur von Kaffee und Pfefferminzbonbons ernährt. Der Mann brauchte wirklich etwas anderes als ein paar Waffeln.

»Sollen wir schnell essen gehen irgendwo?«, schlug Kluftinger vor.

»Ich wäre eigentlich eher dafür, dass wir uns etwas kommen lassen. Ich möchte einfach im Moment nicht woanders sein, wenn sich eine neue Lage ergibt. Herr Kluftinger, hätten Sie denn eine Empfehlung?«

»Ja, einen Döner können wir vielleicht holen. Da hat man was Solides und den Salat gleich mit dazu. Mag ich sehr gern ab und zu«, log Kluftinger.

»Danke nein, meine Herren, da muss ich passen«, sagte Bydlinski und sah dabei ein wenig angewidert aus, »die deutschen Döner werden ja aus Gammelfleisch gemacht, und das vertrag ich am Abend nicht mehr so. Da krieg ich immer das Sodbrennen, wenn es schon so aaselt. Und was die Türken so in die Sauce mischen, das möchte ich gar nicht wissen.«

Kluftinger war schockiert. Das war wieder ein eindeutiger Affront gegen den türkischstämmigen Yildrim gewesen. Dass Bydlinski dauernd derart unsensibel und politisch unkorrekt sein musste …

Doch Yildrim lachte nur, nickte und sagte: »Ja, da geht es mir genauso. Ich hab das Zeug noch nie angerührt. Schon vor den Fleischskandalen nicht und danach erst recht nicht. Aber nichts gegen meine Landsleute, ja? Da bin ich eigen. Das Fleisch haben denen immer deutsche Firmen verkauft.«

»Ja, schon gut. Ich weiß eh, dass die Würstlverkäufer am Prater kein bisserl besser sind.«

»Ja, wie wär's denn dann mit Pizza?«, schlug Kluftinger vor. »Die italienischen Restaurants sind ja von Lebensmittelskandalen in den letzten Jahren einigermaßen verschont geblieben.«

»Wie heißt die Pizzeria, wo Sie bestellen?«, wollte Bydlinski wissen.

Kluftinger runzelte die Stirn. Kannte sich der Österreicher denn in der Kemptener Gastronomie aus? »San Marco. Warum wollen Sie das denn wissen?«

»Wegen der Bestellung. Ich ess immer die Pizza, die so heißt wie das Lokal. Also für mich eine große San Marco mit doppelt Käse und viel Zwiebeln.«

Kluftinger schüttelte den Kopf und seufzte. »Und wenn es keine San Marco gibt?«

»Dann sollen sie mir einfach eine machen. Können drauf tun, was sie wollen, Hauptsache, sie nennen sie San Marco.«

Als er die Tür zu seinem Büro öffnete, um den Flyer der Pizzeria mit der Speisekarte zu holen, erschrak Kluftinger: Im völlig dunklen Raum saß Maier am Schreibtisch vor dem Computer. Das bläuliche Leuchten des Monitors tauchte sein Antlitz in ein unheimliches, kaltes Licht. Kluftingers Mitarbeiter beschäftigte sich außerdem überhaupt nicht mit dem PC: Als der Kommissar näher kam, sah er, dass Maier sich gerade die Fingernägel schnitt. Auch eine Nagelfeile erkannte er im Lichtschein. Maier schien sein Eintreten noch gar nicht bemerkt zu haben.

»Sag mal, Richie? Sonst geht's dir schon noch gut, oder?«, fragte Kluftinger, und in diesem Moment schreckte Maier so ruckartig auf, dass ihm ein kurzer Schrei entfuhr. Kluftinger zuckte zusammen. Jetzt erst sah er, dass in Maiers Ohren zwei Ohrhörer steckten. Wahrscheinlich von seinem Diktiergerät, mutmaßte der Kommissar.

Als Maier sich wieder gefasst hatte, brachte er mit piepsiger Stimme nur ein »Du hier?« heraus.

»Richie, das sollte ich wohl eher dich fragen, oder? Du sitzt hier in meinem dunklen Büro vor meinem Computer und machst Maniküre. Das ist doch mal reichlich befremdlich, Kollege.«

Maier räusperte sich und stammelte verlegen: »Du … ich … hab gedacht, wenn ihr mich doch noch …«

»Richie, wir brauchen dich nicht. Das solltest du allmählich mitgekriegt haben.«

Maier nickte beleidigt.

»Aber sag mal, an meiner Pinnwand hing doch die Speisekarte vom San Marco. Wo hast du denn die hingeräumt?«, fragte Kluftinger.

Maier wurde nervös. »Wieso? Brauchst du die jetzt?«

»Sonst würde ich nicht fragen.«

»Bestellt ihr euch was zu essen?«

»Ja, Richie. Wenn wir die Karte finden.«

»Ich kann euch doch was kochen. Wir haben doch auch Töpfe in der Küche, weißt du, die zum Wienerle warm machen. Ich kann gut Nudeln und Soße zum Beispiel. Ich fahr schnell an die Tankstelle und …«

»Richie, willst du dich jetzt als Küchenchef andienen, weil du sonst nicht mitmachen kannst? Also komm, ein bissle mehr Stolz hätt ich schon von dir erwartet.«

Maiers Lamento wurde nun von Aggressivität abgelöst: »Jetzt reicht's! Du machst die ganze Zeit einen auf Geheimagent, und ich schmeiß den Umzug, während ich noch deine normale Arbeit mache. Doch damit nicht genug! Ich Depp ordne auch noch deine ganzen Akten, in denen das blanke Chaos herrscht. Und jetzt kann ich mich verhöhnen lassen dafür. Danke! Ich hab's echt satt mit dir und den anderen. Ich lass mich versetzen, wenn ihr so weitermacht! So was von unkollegial!«

»Ach so?«, platzte es nun aus Kluftinger heraus, »Und findest du es denn kollegial, wenn man auf seinem Diktiergerät seine Kollegen ausrichtet und dann auch noch beim Chef anschwärzt? Ich hab gehört, was du über mich und das Kommissariat gesagt hast, nur dass du es weißt. Hat mich gekränkt. Ich versuche hier nämlich auch mein Bestes zu geben.«

Maier war peinlich berührt, wie ein Kind, das man beim heimlichen Naschen ertappt hat. »Also … das war doch nicht so gemeint jetzt. War auch nicht für deine Ohren bestimmt übrigens«, sagte er kleinlaut.

»Das macht es nicht besser. Und dass dich die Kollegen nicht mehr akzeptieren, das kann ich auch nachvollziehen: Du machst hier einen auf Obermufti. Du versaust es dir grad nach Strich und Faden. Bei uns allen.«

»Ich wollt's halt recht machen. War auch alles neu für mich.«

Maiers Stimme wurde brüchig, und Kluftinger befürchtete, dass er gleich anfangen würde zu weinen. Er klopfte seinem Kollegen auf die Schulter und bat ihn erneut um die Speisekarte.

»Ich hab sie weggeschmissen. Pizza ist auch total ungesund«, murmelte Maier, als ob er eine Ohrfeige für seine Fehlleistung erwartete. Schnell schob er nach: »Die Sandy hat noch eine Liste draußen, glaub ich. Und ich hol dafür die Pizza. Einverstanden?«

»Das ist das Mindeste, was du tun kannst, ehrlich Richie«, sagte Kluftinger in versöhnlichem Ton. »Nimmst du dann gleich noch die Bestellungen auf?«

»Sie laden Ihre Leute bestimmt auf eine Pizza ein, nicht wahr, Herr Lodenbacher? Diesen außerordentlichen Arbeitseinsatz sollte man entsprechend würdigen, denke ich.«

Dietmar Lodenbacher runzelte die Stirn. Er hatte gerade den War Room betreten. Seiner Kleidung nach zu schließen, um sich in den Feierabend zu verabschieden.

»Ich … schon. Arbeitseinsatz, vorbuidlich«, stammelte er.

»Bestens. Ich wusste, dass Sie ein loyaler und großzügiger Chef sind«, sagte Yildrim.

»Ich geh nochamal in mein Büro. Wenn de Pizza do san, bringen Sie mir einfach die Rechnung vorbei, ja?«, sagte Lodenbacher, machte auf dem Absatz kehrt und verließ den Raum.

Yildrim drehte sich zu Kluftinger um und zwinkerte ihm zu.

Maier hatte mittlerweile seine Liste zusammen. Sie war länger ausgefallen als gedacht. Beinahe jeder der fünfundzwanzig Anwesenden hatte irgendwelche Sonderwünsche: Von der Änderung der Käsesorte über Rinds- statt Schweinssalami bis hin zu Bydlinskis »San Marco«. Nur Yildrims Bestellung stand noch aus.

»Für mich eine große Pizza Salami, bitte. Und wenn Sie bitte sagen, dass es schnell gehen sollte.«

»Mach ich, Herr Yildrim«, sagte Maier dienstbeflissen und griff zum Telefon. Als er jemanden aus dem Lokal an der Strippe hatte, begann er, seinen umfangreichen Bestellzettel durchzugeben: »… nein, die mit Pilzen … Ja, San Marco … Haben Sie nicht? Dann mit allem … Nein, die Hawaii ohne Salami …«

Yildrim blickte stirnrunzelnd zu Maier. Er hörte noch ein paar Sekunden zu, nahm ihm dann wortlos den Telefonhörer aus der Hand und sagte hinein: »Fünfundzwanzig Mal Pizza Salami, dazu jeweils einen kleinen Salat. Wird abgeholt. Rechnung bitte auf Dietmar Lodenbacher ausstellen. Danke.« Dann legte er auf.

Maier hielt seinen Zettel in der Hand und starrte Yildrim mit offenem Mund an.

»Sie können fahren«, sagte Yildrim und wandte sich von ihm ab.

»Jetzt denken die alle, ich habe falsch bestellt. Bin ich wieder der Depp«, murmelte Maier, als er das Zimmer verließ.

Eine Stunde später stand Richard Maier mit fünfundzwanzig Pappschachteln und einer riesigen Tüte wieder in der Tür.

Damit platzte er mitten in eine kleine Besprechung: Mittlerweile hatte man ermittelt, wie das Wort auf den Kontoauszügen zu deuten war: »Darheinlandsa« war Arabisch und hieß »Haus der Unterstützer«.

Yildrim hatte erschrocken dreingeblickt, als er die Nachricht erhalten hatte. Der Kollege, der die Übersetzung gefunden hatte, wusste nämlich noch mehr zu berichten: »Das haben damals die Terroristen des 11. September auch auf den Mietzahlungen für ihre Unterkünfte stehen gehabt.« Eine Hommage an den größten Terroranschlag in der Geschichte – und ein weiterer Beweis dafür, dass hier etwas Großes geplant war. Auch die anderen hatte das geschockt.

Als ihnen der Duft der Pizzas in die Nase stieg, schoben sie diese Gedanken jedoch erst einmal beiseite.

»Danke, Richie. Siehst du, jetzt hast doch noch bei uns mitgearbeitet«, grinste Kluftinger. »Kannst aber wirklich heimgehen, jetzt.«

Wieder machte Maier keine Anstalten, den Raum zu verlassen.

»Herrgott Richie, jetzt schleich dich halt!«

»Tät ich ja gern, aber …«

»Was?«

»Das Geld für die Pizza, ich hab's ausgelegt.«

»Ach so, das kriegst du vom Lodenbacher. Der lädt heut alle ein.«

In Maiers Gesicht machte sich Resignation breit, als ahne er, dass er dieses Geld wohl nie wieder sehen würde.

Es herrschte, auch wenn Kluftinger gegenüber seiner Frau am Telefon vor wenigen Stunden noch genau das Gegenteil behauptet hatte, eine Atmosphäre wie in einem Ferienlager, trotz der Brisanz der Lage. Kluftinger hatte sich mit seiner Pizzaschachtel auf die Heizung verzogen, mampfte genüsslich und beobachtete dabei die Kollegen, die ebenfalls in allen erdenklichen Winkeln des Raumes Platz genommen hatten: Einige saßen auf dem Fensterbrett, Bydlinski hatte seine Schachtel auf einem Bildschirm abgestellt, und Willi Renn und Marlene Lahm hingen mit den Gesichtern über einem Stuhl, den sie zwischen sich als Tisch aufgestellt hatten. Über allem lag der Duft wie in einer italienischen Gaststätte. Kluftinger seufzte. Wenn der Anlass nicht so todernst gewesen wäre, dann hätte er diesen Abend sicherlich genossen.

Kluftinger hing seinen Gedanken nach und merkte erst, dass sich Yildrim neben ihm auf einen Stuhl niedergelassen hatte, als der ihn mit »Afiet olsun!« ansprach.

»Bitte?«, erwiderte Kluftinger verwirrt.

»Das ist türkisch und heißt ›Guten Appetit‹.«

»Oh, äh … danke, ich meine … merhaba.«

»Das bedeutet ›Guten Tag!‹ Aber trotzdem danke.«

Kluftinger errötete. Er war sich sicher gewesen, mit seinem Brocken Türkisch ins Schwarze zu treffen.

»Der gute Wille zählt, Herr Kluftinger«, sagte Yildrim, der seine Gedanken offenbar erraten hatte. Dann hob er seinen Pappbecher, stieß mit Kluftinger an und sagte: »Serefe.«

»Au so viel!«, entgegnete der Kommissar und beide grinsten.

Eine Weile saßen sie schweigend da, aßen ihre Pizza und beobachteten das Treiben im Konferenzsaal. Als Kluftinger zu dem Task-Force-Leiter hinunterblickte, bemerkte er, dass der die Salami von der Pizza herunterklaubte, bevor er hineinbiss.

»So, ist das jetzt ›Pizza Agnostica‹, oder wie?«, sagte der Kommissar mit einem schiefen Lächeln.

Yildrims Antwort kam wie aus der Pistole geschossen: »Immer noch besser als Ihre ›Pornografica‹!«

Einen Moment war Kluftinger baff, dann brach er in derart schallendes Gelächter aus, dass er Mühe hatte, sich nicht zu verschlucken. Yildrim stimmte in das Lachen mit ein, und Kluftinger spürte die gleiche Vertrautheit wie bei ihrer gemeinsamen Autofahrt nach Bregenz. Deswegen rückte der Kommissar auch mit einer Frage heraus, die ihn seit gestern beschäftigte: »Wie … geht's Ihnen eigentlich?«

Yildrim zog die Augenbrauen zusammen: »Sehe ich müde aus?«

»Nein, ich mein … naja, wegen der Sache halt … wegen dem Mord … äh, Unfall, mein ich.«

Der Blick des dunkelhäutigen Mannes verfinsterte sich. Er dachte ein paar Sekunden nach, dann antwortete er: »Sie haben noch nie jemanden erschießen müssen?«

»Nein, noch nie. Der Hefele einmal. Diesen Hund …«

»Ein sehr böser Mensch?«

»Wie bitte?«

»Weil Sie Hund sagen.«

»Ach so. Ich mein auch Hund. Hund im Sinne von … Hund.«

»Ihr Kollege hat einen Hund erschossen? War das ein Drogenkurier?«

Kluftinger grinste. Er mochte den Humor des Task-Force-Leiters.

»Nein. Ist noch gar nicht so lange her. Ist bei einem Einsatz auf mich losgegangen, und der Hefele hat mich gerettet.« Kluftinger schien sich zu besinnen, dass das nun wirklich keine Antwort auf Yildrims Frage gewesen war. »Also: nein, ich hab noch nie jemanden erschossen. Gott sei Dank …« Wieder stockte der Kommissar.

»Dann ist Ihre Frage natürlich verständlich.«

Beide bissen in ihr Pizzastück.

»Und?«, nahm Kluftinger das Gespräch schließlich wieder auf.

»Und was?«

»Wie geht's Ihnen jetzt?«

Es schien, als stelle sich auch Yildrim diese Frage erstmals. Er holte tief Luft und sagte: »Es gibt da in der Neurowissenschaft dieses Dilemma, das man Probanden vorlegt: Ein Zug fährt auf fünf Gleisarbeiter zu. Sie selbst stehen an der Weiche. Wenn Sie sie umlegen, retten Sie die Männer. Allerdings stirbt dann ein weiterer, einzelner Arbeiter, der auf dem anderen Gleis steht. Wie entscheiden Sie sich?«

Ohne zu zögern antwortete Kluftinger: »Ich lege die Weiche um.«

»So entscheiden sich die meisten, denen die Frage gestellt wird. Aber modifizieren wir das ein bisschen: Sie haben wieder die Möglichkeit, die fünf Arbeiter zu retten, diesmal allerdings nicht durch das Umlegen einer Weiche. Sie müssten einen schwergewichtigen Mann vor den Zug stoßen, dessen Körpermasse ihn zum Stehen bringen würde. Wie sieht's jetzt aus?«

Kluftinger holte schon Luft, um zu antworten, dann hielt er inne.

»Sehen Sie, es ist so: Der Mann hat Leben bedroht. Es ist doch ganz klar: Das Leben Unschuldiger, die von jemandem bedroht werden, der sich bewusst außerhalb der Gesellschaft gestellt hat, ist wichtiger. Ohne wenn und aber. Ich hatte nicht die Möglichkeit, ihn indirekt, durch die Weiche, an seinem Tun zu hindern. Ich musste aktiv werden. Mit diesem Wissen geht es mir gut. Auch wenn mir lieber gewesen wäre, nicht in dieses Dilemma zu geraten.«

»Genau genommen, waren Sie ja gar nicht in diesem Dilemma, denn die Menschen, die in Ihrem Beispiel sterben, sind alle unschuldig. Aber der, den Sie zur Strecke gebracht haben, war ein Mörder.«

Yildrim nickte.

Den Rest des Essens verbrachten sie schweigend, dann stand Yildrim auf, holte ein Päckchen Kaugummi aus seiner Hosentasche und hielt Kluftinger einen hin: »Hier, hilft beim Wachbleiben.« Mit diesen Worten schob sich Yildrim einen Streifen in den Mund und ging zurück an die Arbeit. Angewidert betrachtete Kluftinger den Kaugummi in seiner Hand: Er hatte gerade eine Pizza Salami vertilgt. Wenn er sich jetzt den Streifen in den Mund schieben würde, hätte das nur den Effekt, dass sich dort die ganzen Fettstückchen und Salamiteile mit der Kaumasse verbanden. Er wusste das aus leidvoller Erfahrung. Salami und Kaugummi waren eine unselige Kombination. Er steckte den Streifen in die Hosentasche und machte sich ebenfalls wieder an die Arbeit.

Nachdem alle Pizzaschachteln verräumt waren und einmal kräftig durchgelüftet worden war, bekam Yildrim von einem aufgeregten Beamten einen Umschlag mit einer DVD in die Hand gedrückt, worauf er sofort die Mitglieder der Task Force zusammenrief.

»Diese Aufnahme«, begann Yildrim, und er hatte Mühe, seine Aufregung zu unterdrücken, »haben wir in der Wohnung von Latif Morodov gefunden.« Der Raum war inzwischen abgedunkelt und ein Projektor aufgestellt worden. Alle waren wie elektrisiert. Gebannt starrten sie auf die Leinwand, auf der nun wackelige Bilder ohne Ton zu sehen waren. Es hätte eine Reisegruppe sein können, die bei einem Ausflug gefilmt wurde, wären ihnen die Mitglieder der Gruppe nicht so bekannt vorgekommen: Bishkek war darauf zu sehen, Morodov, dazu glaubte Kluftinger einige Männer zu erkennen, die er im TIK gesehen hatte. Und Schumacher. Es war das erste bewegte Bild des Selbstmörders, und es wirkte seltsam auf den Kommissar. Bisher hatte er nur Fotografien und den leblosen Körper des jungen Mannes zu sehen bekommen. Dann stockte ihm der Atem: Die Kamera schwenkte über eine Tribüne mit leeren Stühlen und blieb auf einem riesigen Auge haften. Dahinter fuhren auf einer Wasserfläche ein paar Schiffe.

»Bregenz«, flüsterte Willi Renn neben ihm.

Kluftinger nickte.

Dann wurde das Bild kurzzeitig schwarz, und eine neue Umgebung war zu sehen. Erst fiel es ihnen gar nicht auf, denn auch dort gab es zahllose leere Plastiksitze. Doch dann schwenkte die Kamera weiter und gab den Blick frei auf eine riesige Grünfläche.

Ein Fußballstadion.

»Weiß jemand, welches Stadion das sein könnte?«, fragte Yildrim sofort.

»Ich glaube, das ist Innsbruck, das Tivolistadion«, antwortete Bydlinski.

Nach einem weiteren Schnitt der Kamera erschien wiederum eine Zuschauertribüne. Doch die Sitze hatten eine andere Farbe. Schließlich folgten Detailansichten von verschiedenen Tribünen, kurze Versatzstücke in schnellem Wechsel.

Plötzlich blieb das Bild stehen und kleine, bunte Farbquadrate erfüllten die Leinwand.

»Was ist denn jetzt los?«, fragte Yildrim gereizt.

»Die DVD scheint kaputt zu sein«, sagte Renn.

»Ist denn noch was drauf?«

Willi Renn stand auf, ging zum Laptop, der an den Beamer angeschlossen war, und sagte: »Ja, die müsste eigentlich noch fünf Minuten haben.«

Yildrim überlegte kurz.

»Wir brauchen den Spielplan. Sofort. Und wir müssen veranlassen, dass das Public Viewing in Bregenz abgesagt wird. Bydlinski, können Sie das in die Wege leiten? Am besten technische Probleme vorschützen. Das verhindert unangenehme Nachfragen der Presse.«

Bydlinski nickte. Er war blass geworden. Unausgesprochen war ihnen klar: Sie hatten gerade die möglichen Anschlagziele gesehen.

Was bisher nur als Möglichkeit in all ihren Gedanken herumgespukt hatte, wurde nun zu einem Bild, das sich in ihren Köpfen formte. Und war doch noch so diffus, dass sie nichts Konkretes unternehmen konnten. Sollten sie alle Stadien vorsorglich sperren lassen? Alle Tribünen? Ausflugsdampfer? Auf dem Film waren die Sitze in den Stadien noch leer gewesen, doch in wenigen Stunden würden darauf Tausende Menschen Platz nehmen. Und es lag an ihnen, eine Katastrophe unvorstellbaren Ausmaßes zu verhindern.

Das Licht ging wieder an, und Kluftinger blickte in betretene Gesichter. Erst Yildrims Stimme riss sie aus ihren Gedanken: »Wo ist der Spielplan? Und die Techniker müssen sich bitte sofort die DVD vornehmen. Herr Renn, können Sie das veranlassen? Ich muss wissen, was da sonst noch drauf ist.«

Alle erhoben sich und machten sich aufgeregt an die Arbeit.

Wenige Minuten später standen sie vor der Pinnwand und starrten auf einen faltbaren Spielplan der EM aus einem Fußballmagazin. Vier Spielpaarungen waren darauf mit dickem Marker notiert; auf der Tafel daneben standen einige Ergebnisse und klein darunter die Wettquoten. Die Kollegen hatten Nerven. In dieser Situation …

»Drei zu null?« Bydlinski hatte sich zu Kluftinger gebeugt.

»Bitte?«

»Drei zu null? Für Deutschland? Wer hat das denn getippt? Ihr könnt doch froh sein, wenn …«

»Ich bitte Sie um Konzentration«, fuhr Yildrim dazwischen und wischte ärgerlich die Ergebnisse und die Wettquoten von der Tafel. »Wir haben hier fünf mögliche Ziele, wobei, wenn Bregenz abgesagt wird, nur noch vier bleiben. Haben Sie sich schon darum gekümmert, Herr Bydlinski?«

»Ja. Die örtlichen Behörden stellen gerade einen Kontakt nach Wien her, weil die das allein nicht entscheiden können. Die sind aber dabei. Nur möchten sie mit einem deutschen Beamten reden, der …«

Yildrim unterbrach ihn: »Herr Kluftinger, holen Sie mir bitte kurz mal den Herrn Lodenbacher. Der sitzt doch in der ständigen Konferenz der Polizeichefs der Bodensee-Anrainerstaaten. Schließlich müssen wir auch den Schiffsverkehr auf dem See einstellen. Dazu müssen die Schweizer informiert werden. Das könnte Probleme geben.«

Kluftinger nickte und machte sich auf den Weg ins Büro seines Chefs. Als er ohne zu klopfen eintrat, zuckte der zusammen und schob eilig die Papiere, über denen er gerade gesessen hatte, zusammen. Kluftinger erklärte ihm, dass sie ihn dringend bräuchten, und seine Miene hellte sich auf.

Mit einem »Sofort!« sprang er auf und eilte aus dem Büro. Bevor der Kommissar ihm folgte, warf er noch einen Blick auf die Papiere auf Lodenbachers Schreibtisch. Es war eine Spesenrechnung über die Pizzas, die er ihnen gerade »ausgegeben« hatte.

»Machen Sie mal eine Pause, Sie sehen ja furchtbar aus.«

Mit hochgezogenen Augenbrauen erwiderte Kluftinger Yildrims Blick. Er war sich ziemlich sicher, dass Yildrim Recht hatte. Er fühlte sich jedenfalls genau so.

»Sie wissen schon, was ich meine. Sie nützen mir mehr, wenn Sie ausgeruht sind. Wir kommen schon ein paar Stunden ohne Sie klar.«

Kluftinger versuchte gar nicht erst, dem Task-Force-Leiter zu widersprechen. Dankbar nahm er das Angebot an und ging mit schmerzenden Lidern in sein Büro. Er wollte sich auf die kleine Couchgarnitur legen, doch eben die war weg. Nur das Tischchen stand noch da. Darauf lag ein Zettel, auf dem stand: »Couch u. Sessel bereits im neuen Büro«. Maier! Kluftinger sah sich unschlüssig um und entschied sich dann dafür, den praktisch leeren Schreibtisch als Bettersatz zu nehmen. Er breitete eine graue Wolldecke aus dem Schrank über sich, und auch wenn es nicht sehr bequem war, schlief er bereits wenige Minuten, nachdem er sich hingelegt hatte, tief und fest.

»Vatter … Vatter, lass uns gehen.«

Kluftinger blinzelte in das Licht der Neonröhren an der Decke. Er wusste zunächst nicht, wo er war, erst nach einigen Sekunden sickerte seine momentane Situation in sein Bewusstsein: die Task Force … das Video … die Nachtschicht … Markus. Markus?

»Wo kommst du denn her?«

»Ich war noch weg in der Stadt. Disko, bist ja jetzt auch ein Insider, sozusagen. Komm, ich nehm dich mit heim.«

Kluftinger rieb sich seinen steifen Nacken. »Nein, ich muss noch arbeiten«, antwortete er und schickte ein lang gezogenes Gähnen hinterher.

»Ja, das seh ich«, antwortete Markus grinsend.

»Nein, im Ernst. Ich kann hier nicht weg. Hör zu …« Der Kommissar setzte sich auf. »Fahr du mal heim und sag der Mutter, dass sie sich nicht aufregen soll.«

Nach einem langen, prüfenden Blick sagte Markus schließlich: »O.K. Aber … pass bitte auf dich auf, ja, Vatter?«

»Ich … jetzt geh schon«, beendete Kluftinger ihr Gespräch und ging zurück in den War Room.

»Aber das ist doch ganz selbstverständlich. Gar kein Problem, wirklich! Ich mach doch jeden Tag das Frühstück.«

Kluftinger schlug die Augen auf. Sofort jedoch musste er sie wieder zusammenkneifen, so blendete ihn das gleißende Sonnenlicht, das durchs Fenster direkt in sein Gesicht fiel. Er hatte gerade Erikas Stimme gehört. Sie hatte etwas von Frühstück gesagt. Dabei hätte er im Moment des Aufwachens geschworen, dass er gestern im Büro eingeschlafen und seitdem nicht wieder aufgewacht war.

»Nein, Frau Kluftinger, jetzt untertreiben Sie mal nicht! Frühstück für die ganze Mannschaft, wirklich, herzlichen Dank!«

Kluftinger stutzte. Das war Faruk Yildrim gewesen. Was machte der bei ihm zu Hause? Er schlug erneut die Augen auf und bemerkte, dass nicht Yildrim an einem Ort war, an den er nicht gehörte, sondern Erika. Jetzt erst realisierte der Kommissar, dass er sich tatsächlich noch im War Room befand: Die Füße auf dem Tisch, hatte er es sich in einem Sessel mehr oder weniger bequem gemacht. Dass sein Rücken schmerzte und sein Nacken völlig verspannt war, stellte er ebenfalls erst jetzt, dafür jedoch umso deutlicher fest. Er strich sich die strähnigen Haare aus der Stirn und wurde in diesem Moment von Faruk Yildrim, Erika und leider auch von Bydlinski bemerkt.

»So, unser Murmeltier! Das haben Sie sich ja ganz schön zu Herzen genommen mit dem Terrorismus, Kluftinger: Erst der Mullah-Bart und jetzt auch noch den Schläfer spielen!«

»Wir haben Sie schlafen lassen, Sie machten gestern Abend einen derart müden Eindruck. Aber dass Sie bei all dem Treiben hier in der Task Force einen so gesegneten Schlaf haben: Respekt!«, sagte Yildrim, biss in seine Käsesemmel und nahm einen Schluck aus seiner Tasse.

»So, Schläfer, jetzt müssen Sie aber auch einmal eine kleine Jause zu sich nehmen, sonst is nix mehr übrig. Jetzt ist eh klar, warum Sie so a

Blunzn mit sich rumschleppen. Wenn Sie allweil so gut versorgt werden.«

»Nein, der bekommt jetzt noch nix«, protestierte Erika und hielt ihrem Mann seinen aus dunkelgrünem Kunstleder gefertigten Kulturbeutel hin: »Erst Zähne putzen, rasieren und ein bissle frisch machen, bitte! Ich hab dir auch Wechselkleidung mitgebracht.«

Mit knallrotem Kopf riss Kluftinger seiner Frau den Waschbeutel aus der Hand, forderte sie auf mitzukommen und hastete an einem grinsenden Bydlinski vorbei wortlos aus dem Raum.

»Sag mal, spinnst du eigentlich? Willst du mich jetzt vollkommen zum Gespött der Leute machen?«, herrschte Kluftinger seine Frau an, als sie beide den Flur vor dem War Room verließen und ins Treppenhaus einbogen.

»Vielen Dank! Ich wollte nur dir und den anderen eine Freude machen mit dem Frühstück. Wie die sich gefreut haben, das hast du ja gar nicht mitbekommen. So nette Leute, gerade auch der Mann aus Österreich«, gab Erika zurück, und Kluftinger war völlig klar, dass sie ihn absichtlich falsch verstanden hatte.

»Du weißt ganz genau, was ich meine! Ich red nicht vom Frühstück, sondern davon, dass du mich behandelst wie einen Schulbuben, dem man die Kleidung rauslegt.«

Immer wieder blickte Kluftinger hinter sich, um sicherzugehen, dass kein anderer mithörte.

»Ich leg dir ja auch die Kleider raus«, entgegnete Erika. »Soll ich das jetzt nicht mehr machen?«

»Du weißt genau, dass du das ruhig tun kannst«, sagte er nicht mehr ganz so forsch. »Herrgott, du weißt schon, was ich meine.«

»Ich weiß«, lenkte Erika ein. »Tut mir leid. Ich wollte doch nur dein Bestes.«

Auch Erika blickte sich jetzt diskret um, und als sie sah, dass die Luft rein war, drückte sie ihrem Gatten einen dicken Schmatz auf die Backe.

Kurze Zeit später war Erika, sehr zur Freude ihres Mannes, wieder auf dem Heimweg nach Altusried. Als Kluftinger den Task-Force-

Raum betrat, begann Yildrim mit einem kurzen Resümee der aktuellen Lage.

»Zunächst zu den sicheren Fakten: Wir können davon ausgehen, dass hier irgendwo in der weiteren Region Alpen–Bodensee um einundzwanzig Uhr fünfzehn an diesem Abend eine Bombe explodieren wird. Aller Voraussicht nach wird dies bei einem Großereignis passieren. In Frage kommen das EM-Spiel in Innsbruck zwischen Italien und Holland, zudem das Public Viewing der EM in Bregenz. Andere Spielorte sind: das Ernst-Happel-Stadion in Wien, das Stade de Suisse in Wankdorf in der Schweiz und das Wörthersee-Stadion in Klagenfurt. Die Sicherheitsbehörden in den betreffenden Städten sind informiert. Alle Spiele abzusagen ist praktisch undurchführbar. Es bleibt uns aber noch etwas Zeit. Uns steht heute den ganzen Tag ein Helikopter der Bundespolizei zur Verfügung, sodass wir schnell vor Ort sein können, wenn nötig. Herr Bydlinski, Sie haben mit Bregenz alles geregelt?«

Der Österreicher gab gelangweilt Antwort: »Schon. Aber die überlegen noch, ob sie es absagen oder nicht. Könnten sie schon machen unter irgendeinem Vorwand.«

»Diese Idioten«, schimpfte Yildrim, »die nehmen das nicht ernst genug in Vorarlberg, das war mir von Anfang an klar. Bydlinski, machen Sie denen noch mal eindringlich deutlich, worum es geht. Herr Lodenbacher, Sie haben mit den Polizeichefs der Bodenseeanrainer gesprochen?«

Lodenbacher nickte. »Hob ich, jawoll. Großes Verständnis, die Herren, großes Verständnis. Und kooperationsbereit auf ganzer Linie. Wir brauchen uns bei denen nur melden, wenn wir was brauchen«, versuchte sich der Direktionsleiter in gestelztem Hochdeutsch.

»Sehr gut. Was unsere Terrorzellen angeht: Wir haben bislang drei Mitglieder ausgemacht. Hamadoni rechne ich nicht zu diesem Kreis. Der ist meines Erachtens nur durch unglückliche Zufälle ins Schussfeld geraten, weil er zu gierig war.

Wir haben also Schumacher und Bishkek, beide tot. Dann Latif Morodov, der die Geldflüsse kontrolliert hat, im Moment untergetaucht. Ich gehe nach wie vor davon aus, dass Kudratov der Kopf der Zellen ist und dass wir es mindestens mit drei bis vier weiteren Männern zu tun haben, die es parallel auf dasselbe Ziel abgesehen haben.

Das sind schlicht und ergreifend Erfahrungswerte. Fakten sind es wohlgemerkt keine.«

Die Anwesenden sahen Yildrim gebannt an. Der schien für die immer kürzer werdende Zeit noch erstaunlich ruhig.

Er brauche jetzt schnellstmöglich die Ergebnisse der Recherche in den Apotheken, so schwer könne das doch nicht sein. Die Passagierlisten der Maschinen nach Tadschikistan an den in Frage kommenden Tagen seien angefordert worden und sollten innerhalb der nächsten Stunde zur Verfügung stehen.

»Wenn Sie sich übrigens fragen, was mit unserem Postfach in Innsbruck passiert ist: Das wurde den Männern wohl mittlerweile doch zu heiß. Es ist seit der Intensivierung unserer Ermittlungen verwaist«, fuhr Yildrim nach einem Blick in seine Notizen fort.

»Hätten wir ein bisserl mehr Diskretion walten lassen müssen, hm, Kollegen?«, fragte Bydlinski herausfordernd, was der Task-Force-Leiter lediglich mit einem abschätzigen Blick und einem Kopfschütteln quittierte.

»Schließlich sagt uns nicht nur der Countdown, dass es heute Abend ernst werden wird: Die letzten E-Mails sind da so eindeutig wie die Kontodaten der mutmaßlichen Terroristen: Alles Geld ist bereits abgeräumt. Im Jenseits wird der Märtyrer mit anderer Münze bezahlt. Willi, gibt denn die DVD, die wir bei Morodov mitgenommen haben, nichts mehr her?«

»Leider sind weite Teile nicht zu entziffern. Aber die Fachleute sind dran«, antwortete Willi Renn.

»Danke. Wie gesagt: Zielort und eventuell weitere Mitglieder der Zelle sind die Punkte, an denen wir jetzt mit dem meisten Nachdruck bohren müssen. Wenn wir heute Abend nicht weiter sein sollten als jetzt, bedeutet das die Katastrophe. Und die haben wir auch, wenn wir ein EM-Spiel absagen und woanders die Bombe hochgeht.«

Es war mittlerweile elf Uhr. Noch etwas mehr als zehn Stunden bis zum Ablauf des Countdowns. Yildrims Nervosität nahm nun von Minute zu Minute zu. Auch Kluftinger, der sich erneut die Kontodaten der drei getöteten Männer vorgenommen hatte, um daraus weitere Besonderheiten und Gemeinsamkeiten ableiten zu können, stand unter massivem Druck. Vorsorglich erstellte er eine Liste aller Privatpersonen, die von den dreien Geld bekommen oder auf eines der Konten eingezahlt hatten. Doch er war gleichzeitig in seinem Innersten von der Sinnlosigkeit seines Tuns überzeugt. Wie sollten sie in so kurzer Zeit noch ...

»Die Liste ist da, endlich«, rief Strobl und hielt ein Fax hoch. Kluftinger und Yildrim sprangen auf.

»Wie gehen wir vor?«, fragte Kluftinger, der froh darüber war, nun eine etwas aussichtsreichere Tätigkeit beginnen zu können.

»Wir checken die Leute hier auf Religionszugehörigkeit – wenn möglich, heißt das – und auf eventuelle Straffälligkeiten oder sonstige Ungereimtheiten. Herr Strobl, könnten Sie nachfragen, ob wir auch eine elektronische Liste bekommen könnten? Und wenn Sie bei der Fluglinie und diesem Reiseveranstalter für Nahostreisen noch einmal nachhaken würden?«

Strobl nickte und ging zum nächsten Telefon.

»Herr Kluftinger, wenn Sie auch versuchen würden, in der Mitgliederliste des TIK Übereinstimmungen mit diesen paar Kunden hier zu finden. Man weiß ja nie.«

»Herr Yildrim«, rief Strobl auf einmal, die Hand vor der Hörmuschel, »die Fluglinie hat Ihnen die Passagierliste bereits gemailt.«

Yildrim ging unverzüglich zu seinem Laptop, öffnete die Nachricht und druckte sie aus. Dann kam er mit dem Papier zu Kluftinger, zog sich einen Stuhl heran und legte die beiden Listen nebeneinander auf den Tisch. Die Namen derer, mit denen sie bisher zu tun gehabt hatten, fanden sich allesamt auf der Aufstellung der Fluglinie. Keiner von ihnen aber hatte in den Apotheken Schwefelsäure gekauft. Kluftinger überflog hastig die beiden Blätter, die vor ihm lagen. Wie bei den Bildern in Zeitschriften, wo man einem Originalgemälde eines mit Fehlern gegenüberstellte, huschten seine Augen hin und her. Und blieben schließlich tatsächlich an einem Namen hängen.

»Rasulov Ganievich«, murmelte der Kommissar vor sich hin. Yildrim nickte. Auch er hatte die Übereinstimmung bemerkt, den einen gemeinsamen Namen, der sich auf beiden Listen befand.

»Sofort im Fahndungscomputer und in den Meldelisten nachsehen«, sagte Yildrim in militärischem Ton und rief zwei weitere Beamte zu sich, die sich darum kümmern sollten. »Und gebt sofort eine internationale Fahndung über Interpol nach ihm raus!«

»Kudratov, jetzt sagen Sie endlich, wo dieser Mann wohnt!«

Yildrim hatte den TIK-Vorsitzenden seit zehn Minuten in der Mangel. Rasulov Ganievich war, das hatten sie bereits abgeklärt, auch im offiziellen Mitgliederverzeichnis des TIK zu finden. Unter derselben falschen Adresse in Bad Grönenbach, unter der er sich auch bei der Fluggesellschaft angemeldet hatte. Er hatte wohl einen gefälschten Pass verwendet, nicht einmal die angegebene Straße existierte.

»Sehen Sie in der Mitgliederliste nach«, blaffte Kudratov, der nervös und fahrig wirkte. Allmählich schien die Haft Wirkung zu zeigen.

»Die Adresse gibt es nicht! Verkaufen Sie uns nicht für dumm!«

Kudratov schwieg.

»Los! Reden Sie endlich, bevor es zu spät ist! Sie können dadurch vielleicht alles verhindern und Ihren Kopf doch noch aus der Schlinge ziehen«, versuchte Marlene Lahm nun ihr Glück.

Bitter, dachte Kluftinger, dass diese Taktik bereits gestern nicht geklappt hatte. Zu seiner Überraschung aber setzte nun Anatol Kudratov zum Sprechen an: »Nun gut, ich will Ihnen die Wahrheit sagen: Er wohnt in Sulzberg. Steinebergstraße sieben, wenn mich nicht alles täuscht.«

Auch die anderen Polizisten waren verblüfft über den plötzlichen Sinneswandel des Mannes.

»Na also, das wird Ihnen angerechnet, das verspreche ich Ihnen«, versetzte Yildrim und rannte aus dem Zimmer.

Während Yildrim mit ein paar Beamten auf dem Weg nach Sulzberg war, saß Kluftinger wie gelähmt an seinem Platz. Was konnten sie nun noch tun? Wenn sie den Mann in seiner Wohnung nicht antreffen würden, dann ... Er konnte sich nicht auf irgendwelche Listen und Kontodaten konzentrieren. Wie hilflos war das angesichts dieser Bedrohung! Sie müssten einfach die Spiele der EM absagen, das war die einzige Möglichkeit, die ihnen noch blieb. Aber was dann losbrechen würde, war von der Tragweite her gar nicht mehr zu überblicken. Das ganze Turnier, sämtliche weitere Sport- und Großereignisse wären dann in Zukunft in Gefahr. Und wie würden die Ermittlungsbehörden dastehen? Wie sollten sie das überhaupt logistisch bewältigen? Noch blieb ihnen etwas Spielraum, hatte Yildrim gesagt. Kluftinger verfluchte sich dafür, dass er nicht mitgefahren war nach Sulzberg. Hier im Büro war er zur reinen Untätigkeit verdammt!

Sein Handy vibrierte. Das Display verriet, dass Yildrim ihn anrief. Hastig nahm Kluftinger das Gespräch an. »Ja? ... Wie? Das katholische Pfarramt ... verstehe ... dieses Schwein ... sofort kauf ich mir den. Bis gleich!«

Kluftinger sprang auf und wies zwei Uniformierte an, Anatol Kudratov aus der Haftzelle zu holen. Er hatte eine falsche Adresse genannt. Noch dazu befand sich dort das katholische Pfarramt Sulzberg. Die Adern in Kluftingers Schläfen pochten vor Wut, als er Kudratov im Vernehmungszimmer wieder gegenübersaß. Der schien wieder zu seiner anfänglichen Ruhe zurückgefunden zu haben. Sein geglückter Schachzug gab ihm Sicherheit.

»Sie spielen auf Zeit, hm?«

»Entschuldigung. Ich sage Ihnen jetzt die richtige Adresse: Rübezahlweg dreiunddreißig in Kempten. Ach nein, warten Sie ... Bismarckstraße sieben einviertel in Memmingen. Hm ... oder war es die

Kirchstraße in Dietmannsried? Ludwigstraße in Füssen? Kaufbeuren? Wo bin ich nur mit meinen Gedanken in letzter Zeit?«, sagte Kudratov und grinste dabei den Kommissar höhnisch an.

»Sie sind das Widerlichste, was mir bislang zwischen die Finger gekommen ist, Kudratov. Und ich habe es mit vielen Schurken zu tun gehabt. Fahren Sie zur Hölle!«, presste Kluftinger hervor.

In diesem Augenblick ging die Tür auf und Faruk Yildrim stand wie ein Racheengel im Raum. Er schäumte vor Wut. Schweigend fixierte er Kudratov, ging auf ihn zu und verpasste ihm wortlos eine Ohrfeige.

Kluftinger schluckte. Kudratov fasste sich langsam an die Backe. »Das wird Konsequenzen haben«, sagte er mit zusammengekniffenen Augen. »Einen Mann zu ohrfeigen ist eine offene Demütigung. Das lasse ich nicht auf mir sitzen, Yildrim.«

Yildrim lachte kurz und bitter auf. »Du kommst eh nicht mehr raus aus der Sache! Was also willst du mir schon anhaben?«

»Er spuckt eine falsche Adresse nach der anderen aus«, sagte Kluftinger, auch in der Hoffnung, damit die Situation zu beruhigen. »Da können wir gleich im Telefonbuch nachsehen und uns ein paar Straßen herausschreiben.«

Yildrim nickte. »Oder unser eigenes Adressbuch nehmen. Hätte genauso viel Erfolg.«

Kluftinger hielt inne. »Sagten Sie gerade Adressbuch?«, versetzte er hastig.

»Adressbuch, ja. Warum?«, wollte Yildrim wissen.

»Woher haben wir das Mitgliederverzeichnis des TIK?«

»Aus deren Büro, warum?«

»Und das hat er uns freiwillig gegeben?«, fragte Kluftinger mit einem Seitenblick auf Kudratov, der ebenso verblüfft dreinschaute wie der Leiter der Task Force.

»Ja. Sie meinen …«

Yildrim brach seinen Satz ab und verließ mit Kluftinger das Zimmer.

»Willi, der Computer!«, rief Kluftinger, als er den War Room betrat.

Willi Renn runzelte die Stirn. »Computer?«

»Der Computer vom TIK. Der alte. Wo ist der? Haben wir den noch?«

»Schon. Der steht mit den ganzen sichergestellten Asservaten drüben im Kämmerchen. Soll ich ihn holen? Sind aber keine brauchbaren Abdrücke drauf. Und der Inhalt ist reichlich unspektakulär, das wisst ihr ja.«

»Kannst du das Ding holen, Willi? Gleich?«

Nur wenig später hatten sie einen Bildschirm angeschlossen und den Computer hochgefahren. Kluftinger trommelte ungeduldig mit den Fingern auf dem Tisch, bis die kleine Sanduhr verschwunden war.

»So, Willi, jetzt schau mal nach, ob der noch eine Adressliste von seinen Mitgliedern hat.«

Renn öffnete einige Ordner und beschloss dann, in den Dateien nach dem Namen Ganievich zu suchen. Tatsächlich öffnete sich kurz darauf eine Adressliste. Hastig scrollte Renn nach unten. Bei Ganievich fand sich lediglich die bekannte Adresse in Bad Grönenbach.

»Kreuzkruzifix!«, fluchte Kluftinger so laut, dass Willi Renn auf dem Stuhl regelrecht zusammenfuhr.

»Wart mal, Klufti!«, sagte der Erkennungsdienstler aber auf einmal und markierte eine Stelle in dem Dokument.

»Was denn?«, wollte Kluftinger wissen, der bereits jede Hoffnung hatte fahren lassen.

»Das ist ja ein ganz toller Trick. Hat einfach die Schrift auf weiß eingestellt. So ein Dilettant.« Renn klickte auf eine Schaltfläche, und auf dem Bildschirm erschien schwarz auf weiß eine weitere Adresse.

»Leutkircher Straße dreiundvierzig, zweiter Stock links, Altusried«, las Faruk Yildrim laut vor. »Auf geht's. Marlene, meine Herren: Ab nach Altusried! Bydlinski, Sie bleiben hier und halten Kontakt mit den Kollegen in Österreich, ja?«

Bevor Bydlinski reagieren konnte, waren sie bereits aus dem Raum gestürmt.

Als sie wenig später in Kluftingers Wohnort ankamen, stellten sie ihren Wagen ein Stück vor der genannten Straße ab. Yildrim wies die uniformierten Beamten und die Angehörigen der Sondereinheit, die zur Sicherheit mitgekommen waren, an, sich im Haus möglichst leise zu verhalten. Schließlich sollte Ganievich nicht gleich mitbekommen, wer ihn da besuchen wollte.

Die Tür zu dem Mehrfamilienhaus stand offen.

»Na also. Wie wenn man auf uns gewartet hätte, oder?«, sagte Willi Renn leise.

»Ja. Und gut, dass Kudratov immerhin so akkurat war, die genaue Lage der Wohnung noch anzugeben«, merkte Yildrim an. Kluftinger schnaufte schwer, als sie vor der Wohnung ankamen. Sie hielten sich eng an der Wand, links und rechts der Tür, die schwarz gekleideten Männer vom Sonder-Einsatzkommando dicht neben ihnen.

Yildrim sah erst Kluftinger, dann Marlene Lahm in die Augen, dann nickte er und führte langsam seine Hand zum Klingelknopf. Aus der Wohnung war ein sonorer Gong zu vernehmen. Nichts rührte sich. Ein zweites Klingeln, ein drittes, ein viertes. Yildrim gab den Kollegen ein Zeichen. »Zugriff«, sagte er lapidar, und vier Beamte brachen die Wohnungstür auf.

Es dauerte keine dreißig Sekunden, bis der Leiter der Spezialeinheit zu ihnen nach draußen zurückkehrte und sagte: »Leer.«

»Verdammt!«, fluchte Yildrim.

Schließlich betraten auch sie das kleine Ein-Zimmer-Appartement, das im selben Stil eingerichtet beziehungsweise eben nicht eingerichtet war wie alle anderen, die sie bisher im Zuge der Ermittlungen gesehen hatten: Karg, nur mit den allernötigsten Möbeln, ohne private Dinge. Auf einem Tapeziertisch waren große Bögen Papier ausgebreitet, überall lagen Zettel und Computerausdrucke herum. Kluftinger ging als Erstes auf ein grobes, aus rohem, ungehobeltem Holz zusammengeschraubtes Kellerregal zu und nahm eine Flasche mit einer grünlichen Flüssigkeit darin.

Als er sich umdrehte, sah er in Willi Renns erschrockenes Gesicht.

Da wurde auch Kluftinger blass. Er hatte die Flasche ganz instinktiv genommen, erst jetzt fiel ihm ein, was sich alles darin befinden könnte. Die Müdigkeit hatte ihn leichtsinnig gemacht.

»Ganz, ganz vorsichtig. Stell es ab wie ein rohes Ei!«, zischte Willi ihm zu.

Alle Augen waren gebannt auf den Kommissar gerichtet. Der versuchte mit aller Willenskraft, die Flasche wieder hinzustellen, doch vergebens: Mit verkrampftem Arm stand er da wie zur Salzsäule erstarrt. Auf einmal begann seine Hand leicht zu zittern.

»Ruhig, Klufti«, krächzte Renn heiser und ging langsam auf den Kollegen zu. »Jetzt bloß nicht nervös werden. Ich nehm dir nun die Flasche aus der Hand, und es kann überhaupt nichts passieren. Glaub mir.«

Kluftinger wurde es unerträglich heiß. Arme und Beine begannen zu kribbeln, Schweiß rann von seiner Stirn in die Augen.

Schließlich nahm ihm Renn mit festem Griff die Flasche aus der Hand.

Allmählich löste sich Kluftinger aus seiner Erstarrung. Seine Anspannung machte einer elenden Übelkeit Platz. Der Kommissar taumelte zur Balkontür, zog sie auf und stolperte hinaus. Gierig sog er die frische Luft ein und beruhigte sich tatsächlich wieder ein wenig.

Ein »Hallo!« riss ihn aus seinem Dämmerzustand. Kluftinger sah hoch. Auf dem Balkon nebenan stand ein Mann und rauchte. Der Kommissar versuchte sich darauf zu besinnen, wer genau das war. Der andere schien ebenfalls überrascht, den Kommissar hier zu sehen.

Dann fiel es ihm ein: Natürlich, das war der Mann, mit dem zusammen er für die Fackeln verantwortlich war. »Hallo. Äh ... alles klar?«

In dem Moment betrat Faruk Yildrim den kleinen Balkon. Der Nachbar verabschiedete sich noch mit einem »Bis später«, drückte seine Zigarette im Aschenbecher aus und verschwand in seiner Wohnung.

»Na, Kluftinger, geht es besser?«

»Danke, ja.«

»Sie kennen in Altusried wohl jeden, oder?« Yildrim klopfte dem Kommissar aufmunternd auf die Schulter und ging mit ihm zurück in die Wohnung.

»War Absinth, Klufti!«, grinste Renn den Kommissar an und schüttelte demonstrativ die Flasche, die der Kommissar eben noch in der Hand gehalten hatte. »Aber sicher ist sicher.«

»Danke, Willi«, entgegnete Kluftinger bitter.

»Hier!« Marlene Lahm hatte von dem kleinen Nachttisch ein Fläschchen genommen. »Rosenwasser!«

Yildrim wandte sich nunmehr dem Tapeziertisch zu. »Zeichnungen von Elektroinstallationen, Versorgungspläne. Dieser hier dürfte von irgendeinem großen Gebäude sein«, murmelte er, einen der Bögen hochhaltend.

»Wo könnte das sein?«, wollte Kluftinger wissen, der sich wieder gefangen hatte.

»Lassen Sie mich nachsehen. Ich habe noch nichts gefunden. Hm. Wenn wir das nur wüssten«, sagte Yildrim leise, »dann wären wir schon unterwegs dorthin.«

Hastig wühlte er die Pläne durch. Kluftinger nahm sich weitere, die auf dem Boden lagen.

»Nichts«, sagte Yildrim schließlich. »Kein Hinweis.« Er sah zu Kluftinger, doch auch der schüttelte den Kopf.

»Wenn wir nicht bald rausbekommen, um welches Gebäude es sich hier handelt, ist das nicht mehr wert als Altpapier.«

Kluftingers Blick blieb an dem Papierkorb unter dem Tisch hängen. Der Papierkorb. Noch niemand hatte ihn durchgesehen. Er bückte sich und leerte ihn auf den Boden, kramte in dem Haufen und zog schließlich ein Stück buntes Papier heraus. Er war wie vom Donner gerührt. Das war es. Er besah es sich genau, bevor er es Yildrim übergab, der ihm gefolgt war.

»Verdammt, Kluftinger, das ist es!«, rief Yildrim aufgeregt.

Kluftinger nickte nur. Sein Mund war trocken.

»Wisst ihr, was das ist?«, fragte Yildrim in die Runde, überließ es aber Kluftinger, für Klarheit zu sorgen: »Eine Quittung für eine EM-Eintrittskarte. Für heute Abend. Tivoli-Stadion Innsbruck. Anpfiff zwanzig Uhr, Einlass ab siebzehn Uhr.«

Yildrim zog sein Handy aus der Tasche und forderte den Helikopter an, der in Kempten bereitstand. Man solle Bydlinski gleich von dort mitbringen. Er sah auf die Uhr.

»Kluftinger, Sie haben gehört: Ich würde Bydlinski gern nach Österreich mitnehmen. Er kann es mit den Landsleuten sicher besser als wir. Sie müssen hier derweil eine wichtige Aufgabe übernehmen: Um herauszufinden, wo sich die Bombe im Stadion befindet, müssten Sie sich erneut Kudratov vorknöpfen. Nehmen Sie ihn ruhig hart ran. Auch wenn es nicht sehr wahrscheinlich ist, dass wir irgendetwas aus ihm herausbekommen: Den Versuch ist es wert. Spielen Sie ihm vor, wir hätten bereits alles durchschaut und den Sprengsatz entschärft. Vielleicht verrät er sich ja. Punkt neunzehn Uhr ist unsere Deadline. Wenn wir bis zu diesem Zeitpunkt noch nichts Konkretes haben, lassen wir evakuieren.«

Kluftinger hatte verstanden. Aber dass er nun mit Kudratov, diesem harten Brocken, fertig werden sollte, während alle anderen am Ort des Geschehens waren, behagte ihm ganz und gar nicht.

Wenn er jedoch dies gegen die Alternative abwog, in einem engen Helikopter bis nach Innsbruck fliegen zu müssen, kam es ihm wie ein Spaziergang vor.

»Sie sehen andauernd auf die Uhr, Herr Kommissar«, sagte Kudratov mit jenem süffisanten Grinsen, das Kluftinger in den letzten Tagen regelrecht hassen gelernt hatte. »Ihre Zeit läuft allmählich ab, nicht wahr?«

Das Schlimmste war, dass er Recht hatte. Es war bereits halb sieben. Kluftinger schnaubte: »Ach, meinen Sie? Ich würde eher sagen, *Ihre* Zeit *ist* bereits abgelaufen! Sie haben soeben die Beteiligung am Terroranschlag zugegeben.«

»Nein, das habe ich nicht. Dass Sie es mit einem Countdown zu tun haben, habe ich doch längst bei Ihrem zweifelhaften Verhörmarathon hier gemerkt.«

Der Kommissar reagierte nicht, stattdessen wagte er, wie es ihm Yildrim empfohlen hatte, den ersten Bluff: »Wissen Sie, was wir uns jetzt noch fragen: Wie gelang es Ihren Leuten, die Bombe dort zu verstecken?«

Kudratov lachte kurz auf und fragte dann grinsend: »Wo denn?«

Kluftinger zögerte nur einen Moment und sagte dann: »Ja ... dort halt ... wo sie ist ... war ... eben. Meisterleistung, das.«

»Denken Sie denn im Ernst, ich wäre so naiv? Gesetzt den Fall, ich hätte wirklich mit Ihrem Anschlag zu tun? Ich hätte Sie für intelligenter gehalten. Ich merke nur zu gut, dass Sie keineswegs wissen, wo die Bombe ist, Sie kennen noch nicht einmal das Land, nicht wahr?«

Kluftinger war Kudratov, der an einem kleinen Resopaltischchen saß, die ganze Zeit mit verschränkten Armen gegenübergestanden. Jetzt nahm er aus der Aktenmappe, die er mitgenommen hatte, einen Bogen Papier, ging um den Tisch herum und breitete den Plan des Stadions direkt vor Kudratov aus.

»Das Tivolistadion Innsbruck. Wie haben Sie die Bombe dort untergebracht?«

Kluftinger entging nicht, dass Kudratov zusammenzuckte. Dieser Treffer hatte gesessen. Kudratov war zumindest angezählt. Beide schwiegen. Der Kommissar, weil er wusste, dass das im Moment am meisten bewirkte. Und Kudratov, da war Kluftinger überzeugt, weil er nicht weiterwusste. Doch die Schwäche des Tadschiken dauerte nur kurz. Der Kommissar stand seitlich, sodass er dessen Gesicht sehen konnte. Er stützte für eine halbe Minute den Kopf in die Hände und rieb sich die Augen. Dann hob er den Kopf wieder und blickte Kluftinger an. Entschlossenheit sprach aus seinen Zügen.

»Kommissar, heute ist für uns alle der Tag der Entscheidung. Für mich ist das Spiel wohl aus. Schade, das war so nicht geplant. Ich wäre gern ungeschoren aus der Geschichte herausgekommen, um noch mehr in meiner Sache, der meines Landes und natürlich meiner religiösen Überzeugung zu unternehmen. Aber ich bin ebenso entschlossen wie meine Mitstreiter, täuschen Sie sich da nicht. Auch für mich steht anderswo der Lohn bereit.«

Eindeutiger konnte Kudratov seine Rolle als Drahtzieher kaum eingestehen, auch wenn das unterm Strich relativ wenig brachte.

»Also, dann reden Sie: Wie haben Sie …?«, begann Kluftinger erneut, aber Kudratov fiel ihm ins Wort: »Hören Sie, selbst wenn Sie den Sprengsatz gefunden haben, was ich nach wie vor nicht glaube: Unser Stachel sitzt so tief im welken Fleisch dieser Gesellschaft, er wird seine Wirkung nicht verfehlen.«

Kluftinger stutzte. Kudratovs Ton hatte sich verändert. Bisher war er war meist ruhig, hatte distanziert, souverän und emotionslos gewirkt. Nun aber sprach aus seinen Worten eine eigenartige Entschlossenheit. Und die Worte kamen Kluftinger seltsam bekannt vor.

»Sie haben auch die Mails verfasst, Kudratov?«

»Dazu sage ich nichts. Aber mir war von Anfang an klar: Dieser Weg wird kein leichter sein.«

Aus dem Grinsen Kudratovs sprach blanker Hohn. Kluftinger atmete tief durch, um nicht die Fassung zu verlieren. Mittlerweile hatte er so viel dazugelernt. Sogar vor Kudratov war ihm die Antwort auf die erste Mail, die Liedzeile, die der Tadschike gerade wiederholt hatte, jetzt peinlich. Kluftinger sah wieder und wieder auf die Uhr. Zehn Minuten vor sieben. Ausgerechnet jetzt, wo Kudratov zu reden begann, lief ihm die Zeit davon.

»Die Zeit wird knapp, Herr Kluftinger.«

Am liebsten hätte der Kommissar seinem Ärger wie Yildrim mit einer Ohrfeige Luft gemacht. Er ging auf Kudratov zu und packte ihn am Kragen.

»Lassen Sie mich los! Vergehen Sie sich auch an Festgenommenen wie Ihr Vorgesetzter? Erbärmlich, einen Mann in Handschellen anzugehen. Nun, ich denke, das liegt daran, dass Sie in diesem Fall einmal nicht bekommen, was Sie wollen. Und das könnte aus Ihrer Sicht schlimme Konsequenzen haben. Das macht Sie so nervös.«

»Wenn Sie meinen, Sie haben hier die große Macht, täuschen Sie sich, Kudratov! Wir lassen um sieben evakuieren. Und Ihr wunderbarer Plan zerplatzt wie eine Seifenblase.«

Kudratov lehnte sich zurück, streckte eine Hand aus und besah sich scheinbar in aller Ruhe seine Fingernägel. Beiläufig erwiderte er: »Ach ja? Wie viele Menschen sind denn gerade dort? Fünfzehn-, zwanzigtausend? All diese armen Seelen gehen damit indirekt auf Ihre Rechnung.«

»Was reden Sie denn da für wirres Zeug? Sie sind es, der die Menschen auf dem Gewissen haben wird, nicht wir.«

»Sie haben unsere Korrespondenz nicht richtig gelesen. Sie haben von Anbeginn den Code nicht durchschaut. Sonst wüssten Sie, dass die Räumung keinerlei Sinn haben wird.«

Kluftinger runzelte die Stirn. »Wissen Sie was? Hören Sie doch auf mit Ihren Kindereien! Lassen Sie Ihr schwülstiges Gebrabbel, wo es hingehört: bei Karl May!«

Kudratov bekam ein rotes Gesicht. Zornig presste er hervor: »Glauben Sie nicht, dass es sich hier um irgendein Laienspiel handelt, das wir aufführen. Wir haben doppelte Sicherheit eingebaut: Wenn Sie evakuieren lassen, geht die Bombe per Fernzünder hoch. Viel Spaß, im ausverkauften Stadion den Mann mit dem Handy zu suchen. Höchstens neunzig Prozent der Leute dürften eines dabeihaben.«

Dann lehnte er sich zurück und verschränkte die Arme.

Kluftinger realisierte es erst nach einigen Augenblicken: Der sichere Ausweg, den sie bis hierher hatten, war keiner mehr. Er musste Yildrim sofort warnen. Kluftinger sah zur Uhr: drei Minuten vor sieben!

Hektisch zog er sein Telefon aus der Jackentasche und wählte die Nummer. Kluftinger hörte im Hintergrund die Stadiongeräusche. Gott sei Dank, dort schien ja noch alles normal.

»Kluftinger, ich gehe jetzt in den Technikraum. Wir machen die Durchsage.«

»Nein! Auf keinen Fall evakuieren!«, schrie der Kommissar.

»Wie bitte? Ich verstehe Sie kaum. Wir werden jetzt evakuieren.«

»Nein! Kreuzkruzifix, verstehen Sie doch, Yildrim! Auf keinen Fall evakuieren, sonst fliegt Ihnen das Stadion um die Ohren!«

Wenig später stand Kluftinger allein in dem Vernehmungsraum und starrte auf den Plan des Tivolistadions in Innsbruck. Er durfte nicht daran denken: Dreißigtausend Menschen befanden sich jetzt darin. Und eine Bombe. Nur wo? Sie hatten noch zwei Stunden. Den Gedanken, die Handynetze einfach abzuschalten, damit der Sprengsatz nicht mehr über Mobilfunk gezündet werden konnte, hatten sie gleich wieder verworfen: Schließlich war ebenso eine Verbindung über Satellit denkbar. Und den konnten sie nicht ausschalten.

Kluftinger sollte den Plan auf die neuralgischen Punkte untersuchen, an denen man ansetzen musste, um den größtmöglichen Schaden anzurichten. Das hatte ihm Yildrim telefonisch aufgetragen. Und nun? Er war kein Statiker. Und im Stadion gab es sicher zig solcher Punkte. Yildrim würde seinerseits mit den Verantwortlichen vor Ort versuchen, die Bombe ausfindig zu machen. Und das musste nun auch noch möglichst unauffällig geschehen.

Auf einmal fuhr Kluftinger hoch. Er hielt kurz inne und stürzte aus dem Raum. Natürlich, da war etwas gewesen. Er war sich sicher …

Er nahm im Laufschritt die Treppe zum zweiten Stock der Polizeidirektion. Dort war der Medienraum, in dem Filme ausgewertet, geschnitten, untersucht und analysiert wurden. Meist Überwachungsfilme von den Kollegen der Verkehrspolizei. Heute aber hatten sich die Techniker die DVD vorgenommen, die man bei Morodov gefunden hatte. Kluftinger war es auf einmal wieder eingefallen: Ihm war, als hätte er eine Stelle im Stadion wieder und wieder auf dem Film gesehen. Das musste es sein. Er bat die Kollegen, die nach wie vor versuchten, aus den beschädigten Stellen am Ende des Films brauchbare Bilder herauszubekommen, ihm den Anfang noch einmal zu zeigen. Tatsächlich. Es handelte sich um eine Art Säule oder einen Stützpfeiler unter der Tribüne. Immer wieder besah sich Kluftinger das Material. Sicher gab es viele solcher ... Da!

»Zurück, nur ein kleines Stück!«

Tatsächlich: »D4« stand hinter der Säule an der Wand. Damit musste die Stelle eindeutig zu identifizieren sein. Sofort gab Kluftinger Yildrim seine Information durch, der bedankte sich kurz und legte auf.

Vorbei. Er konnte nun nichts mehr ausrichten. War vom weiteren Geschehen völlig abgekoppelt. Ob er den Leuten im Videoraum sagen sollte, dass sie aufhören könnten? Schließlich hatten sie gefunden, wonach sie gesucht hatten. Doch er verwarf den Gedanken. Eigentlich mehr aus Lethargie als aus einem wirklichen Grund. Noch vor einer Minute hatte er regelrecht unter Strom gestanden, nun lähmte ihn eine seltsame Leere.

Jetzt half nur noch hoffen. Hoffen und beten. Langsamen Schrittes begab sich Kluftinger in sein Büro. Er ging zu seinem Tisch, setzte sich, stützte sein Gesicht in die Hände und rieb sich die Augen. Sollte das alles gewesen sein? War es die richtige Säule, die er durchgegeben hatte? War es die einzige? Konnte er nichts weiter tun als abwarten?

Das Klingeln seines Handys riss ihn aus seinen Gedanken. Die »Rote Sonne von Barbados« klang heute wie Hohn in seinen Ohren.

»Kluftinger, wir haben sie«, rief Yildrim. »Nun geht es darum, sie möglichst schnell und unauffällig zu entschärfen. Guter Mann, Kluftinger! Tolle Arbeit, seien Sie stolz. Und nun gehen Sie zu Ihrem Freilichtspiel. Die brauchen Sie auch, die Leute dort. Wir halten ständigen Handykontakt mit Ihnen. Gehen Sie nach Hause, hören Sie? Spielen Sie Ihre Rolle gut, toi, toi, toi!«

Dann war die Leitung tot. Kluftinger stutzte: In dieser Lage dachte Yildrim noch an sein Engagement beim Freilichtspiel. Wirklich ein außergewöhnlicher Chef, ein Polizist, ja, ein Mensch der Extraklasse.

Eine Weile saß Kluftinger noch an seinem Schreibtisch, die Beine auf die Tischfläche gelegt, und starrte vor sich hin. Dann hatte er einen Entschluss gefasst.

Eigentlich hätte Kluftinger erleichtert, ja geradezu glücklich sein müssen über die Wendung in ihrem Fall. Sie hatten das Ziel endlich ausgemacht, die Bombe gefunden. Und er war fest davon überzeugt, dass die Kollegen sie auch entschärfen würden. Und trotzdem: Er hatte kein gutes Gefühl, wäre jetzt lieber am Ort des Geschehens gewesen. Auch der Spaziergang hinunter ins Freilichtgelände konnte seine Anspannung nicht lindern, andauernd sah er nervös auf sein Handy, denn Yildrim hatte ihm versprochen, sofort anzurufen, wenn es etwas Neues gab.

Als er den überfüllten Parkplatz passiert hatte und in den Feldweg zum Gelände einbog, hörte er, dass die Eröffnungszeremonie bereits in vollem Gange war. Die Musikkapelle hatte gerade aufgehört zu spielen, und der Schirmherr der Veranstaltung, der bayerische Landwirtschaftsminister Schuster, selbst Allgäuer, hielt eine kurze Rede. Eigentlich liebte er diese Mischung aus Vorfreude und Lampenfieber vor einer Premiere, doch heute kam ihm das alles unwirklich und fremd vor.

Eine gewisse Vertrautheit stellte sich erst ein, als er die Katakomben der Tribüne betrat und ihm einige gut gelaunte Spieler im Kostüm entgegenkamen, ihn fröhlich lachend begrüßten, manche mit einem Glas Bier oder Sekt in der Hand und alle guter Laune.

»Habt ihr den Hösch gesehen?«, fragte Kluftinger eine Gruppe schwarz gekleideter Landsknechte, die mit ihren Lanzen an ihm vorbeiliefen.

»Ja, hast du nicht gehört? Der hält gerade eine seiner überflüssigen Reden«, antwortete einer.

Kluftinger bog nach links in den Musikbunker, der, vom Publikum ungesehen, einen Blick auf die Bühne freigab. Und wurde von Paul, dem Posaunisten, mit Kopfnicken begrüßt. Auch »das Tenorhorn«, Gregor Merk, winkte ihm zu. Kluftinger sah hinaus: Tatsächlich stand inmitten der weitläufigen Bühne vor einem Mikrofon der Bürgermeister – im gleichen Kostüm wie Kluftinger. Er hatte sich heute Abend eigentlich für seine illustren Gäste fein machen wollen, doch nun ging er ja davon aus, spielen zu müssen. Dass Kluftinger das nun doch selbst übernehmen würde, wollte er ihm gleich mitteilen. Er stellte sich an die Treppe, die zur Bühne führte und winkte dem Bürgermeister zu.

»… und Sie, lieber Herr Staatsminister und Ihre verehrte Gattin …«, hob der gerade an, als er den Kommissar erblickte. Er stockte kurz und sah Kluftinger fragend an.

Der versuchte, ihm pantomimisch klarzumachen, dass er heute doch die Rolle des Fischers übernehmen werde.

»… also, Sie, Frau Minister … ich meine, Herr Minister und Frau …«, stotterte Hösch ins Mikrofon. Dann gab er Kluftinger mit einem strengen Blick zu verstehen, dass dieser mit seinem Herumgefuchtele aufhören solle.

Der Kommissar sah sich um. Als er in einer Ecke einen großen Pappkarton und dazu einen dieser dicken Marker fand, kam ihm eine Idee. »Ich spiele heute«, schrieb er in großen Lettern und hielt den Bogen hoch. Sofort hellte sich Höschs Miene auf. So könnte er sich doch noch den ganzen Abend um die Ehrengäste kümmern.

Als er die Katakomben wieder verließ, überprüfte Kluftinger sein Handy erneut auf einen eventuellen Anruf. Nichts. Er schüttelte den Kopf und wählte Yildrims Nummer. Er musste einfach wissen, was los war.

»Was macht ihr denn? Wie weit seid ihr? Ich krieg ja gar nix mit hier«, platzte es aus ihm heraus, als sich Yildrim meldete.

»Kollege Kluftinger, gut, dass Sie anrufen. Wollte mich auch gerade melden«, erwiderte der Task-Force-Leiter, und Kluftinger ärgerte sich, dass er es nicht geschafft hatte, diesen Anruf abzuwarten. »Ich stehe hier in der Leitzentrale des Stadions«, schilderte Yildrim die Situation. »Wir sind nach wie vor dabei, die Bombe zu entschärfen. Derweil haben wir eine Hundertschaft an Beamten in Zivil, die das Stadion durchkämmen. Sie haben das Foto von Ganievich dabei, das wir aus der Wohnung mitgenommen haben. Das ist nur ein Strohhalm, aber vielleicht haben wir ja Glück. Kluftinger, jetzt gilt es. Noch neunundachtzig Minuten.«

Der Kommissar bekam einen trockenen Mund. Noch neunundachtzig Minuten, dann würde sich alles entscheiden. Dann würde klar sein, ob ihre Arbeit ein Erfolg gewesen war oder alles in einer unvorstellbaren Katastrophe endete.

»Also dann …«, setzte Yildrim zu einer Verabschiedung an, doch Kluftinger wollte das Gespräch noch nicht beenden. Er wollte noch teilhaben am großen Finale, ein Warten auf den erlösenden Anruf schien ihm unerträglich. »Was ist denn mit dem … Ding?«, fragte er deswegen. Etwas Besseres war ihm auf die Schnelle nicht eingefallen, um Yildrim an der Strippe zu halten.

»Welchem Ding?«

»Na … ach, irgendwas wollte ich noch.« Kluftinger überlegte. Wonach könnte er fragen? Der Bombe? Der Fahndung? Dem Spielstand? »Schon gut«, sagte er schließlich resigniert und legte auf.

Betreten stand er eine Weile herum und starrte mit leerem Blick auf sein Handy. Das muntere Treiben um sich herum nahm er kaum noch wahr. Erst als ihm eine riesige Hand auf die Schulter schlug, löste er sich aus seiner Starre.

»Na, Klufti, was stehst du hier herum wie bestellt und nicht abgeholt?«

Der Kommissar drehte sich um und blickte in die blauen Augen von Edgar Schauer. Der muskelbepackte Hüne grinste ihn an. Auf seiner Schulter ruhte eine riesige Armbrust.

»Spielst du heute?«, fragte Kluftinger.

»Klar. Bei der Premiere brauchen sie doch immer die beste Besetzung.« Das Grinsen von Kluftingers Gegenüber wurde noch breiter.

Der Kommissar mochte Edgar Schauer. Vielleicht gab es andere, die sich sensibler in Rollen hineindenken konnten, aber er machte dieses Manko durch eine enorme körperliche Präsenz wett. Und in Kluftingers Augen war er ein idealer Tell.

»Komm, lass uns einen trinken«, forderte ihn Schauer auf.

Kluftinger nickte. Auch wenn der Regisseur den Sprechrollen verboten hatte, vor der Vorstellung Alkohol zu sich zu nehmen, konnte er jetzt wirklich ein Bier vertragen. Zusammen schlugen sie den Weg zur Spielerhütte ein. Etwa auf halbem Weg sah Kluftinger Doktor Langhammer. Er stand abseits von den anderen, den Kopf gebeugt und murmelte etwas vor sich hin.

»Geh du schon mal vor«, sagte der Kommissar zu Edgar Schauer und trat zum Doktor.

»So, Abend, Herr Langhammer.«

Er bekam keine Antwort. Stattdessen murmelte der Arzt weiter vor sich hin. Kluftinger trat noch etwas näher und verstand nun, was der Doktor sagte: »... der Wüterich, der hat nun seinen Lohn. Hat's lang verdient ums Volk von Unterwalden ...«

»Aha, gehen Sie noch mal Ihren Text durch?«

Der Doktor schien ihn gar nicht zu bemerken. Mit den Händen vollführte er seltsam aussehende, ausladende Bewegungen.

»... frisch Fährmann, schaff den Biedermann hinüber.«

»Geht nicht, ein schweres Ungewitter ist im Anzug«, sprach nun Kluftinger einfach seinen Text hinein. Jetzt sah Langhammer auf. Er verzog sein Gesicht, schürzte die Lippen und bat dann: »Stören Sie mich bitte nicht. Für Sie ist das heute hier vielleicht ein einziger großer Spaß, aber für mich ...«

»Wie: Spaß?«

»Na, ich hab mit dem Herrn Bürgermeister gesprochen. Er hat mir gesagt, dass Sie nicht spielen. Ich hingegen habe heute einen Auftritt, also wenn Sie so nett wären ...«

»Ich auch.«

»Bitte?«

»Ich trete auch auf. Ich hab's dem Hösch gerade gesagt. Wir haben zurück getauscht.«

»Zurück getauscht?« Langhammers Stimme klang schrill. »Um Gottes willen! Und das sagen Sie mir erst jetzt? Ich hab mich gedanklich schon so auf den Herrn Hösch eingestellt, wie soll ich denn jetzt ...«

»Da müssen Sie sich halt wieder zurück umstellen. Als Rollenträger im Freilichtspiel muss man sich eben immer wieder auf ganz verschiedene Partner einstellen können.«

»Na, darin sind Sie ja geübt«, erwiderte der Arzt mit einem sarkastischen Unterton.

»Hm?«

»Sie brauchen sich jetzt nicht mehr zu verstellen, Herr Kluftinger. Ich weiß Bescheid.«

»Sie ... wissen Bescheid?« Kluftinger hatte keine Ahnung, wovon der Doktor redete. Spielte er etwa auf die Task Force an? Davon konnte er unmöglich etwas mitbekommen haben.

Der Doktor bemerkte sein Zögern und setzte nach: »Ja, da gucken Sie, was? Ihr Spiel ist aufgeflogen. Ich habe Sie gesehen. Und nicht nur einmal.«

Noch immer verstand der Kommissar kein Wort. »Wo denn gesehen?«

»Wohl eher wobei.«

»Herrgottnochmal, jetzt tun Sie nicht so geheimnisvoll. Also: *Wobei* haben Sie mich denn gesehen?«

»Na, neulich, vor meiner Praxis. Im Auto. Bei dieser …«, er schüttelte angewidert den Kopf, »… unglaublichen Handlung. Und dann noch einmal, ein paar Tage später, als Sie vom Parkplatz dieses … Etablissements in Kempten gefahren sind. Kluftinger, ich bitte Sie: am helllichten Tag. Und eine reicht Ihnen wohl nicht, wie? Sie können wohl nicht genug bekommen?«

Langsam dämmerte es dem Kommissar. Die Situation vor seiner Praxis, auf die er anspielte, musste sein kurzer Halt mit Marlene Lahm gewesen sein, als sie ihr Handy gesucht hatte und sich dabei heruntergebeugt … Ein Lächeln huschte über sein Gesicht. Daher wehte also der Wind. Doch anstatt über den Vorwurf entsetzt zu sein, fühlte er sich sogar ein wenig geschmeichelt. Dass ihm der Doktor so etwas noch zutraute … Er überlegte einen Augenblick, dann antwortete er mit fester Stimme: »Ein Mann wie ich hat eben seine Bedürfnisse.«

Zufrieden beobachtete er, wie dem Doktor der Kiefer nach unten klappte. Er meinte sogar, etwas wie Bewunderung in den Augen des Arztes zu entdecken. Mit einem »Also dann: toi, toi, toi« wandte der Kommissar sich um und ging.

»Mei, Klufti, jetzt hab ich dein Bier auch noch trinken müssen«, rief ihm Edgar Schauer zu, als er zu seinem Auftrittsort kam. Gerade hatte der Regisseur per Lautsprecher hinter der Bühne durchgegeben, dass das Spiel in wenigen Minuten beginnen werde. Kluftinger, der eigentlich Erika und seinen Sohn hatte suchen wollen, musste dieses Vorhaben erst einmal aufgeben und trat zu der kleinen Gruppe um Schauer.

»Und, alles klar?«, sagte der und versetzte dem Kommissar wieder einen seiner gefürchteten Prankenhiebe auf die Schulter.

»Ja, ja, alles klar. Und bei euch?«

»Könnt nicht besser sein, oder?« Alle nickten. »Das Wetter ist gut, die Bude ist voll – was will man mehr.«

Alfred Zeller, der Kommandant der Feuerwehr, beugte sich zu Kluftinger und flüsterte ihm ins Ohr: »Sag mal, deinem Spielkollegen geht's nicht so gut, oder?«

Der Kommissar folgte seinem Blick und sah ein paar Meter weiter Langhammer, der mit kreidebleichem Gesicht auf und ab ging und noch immer seinen Text vor sich hin murmelte.

»Man könnte meinen«, fügte Zeller mit einem schelmischen Grinsen hinzu, »dass er einen Arzt braucht.«

Alle lachten, und Edgar Schauer verteilte ausgiebig Schulterhiebe. Noch immer waren die Eröffnungsreden nicht beendet. Gerade war der Landrat an der Reihe.

Ihre ausgelassene Stimmung wurde jäh von einem »Etwas mehr Konzentration, meine Herren!« beendet. Heinrich Frank war unbemerkt zu ihnen getreten und legte die Stirn in sorgenvolle Falten. »Sie haben in wenigen Minuten eine sehr dramatische Szene zu spielen, da wäre es schon gut, wenn Sie den nötigen Ernst an den Tag legen würden«, sagte er. »Und seien Sie ein wenig leiser, bitte, ja? Dort oben sitzen zweitausendfünfhundert Leute, die müssen Sie ja nicht unbedingt hören.«

»Wir spielen hier schon so lange, auch ohne, dass Sie schlaue Ratschläge verteilen, das kriegen wir schon hin«, warf Schauer ein, und der Regisseur verzog seinen Mund zu einem schiefen Lächeln. Kluftinger hatte von Anfang an das Gefühl gehabt, dass Frank vor dem muskulösen Altusrieder Angst hatte.

»Ich meine ja nur«, fuhr Frank etwas weniger streng fort. »Nehmen Sie sich doch ein Beispiel an Ihrem Kollegen.« Dabei wanderte sein Blick zum Doktor.

»Lieber nicht«, sagte Alfred und hob abwehrend die Hände.

Kluftinger fand, dass er Recht hatte: Der Doktor war nur noch ein Häufchen Elend. Er tat ihm fast ein wenig leid.

In diesem Moment begann die Kapelle mit der Ouvertüre, und sofort legte sich eine andächtige Stimmung über das Gelände. Jeder, der konnte, versuchte von hinter der Bühne einen Blick auf die voll besetzte Tribüne zu erhaschen. Auch in Kluftinger machte sich endlich das Kribbeln breit, das er so liebte, diese Mischung aus Vorfreude und Anspannung, die Erleichterung, dass die Proben nun endlich vorbei waren, dass das Spiel und damit der Spaß beginnen konnte. Ein Blick auf Langhammer zeigte ihm, dass diese Freude offenbar nicht alle teilten. Kluftinger nahm sein Handy, schaltete es aus, atmete tief durch und betrat mit den anderen die Bühne.

Die Szene lief großartig bis zu der Stelle, an der Langhammer Kluftinger auffordern musste, den flüchtenden Baumgarten über den See zu fahren: »Greif an mit Gott, dem Nächsten muss man helfen, es kann uns allen Gleiches ja begegnen. Brausen und Donnern.«

Für einen kurzen Moment sahen sie sich entsetzt an. Langhammers letzter Satz stand nicht im Buch, jedenfalls nicht als Sprechtext. Der Doktor hatte Schillers Regieanweisung mitgesprochen und damit alle aus dem Konzept gebracht. Ein paar Sekunden war es mucksmäuschenstill. Keiner wusste, wie er reagieren sollte, am wenigsten Langhammer, der mit bebenden Lippen in die Runde sah.

Da fasste sich Kluftinger ein Herz und improvisierte: »Ei wohl, ich hör es auch.« Wieder blickte er in erschrockene Gesichter, doch er fügte ungerührt seinen eigentlichen Text an: »Der Föhn ist los, ihr seht wie hoch der See geht. Ich kann nicht steuern gegen Sturm und Wellen.« Damit war die Szene wieder auf den richtigen Weg gebracht.

Als sie danach hinter die Bühne gingen, war Langhammer am Boden zerstört. Auch das aufmunternde Schulterklopfen von Edgar Schauer und den übrigen Mitspielern, begleitet von Allgemeinplätzen wie »Das kann doch jedem mal passieren« oder »Die Zuschauer haben bestimmt nichts bemerkt«, vermochten nicht, ihn wieder aufzurichten.

Kluftinger schloss sich den anderen auf ihrem Weg in die Spielerhütte an. Dabei zog er sein Handy aus der Tasche, schaltete es an, überprüfte es auf eingegangene Anrufe und wählte dann kurzentschlossen noch einmal Yildrims Nummer.

Schon nach dem ersten Klingeln hob der Task-Force-Leiter ab.

»Was ist denn …«, begann der Kommissar, wurde aber von Yildrim unterbrochen.

»Wir sind kurz davor. Der Kollege hat die Verkleidung des Zündmechanismus abgeschraubt. Keine sehr aufwendige Konstruktion, Gott sei Dank. Aber jetzt gilt es. Er muss die Funkverbindung zum Handy des Attentäters trennen und dabei gleichzeitig die Zündung außer Kraft setzen.«

Das Beben in Yildrims Stimme war selbst über die Handyverbindung deutlich zu hören. In allen Einzelheiten schilderte er dem Kommissar den Vorgang, den auch er selbst nur über einen Bildschirm im Stadion verfolgen konnte.

Wie ein Film lief das Ganze vor Kluftingers Augen ab, und er vergaß völlig, wo er sich gerade befand. Er sah vor seinem inneren Auge, wie der Spezialist die bunten Kabel mit einem Seitenschneider durchtrennte, hielt den Atem an, als Yildrim betonte, dass der entscheidende Moment nun komme, wenn mit einem Störsender eine zweite Funkverbindung aufgebaut werde, um die andere zu deaktivieren.

»Es ist so weit«, flüsterte Yildrim. Und für die nächste halbe Minute blieb der Hörer stumm. Kluftinger wagte nicht zu atmen und schickte unwillkürlich ein Stoßgebet zum Himmel. Wenn das nun schiefgehen würde …

Und dann hörte er den Schrei. Zunächst zuckte er zusammen, dachte, etwas Furchtbares sei passiert, dachte, ihr Albtraum wäre Wirklichkeit geworden. Dann noch mehr Schreie, sich überschlagende Stimmen, Jubel, Freudentaumel. Tränen schossen ihm in die Augen: Sie hatten es tatsächlich geschafft. Ihre Task Force war erfolgreich gewesen, all die Mühen der vergangenen Tage hatten sich ausgezahlt. Sie hatten Tausenden das Leben gerettet. Ein völlig neues Gefühl für Kluftinger, der sonst Verbrecher jagte und nicht Verbrechen verhinderte.

»Wir haben es geschafft, mein lieber Kluftinger!«, schrie Yildrim jetzt ins Telefon. »Wir … auch Sie haben es geschafft, mein Freund. Tolle Arbeit.« Dann wurde er für einen Moment sehr ernst und fügte leise hinzu: »Danke. Vielen Dank.«

»Ich …« Kluftinger hatte einen Kloß im Hals. Er wusste nicht, was er sagen sollte, und antwortete schließlich einfach: »Ihnen auch danke.«

»Lassen Sie uns morgen sprechen. Feiern Sie ein bisschen.«

»Ja, Sie auch, bis dann«, erwiderte der Kommissar, doch da hatte Yildrim schon aufgelegt.

Eine ganze Weile stand Kluftinger einfach nur da, überwältigt von Freude und Erleichterung. Dann drängten die Geräusche um ihn herum wieder in sein Bewusstsein. Ja, er wollte feiern. Jetzt sofort. Er stürzte sich also ins Getümmel aus kostümierten Menschen hinter der Bühne, die auf die nächste Volksszene warteten, und fand zwischen Landsknechten, Bauern und Adligen in der Spielerhütte endlich seine Frau. Ohne ein Wort schob er die anderen beiseite, ging auf sie zu und umarmte sie.

»Was ist denn mit dir …«, begann sie überrascht, brach den Satz aber ab und drückte ihn fest an sich.

»Lass uns was trinken«, flüsterte er ihr ins Ohr, zog sie hinter sich her zum Tresen und bestellte zwei Bier. Dann blickte er sich um und rief den Umstehenden zu: »Bestellt euch auch was auf meine Kosten, ich hab was zu feiern.«

Seine Frau bekam große Augen, doch ihre Frage ging unter im Hallo der Menschen, die die Premiere in der Hütte seit Spielbeginn ausgelassen begossen.

»Klufti, was ist denn mit dir los?«, fragte Edgar Schauer, der seine Spielpause ebenfalls für einen Besuch in der Hütte nutzte, und prostete ihm zu. Auch die anderen stimmten freudig in den Chor mit ein und ließen den Kommissar hochleben. Etwas abseits stand der Mann, mit dem der Kommissar die Fackeln vor der Schwur-Szene anzünden musste. Er wirkte noch immer wie ein Fremder in der ausgelassenen Spielerschar, und Kluftinger winkte ihn zu sich her. »Auch ein Bier?«, fragte er lachend.

Doch der andere, an dessen Vornamen »Ludger« sich der Kommissar vor allem deswegen erinnern konnte, weil er so treffend unkomisch gewesen war, winkte ab: »Ich trinke keinen Alkohol.« Er sah irgendwie verändert aus. Kluftinger wusste zunächst nicht warum, doch schließlich fiel es ihm auf: Ludger hatte sich seinen Bart abrasiert.

»Dann eben ein Wasser«, rief er und winkte ihn noch einmal etwas bestimmter zu sich her. Zu seiner Frau geneigt wisperte Kluftinger: »Was ist dem mit dem los? Lässt sich einen Bart stehen und rasiert ihn sich dann zur Premiere ab.«

Erika nickte und fügte flüsternd hinzu: »Und wie der heut wieder riecht. Als ob er ins Rasierwasser gefallen wär. In eins für Damen allerdings.«

»So? Ist mir noch gar nicht aufgefallen«, log Kluftinger, der sich noch immer dafür schämte, dass es genau das gewesen war, was ihm als Erstes an ihm aufgefallen war.

Als Ludger bei ihnen stand, gesellte sich auch Kluftingers Vater zu der Gruppe. »So, ich hab gehört, mein Bub hat heut die Spendierhosen an«, sagte er. »Gibst du deinem alten Vatter auch was aus?«

»Ein Bier für meinen alten Vatter«, rief Kluftinger über den Tresen, und beide grinsten.

»Was ist das denn, das kannst du aber nicht auf der Bühne tragen«, sagte Kluftinger senior zu Ludger gewandt und zeigte auf die Kette, die der um den Hals hatte. Daran hing ein Schlüssel.

»Vatter, lass ihn doch.« Kluftinger war es noch immer genau so peinlich wie als Kind, wenn sein Vater vor ihm Leute zurechtwies. »Da soll sich der Regisseur drum kümmern. Da, dein Bier. Und jetzt: prost!«

»Na, ich mein …«

»Pro-host, Vatter!«

»Ja, ja, prost.«

Sie stießen alle miteinander an, und Kluftinger fühlte sich wie ein neuer Mensch. Erst die Lautsprecherdurchsage des Regisseurs in der Spielerhütte »Bitte alles fertig machen für den Apfelschuss!«, beendete ihre ausgelassene Runde. Hand in Hand ging er mit seiner Frau zu seinem Auftrittsort. Endlich, da war sie, die Stimmung, die er vorher so schmerzlich vermisst hatte. In diesem Moment klingelte sein Handy.

»Hast du dein Telefon noch an?«, fragte seine Frau erschrocken.

Auch Kluftinger war erschrocken, denn er hatte gar nicht mehr daran gedacht. Hätte es ein paar Minuten später auf der Bühne geklingelt, hätte ihn der Regisseur wahrscheinlich eigenhändig mit Tells Armbrust exekutiert.

»Kruzifix, ich mach's gleich aus«, sagte Kluftinger und wollte den Anrufer schon wegdrücken, da sah er, dass es Yildrims Nummer war. Freudig bedeutete der Kommissar seiner Frau, doch schon vorauszugehen, hielt sich das Gerät ans Ohr und sagte strahlend: »Na, wollen Sie doch noch telefonisch mit mir anstoßen oder …«

Yildrim ließ ihn gar nicht erst ausreden: »Kluftinger«, schrie er in den Hörer, »es gibt noch eine Bombe.«

Das Lächeln des Kommissars gefror, und sein Mund wurde trocken. Nein, das konnte nicht sein, sie hatten es doch geschafft, sie hatten … »Haben Sie sie schon gefunden? Können Sie sie denn noch rechtzeitig entschärfen?«

»Nein, sie ist nicht …« Den Rest verstand der Kommissar nicht mehr, die Hintergrundgeräusche waren zu laut.

»Wo sind Sie denn, ich versteh gar nix«, rief Kluftinger laut in den Hörer und wurde dafür von allen Seiten mit heftigen »Sch!«-Lauten bedacht.

»Ich bin auf dem Weg zum Hubschrauber«, schrie Yildrim zurück.

»Zum Hubschrauber, aber ich dachte, es gibt noch eine zweite …«

»Hören Sie«, schnitt ihm Yildrim erneut das Wort ab. »Die zweite Bombe ist nicht hier. Wir können einen weiteren Sprengsatz hier ausschließen. Sie ist bei Ihnen.«

Kluftinger zögerte einen Moment. Dann antwortete er: »Bitte sprechen Sie lauter. Ich hab gerade verstanden, die Bombe ist bei uns.«

»Ja! Ja, genau! Bei Ihnen! In Altusried!«

Kluftinger hatte das Gefühl, als würde sich der Boden unter ihm auftun. Seine Knie wurden weich, und er schwankte.

»Das … kann nicht …«

»Doch! Doch! Hören Sie, wir haben nicht mehr viel Zeit. Ich komme, so schnell ich kann, aber ich werde es nicht rechtzeitig schaffen.«

»Aber … wie können Sie … woher …?«, stammelte er.

»Die DVD. Der Rest, der nicht zu sehen war. Jemand hat es hingekriegt, das wieder herzustellen. Und Ihre Freilichtbühne ist drauf.«

Kluftinger meinte, sich jeden Moment übergeben zu müssen. Sein Verstand wehrte sich gegen das, was er gerade gehört hatte. »Aber Bregenz war doch auch nix, das war doch auch auf dem Video. Das haben die vielleicht nur einmal in Erwägung gezogen.«

347

»Erstens wissen wir das noch nicht, schließlich haben wir die Chose da abgesagt. Und es gibt noch einen Hinweis.«

»Noch einen?«

»Eine weitere Mail. Darin steht, dass aus beiden Spielen blutiger Ernst werden soll. Verstehen Sie? Beide Spiele.«

»Mein Gott.«

»Kluftinger, es sind nur noch einundzwanzig Minuten.«

Der Kommissar fühlte sich einer Ohnmacht nahe. »Das schaffe ich nie!«

»Doch, Sie müssen. Ich kümmere mich um Verstärkung, aber selbst das wird zeitlich nicht reichen.«

»Was soll ich tun? Ich kann doch auch nicht evakuieren lassen, oder?«

»Um Gottes willen, auf keinen Fall. Sie haben sicher auch in Altusried jemanden mit einem Fernzünder eingeschleust. Finden Sie die Bombe.«

»Nein, nein, das kann ich nicht. Ich bin nicht ... nein.«

»Lassen Sie Ihr Handy an. Das ist jetzt Ihr Spiel, Kluftinger.« Dann brach die Verbindung ab.

Kluftinger war wie paralysiert. Unzählige Gedankenfetzen wirbelten durch seinen Kopf. Er konnte die Bombe unmöglich allein finden. Er brauchte Hilfe. Markus. Natürlich, er musste Markus suchen. Mit diesem Entschluss rannte er los, klapperte die verschiedenen Auftrittspositionen der Statisten ab, ignorierte Sprüche wie »Na, spät dran?« oder »Suchst du was, Klufti?«, ignorierte auch den Schweiß, der ihm ins Gesicht rann, schaute hinter Pappmaché-Felsen und Bretterbuden, rannte zurück zur Spielerhütte – und sah seinen Sohn. Atemlos blieb er vor ihm stehen und sagte: »Eine Bombe. Hier ... die müss mer ... finden.«

Markus blickte seinen Vater erst skeptisch an, doch dessen Verfassung ließ keinen Zweifel daran aufkommen, wie ernst es ihm war. »Los!«, sagte sein Sohn nur, und da sein Vater nicht gleich reagierte, packte er ihn an der Schulter und schüttelte ihn: »Vatter, reiß dich zusammen. Wo müssen wir suchen?«

»He, was ist denn hier los, streit's doch nicht schon wieder, Buben.« Kluftinger senior war unbemerkt zu ihnen getreten. »Ihr müsst auf die Bühne.«

Sie sahen ihn an, als hätte er ihnen gerade gebeichtet, er sei der Attentäter. Dann erklärte Kluftinger ihm mit knappen Worten die Situation. Doch sein Vater schien nicht verstehen zu wollen. »Spinnst du? Hast du zu viel Bier erwischt?«

»Nein, es stimmt, glaub mir. Bitte. Nur dieses eine Mal.«

Sie sahen sich ein paar Sekunden lang in die Augen, dann fasste sein Vater einen Entschluss. »Du suchst da«, sagte er, und zeigte nach links, »du da«, wies er Markus an, »und ich geh hier lang. Wie viel Zeit haben wir?«

»Neunzehn Minuten.«

Kluftinger senior wurde blass. »O Gott. Lasst uns anfangen.«

»Gut, wir trennen uns.«

»Was? Sie trennen sich?« Zu Kluftingers Leidwesen gesellte sich nun auch noch Martin Langhammer zu ihnen. »Das ist doch keine Lösung. Werfen Sie doch nicht gleich alles weg. Es gibt sicher einen anderen Weg, mein Lieber. Erika würde es das Herz brechen.«

Der Kommissar überlegte einen Moment, ob er auch ihn einweihen sollte, doch er verwarf den Gedanken gleich wieder. Stattdessen sagte er mit aller Schärfe, die er noch aufbringen konnte: »Finden Sie unsere Frauen und meine Mutter, und bringen Sie sie hier weg, hören Sie?« Und als der Doktor keine Anstalten machte, sich zu bewegen, bellte er noch ein »Jetzt!« hinterher. Ohne zu zögern machte der Doktor auf dem Absatz kehrt und preschte los. Das war auch der Startschuss für die drei Kluftingers, die jetzt ebenfalls losliefen.

Ohne nachzudenken rannte Kluftinger in die von seinem Vater gewiesene Richtung. Panik ergriff ihn und verhinderte jeden klaren Gedanken. Als er die Tribüne erblickte, hatte er eine Idee. Er hastete in die Katakomben. Wenn die Attentäter die gleiche Taktik anwandten wie in Innsbruck, hatten sie den Sprengsatz aller Wahrscheinlichkeit nach dort versteckt. Aber wie konnte er sicher sein? Er wusste ja nicht einmal, wonach er genau suchen musste. Und was, wenn sie die Bombe finden würden? Wer sollte sie entschärfen?

In diesem Moment stieß er mit dem Bürgermeister zusammen, der gerade aus einer der Türen zum Gang kam. Ohne Umschweife fragte er ihn keuchend: »Wo müsste man ansetzen, um die Tribüne hier zum Einsturz zu bringen?«

Hösch sah ihn mit großen Augen an und zwirbelte seinen schwarzen Schnauzbart. »Jetzt hör mit der Spinnerei auf, du musst auf die Bühne, der Apfelsch…«

»Herrgottnochmal, hier ist eine Bombe. Sag mir, wo sie sein könnte, sonst geht dein verdammtes Dorf den Bach runter.«

Höschs Mund öffnete sich, doch es kam kein Laut heraus. Jegliche Farbe war aus seinem Gesicht gewichen. Er rang nach Luft. »Wir … müssen sofort … die Leute rausschaffen.«

»Nein!«, kreischte Kluftinger. »Auf keinen Fall. Sonst geht das Ding hoch.«

Der Bürgermeister stützte sich an der Wand ab. »Aber … wer … wer soll hier eine Bombe legen?«

Kluftinger gab auf. »Ich hab jetzt keine Zeit für den Scheiß«, schimpfte er und rannte wieder los. In diesem Moment klingelte sein Handy. Im Laufen nahm Kluftinger den Anruf an. Es war Yildrim.

»Hören Sie, Kluftinger, Sie müssen an strukturell wichtigen Gebäudeteilen suchen. Pfeilern, Stützen und dergleichen, Sie …«

»So weit bin ich auch schon«, unterbrach ihn der Kommissar.

Aus dem Lautsprecher über ihm drangen jetzt Textfetzen an sein Ohr: Die Apfelschussszene hatte bereits begonnen. Praktisch alle Spieler waren nun auf der Bühne. Kluftingers Magen krampfte sich zusammen. Der Zeitpunkt für die Detonation war mit Bedacht gewählt.

Wer war's? Ich will es wissen.

Gesslers Satz dröhnte über die Tribüne und durch die Katakomben. Das Publikum hielt den Atem an. Kluftinger wollte Yildrim gerade etwas erwidern, da hielt er inne. Gesslers schneidende Frage hallte in seinem Kopf wider.

Wer bist du?

Und dann fiel der Groschen. Wie Puzzleteile purzelten Stücke seiner Erinnerung in sein Bewusstsein. Er hatte sich so sehr darauf konzentriert, herauszufinden, *wo* der Sprengsatz deponiert worden war, dass er sich die entscheidende Frage gar nicht gestellt hatte.

Gestrenger Herr, ich bin dein Waffenknecht.

Auf einmal setzte sich alles zu einem Bild zusammen. Dieser einsame Spieler, den keiner kannte, der nichts von sich preisgab … der abrasierte Bart … der Schlüssel um den Hals … und der Geruch.

Natürlich – der Geruch. Rosenwasser. Seine Wohnung direkt neben dem Attentäter von Innsbruck ... Sein Hobby, die Pyrotechnik ... Wie ein Donnerschlag brach die Erkenntnis über Kluftinger herein. »Parfümiere dich, rasiere die überflüssigen Haare, trage deine beste Kleidung.« War das nicht der Text gewesen, den Yildrim ihnen vorgetragen hatte? Aus dem Leitfaden für die Attentäter des 11. September?

Er wusste es. Er hatte die entscheidende Frage beantwortet: Wer! Nun war alles völlig klar. Und es war klar, was er nun zu tun hatte.

Er rannte los. Den ganzen Weg zurück durch die Katakomben, vorbei an Hösch, der noch immer an der gleichen Stelle stand und ihm etwas zurief, was der Kommissar jedoch einfach ignorierte, erreichte er schweißgebadet den Ausgang, lief nach draußen, hinter die Bühne.

Du schießt oder stirbst mit deinem Knaben!

Kluftinger sah auf die Uhr. Noch zwölf Minuten. Wie von Furien gehetzt raste er weiter. Er merkte erst gar nicht, dass er an Markus vorbeilief.

Ich soll der Mörder werden meines Kindes?

»Vatter, hast du was gefunden?«

Jetzt erst nahm Kluftinger seinen Sohn wahr. »Hau ab, Markus! Schau, dass du hier wegkommst!«, schrie er ihm über die Schulter zu. Doch der dachte gar nicht daran und schloss sich seinem Vater an.

Man sagte mir, dass du ein Träumer seist, und dich entfernst von andrer Menschen Weise. Du liebst das Seltsame – drum hab ich jetzt ein eigen Wagstück für dich ausgesucht.

Der Apfelschuss stand kurz bevor. Und damit die Explosion. Hinter einer Hütte kam ihnen Kluftinger senior entgegen. Er war völlig erschöpft. »Ich ... hab ... nix gefunden«, schnaufte er.

»Das ist jetzt egal«, gab der Kommissar zurück.

»Nein ... ehrlich, ich hab ... überall ...«

»Vatter, es ist egal. Wir brauchen die Bombe nicht mehr.«

Sein Vater sah ihn fassungslos an.

»Ich weiß, wer sie zündet.«

Stille. Keiner sagte ein Wort.

»Wer?«, keuchte sein Vater schließlich.

»Kommt mit. Irgendwohin, von wo aus man auf die Bühne sieht.«

Sie rannten zu einem Platz zwischen einer Hütte und einem Baum. Kluftinger kniff die Augen zusammen und versuchte, den Mann auszumachen, von dem er nun so sicher war, dass er der Attentäter war. Und dann sah er ihn. »Der da!«, sagte er heiser.

Jetzt Schütze triff und fehle nicht dein Ziel.

»Los, wir packen ihn!«, keuchte Markus aufgeregt.

»Nein, warte.« Der Kommissar packte seinen Sohn am Arm. »Er darf's nicht merken, er hat doch den Zünder.«

Es ist umsonst, wir haben keine Waffen.

»Schaut mal«, rief Kluftinger senior plötzlich aufgebracht und zeigte in Richtung des Mannes. Sie sahen, wie der seine Hand in die Hosentasche steckte und langsam etwas herausholte.

Da klingelte Kluftingers Handy erneut. Sie fuhren zusammen und versteckten sich hinter der Hütte. Sofort nahm Kluftinger ab.

»Hören Sie«, keuchte Yildrim ohne Umschweife ins Telefon, »Sie brauchen den Fernzünder. Nicht die Bombe. Wir haben den Attentäter gefunden. Es ist ein Handy, verstehen Sie? Ein Handy. Es hat nur zwei Nummern im Adressbuch, verborgen hinter zwei Kennwörtern. Die eine deaktiviert die Bombe, die andere zündet sie. Welche die richtige ist, sage ich Ihnen, sobald ich es weiß.«

Nur zwei Nummern? Nur? Kluftingers Magen krampfte sich zusammen.

»Was ist?«, wollte Markus wissen.

»Wir brauchen sein Handy. Los!«

Jetzt Retter, hilf dir selbst – du rettest alle!

Bei diesen Worten betraten sie die Bühne. Sie versuchten, sich so leise wie möglich an Ludger heranzupirschen. Etwa einen Meter hinter ihm stellten sie sich im Halbkreis auf und sahen wie gebannt auf seine Hand, in der er das Mobiltelefon hielt. Mit einem Kopfnicken signalisierte Kluftinger seinem Sohn und seinem Vater, dass es nun so weit war. Dann sprang er los.

Ludger war von der Attacke völlig überrascht, doch er fing sich schnell wieder. Kluftinger hatte beide Arme von hinten um ihn gelegt und drückte zu, so fest er konnte. Sein Vater versuchte unterdessen, dem jungen Mann das Handy zu entreißen. Doch der befreite sich aus Kluftingers Klammergriff und versetzte Kluftinger senior einen Hieb mit dem Ellenbogen in die Magengrube, worauf dieser hustend zu Boden ging. Da packte ihn Markus von der anderen Seite, und Kluftinger gelang es, Ludger das Handy zu entwenden. Doch wieder riss sich der junge Mann los, packte das Handy erneut und rannte durch die Menge nach vorne. Kluftinger und Markus hasteten ihm hinterher, begleitet von den geschockten Blicken der Mitspieler.

Kurz bevor Ludger die offene Bühne erreichte, stellte ihm jemand ein Bein, er stolperte und fiel hin. Dabei glitt ihm das Handy aus der Hand und landete mitten auf der Bühne. Der Kommissar hechtete auf den Mann und versuchte, ihn davon abzuhalten, das Mobiltelefon zu greifen. Doch Ludger hatte es bereits mit den Fingerspitzen erreicht und robbte mit Kluftinger auf dem Rücken weiter nach vorn. Mit aller Kraft versuchte der Kommissar, ihn am Boden zu halten, doch der Mann war zu stark. Der hatte das Handy schon fast – da trat ihm jemand mit dem Fuß auf die Hand. Kluftinger sah nach oben: Es war Martin Langhammer. Ohne zu zögern machte der Kommissar einen Satz nach vorne, griff sich das Handy und richtete sich auf.

Erst in diesem Moment bemerkte er, dass es totenstill war. Nicht nur die Augen der Spieler, auch die der Zuschauer waren allesamt auf ihn gerichtet. Sofort war ihm klar, dass er die Situation retten musste. Nicht des Spiels wegen, sondern vor allem, um eine Panik zu verhindern. Wie ferngesteuert öffnete er den Mund und sagte: »Wohlan, so machet die Gasse frei für den Schützen.« Dann drehte er sich um und rannte nach hinten. Das wirkte auf die Spieler wie ein Befreiungsschlag, denn sie fuhren, etwas unsicher zunächst, mit ihrem Text fort.

Als er wieder hinter der Bühne stand, kam Markus zu ihm.

»Kennst du dich damit aus?«, fragte der Kommissar und streckte seinem Sohn das Handy hin. »Wir müssen ins Telefonbuch. Schnell, wir haben nur noch zwei Minuten.«

Markus nickte und nahm das Handy an sich. Während er darauf herumdrückte, wählte Kluftinger auf seinem Mobiltelefon Yildrims Nummer.

»Ich hab's, ich hab das Handy«, sagte der Kommissar atemlos. »Was soll ich wählen?«

Gleichzeitig gab ihm sein Sohn das Handy zurück. Zwei Einträge standen im Telefonbuch:

Omadan und Raftan.

»Was? Soll? Ich? Wählen?«, schrie Kluftinger mit sich überschlagender Stimme.

»Ich weiß es noch nicht, es sind andere Begriffe als bei unserem Handy. Die Zeit läuft uns davon«, entgegnete Yildrim verzweifelt. »Nehmen Sie einfach eines der beiden. Es sind nur noch dreißig Sekunden und eine Fünfzig-Fünfzig-Chance ist besser als gar nichts. Gott steh Ihnen bei.«

Noch 23 Sekunden

Schweiß rann dem Kommissar über die Stirn, während er wie paralysiert auf das Handy starrte. Was sollte er nehmen? Menschenleben hingen von dieser Entscheidung ab. Er blickte zu Markus, der völlig ruhig wirkte und ihm zunickte. Da fasste sich Kluftinger ein Herz, wählte den zweiten Eintrag und drückte die Wahltaste.

Noch 7 Sekunden

»Verbindung wird aufgebaut«, erschien auf dem Display. In diesem Moment rief Yildrim hysterisch: »Ich hab's, es ist Raftan.«

Kluftingers Kiefer klappte nach unten. Sein Herz setzte einen Schlag aus. Noch einmal sah er auf das Handy, das in seiner zitternden Hand lag. Er hatte richtig gewählt. Es war vorbei.

Der Apfel ist gefallen, er hat geschossen.

Ohrenbetäubender Lärm drang von der Bühne zu ihnen herüber. Jubelschreie der Spieler mischten sich mit Sirenen und dem Rattern eines Hubschraubers. Der Kommissar und sein Sohn blickten zur Bühne: Tatsächlich: In diesem Moment fuhr eine ganze Polizeistaffel mit Blaulicht und quietschenden Reifen auf die Bühne. Dann brach das Chaos los.

Doch Kluftinger nahm davon kaum noch Notiz. Er sackte förmlich in sich zusammen, konnte sich nicht mehr auf den Beinen halten. Er war kurz davor, sich zu übergeben. Markus kniete sich neben ihn: »Du bist ... ein unglaublich wilder Hund, Vatter.« Kluftinger entgingen nicht die Tränen in den Augen seines Sohnes.

Ein Schreien neben ihnen ließ sie herumfahren: Erika kam in vollem Lauf auf sie zu, ihr Gesicht war angstverzerrt. »Mein Gott, was ist mit dir, bist du verletzt?«, fragte sie mit tränenerstickter Stimme. Kluftinger nahm alle Kraft zusammen, um aufzustehen und ihr so zu beweisen, dass ihm nichts fehlte. Jedenfalls nicht körperlich. Als er stand, sah er seinen Vater auf sich zu humpeln. Als er ihn erreicht hatte, legte er seinem Sohn die Hand auf die Schulter und flüsterte: »Du bist ein wilder Hund.«

Ein warmes Gefühl breitete sich in Kluftingers Magen aus. Niemand war verletzt worden, erst jetzt sickerte diese Erkenntnis in sein Bewusstsein durch. Niemand außer dem Attentäter ... der Attentäter! Wo war Ludger abgeblieben? Der Kommissar war so mit dem Entschärfen der Bombe beschäftigt gewesen, dass er sich gar nicht mehr darum gekümmert hatte. Er drehte sich um und blickte in Richtung Bühne. Und da war er: Je zwei Spieler standen rechts und links neben ihm und führten ihn, flankiert von zwei Beamten, zu einem Streifenwagen. Einer der Spieler war Doktor Langhammer.

Erleichtert wandte sich der Kommissar wieder seiner Familie zu. »Markus, kümmer dich um die Mama, ich muss mal zu den Kollegen.« Sein Sohn nickte ernst und nahm seine Mutter in den Arm. Auch Hedwig Kluftinger war nun zu ihnen gestoßen und vergrub ihr Gesicht in der Schulter ihres Mannes.

Der Kommissar schleppte sich derweil mühsam auf die Spielfläche. Jeder Schritt kostete ihn unendlich viel Kraft. Er hatte das Gefühl, jeden Moment zusammenzubrechen. Aber er hatte noch ein paar Dinge zu erledigen, bevor er diesem Gefühl würde nachgeben können. Plötzlich öffnete sich in dem Chaos eine Gasse und Kluftinger sah Martin Langhammer verloren neben einem Polizisten stehen. Auch der Doktor hatte ihn jetzt wahrgenommen, und sie sahen sich lange an, bevor sie langsam, wie in Zeitlupe, aufeinander zugingen. Als sie sich gegenüberstanden, umarmten sie sich ohne Worte. Beide hatten Tränen in den Augen. Etwa eine Minute standen sie so, dann hatte der Kommissar das Gefühl, etwas sagen zu müssen, sich beim Doktor für dessen beherztes Eingreifen zu bedanken. Doch der kam ihm zuvor, indem er einen der Schlusssätze des Stückes zitierte, was Kluftinger wieder unsanft in der Realität ankommen ließ: »So reich ich diesem Jüngling meine Rechte ...«

3 Wochen später

»Servus, Eugen. Und danke für die Schlüssel. Bis Montag dann!«
Kluftinger sah Strobl nach, als der die Tür hinter sich zuzog.

Sein neues Büro. Lange würde er brauchen, bis er sich hier heimisch fühlen würde. Das lag auch daran, dass er sich von seinem alten Arbeitsraum nicht hatte »verabschieden« können. Alle Mitglieder der Task Force hatten drei Wochen Sonderurlaub bekommen, und so hatte der Umzug ohne den Kommissar stattgefunden.

Doch nicht nur der neue Raum war schuld an Kluftingers mulmigem Gefühl. Die Arbeit in der Task Force, die Bedrohungssituation und vor allem die Gewissheit, dass der Terror in die Provinz Einzug gehalten hatte und nunmehr jeder noch so abgelegene Winkel als potenzielles Ziel eines Anschlags infrage kam – das alles hatte Kluftingers ruhiges und beschauliches Leben bei der Kripo Kempten in seinen Grundfesten erschüttert. Er war ein anderer Mensch geworden in dieser Zeit.

Der Kommissar ließ seinen Blick schweifen. Schön war es hier. Schön und ungeheuer ordentlich. Dank Maier, der seine Aufgabe wohl sehr ernst genommen hatte. Die neuen eleganten Regale und Büroschränke waren akribisch eingeräumt, der Schreibtisch geordnet und sogar mit einer kleinen Grünpflanze aufgehübscht. Der bläuliche Filzteppich verströmte den Duft von Hygiene, Ordnung und Sauberkeit. Nicht ein Zettel störte die Symmetrie auf der Pinnwand, die Maier mit Wollfäden in Wochentage eingeteilt hatte. Warum, das würde er Kluftinger sicher übermorgen erklären.

Übermorgen war der Sonderurlaub vorbei. Ein normaler Montag, an dem es weitergehen müsste wie zuvor, auch wenn es keinen Weg mehr zurück gab, zurück in die Unschuld dieses ehemals so verträumten Landstrichs. Der Kommissar hatte seine Frau in die Stadt gefahren und war dann zum neuen Gebäude der Kripo gegangen, wo er mit

Strobl ein Treffen vereinbart hatte. Er hatte wenigstens das fertige Büro einmal sehen wollen, wollte die Schlüssel haben, bevor er wieder zum Dienst erschien.

Strobl war nicht mit heraufgekommen. Er hatte gespürt, dass sein Vorgesetzter lieber allein sein wollte. Auf seinem Schreibtisch hatte der Kommissar eine Schachtel Pralinen und einen Zettel gefunden: »Wir freuen uns sehr, dass du wieder da bist! Gott sei Dank!« Unterzeichnet hatten nur Strobl und Hefele.

Kluftinger hatte den Seitenhieb auf Maier sofort verstanden. Erst als er den Zettel umdrehte, bemerkte er, dass es sich dabei um ein Foto handelte – das Foto, das Willi von ihm im Kostüm gemacht hatte. Auch wenn er sich anfangs sehr darüber geärgert hatte: Jetzt markierte dieses Bild für ihn die Rückkehr zur schmerzlich vermissten Normalität. Er lächelte und öffnete ein Fenster, als sein Handy klingelte. Kluftinger war überrascht. Sollte Erika ihren Einkaufsbummel tatsächlich schon beenden wollen? Der Blick aufs Display aber verriet einen anderen Anrufer.

»Herr Yildrim! Das ist ja eine Überraschung!« Kluftinger freute sich aufrichtig.

»Ich grüße Sie, Kollege! Ich wollte mich doch noch einmal melden, bevor auch für Sie der Alltag wieder beginnt.«

»Freut mich. Solange Sie mir nicht sagen, dass es schon wieder eine neue Bombendrohung gibt.«

»Keine Sorge. Im Moment ist alles ruhig. So wichtig sind Sie auch wieder nicht in Ihrem Allgäu«, lachte Yildrim.

»Das sind doch gute Nachrichten. Je weniger wichtig, desto besser.«

»Wie geht es Ihnen denn, mein Freund?«

»Danke, gut. Die letzten Wochen waren aber auch nötig zur Erholung. Und es ist wieder ruhiger geworden, hier bei uns. Die Medien haben allmählich alles befragt, was reden kann, und jeden Winkel gefilmt, der von Interesse sein könnte. Langsam verlieren die das Interesse. Gott sei Dank.«

»Na, lassen Sie den mal besser aus dem Spiel«, sagte Yildrim mit sarkastischem Unterton. »Er selbst kann ja nichts dafür, aber seine verblendeten Anhänger … Sagen Sie, wie geht es denn mit Ihrem Laienspiel? Läuft es noch?«

»Ja, das läuft besser denn je. Wir haben einen Besucheransturm, der alle Rekorde bricht. Offenbar möchten die Leute genau sehen, wo um Haaresbreite Tausende ums Leben gekommen wären. Mit einem spontanen Interesse an Schiller kann man sich das ja wohl eher nicht erklären. Wie dem auch sei: Für die Gemeinde ist das eine Art ›Wiedergutmachung‹. Die Kehrseite der Schreckensmeldungen sozusagen. Das dürfte auch für Innsbruck und die ganze EM gelten, oder?«

»Oh, Herr Kluftinger, da bin ich überfragt. Apropos Österreich: Haben Sie in der Zwischenzeit etwas vom Kollegen Bydlinski gehört?«

»Nur über Dritte. Meine Kollegen haben erzählt, dass er immer freitags hier im Büro vorbeischaut. Aus privaten Gründen allerdings. Er holt jemanden ab fürs Wochenende. Wen, das können Sie sich ja denken.«

»Die charmante Sandy, ich verstehe. Na, da haben wir ja immerhin zur Völkerverständigung beigetragen.«

»Und wie geht es bei Ihnen weiter, Herr Yildrim?«

»Nun, die Bedrohung nimmt nicht ab. Auch durch Fahndungserfolge nicht. Ganz im Gegenteil. Durch die Medienberichte fühlen sich immer wieder Leute ermuntert, sich sozusagen terroristisch zu betätigen. Ob Sie es glauben oder nicht: Die Bilder von den Festgenommenen üben einen bizarren Reiz aus. Einige Irre möchten es ihnen gleichtun. Aber Sie werden sich freuen, dass alles weitergeht wie früher, nicht wahr?«

»Tut es das denn Ihrer Ansicht nach, Herr Yildrim?«, fragte Kluftinger bitter.

»Was die äußeren Bedingungen Ihrer Arbeit angeht: bestimmt. Sicher, ansonsten haben sich die Vorzeichen geändert.«

»Ja.« Kluftinger machte eine lange Pause. »Die Welt hat sich verändert.«

»Ja. Das tut mir leid für Sie. Aber das genau war das Ziel. Und das haben die auch ohne großes Blutvergießen erreicht: Niemand in unserem Land, ja niemand in der westlichen Welt kann sich wirklich sicher fühlen nach diesem Ereignis. Auch das Erntedankfest oder die Bergmesse können zur Zielscheibe werden. Die Unschuld der Provinz, dieses beruhigende Gefühl, das uns die Heimat vermittelt, ist unwiederbringlich verloren.«

»Und daran konnten wir die Terroristen nicht hindern, das ist der bittere Nachgeschmack, der bleibt.«

»Kluftinger«, sagte Yildrim ruhig, »ich weiß nicht, ob Sie damit den Leuten nicht zu viel Sensibilität zuschreiben. Die Menschen vergessen schnell. Denken Sie an BSE, AIDS oder Tsunamis: Was aus den Schlagzeilen ist, ist schnell auch aus dem Sinn. Und das ist in diesem Fall auch besser so.« Etwas weniger nachdenklich fuhr er fort: »Aber seien Sie stolz auf sich. Sie haben Ihre Heimat vor dem Schlimmsten bewahrt.«

Kluftinger wiegelte ab: »Wir waren ein Team. Und ich war nur ein kleines Rädchen darin. Auf dem Gebiet war ich ein Laie, wirklich.«

»Und haben sich zum Profi gemausert.«

»Danke für die Blumen. Manchmal bin ich aber lieber Laie, das sag ich Ihnen ehrlich. Heute Abend spielen wir wieder. Vielleicht kommen Sie ja noch einmal vorbei und sehen sich unser Theater an.«

»Ich werde sehen, was ich tun kann«, versprach Yildrim. »Kluftinger, machen Sie es gut. Beschützen Sie Ihre Leute, damit die in Ruhe schlafen können. Bleiben Sie, wie Sie sind. Und bleiben Sie wachsam. Wir sehen uns.«

»Ja, Herr Yildrim. Wir sehen uns. Aber hoffentlich nur noch privat«, sagte Kluftinger.

»Alles Gute!«, schob Yildrim noch nach und legte auf.

Seufzend erhob sich Kluftinger von seinem Schreibtisch und verließ das Büro. Yildrim hatte Recht: Zum Glück konnten Menschen vergessen.

Er beschloss, mit Erika noch ein bisschen im Einkaufszentrum zu bummeln. Auch wenn er das hasste, wusste er doch, wie sehr sie sich darüber freute.

Kluftinger verließ das Gebäude durch den Hintereingang. Dort lagerte noch der Rest des Umzugschaos, das er so elegant umschifft hatte: kaputte Kartons, Folien, ausgemusterte Ordner. Auf einmal zog der Kommissar die Brauen nach oben und ging auf zwei verschlossene Kartons zu. »Diverses« stand auf dem einen, »Sonstiges« auf dem anderen. In Maiers Handschrift. Kluftinger tippte mit dem Fuß dagegen. Beide waren randvoll. Maier! Er hatte die Sachen doch ausdrücklich nicht wegwerfen sollen. Kluftinger bückte sich, um die Kisten zurück in sein neues Büro zu tragen, da hielt er inne. Schön hatte es dort ausgesehen. Aufgeräumt und ordentlich. Er erhob sich wieder und ging zu seinem Wagen.

Aus dem zweiten Stock des Nachbarhauses winkte ihm eine Blondine zu.

Kluftinger grüßte zurück und lächelte.

Michael Kobr, geboren 1973 in Kempten, aufgewachsen in Kempten und Durach. Im Hauptberuf ist er Realschullehrer für Deutsch und Französisch. Mit großer Leidenschaft, wie er versichert. Doch wenn der gebürtige Kemptener, wohnhaft in Memmingen mit seiner Frau und Tochter, am Abend alles erledigt hat, wenn er die Arbeiten seiner Schüler durchkorrigiert hat, dirigiert ihn seine zweite große Leidenschaft an den Computer. Michael Kobr ist begeisterter Krimi-Autor. Zusammen mit seinem Freund und Autor-Kollegen Volker Klüpfel sorgt er für Furore in der Krimi-Szene. »Milchgeld« tauften die beiden ihr Erstlingswerk, in dem Kommissar Kluftinger im Allgäu nach einem Mörder sucht. Das zweite Buch, »Erntedank«, fand wieder Eingang in die Bestsellerlisten und spätestens seit »Seegrund« gehört Kluftinger zur ersten Riege der »Kult-Kommissare«. Krimis haben es dem Lehrer Kobr schon seit Längerem angetan. Am liebsten liest er französische Autoren, vor allem Georges Simenon. Noch lieber aber trifft er sich abends mit Volker Klüpfel, um die Szenen für den »neuen Klufti« zu besprechen. Die beiden kennen sich schon seit der gemeinsamen Schulzeit in Kempten. Die Idee, Bücher zu schreiben, hatten sie auf einer langen Autofahrt, weil ihnen »langweilig war«. Und nun sind sie als viel gefeiertes Autorenteam auf zahlreichen Lesungen unterwegs.

Volker Klüpfel, geboren 1971 in Kempten, hat viele Jahre in Altusried gewohnt. Wer dort aufwächst, verfällt für gewöhnlich der Schauspielerei mit Leib und Seele. Bei Freilichtspielen und vielen Inszenierungen im Theaterkästle wirkte er mit. Eine weitere Leidenschaft heißt allerdings: Krimis schreiben. Volker Klüpfel, Redakteur in der Kultur-/ Journal-Redaktion der Augsburger Allgemeinen, studierte vor seinem Einstieg in den Redakteursberuf Politikwissenschaft, Journalistik und Geschichte in Bamberg, arbeitete als Praktikant bei einer Zeitung in den USA und beim Bayerischen Rundfunk. Volker Klüpfel begeistern an Krimis vor allem dunkle, mystische Motive. Besonders die Werke der schwedischen Krimiautoren wie Henning Mankell haben es dem Allgäuer angetan. Ob seiner eigenen Werke war er zunächst skeptisch, »ob die nicht nur die Verwandtschaft kauft«. Seitdem aber die drei ersten Werke des Autorenduos Klüpfel/Kobr, »Milchgeld«, »Erntedank« und »Seegrund«, die Bestsellerlisten erklommen haben, ist auch er restlos überzeugt von dem Qualitäten seines Protagonisten: Kommissar Kluftinger, ein beleibter Kemptener Kommissar mittleren Alters, der sich grantelnd, aber ungeheuer liebenswert durch die mysteriösen Kriminalfälle ermittelt. »Laienspiel« ist der vierte Fall für »Klufti«, wie Klüpfel und Kobr ihren Kommissar auch nennen.

Übrigens: Schon tüftelt er mit seinem Autor-Kollegen Michael Kobr am nächsten Kluftinger-Fall.

PIPER

Volker Klüpfel, Michael Kobr

Seegrund

Kluftingers neuer Fall. 352 Seiten. Broschur

Statt Kässpatzen essen zu dürfen, muss Kluftinger seinen
neuen Fall lösen: Am Alatsee bei Füssen macht er eine
schreckliche Entdeckung – am Ufer liegt ein Taucher in einer
riesigen roten Lache. Was zunächst aussieht wie Blut, ent-
puppt sich als eine seltene organische Substanz aus dem Berg-
see. Kluftinger, der diesmal bei den Ermittlungen sehr zu
seinem Missfallen weibliche Unterstützung erhält, tappt lange
im Dunkeln. Der Schlüssel zur Lösung des Falles muss tief
auf dem Grund des geheimnisvollen, sagenumwobenen Sees
liegen. Viele scheinen etwas zu wissen, doch überall trifft
der Kommissar auf eine Mauer des Schweigens …
Kluftingers neuer Fall von dem erfolgreichen Allgäuer
Autoren-Duo Volker Klüpfel und Michael Kobr.

»Kluftinger ist ein Volltreffer!«
Andrea Schlaier, Süddeutsche Zeitung

01/1643/01/R

Andreas HOFER

Volksschauspiel

Erleben Sie die traditionellen
Altusrieder Freilichtspiele
mit 500 Mitwirkenden in neuer
Inszenierung im einmaligen
Ambiente von Süddeutschlands
größter Freilichtbühne.

20. Juni bis 30. August 2009

altusried
Allgäuer Freilichtbühne